Seiner erfolgreichen Anthologie deutscher Lyrik nach 1945 (dtv-sr 20) läßt Horst Bingel diese Sammlung deutscher Prosa folgen. Er sagt dazu in seinem Nachwort: »Es ging dem Herausgeber darum, den Zeitraum von 1945 bis heute durch typische und repräsentative Prosatexte zu erfassen. Auch die umfangreichste Anthologie kann nicht jeden Autor vorstellen; es kam auf die Darstellung der Möglichkeiten an, nicht auf die Präsenz eines jeden Namens.« Die Erzählungen sind in folgenden Gruppen zusammengefaßt: ›Das Mädchen und der Messerwerfer‹; ›Verwundbare Kindheit‹; ›Die lange lange Straße lang‹; ›Sieben rote Fahnen‹; ›Argumente für Lazarus‹; ›Warum ich mich in eine Nachtigall verwandelt habe‹; ›Neapel sehen‹.

Deutsche Prosa
Erzählungen seit 1945

Herausgegeben
von Horst Bingel

Deutscher
Taschenbuch
Verlag

Von Horst Bingel
ist im Deutschen Taschenbuch Verlag erschienen:
Herr Sylvester wohnt unter dem Dach (445)

Horst Bingel
hat im Deutschen Taschenbuch Verlag herausgegeben:
Deutsche Lyrik. Gedichte seit 1945 (sr 20)

Ungekürzte Ausgabe
1. Auflage November 1965
6. Auflage Juni 1971: 61. bis 70. Tausend
Deutscher Taschenbuch Verlag GmbH & Co. KG,
München
© 1963 Deutsche Verlags-Anstalt GmbH,
Stuttgart · ISBN 3-421-01153-2
Umschlaggestaltung: Celestino Piatti
Gesamtherstellung: C. H. Beck'sche Buchdruckerei,
Nördlingen
Printed in Germany · ISBN 3-423-05346-1

Inhalt

1 Das Mädchen und der Messerwerfer

NIC WEBER

Das Mädchen und der Messerwerfer
oder Eine Anleitung zum Gesellschaftsspiel

Er sagte zu dem Mädchen, das im Innern des Kreises stand, sie solle wohl achtgeben, recht wohl achten, denn er sei ein gefährlicher und sicherer Messerwerfer. Sie sagte nichts und war nur abwartend. Er erkannte, daß sie, da sie in der Mitte stand, die weitaus besten Ausweichmöglichkeiten hatte.

Sind Sie schon einmal über die holländische Grenze gefahren? Von Lüttich nach Maastricht? Wohl kaum. Aber es wäre dann leichter zu sagen und zu erkennen, wie der Raum aussah. Dort in Visé befindet sich nämlich das Zollamt, ein weiter geräumiger Raum, dessen Mitte nahezu allen Platz beansprucht, und um diese Mitte ziehen sich niedrige breite Bänke hin und lassen bis zur Wand nur einen kleinen Zwischenraum von einigen Schritten. Hier kommen die Reisenden, geben an, was sie im- oder exportieren, stellen ihre Koffer zur etwaigen Durchsicht auf die Bankrunde, und die Zöllner stehen in der geräumigen Mitte, erheben Zoll oder machen eine Handbewegung: »Der Nächste bitte.«

So wie das Zollamt in Visé – und ähnlich sind viele Zollämter –, so war auch diese Halle, in der sie spielten und kämpften. Vielleicht nur etwas dunkler, weniger Glas. Das Mädchen stand in der geräumigen Mitte, und er und einige Kameraden standen rundum in dem schmalen Gang, der zwischen Lüttich und Maastricht für die Reisenden vorgesehen ist, und sie warfen, einer nach dem andern, allerlei Gegenstände gegen das Mädchen. Es war eigentlich ein rohes Spiel, aber jeder war froh. Und das Mädchen wich den Geschossen aus – Früchte zuerst, dann Holzklötzchen, kleine, und schließlich Eisensplitter, die singend flogen – und warf sie zurück. Alle merkten es: Das Mädchen hatte wirklich die bessere Stellung, konnte ausweichen, was am engen Rande unmöglich war, besaß eine wendige schnelle Figur und trat beim Wurf ganz nahe an die Rampe, um dann wieder zurückzuschnellen. – Später überlegte man, weshalb man sich eigentlich nicht einfach hinter die breite Bank legte. Man hätte nicht getroffen werden können, und es gab doch keine Spielregeln, die es untersagten. Es gab ja überhaupt keine Spielregeln. Doch dann hätte man nur still gelegen, vielleicht sogar Freude gefühlt, aber auch Ohnmacht und Dürre, und es wäre kein Spiel mehr gewesen, und das mußte es doch sein, denn nichts gibt größeren Spaß als ein Spiel.

Dann, plötzlich, fiel ihm das Messer in die Hand. Wie von irgendwoher. Er sah es an und überlegte, ob er es benutzen solle, aber dazu war es doch schließlich gegeben. Urplötzlich war es in seiner Hand, und vorher war es nicht da gewesen. Steinchen, kleine Holzklötze, Eisenfetzen, alles lag rundum, aber das Messer war nicht da gewesen.

Und nun hielt er es, und sie sah ihn mit großen, verängstigten und sehnsüchtigen Augen an, und sie sagte: »Nur zu.«

Er sagte zu dem Mädchen, das im Innern des Kreises stand, sie solle wohl achtgeben, recht wohl achten, denn er sei ein gefährlicher und sicherer Messerwerfer.

Er sagte es, nachdem er ein erstes Mal geworfen hatte und sie halbgeduckt den Schwung erwartet und sich seitlich gebogen hatte, während das Messer gesirrt, in Höhe ihrer Brüste hingelaufen und sich in das gegenüberliegende Holz eingebohrt hatte. Sie sah ihn mit leuchtenden Augen an, und die Erregung war zu kurz, als daß sie Angst hätte werden können.

Das Messer glitt zwischen seinem Daumen und Zeigefinger hervor, und sich überschlagend und dann gerade zielend, einen Daumen breit an ihrer Brust vorbei. Sie ging hin, zog das Messer mit einem Ruck aus dem Holz, und er setzte sich diesseits auf die Bank und sagte: »Jaja, ich bin ein guter Messerwerfer. Sowohl von der flachen Hand als auch zwischen Daumen und Zeigefinger hervor – wie ich es jetzt getan habe – kann ich es schleudern.«

Sie kam herüber, das Messer in ihrer Hand wiegend, und setzte sich auf die andere Bankkante. Die Kameraden waren hinausgegangen. Er sah nur noch einen von ihnen: Dieser wandte ihm den Rücken, in einer Toilettennische, deren Türe halbgeöffnet war, und wusch sich umständlich die Hände, die Finger einzeln im Wasser betrachtend. Sie spielte mit dem Messer und sagte, ohne aufzublicken: »Wo hast du es denn gelernt?«

»Als Kind schon, in unserm Garten«, er sah sich in der leeren Halle um, bis fern zur Ecke zur halbgeöffneten Toilettentüre hin, wo der Kamerad, den Rücken gewandt, seine Hände schwenkte und seine Finger einzeln an dem aufgehängten Tuch trocknete. »In unserm Garten standen unter dem Birnbaum einige Dutzend meterlange Bretter Mein Vater wollte mit ihnen ein Gartenhäuschen zusammenzimmern. Dahin gingen wir mittags nach der Schule. Unser Nachbarjunge hatte ein gutes starkes Taschenmesser. Wir malten Kreise auf die breitesten der Bretter und wir warfen das Messer dagegen. Das Taschenmesser hatte einen roten Griff und trug eine Verzierung, die einen Baum, einen Apfelbaum, darstellte. Wenn Mutter fragte, was wir machen würden, dann sagten wir, wir möchten Apfelbaum spielen. Dann lachte sie und schüttelte den Kopf. Sie dachte, es sei irgendein dummes Spiel und hätte es bestimmt nicht gerne gehabt, hätte sie von dem Messerwerfen gewußt. Dann später, als ich Luftwaffenhelfer war, hauten wir unsere Messer abends in die Spinde. Wir waren unserer drei, die es regelmäßig taten. Wir spielten um Geld, nahmen es mit dem Zahlen aber nicht allzu genau. Außer am Soldtag. Es war stets wichtiger sagen zu können: Ich habe gewonnen. Und: Ich war der Treffsicherste. Siehst du, daß ich ein guter Messerwerfer bin.«

Der Kamerad drüben war weggegangen. Die Toilettentür war halb offen und man hörte das Wasser tropfen.

Sie standen sich wieder gegenüber. Das Mädchen trat einige Schritte zurück und hob das Messer. Er lachte, und sie warf. Das Messer prallte mit dem Griff gegen die Wand, als er sich bückte. Er nahm es auf und warf mit der flachen Hand. Das Mädchen war zurückgeschnellt und stand mindestens 25 Schritte entfernt. Er warf, und das Messer ritzte sie leicht, aber es hatte schon die Schwungkraft verloren, und aus einem kleinen Schnitt blutete ein Tropfen an ihrem Oberarm.

Sie nahm das Messer auf, küßte sich den Arm und hatte große glänzende Augen, als sie näher kam. Er setzte sich auf die Bank. Sie setzte sich jenseits. Er sagte: »Übrigens sind meine beiden Kameraden später gestorben. Einer wurde von einem Wagen überfahren, der andere starb im Krieg. Nein, er ist vermißt.«

»Warst du wirklich der Treffsicherste?« fragte sie.

»Wenn ich es heute so überlege, eigentlich weiß ich es dann nicht mehr genau. Ich glaube doch, der eine, der Vermißte, war besser. Aber das zählt ja nicht mehr, da er weg ist. Und außerdem standest du weit weg.«

Sie stand auf und sagte, sich auf ihren angeritzten Arm stützend: »Ich habe im Zirkus jemanden gesehen, da war ein Rad und eine Frau wurde daran rundgedreht, und er warf mit Dolchen, ganz an sie hin, ohne sie zu treffen. Ich habe bisweilen die Augen schließen müssen, so erschreckt war ich, er würde sie treffen und töten, denn das waren lange, scharfe Messer.«

»Ja«, sagte er, »aber dies ist kein richtiges Wurfmesser. Außerdem trainiert der Mann immer und wirft stets aus derselben Entfernung: Eine Gewohnheit.«

Er lehnte sich hinüber und wischte über ihren Arm. »Es kommt kein richtiges Blut.«

»Nein«, sagte sie. »Das Messer war schon tot, als es zu mir kam.« Sie trat einen Schritt zurück und hob das Messer über den Kopf. Er ergriff einen Stuhl, der nebenan stand, und rief: »Das ist zu nahe.« Sie trat einen halben Schritt zurück, und er hob den Stuhl, der da stand für müde Reisende.

Sie ließ das Messer kurz in ihrer Hand auf und ab spielen, und er hob den Stuhl über seinen Kopf und blickte sie an. Sofort später überlegte er, er hätte sich die Brust und den Kopf schirmen sollen, aber er wollte auch sehen, wie der Wurf kam und wie sie stand. Das Messer war da und flog unter dem Stuhl hindurch. Dann traf es ihn rechts an der Schulter. Fest wie ein Schlag, doch ohne weh zu tun, und er fiel vornüber.

Er sagte: »Links ist doch das Herz. Links hättest du werfen müssen, um mich zu töten.« Er griff zur rechten Schulter hoch und fühlte das Messer dort stecken. Aber kein Blut. Wahrscheinlich hielt das Messer das Blut zurück. Es tat gar nicht weh. Er fühlte sich nur betäubt. Das Mädchen lief heran. Er lag nun über der breiten Bank wie ein Gepäckstück. Sie lief heran und kam über die Bank und lehnte sich über ihn: »Ich wollte es nicht!«

»Schon gut«, antwortete er und wollte sich aufsetzen, um mit seinen Fingern einen Blutstropfen abzunehmen, der sich an ihrem linken Oberarm kugelte. Er vermochte es nicht und fiel zurück und sagte: »Küß mich«, doch sie küßte ihn schon, während er es sagte. Ihre Lippen waren weich, zuerst erstarrt prall und dann bebend wie vorhin das Messer im Holz. Er sagte: »Nun sag mir, du liebst mich oder du liebst mich nicht. Es tut nichts. Wenn du mir das erste sagst, so werde ich dieses Leben hier verlängern, sagst du mir das zweite, so werde ich diesem hier leben. Du siehst, du brauchst nicht zu lügen.«

Sie sah ihn lange und weich an. Dann küßte sie ihn wieder. »Du kannst es mir sagen«, sagte er. »Ich spreche dumm und bin doch jemand mit einem Messer in der Schulter«, lächelte er.

»Da kommen sie«, sagte das Mädchen. Die Zollbeamten in der Mitte des Saales, um welchen die Bank, auf der er lag, herumlief, hörten auf mit dem Kartenspiel und traten an die Innenseite. Dann waren Reisende da, die ihre Pässe zeigten und ihre Koffer öffneten. Einer sagte, er habe nichts zu exportieren. Dieser meinte, er habe nur viel Liebe auszuführen. Der Zollbeamte lachte, schlug ein Register auf, mit einem belgischen Löwen in Gold auf der Außenseite, und sah nach bei »A«: »Asperges, arbustes, nein ... etwas zurück ... Amour ... Nein« und lachte.

Dann waren sie vorne. Das Mädchen hatte ihm einen Regenmantel über die Schultern geschlagen, und das Messer darunter zitterte. Der Zollbeamte sagte: »Und?« »Nichts«, sagte das Mädchen. »Wir gehen zum Arzt«, fügte sie hinzu.

Der Zollbeamte sah ihn prüfend an und klopfte gegen den oberen Mantelteil. Er zuckte zusammen. Der Zollbeamte sagte: »Lehnen Sie sich mal herüber.«

Er lehnte sich hinüber und der Zollbeamte klappte den Mantel von seiner Schulter. Da war das Messer und beinahe gar kein Blut. »Deshalb müssen wir zum Arzt«, sagte das Mädchen. »Ich bin in das Messer gefallen«, erklärte er.

»Nicht schlimm«, erwiderte der Beamte. »Dr. Mangin macht solche Sachen gut. Aber die Schulter wird niemals ganz normal werden. Wenn Sie keinen besonders anstrengenden Beruf haben, wo die Schulter schwer arbeiten muß, ist es nicht so schlimm. Noch Glück gehabt, daß es nicht links war oder ein wenig tiefer.« Drei, vier Zollbeamte traten heran und sahen ihn an.

»Ja, ich werde nun ein wenig Krüppel bleiben.« Das Mädchen drückte seine Hand und zog ihn weg.

»Kommen Sie noch einmal her«, sagte der Zollbeamte. Er mußte sich hinüberlehnen, und der Beamte lüftete den Mantel und prüfte das Messer. »Neu«, murmelte er, »ganz neu. Da muß Zoll entrichtet werden.« Er wollte es herausziehen. »Nein«, rief das Mädchen, »dann verblutet er ja.«

»Nun gut«, sagte der Zollbeamte, »sagen wir zwei Gulden oder 25 belgische Franken.« »Unmöglich«, sagte das Mädchen, »das Messer ist ja doch gebraucht. Es hat ihn ja doch gestochen.« »Jaja«, meinte der Zollbeamte, entschuldigte sich, grüßte und schob sie hinweg.

»Ein Krüppel, ein Krüppel.« Das Mädchen lenkte ihn ab und drückte fest seine Hand: »Hat dein Vater eigentlich das Gartenhäuschen gebaut?« »Nein«, sagte er, »er fand niemals Zeit dazu, er hatte so viele Pläne, aber er begann immer nur und verschob dann alles. Er wollte immer so vieles tun.«

»Wir werden uns ein Gartenhäuschen bauen.« »Ja, wenn meine Schulter hergestellt ist und wir Ruhe haben. Die Bretter stehen noch in unserm Garten, und wenn der Holzwurm nicht drin ist . . .«

Er fühlte es ein wenig grau vor seinen Augen werden. Er fühlte sich zu müde, das Messer herauszuziehen und hier zu verbluten, hier am Ausgang neben den glänzenden Eisenbahnschienen.

Das Mädchen legte den Arm um seine Hüfte, und sie schritten am Bahnsteig auf und ab und warteten auf den Zug.

Der pfiff grell auf, als er einfuhr.

MARIE LUISE KASCHNITZ
Lange Schatten

Langweilig, alles langweilig, die Hotelhalle, der Speisesaal, der Strand, wo die Eltern in der Sonne liegen, einschlafen, den Mund offenstehen lassen, aufwachen, gähnen, ins Wasser gehen, eine Viertelstunde vormittags, eine Viertelstunde nachmittags, immer zusammen. Man sieht sie von hinten, Vater hat zu dünne Beine, Mutter zu dicke, mit Krampfadern, im Wasser werden sie dann munter und spritzen kindisch herum. Rosie geht niemals zusammen mit den Eltern schwimmen, sie muß währenddessen auf die Schwestern achtgeben, die noch klein sind, aber nicht mehr süß, sondern alberne Gänse, die einem das Buch voll Sand schütten oder eine Qualle auf den nackten Rücken legen. Eine Familie zu haben ist entsetzlich, auch andere Leute leiden unter ihren Familien, Rosie sieht das ganz deutlich, zum Beispiel der braune Mann mit dem Goldkettchen, den sie den Schah nennt, statt bei den Seinen unterm Sonnenschirm hockt er an der Bar oder fährt mit dem Motorboot, wilde Schwünge, rasend schnell und immer allein. Eine Familie ist eine Plage, warum kann man nicht erwachsen auf die Welt kommen und gleich seiner Wege gehen. Ich gehe meiner Wege, sagt Rosie eines Tages nach dem Mittagessen und setzt vorsichtshalber hinzu, in den Ort, Postkarten kaufen, Ansichtskarten, die an die Schulfreundinnen geschrieben werden sollen, als ob sie daran dächte, diesen dummen Gören aus ihrer Klasse Kärtchen zu schicken, Gruß vom blauen Mittelmeer, wie geht es dir, mir geht es gut. Wir kommen mit, schreien die kleinen Schwestern, aber gottlob nein, sie dürfen nicht, sie müssen zum Nachmittagsschlafen ins Bett. Also nur die Fahrstraße hinauf bis zum Marktplatz und gleich wieder zurück, sagt der Vater, und mit niemandem sprechen, und geht der Mutter und den kleinen Schwestern nach mit seinem armen, krummen Bürorücken, er war heute mit dem Boot auf dem Wasser, aber ein Seefahrer wird er nie. Nur die Fahrstraße hinauf, oben sieht man, mit Mauern und Türmen an den Berg geklebt, den Ort liegen, aber die Eltern waren noch nie dort, der Weg war ihnen zu lang, zu heiß, was er auch ist, kein Schatten weit und breit. Rosie braucht keinen Schatten, wozu auch, ihr ist überall wohl, wohl in ihrer sonnenölglänzenden Haut, vorausgesetzt, daß niemand an ihr herumzieht und niemand sie etwas fragt. Wenn man allein ist, wird alles groß und merkwürdig und beginnt einem allein zu gehören, meine Straße, meine schwarze räudige Katze, mein toter Vogel, eklig, von Ameisen zerfressen, aber unbedingt in die Hand zu nehmen, mein. Meine langen Beine in verschossenen Leinenhosen, meine weißen Sandalen, ein Fuß vor den andern, niemand ist auf der Straße, die Sonne brennt. Dort, wo die Straße den Hügel erreicht, fängt sie an, eine Schlangenlinie zu beschreiben, blaue Schlange im goldenen Reblaub, und in den Feldern zirpen die Grillen wie toll. Rosie benützt den Abkürzungsweg durch die Gärten, eine alte Frau kommt ihr entgegen, eine Mumie, um Gottes willen, was da noch so herumläuft und gehört doch längst ins Grab. Ein junger Mann überholt Rosie und bleibt stehen, und Rosie macht ein strenges Gesicht. Die jungen Männer hier sind zudringliche Taugenichtse, dazu braucht man keine Eltern, um das zu wissen, wozu überhaupt braucht man Eltern, der Teufel, den sie an die Wand malen, hat schon längst ein ganz anderes Gesicht. Nein, danke, sagt Rosie höflich, ich brauche keine Begleitung, und geht an dem jungen Mann vorbei, wie sie es den Mädchen hier abgeguckt hat, steiles Rückgrat, Wirbel über Wirbel, das Kinn angezogen, die Augen finster niedergeschlagen, und er murmelt nur noch einiges Schmeichelhafte, das in Rosies Ohren grenzenlos albern klingt. Weingärten, Kaskaden von rosa Geranienblüten, Nußbäume, Akazien, Gemüsebeete, weiße Häuser, rosa Häuser, Schweiß in den Handflächen, Schweiß auf dem Gesicht. Endlich ist die Höhe erreicht, die Stadt auch, das Schiff Rosie bekommt Wind unter die Leinwand und segelt glücklich durch Schattenstraßen, an Obstständen und flachen Blechkästen voll farbiger, glitzernder, rundäugiger Fische hin. Mein Markt, meine Stadt, mein Laden mit Herden von Gummitieren und einem Firmament von Strohhüten, auch mit Ständern voll Ansichtskarten, von denen Rosie, der Form halber, drei schreiendblaue Meeresausblicke wählt. Weiter auf den Platz, keine Ah- und Oh-Gedanken angesichts des Kastells und der Kirchenfassaden, aber interessierte Blicke auf die bescheidenen Auslagen, auch in die Schlafzimmer zu ebener Erde, wo über gußeisernen, vielfach verschnörkelten Ehebettstellen süßliche Madonnenbilder hängen. Auf der Straße ist zu dieser frühen Nachmittagsstunde fast niemand mehr, ein struppiger kleiner Hund von unbestimmbarer Rasse kläfft zu einem Fenster hinauf, wo ein Junge steht und ihm Grimassen schneidet. Rosie findet in ihrer Hosentasche ein halbes Brötchen vom zweiten Frühstück. Fang, Scherenschleifer, sagt sie und hält es dem Hund hin, und der Hund tanzt lustig wie ein dressiertes Äffchen um sie herum. Rosie wirft ihm das Brötchen zu und jagt es ihm gleich wieder ab, das häßliche, auf zwei Beinen hüpfende Geschöpf macht sie lachen, am Ende hockt sie im Rinnstein und krault ihm den schmutzigweißen Bauch. Ehi, ruft der Junge vom Fenster herunter, und Rosie ruft Ehi zurück, ihre Stimmen hallen, einen Augenblick lang ist es, als seien sie beide die einzigen, die wach sind in der heißen, dösenden Stadt. Daß der Hund ihr, als sie weitergeht, nachläuft, gefällt dem Mädchen, nichts gefragt werden, aber Gesellschaft haben, sprechen können, komm mein Hündchen, jetzt gehen wir zum Tore hinaus. Das Tor ist ein anderes als das, durch welches Rosie in die Stadt gekommen ist, und die Straße führt keinesfalls zum Strand hinunter, sondern bergauf, durchquert einen Steineichenwald und zieht dann, mit vollem Blick auf das Meer hochoben den fruchtbaren Hang entlang. Hier hinauf und weiter zum Leuchtturm haben die Eltern einen gemeinsamen Spaziergang geplant; daß sie jetzt hinter der Bergnase in ihrem verdunkelten Zimmer auf den Betten liegen, ist beruhigend, Rosie ist in einem andern Land, mein Ölwald, mein Orangenbaum, mein Meer, mein Hündchen, bring mir den Stein zurück. Der Hund apportiert und bellt auf dem dunkelblauen, schmelzenden Asphaltband, jetzt läuft er ein Stück stadtwärts, da kommt jemand um die Felsenecke, ein Junge, der Junge, der am Fenster gestanden und Grimassen geschnitten hat, ein stämmiges, braunverbranntes Kind. Dein Hund? fragt Rosie, und der Junge nickt, kommt näher und fängt an, ihr die Gegend zu erklären. Rosie, die von einem Aufenthalt im Tessin her ein wenig Italienisch versteht, ist zuerst erfreut, dann enttäuscht, da sie sich schon hat denken können, daß das Meer das Meer, der Berg der Berg und die Inseln die Inseln sind. Sie geht schneller, aber der vierschrötige Junge bleibt ihr auf den Fersen und redet weiter auf sie ein, alles, auf das er mit seinen kurzen braunen Fingern zeigt, verliert seinen Zauber, was übrigbleibt, ist eine Ansichtskarte wie die von Rosie erstandenen, knallblau und giftgrün. Er soll nach Hause gehen, denkt sie, mitsamt seinem Hund, auch an dem hat sie plötzlich keine Freude mehr. Als sie in einiger Entfernung zur Linken einen Pfad von der Straße abzweigen und zwischen Felsen und Macchia steil bergabführen sieht, bleibt sie stehen, holt aus ihrer Tasche die paar Münzen, die von ihrem Einkauf übriggeblieben sind, bedankt sich und schickt den Jungen zurück, vergißt ihn auch sogleich und genießt das Abenteuer, den Felsenpfad, der sich bald im Dickicht verliert. Die Eltern und Geschwister hat Rosie erst recht vergessen, auch sich selbst als Person, mit Namen und Alter, die Schülerin Rosie Walter, Obersekunda, könnte mehr leisten; nichts mehr davon, eine schweifende Seele, auf trotzige Art verliebt in die Sonne, die Salzluft, das Tun- und Lassenkönnen, ein erwachsener Mensch wie der Schah, der leider nie spazierengeht, sonst könnte man ihm hier begegnen und mit ihm zusammen, ohne dummes Gegacker, nach fern vorüberziehenden Dampfern Ausschau halten. Der Pfad wird zur Treppe, die sich um den Felsen windet, auf eine Stufe setzt sich Rosie, befühlt den rissigen Stein mit allen zehn Fingern, riecht an der Minze, die sie mit den Handflächen zerreibt. Die Sonne glüht, das Meer blitzt und blendet. Pan sitzt auf dem Ginsterhügel, aber Rosies Schulbildung ist lückenhaft, von dem weiß sie nichts. Pan schleicht der Nymphe nach, aber Rosie sieht nur den Jungen, den zwölfjährigen, da ist er weiß Gott schon wieder, sie ärgert sich sehr. Die Felsentreppe herunter kommt er lautlos auf staubgrauen Füßen, jetzt ohne sein Hündchen, gesprungen.

Was willst du, sagt Rosie, geh heim, und will ihren Weg fortsetzen, der gerade jetzt ein Stück weit ganz ohne Geländer an der Felswand hinführt, drunten liegt der Abgrund und das Meer. Der Junge fängt gar nicht wieder an mit seinem Ecco il mare, ecco l'isola, aber er läßt sich auch nicht nach Hause schicken, er folgt ihr und gibt jetzt einen seltsamen, fast flehenden Laut von sich, der etwas Unmenschliches hat und der Rosie erschreckt. Was hat er, was will er, denkt sie, sie ist nicht von gestern, aber das kann doch wohl nicht sein, er ist höchstens zwölf Jahre alt, ein Kind. Es kann doch sein, der Junge hat zuviel gehört von den älteren Freunden, den großen Brüdern, ein Gespräch ist da im Ort, ein ewiges halblautes Gespräch von den fremden Mädchen, die so liebessüchtig und willfährig sind und die allein durch die Weingärten und die Ölwälder schweifen, kein Ehemann, kein Bruder zieht den Revolver, und das Zauberwort amore amore schon lockt ihre Tränen, ihre Küsse hervor. Herbstgespräche sind das, Wintergespräche, im kalten, traurigen Café oder am nassen, grauen, überaus einsamen Strand, Gespräche, bei denen die Glut des Sommers wieder entzündet wird. Warte nur Kleiner, in zwei Jahren, in drei Jahren kommt auch für dich eine, über den Marktplatz geht sie, du stehst am Fenster, und sie lächelt dir zu. Dann lauf nur hinterher, Kleiner, genier dich nicht, pack sie, was sagst du, sie will nicht, aber sie tut doch nur so, sie will.

Nicht daß der Junge, der Herr des äffigen Hündchens, sich in diesem Augenblick an solche Ratschläge erinnert hätte, an den großen Liebes- und Sommergesang des Winters und die zwei, drei Jahre sind auch noch keineswegs herum. Er ist noch immer der Peppino, die Rotznase, dem seine Mutter eins hinter die Ohren gibt, wenn er aus dem Marmeladeneimer nascht. Er kann nicht wie die Großen herrisch auftreten, lustig winken und schreien, ah, bella, jetzt, wo er bei dem Mädchen, dem ersten, das ihm zugelächelt und seinen Hund an sich gelockt hat, sein Glück machen will. Sein Glück, er weiß nicht, was das ist, ein Gerede und Geraune der Großen, oder weiß er es doch plötzlich, als Rosie vor ihm zurückweicht, seine Hand wegstößt und sich, ganz weiß im Gesicht, an die Felswand drückt? Er weiß es, und weil er nicht fordern kann, fängt er an zu bitten und zu betteln, in der den Fremden verständlichen Sprache, die nur aus Nennformen besteht. Zu mir kommen, bitte, mich umarmen, bitte, küssen bitte, lieben bitte, alles ganz rasch hervorgestoßen mit zitternder Stimme und Lippen, über die der Speichel rinnt. Als Rosie zuerst noch, aber schon ängstlich, lacht und sagt, Unsinn, was fällt dir ein, wie alt bist du denn überhaupt, weicht er zurück, fährt aber gleich sozusagen vor ihren Augen aus seiner Kinderhaut, bekommt zornige Stirnfalten und einen wilden, gierigen Blick. Er soll mich nicht anrühren, er soll mir nichts tun, denkt Rosie und sieht sich, aber vergebens, nach Hilfe um, die Straße liegt hoch oben, hinter den Felsen, auf dem Zickzackpfad ihr zu Füßen ist kein Mensch zu sehen, und drunten am Meer erstickt das Geräusch der Brandung gewiß jeden Schrei. Drunten am Meer, da nehmen die Eltern jetzt ihr zweites Bad, wo nur Rosie bleibt, sie wollte doch nur Ansichtskarten für ihre Schulfreundinnen kaufen. Ach, das Klassenzimmer, so gemütlich dunkel im November, das hast du hübsch gemalt, Rosie, diesen Eichelhäherflügel, der kommt in den Wechselrahmen, wir stellen ihn aus. Rosie Walter und dahinter ein Kreuz, eure liebe Mitschülerin, gestorben am blauen Mittelmeer, man sagt besser nicht, wie. Unsinn, denkt Rosie und versucht noch einmal mit unbeholfenen Worten, dem Jungen gut zuzureden, es hätten aber auch beholfenere in diesem Augenblick nichts mehr vermocht. Der kleine Pan, flehend, stammelnd, glühend, will seine Nymphe haben, er reißt sich das Hemd ab, auch die Hose, er steht plötzlich nackt in der grellheißen Steinmulde vor dem gelben Strauch und schweigt erschrocken, und ganz still ist es mit einemmal, und von drunten hört man das geschwätzige, gefühllose Meer.

Rosie starrt den nackten Jungen an und vergißt ihre Angst, so schön erscheint er ihr plötzlich mit seinen braunen Gliedern, seinem Badehosengürtel von weißer Haut, seiner Blütenkrone um das schweißnasse schwarze Haar. Nur daß er jetzt aus seinem goldenen Heiligenschein tritt und auf sie zukommt und die langen, weißen Zähne fletscht, da ist er der Wolf aus dem Märchen, ein wildes Tier. Gegen Tiere kann man sich wehren, Rosies eigener schmalbrüstiger Vater hat das einmal getan, aber Rosie war noch klein damals, sie hat es vergessen, aber jetzt fällt es ihr wieder ein. Nein, Kind, keinen Stein, Hunden muß man nur ganz fest in die Augen sehen, so, laß ihn herankommen, ganz starr ins Auge, siehst du, er zittert, er drückt sich an den Boden, er läuft fort. Der Junge ist ein streunender Hund, er stinkt, er hat Aas gefressen, vielleicht hat er die Tollwut, ganz still jetzt, Vater, ich kann es auch. Rosie, die zusammengesunken wie ein Häufchen Unglück an der Felswand kauert, richtet sich auf, wächst,

wächst aus ihren Kinderschultern und sieht dem Jungen zornig und starr in die Augen, viele Sekunden lang, ohne ein einziges Mal zu blinzeln und ohne ein Glied zu bewegen. Es ist noch immer furchtbar still und riecht nun plötzlich betäubend aus Millionen von unscheinbaren, honigsüßen, kräuterbitteren Macchiastauden, und in der Stille und dem Duft fällt doch der Junge wirklich in sich zusammen, wie eine Puppe, aus der das Sägemehl rinnt. Man begreift es nicht, man denkt nur, entsetzlich muß Rosies Blick gewesen sein, etwas von einer Urkraft muß in ihm gelegen haben, Urkraft der Abwehr, so wie in dem Flehen und Stammeln und in der letzten wilden Geste des Knaben die Urkraft des Begehrens lag. Alles neu, alles erst erwacht an diesem heißen, strahlenden Nachmittag, lauter neue Erfahrungen, Lebensliebe, Begehren und Scham, diese Kinder, Frühlingserwachen, aber ohne Liebe, nur Sehnsucht und Angst. Beschämt zieht sich der Junge unter Rosies Basiliskenblick zurück, Schritt für Schritt, wimmernd wie ein kranker Säugling, und auch Rosie schämt sich, eben der Wirkung dieses Blickes, den etwa vor einem Spiegel später zu wiederholen sie nie den Mut finden wird. Am Ende sitzt der Junge, der sich, seine Kleider in der Hand, rasch umgedreht hat und die Felsenstiege lautlos hinaufgelaufen ist, nur das Hündchen ist plötzlich wieder da und bellt unbekümmert und frech, der Junge sitzt auf dem Mäuerchen, knöpft sich das Hemd zu und murmelt vor sich hin, zornig und tränenblind. Rosie läuft den Zickzackweg hinab und will erleichtert sein, noch einmal davongekommen, nein, diese Väter, was man von den Vätern doch lernen kann, und ist im Grunde doch nichts als traurig, stolpert zwischen Wolfsmilchstauden und weißen Dornenbüschen, tränenblind. Eure Mitschülerin Rosie, ich höre, du warst sogar in Italien, ja danke, es war sehr schön. Schön und entsetzlich war es, und am Ufer angekommen, wäscht sich Rosie das Gesicht und den Hals mit Meerwasser, denkt, erzählen, auf keinen Fall, kein Wort, und schlendert dann, während oben auf der Straße der Junge langsam nach Hause trottet, am Saum der Wellen zum Badestrand, zu den Eltern hin. Und so viel Zeit ist über all dem vergangen, daß die Sonne bereits schräg über dem Berge steht und daß sowohl Rosie wie der Junge im Gehen lange Schatten werfen, lange, weit voneinander entfernte Schatten, über die Kronen der jungen Pinien am Abhang, über das schon blassere Meer.

KARL GÜNTHER HUFNAGEL
Worte über Straßen

Er hob das Fahrrad an der Lenkstange und bewegte das Vorderrad, an dessen Reifen der Dynamo anlag, durch flache, kurze Schläge. Im Flimmer des Scheinwerfers splitterte der Regen, fiel spänig auf den Asphalt der Landstraße.

»Halt den Schlauch vor!« Ulla fingerte nach dem Riß und spannte die Stelle vor der Scheibe. »Dein Flickzeug reicht nicht«, sagte er. Als er das Rad abstellte, scheuerte der Reifen im Schlamm, den der Regen vom Acker über den Asphalt gewaschen hatte. Es regnete seit zwei Stunden, windlos geduldig, mit gleichmäßigem, unbeirrtem Geräusch. »Was soll ich machen?« fragte Ulla. »Was schon!« Er beugte sich über das Rad, faßte es am Rahmen und stellte es auf Sattel und Lenkstange, nahm ihr den Schlauch aus der Hand. »Du mußt schieben.« Sie tastete den Straßenrand nach dem Reifen ab. »Du brauchst zwei Stunden bis in die Stadt.« Er hatte den Schlauch um die Felge gelegt und wartete, den Arm zwischen die Speichen geschoben.

Der Acker neben der Straße war glatt, schwarz, nur wenig matter als der Asphalt. Auf der anderen Seite der Straße war ein Graben. Der Reifen lag in der Mitte der Fahrbahn. Er sah ihn zuerst. »Gehst du nicht in die Stadt?« fragte sie. »Doch.« »Gehen wir nicht zusammen?« »Du gehst zu langsam mit dem Rad«, sagte er. Er benutzte den Schraubenschlüssel als Hebel, preßte den Reifen in die Rille. Er hatte das Mädchen getroffen, als es versuchte, den Schlauch zu flicken. Er war sechzehn Jahre alt, Ulla war fünfzehn. »Bist du müde?« fragte er. »Schon.« »Du kannst auch fahren«, sagte er. »Dann höckert die Felge?« »Freilich«, sagte er. Er hielt das Rad am Sattel. Sie faßte es in der Mitte der Lenkstange und zog es vor. »Ich danke dir«, sagte sie, während sie sich abwandte. Sie schob das Rad weiter in die Fahrbahn. Er ging seitlich hinter ihr.

Die Nacht war gefüllt mit Regen. Die Straße baumlos zwischen den Feldern. Wenn sie vom Rand abkamen, weiter in die Mitte der Fahrbahn, traten sie in Schlaglöcher, stießen mit den Schuhspitzen gegen die aufgewulsteten Kanten der Risse. »Es muß elf Uhr sein«, sagte er. »Wo kommst du her?« »Mein Freund wohnt draußen.« Sie ging mit langen, etwas zögernden Schritten, stellte die Füße voreinander, daß ihre Spur eine einfache Linie sein mußte. »Ich mag den Regen«, sagte sie. »Ich auch. Aber er ist schon kalt.« »Mich friert nicht.« Er war nun neben ihr. Wenn sie in die Schlaglöcher traten, bespritzten sie sich. Sie lachten. »Du gefällst mir«, sagte er. »So?« Er hatte die Hände, verschmiert noch vom Öl der Kette, in die Taschen gesteckt und sah nun breiter aus, war aber nur wenig größer als das Mädchen.

Der Scheinwerfer eines Motorrads schlug in den Regen, drängte sich um sie. Er faßte Ulla am Arm, zog sie nahe an den Straßenrand, hielt sie, daß sie stehen mußte. »Ein schönes Rad ist das«, sagte er. Sie gingen weiter. »Es ist von meinem Freund. Er hat es mir geschenkt.« Er strich das Wasser aus dem Haar. »Verdient er gut?« »Er ist Zimmerer. Im Frühjahr hatte er ausgelernt. Jetzt verdient er gut.« »Wie alt ist er?« »Achtzehn.« »Arbeitet er Akkord?« »Fast immer.« Sie schob nun am Griff der Lenkstange, unsicher, das Vorderrad stellte sich quer, und das Schutzblech stieß gegen ihr Knie. Ihre weiße Wolljacke und der Pullover quollen vor Nässe, dampften an der Haut, daß sie den Moder roch. »Ich lerne Schlosser«, sagte er. »In einer Fabrik?« »Ja, das ist besser. Man ist da sicher, und später kriegt man Pension.« »Sehr viel später«, sagte sie. Er ging nun ein Stück von ihr und hatte die Hände aus den Taschen genommen, damit sie seine Worte unterstützen konnten. »Ein schönes Rad, wirklich«, sagte er. »Muß schon was gekostet haben.« »Hundertfünfundsiebzig Mark. Der Scheinwerfer extra, der Gepäckträger auch.« »Eine gute Marke«, sagte er. »Das ich vorher hatte, war dieselbe«, antwortete sie. »Hast dus verkauft?« »Ja. Es war aber nicht viel wert. Für alte Sachen bekommt man heute so wenig.« »Das Verkaufen lohnt sich gar nicht«, sagte er. »Besser ein paar Mark, als daß das Zeug bloß rumsteht.« Sie sprach gleichmäßig. Das helle Tuch, um den Kopf gewunden, machte ihr Gesicht schmäler. Es war nur wenig dunkler als das Gesicht, lag an, in langen, wie gepreßten Falten, war um den Hals geschlungen und im Nacken verknotet. »Bei meinem Rad sind die Schutzbleche auch verchromt. Aber nicht die Felgen«, sagte er. »Es hat einen Rennlenker.«

Als der Regen nachließ, merkten sie es nicht. Über ihre Gesichter rann das Wasser vom Ansatz der Haare, und ihre Schritte, das kratzende Mahlen der Ballonreifen klangen schärfer. Aber die Nacht leerte sich, sparte Raum aus über der Straße, schob sich nach den Seiten. Die Straße war ein genauer Streifen zwischen den Feldern. Erst das Gefühl, allein zu sein, erinnerte an den Regen. Sie nahm das Tuch vom Kopf, schüttelte die Haare frei, strich mit den Fingern durch. Dann gingen sie weiter. Die Haare waren kurz und strähnig, dunkel. »Einfach bei dir«, sagte er. Sie antwortete nicht. Der Wind, der langsam aufkam, trocknete ihre Gesichter, die Hände, und die Lenkstange des Rades faßte sich kälter an. Ein Lastwagen überholte sie. Sie waren von der Fahrbahn auf den Acker getreten. Der Punkt des Lastwagens verglomm, doch blieb der Fleck einer Signallampe über der Straße. »Eine Baustelle«, sagte er.

Als sie die Sperrstange erreichten, lehnte sie das Rad dagegen und zog ihre Jacke ab, wand das Wasser aus und legte sie über den Gepäckträger. Dann kehrte sie sich ab, schälte den Pullover über den Kopf. »Du siehst aus wie im Kino.« »Möglich«, meinte sie, »man sieht aus wie die Vlady oder die Bardot. Wie man selber doch nie.« Sie drehte auch den Pullover, schleuderte ihn aus und zog ihn langsam über. »Kalt ist das jetzt.« Der Pullover roch noch mehr nach Moder, nur älter, wie lange nicht getragen, und die Ärmel der Jacke spannten an den Gelenken. Nun schob er das Rad. Er versuchte, es am Sattel zu halten, doch die Straße war schlecht, und er griff nach der Lenkstange. Sie gingen jetzt auf der linken Straßenseite. Die Fahrbahn war bis zur Mitte aufgerissen. Hinter der Baustelle war sie in ganzer Breite frisch asphaltiert. Sie blieben auf der linken Seite. Als ein Motorrad entgegenkam, sahen sie die Furchen des Ackers. »Gehst du oft ins Kino?« fragte er. »Zweimal die Woche, vielleicht.«

»Mit deinem Freund?« »Manchmal allein, nach dem Geschäft, wenn ich noch nicht heim mag. Ich sag dann, ich hätte länger gearbeitet.« »Und was sagst du heute?« »Das weiß ich noch nicht.« »Sie lassen dich so lange weg?« »Nein, um zehn soll ich zu Hause sein. Aber das lohnte sich ja gar nicht.« Er ging, daß er ihren Arm berührte. »Und was ist, wenn du so spät kommst?«»Das geht dich nichts an«, sagte sie.

Die letzten Gehöfte vor der Stadt. Zylinderförmige Laternen, mit Eisenbändern an die rissigen Maste geschraubt. Die Straße war noch naß, glänzte unter den Lichtfladen. Die Häuser zweistöckig, die zweite Fensterreihe zwischen den Giebeln; hölzerne Balkone mit ausgebrochenen Latten. An der Straße entlang Zäune aus schimmerndem Maschengitter. Ein Stück weit noch die Laternen. Dann die Straße im sauberen Schwarz zwischen Grasstreifen. Sie wechselten zur rechten Seite hinüber, daß er das Rad am Straßenrand schieben konnte. Der Wind nahm den Moder von der Wolle, machte sie kalt und flach.

Als Ulla fror, gab er ihr die Jacke. »Wir sind bald da«, sagte er. Das gleichmäßige Holpern, wenn der Ventilkopf über den Asphalt drehte, machte müde. »So oft gehe ich nicht ins Kino«, sagte er. »Einmal die Woche etwa.« Als sie schwieg, fuhr er fort: »Ich schaue mir nur die Cinemascopefilme an. Wenn sie farbig sind. Die schwarzweißen mag ich nicht mehr.« »Mit meinem Freund gehe ich immer in Kriminaler«, sagte sie. »Das habe ich früher auch gemacht.« »Tu nur nicht so«, lachte sie. »Du bist was empfindlich!« Er ging schneller, daß sie zurückblieb. »Du gehst dafür jeden Sonntag in die Kirche«, sagte sie. Er pfiff. »Um sieben in die Morgenmesse. Und jeden zweiten Sonntag auch in die Abendandacht. Und einmal im Monat zur Kommunion.« Sie lachte. Sie war wieder neben ihm, und er legte die Hand auf ihre Schulter.

Die erste Siedlung; Neonröhren, noch in größeren Abständen. Turmblöcke, dazwischen, rechtwinklig zur Straße, einstöckige Reihenhäuser mit Vorgärten. »Möchtest du da wohnen?« fragte er. »Das ist zu weit draußen«, sagte sie. »Ich arbeite in einem Strumpfgeschäft, in einem Strumpfspezialgeschäft. Das ist mitten in der Stadt.« »Was machst du denn da?« »Verkaufen natürlich!« »Du kannst doch auch Maschen aufziehn.« »Fiele mir ein! Es ist ein sehr vornehmes Geschäft. Wäsche haben wir auch. Aber ich mag die Wäsche nicht.« »Ich dachte, ihr seid alle ganz verrückt nach Spitzen.« »So einen Unterrock mag ich auch. Aber den zieh ich nur selten an. Und die Chefin sagt, solange ich so jung bin, könne ich schon Hosen anhaben. Das mache sich ganz apart zwischen den Spitzen.« »Wenn du ein paar Jahre älter bist, wickelst du dich ganz damit ein.« »Das kann schon sein«, sagte sie. Er senkte den Kopf vor den Scheinwerfern, die ihnen entgegenkamen. »Die Speichen mußt du anziehen. Am Vorderrad.« »Ich seh schon«, sagte sie.

Wieder die Wiesen, verschlissen unter den Ampeln. »Es ist nicht wahr, daß du aussiehst wie die Bardot. Irgendwie schon. Ja, aber du bist doch anders.« Dann begannen sie zu laufen, weil sie mehr fror. Die Felge des Hinterrades schepperte über den Asphalt. »Stopp! Oder du nimmst das Rad wieder.« Sie wandte sich nicht um, lief in kleinen schnellen Schritten, die Fußspitzen nach innen gekehrt, auf den Ballen federnd, mit zu steifen Knien. Er versuchte sie einzuholen, doch rutschte das Rad nach der Seite. Das Pedal rieb auf. Sie kümmerte sich nicht darum, blieb erst stehen, als sie den Gehsteig vor den Häusern der Arbeitersiedlung erreicht hatte, lehnte sich, in langgepreßten Zügen atmend, gegen den Zaun. »Du ruinierst mir das Rad.« Er wollte es neben sie gegen den Zaun lehnen, aber sie ging weiter. Als er neben ihr war, faßte sie seinen Arm. »Das nächste Mal hau ich mit dem Rad ab und laß dir die Jacke«, sagte er. Er schob das Rad auf dem Gehsteig, nahe dem Zaun. Als der Griff der Lenkstange gegen einen Pfosten stieß, daß das Vorderrad gegen sein Schienbein schlug, drängte er Ulla weiter zum Randstein.

Die Beete der Gärten waren umgegraben. Die Häuser in Abständen von zehn Schritten. Schmale Giebel über flachen weißen Rechtecken. Hinter einigen Fenstern noch Licht. »Wenn ich ausgelernt habe, werde ich ein Motorrad anzahlen«, sagte er. Der Griff der Lenkstange stieß wieder gegen einen der Pfosten. »Ich könnte ja auf ein Moped sparen. Aber das mag ich nicht.« »Mein Freund will auch eine Maschine«, sagte sie. »Mit dir als Freundin wird er kaum dazu kommen.« »Du meinst wegen dem Rad?« »Nun ja.« »Was ist das schon!« »Der muß ein Esel sein.« »Möglich.« »Und das macht dir Spaß?« »Warum nicht?« Sie hatte ihn losgelassen, balancierte auf dem Randstein, der schmal und etwas erhoben war; der Gehsteig war nur gewalzt, noch nicht gepflastert. »Jetzt gibst du an«, sagte er. »Du etwa nicht?« An der Kreuzung vor den Genossenschaftsblöcken blieben sie stehen. »Ich muß nach rechts«, sagte sie. »Ich bring dich noch ein Stück.« Er schob das Rad in der Mitte des breiten Gehsteigs.

Glatte Streifen legten ein dunkles Muster über die grobkörnigen Fassaden. Rauten, Dreiecke, durch querlaufende Bänder nach der Höhe der Stockwerke gegliedert, hohe, durch Leisten in kleine Quadrate geteilte Fenster. »Du kannst deine Jacke wieder nehmen«, sagte Ulla. Es war windstill zwischen den Blöcken. »Laß nur«, sagte er. Sie hatten das Rad nun zwischen sich. Ulla legte die Hand auf den andern Griff der Lenkstange. Das Rad schlingerte.

»Gib mir eine Zigarette«, sagte er. Sie holte die Schachtel aus der Joppentasche und zog eine heraus. Die Streichhölzer hatte er in der Hose. »Willst du auch eine?« fragte er. »Ich rauch nicht«, sagte sie. Er hatte ihr das Rad zum Halten zugekippt und ließ sie, während er rauchte, schieben. An der Querstraße mit den Straßenbahnschienen bogen sie ab. Der Gehsteig war geteert. Die Straße hatte Kopfsteinpflaster, war bucklig, und die Gleise schienen zu schwingen. Er schnippte den Stummel über den Randstein, nahm das Rad, lehnte es an die Hauswand, die Lenkstange in der Türnische, und setzte sich auf den Gepäckträger. »Es ist nicht mehr weit«, sagte er. Er griff sie am Arm und zog sie zwischen seine Knie. »Das Neon steht dir gut«, meinte er. Als sie weitergingen, schob er das Rad wieder. »Es wird Zeit, daß ich ausgelernt habe«, sagte er. »Wie lange brauchst du noch?« »Eineinhalb Jahre. Ein Dreck ist das.« »Ich hab noch ein halbes Jahr länger.« »Mußt du was abgeben zu Hause?« »Nein, du?« »Auch nicht. Aber meine Schwester ist Stenotypistin und verdient dreihundert. Hundert gibt sie ab. Das ist schon viel.« »Bleiben ihr immer noch zweihundert.« »Aber die reichen nie.« »Als alter Trottel komm ich auf hundert Mark die Woche. Damit hat sichs dann.«

Sie querten die Straße. Das Rad schepperte, und er trug es bis zum anderen Gehsteig. »Du hast es da gut«, sagte er. »Du hast einen Freund, der verdient.« »Hast du keine Freundin?« »Schon. Freilich. Aber die verdienen ja alle nichts.« Sie lachte. »Wenn man dann älter ist«, sagte er, »und selber mehr verdient, hat man auch eine Freundin, die verdient. Das ist bei dir ganz anders.« »Ja, es ist schon schade, daß du kein Mädchen bist.« Er blieb stehen. Sie schob das Rad am Sattel weiter. »Aber später seid ihr besser dran«, sagte sie, »oder nicht?« »Ich bins zufrieden. Es ist mir nur so eingefallen.« Sie gingen schneller. Die Seitenstraße führte in einem spitzen Winkel ab. Er sah nicht auf, nur auf die vermodernden Sockel der Häuser. An den Kanten der Einfahrten Betonwülste, kegelförmig, einzelne losgebrochen, schräg stehend oder schon entfernt.

»Wenn du die Haare ein bißchen wachsen läßt«, sagte er, »und auch ein bißchen was dran machst, siehst du schon aus wie die Bardot.« Sie lächelte spöttisch, hob die Arme. »Das paßte doch auch in ein Strumpfgeschäft«, fuhr er fort. »Und aufs Fahrrad und auf den Sozius«, sagte sie; »nur, wie die Haare jetzt sind, schneidet sie meine Schwester, und waschen kann ich sie selber.« Sie schlenderten nun, sahen sich manchmal an, überquerten den Platz nicht, das Rondell nutzend, sondern gingen das Rund aus. Die Straße, die vom Platz abführte, breit, mit Kastanien. Einige Zweige noch mit Blättern; um die Stämme dichter. Die Häuser pastellfarbig. Die Südfassaden mit Balkonreihen; die Front der anderen Straßenseite glatt, mit breiten Fenstern, über den Portalen allegorische Mosaiken.

»Ich muß um sieben aufstehen«, sagte Ulla. Die Blätter waren an den Rand des Gehsteigs gekehrt; sie teilte die Reihe mit kurzen schleifenden Schritten. »Ich komme oft zu spät, dann habe ich immer Krach mit der Chefin.« »Ich fang schon um sieben an.« »Dafür hast du eher Schluß. Bei mir wirds immer nach sechs.« »Ich hör um halb fünf auf.« »Da hast du ja eine Menge Zeit. Wenn ich um sechs ins Kino gehe, ist die Wochenschau schon immer vorbei.« Die Blätter bremsten das Rad, und er schob es näher der Hauswand. »Ist deine Chefin in Ordnung?« »Es geht so.« Sie stieß die Blätter über den Gehsteig. »Laß das doch!« Sie hörte nicht auf ihn. »Mein Freund hat auch eher Schluß. Manchmal holt er mich ab.« Über die Seitenstraße gingen sie nebeneinander. Er legte den Arm auf ihre Schultern. »Die

Joppe ist noch ganz naß.« »Stört es dich?« »Nein.« Vor den Häusern ein schmaler Grasstreifen, ein paar Büsche darin verteilt. Zu den Einfahrten senkte sich das Pflaster. Beim Kinderspielplatz verließen sie die Straße. Die Reifen knirschten im Kies, und er lehnte das Rad gegen eine Bank. Sie gingen weiter, zwischen den Stahlgerüsten und Schaukeln durch. »Gib mir meine Jacke«, sagte er. Er warf sie auf den Boden, zog die Falten aus, daß sie lang war. Dann legten sie sich darauf. Schweigend.

Während er das Rad von der Bank nahm, sagte er: »Ich werde mir doch ein neues Rad kaufen.« Sie antwortete nicht. Sie hatte die Jacke wieder umgehängt, war aber nicht in die Ärmel geschlüpft, deren Stulpen noch hochgeschlossen waren. Sie ging ein Stück vor ihm, mit langsam wiegenden Schritten. Der Weg führte, von Bänken umstellt, in einem Bogen zurück zur Straße, die nun schmäler war und ohne Kastanien. Vierstöckige Häuser mit Stuckgiebeln über den Fenstern. Frisch gestrichen, in grellem Gelb oder Weiß oder mit blätterndem Verputz, die Ecken der Giebel ausgebrochen, die Blechstücke darüber aufgebogen. »Wir sind bald da«, sagte sie. Die Straße endete vor der Front eines kleinen Kaufhauses. »Da kaufen wir ein.« Über der Querstraße hingen die Ampeln in weiten Abständen. Sie gingen auf der Fahrbahn, an geparkten Personenautos vorbei. »Allerhand spät geworden«, sagte er. »Ja.« Sie blieb stehen, strich mit dem Zeigefinger durch die Tropfen, die sich an den Kanten einer Motorhaube gesammelt hatten. »Vielleicht wartet mein Vater noch«, sagte sie. »Es ist besser, du kehrst jetzt um.«

GENO HARTLAUB
Die Segeltour

Wir waren zu fünft, ein Mädchen, vier Knaben, darunter mein Bruder Edgar und ich. Die Segelpartie, um die es ging, war schon so lange geplant gewesen, daß ich glaubte, sie gehöre zu den Dingen, die niemals Wirklichkeit werden. Erst fehlte das Boot, dann fehlte das Geld, dann paßte der eine Partner dem andern nicht, und wir konnten kein Mädchen finden, das mitmachen wollte. Endlich hatten wir die Besatzung beisammen. Ich muß erst etwas von den einzelnen sagen. Schließlich saßen wir zusammen in einem Boot, und das ist etwas anderes, als wenn man sich abends bei Freunden trifft und denkt, man kann jederzeit auseinandergehen, wenn es langweilig wird oder wenn einem das Gesicht des Gastgebers nicht mehr paßt.

Da war mein Bruder Edgar, ein Jahr älter als ich, man sagt, wir sähen uns ähnlich. Wir hatten fast die gleichen Ansichten, manche behaupteten, das komme nur daher, weil ich so etwas wie eine schlechte Kopie von Edgar sei und keine eigenen Gedanken hervorbringen könne. Edgar war hübsch, besonders seine Augen übten

Anziehungskraft auf die Weiblichkeit aus. Ich habe einmal ein Mädchen gefragt, was eigentlich das Anziehende an Edgars Augen sei. Sie meinte, es müsse wohl am Glanz und einer gewissen Starrheit des Blickes liegen. Edgar war der Führer unserer Partie. Wenn man an Bord geht, muß einer den Kapitän spielen. Ich kam nicht in Frage, weil ich ein Jahr jünger und dazu noch Edgars Bruder war, der ihm alles nachmachte. Dann war da noch Arnold, der gern den Maître de plaisir bei allen Gesellschaften spielte, Sohn reicher Eltern, früher wäre er vielleicht Kavallerieoffizier mit Spielschulden und Weiberaffären geworden. Angeblich studierte er, aber in Wirklichkeit hatte er sich nur als Vereinsmeier einen Namen gemacht. Überall, wo er hinkam, galt er als leichtsinnig, aber im Grunde war er ein gutmütiger Junge mit einer niedlichen Stubsnase und lustigen Zwinkeraugen. Der vierte in der Runde hieß Kai. Er war vor dem Abitur von der Schule abgegangen und noch zu den Soldaten gekommen. Er hatte mehr als wir andern vom Krieg gesehen, redete aber niemals davon. Er wollte Jurist werden, und er studierte so, wie man Dienst beim Kommiß macht, brav und stur. Eigentlich paßte er nicht so recht zu unserer Clique, aber wir mochten ihn gern, er war so etwas wie ein Prellbock, ein Fels im Strom.

Und nun das Mädchen: Das war eine heikle Sache, und eigentlich sah es nach einer Gemeinheit aus, daß wir gerade sie und keine andere mitgenommen hatten. Wir nannten sie Cat, weil das gerade in Mode war, wie sie richtig hieß, wußte niemand genau, ich glaube ganz altmodisch Mathilde. Weil sie Cat genannt wurde, mußte sie sich so benehmen, wie man es von jemandem, der diesen Namen hat, erwartet: trinkfest, mannstoll, aber als guter Kamerad und tapfer, wenn es darauf ankommt – alles Dinge, die ihrer Mathilden-Natur nicht recht lagen. Dadurch war etwas Verkrampftes und Schrilles in ihr Wesen und in ihre Bewegungen gekommen, ja sogar in ihre Figur, die etwas zur Fülle neigte, aber durch Hunger und übertriebenen Sport schlank gehalten wurde. Cat lebte genau so frei und unbekümmert wie die anderen Mädchen ihres Jahrgangs. Wir wußten ziemlich genau Bescheid über die Liebschaften, die Mädchen aus unserer Clique hatten, aber Cat traf es diesmal besonders schlecht, denn unter uns vieren waren drei, die in näheren Beziehungen zu ihr gestanden hatten, oder wenigstens zweieinhalb, denn ich hatte meine Chancen nicht entschlossen genug ausgenutzt wegen meiner Hemmungen Edgar gegenüber, von dem ich wußte, daß er einer meiner Vorgänger war. Es ist nicht fair, so von Cat zu reden, aber man verrät wenig von ihr, wenn man etwas von ihren Liebschaften sagt. Ihre Mathilden-Natur blieb ganz unberührt davon. Jedesmal, wenn solch eine Episode vorüber war, versank sie in einen gnädigen Dornröschenschlummer, aus dem sie erst wieder erwachte, wenn ein neuer Prinz erschien, dem sie zulächeln konnte.

Diesmal aber präsentierte ihr der böse Zufall die Rechnung und half ihrem Gedächtnis nach. Nur Kai war ahnungslos und sogar in sie verliebt, er wurde rot jedesmal, wenn sie sich beim Sonnenbad neben ihm auf das Kajütendach legte. Das alles machte Cat natürlich etwas nervös. Edgar, der sonst ziemlich abgebrüht war, sagte zu mir, als wir über die Bucht auf die offene See zu kreuzten: »Das Mädchen tut mir leid. Aber ich kann mit Menschen wie Cat, die sich selbst weder lieben noch achten, nicht viel Mitgefühl haben.« Und mit einem fatalen Lächeln setzte er hinzu: »Stell dir vor, wenn die Frauen als Höllenstrafe Ewigkeiten lang mit ihren Liebhabern in einem Raum eingesperrt würden, und diese Männer müßten sich Ewigkeiten hindurch, immer mit den gleichen dummen, gemeinen Ausdrücken, über die Vorzüge und Mängel der Mädchen unterhalten. Wenn so etwas in Aussicht stünde, würde von morgen an Keuschheit modern.« Er hatte etwas zu laut gesprochen, Kai drehte sich um, und Cat fuhr aus ihrem Sonnenbad am Bug des Bootes auf, sah uns an und strich das Haar aus dem Gesicht. Übrigens hat sie sehr schönes Haar, glatt und kappenartig liegt es dem Kopf an, es ist überhaupt wenig an Cat auszusetzen. Aber hier an Bord war sie für uns alle tabu, unberührbar wie ein Nippfigürchen saß sie auf dem Präsentierteller. Wenn sie das Rollenfach, das ihr der Name Cat vorschrieb, besser beherrscht hätte, hätte sie die Lage für sich ausnutzen können. Aber in ihrer Unruhe benahm sie sich ungeschickt wie ein Schulmädchen, das alles falsch macht, was man ihr sagt.

Unser Plan war, mit ein paar Zwischenlandungen in Dänemark über die offene See nach Schweden zu segeln. Die Tour fing nicht anders an als eine Sonntagspartie: spiegelglattes Wasser, blendende Himmelskuppel und beinahe zu wenig Wind, so daß es Zeit genug zum Faulenzen gab. Kai, der einzige unter uns, der den rechten Sportsgeist besaß, war nüchtern geblieben und saß am Steuer. Wir anderen hatten, gegen jeden Seglerbrauch, tagsüber allerlei zusammengetrunken, erst Whisky, dann Sekt, den Arnold gestiftet hatte. Die Flaschen zogen wir, um sie kühl zu halten, an Schnüren im Kielwasser des Bootes hinter uns her. Edgar hatte eine seiner großen Stunden, sein Gesicht war von innen her illuminiert, die Augen, wenigstens für ein Mädchen, zum Verrücktwerden schön, weil sie ihre Kälte allmählich verloren. Plötzlich kommt er auf den Einfall zu baden, streift mit Bewegungen, die mir schlaftrunken vorkommen, Hemd und Hose ab und steht nackt da. Daran war nichts Ungewöhnliches, denn Nacktbaden war modern, und wir betrieben es mit Selbstverständlichkeit. Ich weiß nicht, warum ich an diesem Tag den nackten Edgar mit anderen Augen als sonst betrachtete, vielleicht ein wenig mit Cats Augen oder mit dem Blick eines Beobachters, der ihn noch nie gesehen hatte.

Es war sehr warm, die Sonne strahlte zugleich vom Himmel und vom Wasser her, trotzdem schien Edgar zu frösteln. Bei seinem Anblick fiel mir etwas ein, was Cat zu mir gesagt hatte an jenem Abend, da es beinah so weit zwischen uns gewesen war: »Hoffentlich«, hatte sie mit einem Lachen, das gar nicht lustig klang, gesagt, »bist du nicht so wie dein Bruder.« Und als ich fragte, was ihr an Edgar nicht gefalle, meinte sie: »Er redet über Dinge, über die man besser schweigt.« Und als ich wissen wollte, über welche Dinge: »Er hat mir einmal gestanden, daß ihn noch nie im Leben etwas wirklich ergriffen hat, so sehr er auch darauf wartet.« Als ich Edgar in seinem etwas gekünstelten Kontrapost wie ein schönes Aktmodell am Bootsheck stehen sah, fielen mir Cats Worte ein. Sie fielen mir ein und ergriffen mich, sie griffen nach meiner Kehle und würgten mich. Fast hätte ich geweint, weil ich einen Bruder hatte, der vergeblich darauf wartet, daß ihn etwas im Leben ergreift.

Cat war aus ihrer Ruhelage aufgefahren, als das Stichwort »Baden« fiel. Den Blick hinter der Sonnenbrille ins Leere gerichtet, sagte sie: »Ich bleibe an Bord, jemand muß Wache halten für den Fall, daß wir plötzlich Wind bekommen.« Arnold machte eine spöttische Bemerkung über ihre Segelkünste. Kai kam aus der Kajüte, wo er sich umgezogen hatte, er trug eine Badehose, da er der Sitte des Nacktbadens feindlich gesinnt war. Plötzlich tat Edgar einen Schritt vorwärts, der das Boot zum Schwanken brachte. »Willst du dich nicht ausziehen, Cat«, sagte er. Und als Cat weiter auf die See hinaus blickte und keine Antwort gab, setzte er, um einen Grad dringlicher hinzu: »Los, zieh dich aus. Sei nicht albern. Du tust das doch nicht zum erstenmal.« Obgleich dies »zum erstenmal« sich logischerweise nur auf das Nacktbaden, diesen mit Unduldsamkeit geübten Brauch der Clique, bezog, blickten Kai, Arnold und ich zugleich erstaunt und ein wenig betroffen zu Edgar auf. Cat brach aus ihrer standbildhaften Erstarrung unvermittelt in Tränen aus, sie schlug die Hände vors Gesicht, ihre Schulterblätter zuckten, ihr Nacken bebte. Als Kai ihr erstes Aufschluchzen hörte, stürzte er sich besinnungslos auf Edgar, und die beiden rangen in stummer Erbitterung wie seit den Schultagen nicht mehr. Edgar hatte Boxen und Ringen methodisch studiert, er kannte allerlei Finten und Tricks, während Kai wie ein Tier drauflos ging. Aber aus irgendeinem Grund hatte Edgar heute keine Lust, sich dem wildwütenden Ansprung zu widersetzen. Auf eine lautlose, fast elegante Art war er unter Kais breitem Brustkorb zu Boden geglitten, befreite sich geschickt aus der Umklammerung und ließ sich, schon wieder lachend, mit einem Sprung ins Wasser fallen. Kai stand betroffen da wie ein Stier, dem plötzlich der Gegner fehlt. Arnold versuchte es mit einem ausgleichenden Lächeln und Schulterklopfen: »Man prügelt sich hier nicht wie auf dem Schulhof. Marsch, nimm ein Bad, es wird dich abkühlen.«

Es wurde ein schöner Abend mit einer lang hingedehnten türkisfarbenen Dämmerung und einer Brise, die uns sanft und stetig der Küste zutrug. Wir segelten vor dem Wind und hatten das Ruder festgebunden. Jeder hatte es sich in einem Nest aus Kissen und Decken bequem gemacht, Cat lag vorn auf dem Kajütendach neben Kai. Wir tranken weiter, aber es kam keine rechte Stimmung auf. Der Abend war so unwahrscheinlich, so wider alle Vernunft und Erwartung schön, die See so leuchtend, der Himmel so überströmend von Licht, daß wir glaubten, die Dämmerung könne an keiner Stelle einfließen in seine pergamentglatte Haut. Seemöwen segelten um unser Boot, die Form ihres Leibes mit den ausgebreiteten Schwingen schien ein Künstler nach vielen Entwürfen gefunden zu haben, sie war ebenso vollkommen wie das millionenfach wiederholte Wellenmuster auf der abendlichen See. Der Wind blies uns sanft in den Nacken und wehte das Haar in die Stirn. Dort, wo die Sonne im Meer ertrunken war, standen Wolkenflocken mit fein ausgekämmten Rändern, sie verzehrten sich schnell, leuchtende Fasern in der Glut. Und doch bewegten uns weder Freude noch Glück beim Anblick dieses vom Licht durchzitterten Himmels und seiner Spiegelung in der See, eher etwas wie Zorn. Zorn, weil dies Schauspiel sich allabendlich nur für sich selber vollzog, ohne Zeugen und Zuschauer, in der schrecklichen Selbstgenügsamkeit der Natur. Ich mußte an eine Szene denken, die ich im Krieg erlebt hatte. Ein abgeschossenes Flugzeug war vor meinen Augen in einen Fjord gestürzt, eigentümlich langsam, mit einer hübschen kleinen Rauchfahne; langsam und lautlos, und die Wasserfläche öffnete sich wie unter der Zeitlupe, um es einzulassen. Trotz seiner Tragflächen schwamm es nicht, sondern ging in der unheimlichen Stille unter, ging unter und tauchte nicht wieder auf, jedenfalls habe ich nichts davon gesehen, die Sonne blendete, das Licht tönte, das Meer glättete sich und war genau so kalt und teilnahmslos wie heute.

Wir hatten minutenlang geschwiegen, als Edgar sagte: »Ich würde mich nicht wundern, wenn in einem solchen Augenblick die Welt unterginge. Statt der Dämmerung gibt es dann einfach einen grünen Blitz, der Himmel zerreißt, aber es bleibt alles still, denn wir sind taub geworden. Ich hätte nichts einzuwenden gegen solch einen schmerzlosen Mausetod. Der Tod ist das einzig Wirkliche im Dasein.«

Wenn Edgar zu philosophieren anfing, bekam seine Stimme leicht einen unechten Ton. Er schenkte sich den Rest aus der Sektflasche in sein Glas und leerte es in einem Zuge. Diese Geste brachte mich mehr gegen ihn auf als seine Worte. »Du bist undankbar«, meinte Arnold, »du hast mehr vom Leben als wir.« Da sieht Edgar ihn aus weiten, blassen Augensternen, ohne Lidschlag und so lange, bis Arnold den Kopf abwenden muß. »Du irrst dich«, sagt er. Und den Blick zur Toppflagge am Großmast gerichtet: »Mir fehlt etwas. Ich kann den Wind niemals einfangen, ich lebe in einer ewigen Flaute.« »Du lügst«, rufe ich dazwischen, »du gefällst dir in dieser Pose. In Wirklichkeit brauchst du mächtig viel Platz und nimmst anderen Leuten die Luft zum Atmen weg.« »Im Augenblick geht es uns jedenfalls gut«, meint Arnold, »und ich möchte mit niemandem tauschen. Möchte immer so leben, überhaupt ewig leben. Ich kann mir keinen besseren Zustand denken.« »Ja, so wie du es verstehst«, sagt Edgar, »von Augenblick zu Augenblick, in großen Sprüngen, mit Sieben-

meilenstiefeln, die weite Strecken des Tages auslassen: die Unlust morgens beim Erwachen, die leeren Stunden des frühen Nachmittags, wenn die Zeit sich wie ein fauliger Tümpel ausdehnt, Regen und Naßkälte im Herbst, Examensangst und die ständige Nähe von Menschen, die man nicht leiden kann. Eigentlich dürfte der Siebenmeilenstiefel nur ein einziges Mal am Tage die Erde berühren.«
»Zum Beispiel jetzt«, sagt Arnold, »nach Sonnenuntergang oder kurz nach Mitternacht, wenn die zähen Wellen der Müdigkeit verscheucht sind und man hellwach und nüchtern ist wie niemals am Tag.« »Ihr gebt euch zuviel mit euch selber ab«, unterbricht Kai, »ihr müßt mehr arbeiten. Dabei hat man immer das gleiche angespannte Gefühl eines Ochsen, der unterm Joch geht.«

»Kai hat nicht genug getrunken«, ruft Arnold, »deshalb meint er, er hätte 'nen Ochsenkopf.« Gelächter, mehrstimmig, man weiß nicht, wo es herkommt, denn die Gesichter bleiben ernst dabei. »Danke«, sagt Kai, »ich trinke nicht an Bord. Es ist unsportlich.« »Wir sind kein Sportverein«, widerspricht Arnold lachend, »wir machen einen Abendbummel per Segelboot.« »Ihr wollt immer alles auf einmal haben«, meint Kai, »Sonnenuntergang, Abendbrise, Bewegung, Mädchen, Rausch und Philosophie.« Edgar fährt aus seinen Wachträumereien auf und tut einen Lidschlag, es ist wie der erste Atemzug nach langer Bewußtlosigkeit. »Kai ist in Ordnung«, sagt er, »ich möchte mich mit ihm versöhnen.« »Meinetwegen«, sagt Kai, »vorausgesetzt, daß du Cat in Ruhe läßt.« »Ja richtig, Cat«, Edgar tippt sich an die Stirn, »wo ist sie eigentlich. Ich hätte sie fast vergessen. Gib Laut, Cat, sei nicht stumm wie ein Fisch.« »Hier bin ich«, Cats Stimme ist die eines erschrockenen Schulmädchens, das der Lehrer im Unterricht aufruft. Edgar klettert aufs Kajütendach und reicht Cat und Kai zwei gefüllte Gläser. Cat nimmt einen vogelhaft kleinen Schluck, dann noch einen, ihre Kehle preßt sich zusammen. »Auf dein Wohl, Cat«, sagt Edgar, »und auf das deine, Kai. Auf euer beider Wohl.« Und als Kai sein Glas auf das Kajütendach niedersetzt: »Wir wollen die beiden leben lassen. Sie sind so anständig.« Wieder Gelächter, nur Kai und Cat tun nicht mit, es ist etwas unheimlich, daß sie so ernst bleiben. »Wie wäre es, Cat, wenn du uns etwas zum Abendessen machtest. Ich habe verdammten Hunger.« Arnold macht den Vorschlag nur, um das schon wieder anwachsende Schweigen zwischen uns zu durchbrechen. Alles um uns herum ist auf einmal zum Zerreißen gespannt: die Leinwand des Großsegels, die Taue der Takelage, der Wasserspiegel und der Himmel, zitternd in seiner Anstrengung, das Licht noch länger zu halten. Angespannte Saiten überall, man wagt nicht, eine davon zu berühren, sie könnte springen mit einem Mißton, den man nie wieder vergißt.

»Jetzt soll Cat uns sagen, was sie vom Leben hält«, ruft Edgar aus. »Cat ist an der Reihe.« »Cat ist dran«, rufen Arnold und ich als seine getreuen Gefolgsleute. Das Mädchen wendet uns den Kopf zu, das schmale gebräunte Gesicht mit leicht gerunzelter Stirn und etwas hochgezogenen Augenbrauen – endlich, denke ich, bekommt man von ihr einmal etwas anderes zu sehen als das Profil mit der Sonnenbrille. »Ich weiß nicht«, meint sie zögernd, »es kommt mir unrecht vor, über so etwas nachzudenken.« »Cat hat recht«, stimmt Kai zu. »Ach was«, Edgar betrachtet mit unverständlicher Aufmerksamkeit die Innenfläche seiner leeren Hände, »das sagt sie nur, weil sie ein Mädchen ist. Es ist ein Kreuz mit den Mädchen. Immer erzählen sie einem, was man nicht wissen will. Nur das, was man gern erfahren möchte, behalten sie für sich.«

   »Was habt ihr nur immer mit Cat«, fragt Kai, »warum verachtet ihr sie?« Und ehe wir das abstreiten können, setzt er laut, fast heftig hinzu: »Ihr verachtet sie nur, weil ihr ihr nicht gewachsen seid. Wie der Fuchs die Trauben verachtet.« »Ein hübscher Vergleich«, Edgars Stimme klingt schnöde und kalt, »aber ganz so unerreichbar ist unsere Cat wohl nicht. So hoch wie die Trauben für den Fuchs hängt sie nicht.« Diesmal bleibt uns das Lachen im Halse stecken, wir sehen Kai an, seine Schultermuskeln straffen sich, gleich wird er sich erheben. Ein Irrtum: er bleibt sitzen, er senkt sogar den Kopf, auf seine langsame und nachdrückliche Art scheint er zu begreifen. Cat steht plötzlich vor uns, sie streicht sich das Haar aus dem Gesicht mit einer matten Handbewegung. »Vielleicht«, sagt sie mit einer sehr hellen, sehr deutlichen Stimme, »wäre es besser, nicht mehr da zu sein für einen, der sich mit dir eingelassen hat, Edgar. Aber das merkt man erst, wenn es zu spät ist.« Sie dreht uns den Rücken zu und verschwindet durch die Kajütentür, gleich darauf strahlt das kleine Deckenlicht innen auf. Erst jetzt merken wir, daß es draußen inzwischen fast völlig dunkel geworden ist. Wir schweigen. Kein Zweifel, Cat hat die Partie zu ihren Gunsten entschieden durch ihre todtraurige Aufrichtigkeit.

   Nach ihrem Abgang ruft Edgar so laut, daß sie es hören muß: »Man soll keine Mädchen mitnehmen auf eine Segeltour. Es gibt nur Ärger. Wären wir unter uns, wie schön würden wir es uns machen.« Wenn er lacht, könnte Edgars Mund auch einem Mädchen gehören, aber die mürbe Stirn, die Schläfenpartie und der scharfe Nasengrat, das alles ist schrecklich männlich und alt und unfruchtbar. »Dabei hat diese Cat auch noch recht. Wie sie das eben gesagt hat, nicht übel, nicht ohne Stolz. Nach dem Stolz von Mädchen hab’ ich bisher immer vergeblich Ausschau gehalten.« Und dann, mit einem leichten Aufstampfen des Fußes: »Es wäre besser, wenn sie sich uns verweigerten.« »Das wäre recht unangenehm«, widerspricht Arnold, »ich möchte es mir nicht wünschen.«

   Die ersten Lichter der Küste blinken auf, wir entdecken das Leuchtfeuer an der Mole. »Wenn die Mädchen sich weigerten«, sagt Edgar, »hätte man wenigstens ein Ziel, für das es sich lohnte, Kraft und Leidenschaft einzusetzen.« »Unsinn«, widerspricht Kai, »Leidenschaft fängt nicht bei den Mädchen an und hört nicht bei ihnen auf. Wer so veranlagt ist, macht alles mit Leidenschaft: Denken, Träumen, Arbeiten, was weiß ich.« »Aber ich bin nicht so veranlagt«, Edgars Stimme klingt gereizt, »wir sind alle nicht so veranlagt. Auch du nicht.« Kai erhebt sich unvermittelt, das Boot bewegt sich mit einem zitternden Ruck. »Ich habe genug von eurem Gerede«, sagt er, und er tut etwas, was von Mut zeugt. Vor unseren Augen steigt er die drei Stufen zur Kajüte hinunter und macht die Tür hinter sich zu. »Er will das arme Mädchen trösten«, ruft Arnold ihm nach. Er erhebt sich etwas schwankend, geht auf Zehenspitzen zur Kajütentür, öffnet sie auf einen Spalt und knipst das Deckenlicht aus. In der tiefen, fast sternlosen Dunkelheit bricht ein dreistimmiges Höllengelächter los. In der Kajüte ist's grabesstill. Edgar sagt ziemlich laut: »Laßt sie in Ruhe. Kai braucht 'ne Gelegenheit. Mädchen sind zugänglicher im Dunkeln.« Aber da geht das Licht wieder an, sehr hell, fast weiß strahlt es aus den kleinen Kajütenfenstern. Kai steht vor uns, sein Umriß hebt sich dunkel und schwer vom aufgehellten Hintergrund ab, er sagt kein Wort, aber unser Lachen verstummt. Erst jetzt merken wir, wie betrunken wir sind. Wir haben alle drei den gleichen Grad von Betrunkenheit erreicht, das gibt uns ein brüderliches Gefühl. Das Leuchtfeuer der Küste ist bedrohlich nah gerückt, Kai übernimmt das Steuerruder. Lautlos gleitet unser Boot in den kleinen, ummauerten Hafen.

Geschlafen hat keiner von uns in dieser Nacht. Vier lagen in den Kojen der Kajüte, der fünfte hielt Wache an Deck. Von drei bis fünf Uhr war ich an der Reihe. Ich fand Edgar, den ich ablösen sollte, schlafend auf dem Kajütendach. Er lag auf dem Rücken, mit etwas abgespreizten Beinen und Armen, den Kopf unbequem flach und tief auf den Brettern. Es tat mir leid, ihn wecken zu müssen, so ruhig und still lag er da im Licht des halben Mondes. Als ich ihn an der Schulter berührte, fuhr er auf: »Wer ist da?« Er starrte mich aus weit geöffneten Augen an. »Gut, daß du mich geweckt hast. Ich habe schrecklich geträumt.« Während meiner Wache verfinsterte sich der Himmel, nur noch vereinzelte Sterne ritzten wie mit scharfen Lichtmesserchen die niedrig hängende Wolkendecke auf. Der Wind schlief ein, aber ich spürte, er lag in der Nähe in einem Hinterhalt, lag zusammengerollt wie ein Hund, der jeden Augenblick aufspringen und angreifen kann. Hing, Kopf nach unten, in der Takelage, eine unförmige, riesige Fledermaus. Er war da und wartete. Sein fauliger Atem lag in der Luft. Es war schwül und feucht. Punkt fünf Uhr, zur festgesetzten Startzeit, kam der Wind, eilig wie einer, der sich im letzten Augenblick einer Verabredung entsinnt. Ein gutgelaunter, leichtfertiger Bursche von Wind meldete sich mit ein paar spielerischen Wasserschnörkeln und Luftkapriolen zur Stelle. Ich weckte die anderen. Edgar war blaß und stumm, Arnold litt an Katzenjammer. Es wurde ein unlustiger Aufbruch im Morgengrauen.

Der Wind blieb bög, sprang bald von hier, bald von dort das Großsegel an und zog sich dann wieder zurück. Die Wasserfläche

33

war gläsern spröde und rauh, in scharfe Scherbensplitter zerschlagen. Das Boot lag entweder zu hoch oder zu schräg am Wind, ein paarmal begann das Segel zu schlackern. Es fiel uns schwer zu manövrieren, wir wendeten ungenau. Edgar, Arnold und ich hatten jahrelang nicht mehr gesegelt. Es zeigte sich, daß die Mannschaft nicht richtig eingespielt war. Sicher wäre es besser gewesen, Kai, der geübter als wir anderen war, das Kommando zu übergeben, aber niemand wagte es, Edgars Führerstellung unter uns anzuzweifeln, und als Kai eine Bemerkung über die Wolken, die ihm nicht gefielen, machte, wurde er ausgelacht. Cat erschien mit dem Frühstück in der Kajütentür. »Eigentlich wollte ich heute nacht von Bord gehen«, sagte sie, »aber Kai hat mir abgeraten. Nicht feige sein, meinte er.« Cats Gesicht war auf eine neue Art zusammengefaßt, kein flackriges Zucken zeigte sich mehr in ihren Zügen.

An diesem Morgen geschah alles an Bord mit einer unheilvollen Verspätung. Jeder von uns hatte das nahende Unwetter an den gerade abgeschnittenen Wolkenbarren erkannt, aber niemand verlor darüber ein Wort. Als der Wind umsprang und so stark von Südwesten blies, daß sich das Boot hart in die Schräge legte und Wasser über die Bordwand schlug, gab es Streit wegen des Segelreffens. Edgar konnte das Boot nicht lange genug im Winde halten, das Großsegel hatte sich festgehakt, Arnold schlug vor, ein Stück weit den Mast hinaufzuklettern, um die Schlinge im Tauwerk zu lösen. Cat sah unseren wirren Manövern gleichgültig zu, sie hatte nichts zu tun, als sich bei jeder Wende von der einen Seite des Bootes auf die andere zu setzen. Sie tat es ohne Hast, traumbefangen, während die Wellenberge anwuchsen und sich am Bug überschlugen. Bei jedem Angriff des Sturms legte sich unser Boot jetzt so sehr in die Schräge, daß das Segel das Wasser berührte. Wir alle wußten, daß ein Kielboot nicht kentern kann. Wenn es dennoch voll Wasser läuft und untergeht durch sein Gewicht, beruht das fast immer auf einem Kunstfehler, einem Nachlassen der Aufmerksamkeit bei dem erregenden Gleichgewichtsspiel. Mit unserer Sammlung war es heut schlecht bestellt nach der durchwachten, durchfeierten Nacht.

Das Boot verminderte seine Fahrt. Ächzend erklomm es die Gipfel der Wellen, die es nicht tragen wollten, sondern immer wieder abschüttelten wie ein wildes Pferd seinen Reiter. Dazu kam noch eine kleine vertrackte Drehbewegung im Herzen des Bootsleibes, die uns beunruhigte und schwindlig machte. Ich weiß nicht mehr, wie lange wir – nicht gemeinsam, sondern noch immer in jener tiefen Entzweiung befangen – gegen den beginnenden Sturm ankämpften, ich entsinne mich nur noch an den Augenblick, in dem mich, zugleich mit einem neuen Wassersturz vom Rücken her, die Angst ergriff. Ich blickte mich nach den anderen um. Obgleich wir auf engem Raum beieinander saßen, schien der eine merkwürdig weit vom anderen entfernt zu sein. In dem Getöse von Wellen und Wind konnten wir uns nur noch schreiend miteinander verständigen. Cat war in die Kajüte hinuntergegangen, um etwas zu holen, Kai hatte das Steuerruder übernommen, für uns andere blieb nicht viel zu tun.

Ich hatte Zeit zu einer Menge Gedanken, ein unheimliches Gefälle war plötzlich in meinem Kopf entstanden. Ich fühlte mich aufgerüttelt, an den Schultern gerüttelt: entscheide dich, ja oder nein. Und ich entschied mich, durchnäßt und zitternd, mit schmerzenden Eingeweiden, in Furcht und Erniedrigung. Gern hätte ich laut um Verzeihung gebeten, aber niemand hörte mir zu. Da ist etwas am Leben, eine Aussicht, eine Freiheit, die man erst dann entdeckt, wenn die Welt nur noch aus graugrünen Wellengebirgen besteht. Ich versprach eine Menge Dinge, die ich tun oder unterlassen wollte, wenn diese Prüfung noch einmal vorüberginge. Ich war zerstreut dabei wie ein Kind, das seine Versprechen nicht halten wird, und die Eltern wissen es ganz genau und freuen sich am guten Willen. Vor allem versprach ich, noch einmal ganz von vorn anzufangen und alles, was bisher gewesen war, auszustreichen.

Ich rede zu viel von mir, das kommt daher, weil man in Augenblicken der Gefahr eigentlich gar nichts von den anderen weiß. Zudem litt ich an einer merkwürdigen Taubheit, die mich bei Kais Weisungen erst einmal tief nachdenken ließ, ehe ich zupackte. Ich war nur halb bei der Sache und wurde erst wieder hellwach bei der unwahrscheinlichen Szene, die sich mitten im Sturm vor unseren Augen abspielte.

Edgar, der, gegen die Bootswand gepreßt, untätig zusehen mußte, wie das Großsegel schlackerte und sich von der Gaffel losriß, schien sich plötzlich auf seine Rolle als Kapitän zu besinnen. Er trat einen Schritt vor, wodurch das mühsam gehaltene Gleichgewicht des Bootes einen empfindlichen Stoß erhielt, und brüllte Kai etwas zu, das wir nicht verstanden. Aber der Sinn seines Geschreis war klar: er wollte Kai zwingen, ihm das Steuerruder zu überlassen. Kai schüttelte den Kopf, seine Bewegungen in diesen letzten Sekunden waren zähflüssig und schwer. Er rührte sich nicht von der Stelle, aber Edgar beugte sich vor und packte den Steuermann an den Schultern. Das Boot machte eine jähe Wendung, gleichsam einen Sprung ins Leere, Wasser schlug uns brennend in die Gesichter, und noch bevor das Gewicht des durchnäßten Segels das Boot in die Tiefe zog, hatte eine Welle die Ringenden mitgenommen. Sanft, fast mütterlich trug sie die beiden davon, wir sahen, ein Stück weit von uns entfernt, auf der offenen See ihre merkwürdig kleinen Köpfe schwimmen. Dann wurden auch wir über Bord gespült und sogleich voneinander getrennt. Im ersten Augenblick erfrischte und ermunterte uns die Berührung mit dem Wasser, wir winkten uns von den Wellenkämmen wie von Berggipfeln zu. Ich sah Kai und Cat, die sich zusammenhielten. Kai deutete in eine bestimmte Richtung, vielleicht schwamm dort unser Boot kieloben, aber ich sah es nicht, und es wäre sinnlos gewesen, in dem wogenden Ineinander von Wellenbergen und -tälern auf ein Ziel zuzuschwimmen. Meine Stimmung war noch immer sehr gut, ich hätte den anderen allerlei Aufmunterndes zurufen können, aber wir trieben immer weiter auseinander. Und ich fühlte mich bald sehr allein im Wellental, umgeben von zerstäubenden Schaumkronen. Ich schluckte Salzwasser, verschluckte mich, hustete, fing an, regelwidrig um mich zu schlagen ...

Unsere Rettung kommt mir heute noch unwahrscheinlich vor. Sie war es nicht, denn, ohne es zu wissen, befanden wir uns noch in Sichtweite der Küste, und man hatte unser Boot seit dem Aufziehen des Sturmes beobachtet. Das erste, was ich hörte, als ich zu mir kam, war eine tiefe, heisere Stimme, die etwas von ›Herzschwäche‹ sagte und ›zu spät‹. Ich zwang mich, die Augen zu öffnen. Cat, Arnold und Kai lehnten, in Decken gehüllt, an der Kajütenwand des Rettungsboots, mit einem tauben Ausdruck des Schreckens in den Gesichtern. Abseits von den anderen, auf dem Vorderdeck, umgeben von einem Halbkreis von Männern, lag Edgar, Arme und Beine etwas abgespreizt, den Kopf sehr tief gebettet, mit weit offenen, in den Himmel gerichteten Augen. Ein Wasserrinnsal floß aus seinem Mundwinkel über das Kinn, das war das einzige, was sich an ihm regte. Mir fiel ein, daß ich ihn in der gleichen Lage in der Nacht bei seiner Wache in tiefem Schlaf auf dem Kajütendach vorgefunden hatte. Aber aus irgendeinem Grund wußte ich gleich, als ich die Augen aufschlug, daß Edgar nicht mehr lebte.

HUMBERT FINK
Das Fräulein

Fräulein Klara war, ist Beamtin, pragmatisiert, vierzigjährig, mausgrau und mit spitzem Gesicht, strähnigem Haar, flachsfarben, üblem Mundgeruch und großen roten Händen, die aus den Ärmeln eines rauhen Kleides wie zwei Geschwüre brechen, trotz ihrer ahnungslosen Unschuld bösartig, plump, ungeschickt, Handteller ohne jeden Reiz und mit gelblicher Hornhaut an den Ballen, Finger ohne Instinkt, die Nagelkuppen gewölbt, als wären es Auswüchse, Hände, Hände ... die man nicht anfassen möchte und doch unentwegt anstarrt. Das Fräulein sah und traf ich in Wewerkas Branntweinladen zum ersten Mal. Man war irgendeines Mannes wegen gekommen, las ihn vom Fußboden auf, stellte unbeantwortbare Fragen, und das Fräulein schrieb mit seinen großen roten Händen etwas in den Notizblock, den es auf den Knien hielt, obgleich die vier Tische entlang der Wand von Gästen, Gläsern, vollen Aschenschalen und Schmutz gesäubert worden waren. Es schrieb und hielt dabei den Kopf gesenkt, unberührt von dem, was rundum vorging und zu anderer Gelegenheit Schicksal genannt worden wäre. Die Männer der Rettungsgesellschaft kümmerten sich nicht mehr um den Mann, der zusammengesunken im Stuhl lag, in den man ihn gelegt hatte, und nur ein

Arzt hantierte lustlos am erstarrten Körper; aber die Beamten richteten immer noch Fragen an uns, erhielten halblaute Antworten, keine Antworten, und das Fräulein schrieb und senkte den Kopf, und die blaugrauen Rauchschwaden in Wewerkas Branntweinladen drängten sich dicht und klumpig gegen die Decke. Schräg gegenüber über die Straße lag das Etablissement, in dem ich nachts mein Schlagzeug bediente, und immer schon war ich am frühen Nachmittag zu Wewerka gekommen, hatte den Nachmittag, Abend und die spärliche Gage vertrunken, war zuzeiten Wewerkas bester Gast gewesen, hatte mit den anderen Grölern und auch mit dem Mann hier gegrölt und ihre klugen Säuferphysiognomien und auch seine im wehenden Zigarettenrauch schwimmen sehen, es waren meine Freunde und die Mädchen von der Bar gekommen, und ich war stets allen anderen zuvorgekommen, und nun war das Fräulein gekommen, und der Mann war tot, Oskar hieß er oder Otto oder so.

Lange sah ich das Fräulein dann nicht mehr und konnte es doch nicht vergessen, konnte den Blick nicht vergessen, den es mir zugeworfen hatte, denn wohl hatte das Fräulein den Kopf auf den Notizblock gesenkt gehalten,. aber einmal hatte es aufgeblickt und mich angesehen aus trüben Augen mit wimpernlosen Lidern, aus Augen, die nicht grau und nicht grün waren, und mit einem Blick voll Trauer und Langweile oder trauriger Langweile, stumpf und ein wenig töricht, es hatte mich angesehen mit diesem Blick und wieder den Kopf gesenkt und die großen roten Hände auf den Notizblock gelegt. An das Haar erinnerte ich mich nicht, damals, an die Gestalt nicht und nicht an die Beine, auch nicht an das Gesicht, an nichts, nur an die Augen, die nicht grau und nicht grün waren, und an diese großen roten Hände; und an den einen trüben Blick, natürlich. Ich ging wieder in das Etablissement zurück, in den Rauch und Lärm und in die langen Nächte voll Striptease, Betrunkensein und kleinem Schlagzeugwirbel, zurück ins Leben, das ich in Nacht und Tag einteilte, in Geld und Schuld und in das Zimmer in der Pension mit dem Fenster zum Hof und in Wewerkas Branntweinladen und in die langen Atempausen, in denen ich mich langweilte. Mein Frühstück nahm ich um zwölf in der Pension, mein Mittagessen am frühen Abend in Wewerkas Branntweinladen, und wie oft hatte mir Lydia, die Schankhilfe, einen Teller voll rostroten Schinkens oder blubbernder Sulze vorgelegt, oder ich bestellte Rindfleisch in Dosen, trank Bier dazu, und manchmal dachte ich an das Fräulein und mehr noch an den Blick, mit dem es mich angesehen hatte, und eigentlich hatte ich es schon vergessen, ohne es wirklich vergessen zu haben, ohne den einen trüben törichten Blick vergessen zu können, als ich es wiedersah, wieder in Wewerkas Branntweinladen, und draußen dröhnte die Straße unterm Aufprall des Regens, strömte das Wasser gurgelnd und schmutzig in die Kanäle, floß über, trommelte gegen die Dächer, schmatzte in den Röhren, bedeckte in großen Lachen die Straße, und als das Fräulein eintrat, durchnäßt und schutzsuchend, trieb der Wind einige Strähnen grauen Wassers mit dem Fräulein zu uns herein. An diesem Nachmittag schloß ich Bekanntschaft mit dem Fräulein, redete ihm des Wetters wegen ein Glas Grog ein, sah, wie sich die Wangen des Fräuleins rasch röteten, redete über den Mann, der Oskar hieß oder Otto oder so und nun schon eine Weile tot war und den man einer Unterschlagung verdächtigt hatte, aber auch das Fräulein wußte nur, was es mitgeschrieben hatte, und das war nicht viel gewesen, und es redete über seinen Beruf, redete mehr, als es ohne dieses eine Glas Grog geredet haben würde, erzählte von den Toten, die es gesehen hatte, während es mit seinen großen roten Händen Antworten in den Notizblock schrieb, erzählte von den vielen Toten und ihren verdrehten Augen und Gliedern, von Selbstmördern erzählte es und von Gastoten, Wasserleichen und zu Tode Gestürzten, erzählte von hysterischen Hinterbliebenen und schweigsamen Arrestanten, von Tränen, Haß und Abgründen, erzählte schaudernd, aber rotwangig, redete zu mir, als wäre ich dem Fräulein kein Unbekannter mehr, und nur die Augen des Fräuleins blieben stumpf und unberührt von dem, was es erzählte, und am Abend, als der Regen gleichmäßig und sanft fiel, geleitete ich es bis vor das Haus, in dem es wohnte, und noch vor der Tür sagte es rasch zwei, drei Sätze von der Wohnung, die geräumig, wohleingerichtet und für die nur ein bescheidener Zins zu bezahlen wäre.

Von diesem Tag an trafen wir uns regelmäßig. Wewerkas Branntweinladen blieb weit zurück, ich saß neben dem Fräulein und vor Kuchen auf ziselierten Tellern in den Konditoreien der Stadt, trank rasch einen seifigen Kognak und dann den Tee, für den er bestimmt gewesen wäre, starrte, Gardinen beiseite schiebend, auf die Straße, grüßte Bekannte des Fräuleins und wurde manchen von ihnen vorgestellt, und das Fräulein redete und setzte mir zu, mein Leben zu ändern oder doch die Wohnung oder zumindest den Beruf. Es redete und zerteilte ungestüm die gelben Kuchenstücke, oder wir gingen am frühen Abend, jedoch nie Arm in Arm, durch die langen Alleen bis in die Vororte, gingen ins Kino und anschließend wieder in eine Konditorei oder erst Kuchen essen und dann ins Kino, gingen jeden Tag Kuchen essen, gingen in alle Konditoreien, die das Fräulein kannte, und es redete, redete auch mit vollem Mund, legte manchmal seine Hand auf meine und sah mich immer mit seinen stumpfen trüben Augen, mit diesen trüben törichten Blicken an, die doch nie imstande waren, das auszudrücken, worüber das Fräulein so angestrengt redete. Einmal nur noch ging ich vorher, vor Kuchen, Konditorei, seifigem Kognak, Gardinen, Kino und langen Alleen, in Wewerkas Branntweinladen, bestellte bei Lydia Rindfleisch in Dosen und Bier und Korn, unterhielt mich mit Lydia und meinen alten Freunden, sah die Mädchen von der Bar wieder und die Artisten aus dem Etablissement von der anderen Straßenseite (habe ich zu erwähnen vergessen, daß ich vorerst aushilfsweise im städtischen

Eich- und Vermessungsamt untergekommen bin? Im Magistrats-
orchester das verwaiste Schlagzeug übernommen hatte? Und im Begriffe stand, als zahlender Gast zum Fräulein in Untermiete zu ziehen?), sah den blaugrauen Rauch wie ehedem zur Decke steigen und
die klugen Säuferphysiognomien meiner Freunde wie Fische hinter
Aquariumglas schwimmen, sah den Schmutz und die Barrikade un-
gewaschener Gläser vor Lydia, sah Erinnerungen, die ich fast schon
vergessen hatte, und schmeckte den Korn mit doppeltem Zungen-
schlag, trank mehr Korn als Bier und hätte gewiß meine Rückkehr
gefeiert, wäre das Fräulein nicht plötzlich in der Tür gestanden, die
großen roten Hände schlaff herabhängend und die trüben Augen auf
mich gerichtet, und wir gingen in die Wohnung des Fräuleins, und
gleich hinter der Tür seiner Wohnung küßte ich es auf die Wange
und faßte es durch das rauhe Kleid mehr abwesend als behutsam an,
und als mich das Fräulein küßte, roch ich seinen üblen Atem, und es
legte seine großen roten Hände um meinen Hals und zog mich an sich,
und dann verführte ich das Fräulein, und erst nachher, lange nachher
erhob es sich von meiner Seite und stellte mir eine Flasche Bier vor,
freilich nur eine, und es betrachtete mich aufmerksam, bis ich die
Flasche, ohne daraus getrunken zu haben, wieder zur Seite stellte.

Hunger und Verzweiflung scheiden aus, es war nicht der Hoch-
mut und auch kein Gefühl, das man Demut nennen möchte, gewiß
nicht das dumpfe, beängstigende Rumoren vom Bahnhof her oder
der erste nasse bleiche Novemberschnee, kaum die vertanenen Gefühle in den frühen Morgenstunden im Zwielicht unterm schwarzen
kahlen Geäst der langen Alleen, nichts von dem, was Einsamkeit
heißt, auch nicht in der Pension mit den abgetretenen, ehedem roten
Läufern im dunklen Korridor, nicht einmal im spärlich möblierten
Zimmer mit dem Fenster zum Hof, keine Hoffnung auf spätere
Testamente, kein Zwang zum Guten wie zum Bösen, es waren auch
nicht Zuneigung, Abscheu oder Gleichgültigkeit oder das, was ein
gewisser Pirandello die Wollust der Anständigkeit genannt hat, kein
Aberglaube, keine Verzauberung, keine Dämonen und nicht die
Spur einer äußeren oder inneren Notwendigkeit ... Was also war es?

WALTER HELMUT FRITZ
Das Schweigen vieler Jahre

Das Fenster war zugeklebt, derart, daß auf einen großen Bogen
braunen Packpapiers kleinere Blätter und Stücke aus Zeitungen und
Illustrierten aufgelegt waren, da und dort in mehreren Schichten
übereinander. Auch Karton konnte man entdecken, auch Wellpappe.
Sogar Fasern von Holzwolle waren zu unterscheiden. Dazwischen
die getrockneten Spuren von Kleister. Das Ganze machte den Eindruck der Unzerreißbarkeit, obwohl ich mir sagte, das könne nicht

stimmen, ein Griff müsse genügen, es wegzuziehen, um den Blick freizubekommen. Dennoch blieb ich zunächst davor stehen, ohne mich zu bewegen. Ich sah nur das Gewirr von Überschriften und Bildern, von Zeilen, Worten und Buchstaben zwischen den leeren Flächen, versuchte auch, etwas zu entziffern, was nicht gelang, da die Stücke so ineinander- und aufeinandergeklebt waren, daß sich kein Abschnitt erkennen ließ, der nicht durch irgendwelche Einschübe oder Überdeckungen in Mitleidenschaft gezogen gewesen wäre. Wenigstens war es mir nicht möglich, einen solchen herauszufinden, obwohl es ihn – wenn ich die Sache jetzt in Ruhe überlege – gegeben haben müßte. Nur war ich wahrscheinlich zu sehr in Unruhe, um ihn entdecken zu können.

Ich wandte mich ab, um mich fertigzumachen für einen Gang in die Stadt. Es gab ein paar Besorgungen zu erledigen, unter anderem etwas einzukaufen für das Abendessen. Einen begonnenen Brief schob ich beiseite, ordnete einiges auf dem Tisch, nahm mir vor, an dem Kleid Annes, meiner Tochter, das uns eine Verwandte geschenkt hatte und das ich kürzen müßte, anschließend weiterzuarbeiten, ging ins Bad und legte Rouge auf. Ich hörte das Telefon läuten und eilte zurück ins Zimmer. Man hatte falsch gewählt. Entschuldigen Sie. Bitte sehr.

Dann stand ich erneut vor dem mit Packpapier, Zeitungen, Illustrierten, Kartons und Wellpappe-Resten verschlossenen Fenster. Gewiß, einigermaßen verwundert, doch nicht so sehr, daß mich Panik erfaßt hätte. Weshalb auch? Ich würde mich daran gewöhnen. Auch mein Mann würde sich daran gewöhnen. Auch die Kinder schließlich. Es galt nur, eine plausible Erklärung zu finden. Sie würde sich ergeben. Warum ich dann doch plötzlich an dem Konglomerat zu zerren begann (ich hatte dabei den Eindruck, ich müsse Staub zwischen den Zähnen oder gerade Rhabarber gegessen haben), weiß ich nicht. Es gab nach, fiel zu Boden und in sich zusammen. Ein stumpfes Geräusch.

Ich sah auf eine Landschaft, über der Heiterkeit und Glanz standen. Links ein Weg, einen Hügel hinauf und sich dahinter verlierend. Zwei Häuser, sehr still. Man nahm niemanden davor wahr. Sie machten einen sonntäglichen Eindruck, obgleich ich wußte, daß es nicht Sonntag war. Zur Rechten, in etwas weiterer Entfernung, die Schleife eines kleinen Flusses, eine Brücke, die darüber wegführte. Wirbelnde Helligkeit. Ich kannte die Landschaft. Schließlich war sie mir täglich vor Augen. Sie kam mir zugleich aber auch fremd vor, denn alles darin war etwas entstellt. Ich verweilte zunächst nicht bei den Einzelheiten, versuchte dann aber, das sich darbietende Bild zu vergleichen mit dem, das mir vertraut war. Der Hügel schien weiter zur Seite gerückt, die Häuser in etwas größerer Ferne, das Leuchten über dem Fluß hatte an Kraft zugenommen.

Das Überraschendste jedoch war, daß Anne jetzt den Weg herunterkam, in Begleitung zweier Mädchen aus der Nachbarschaft, mit denen sie oft spielte. Aber warum überraschend? Ich wußte doch, daß sie gleich nach dem Mittagessen hinausgegangen war, es war ein schöner Tag, Osterferien. Sie trug ihr blaues Kleid, das sie am liebsten hatte. Ich erkannte ihre Ausgelassenheit an den übermütigen Bewegungen, die sie machte. Streckenweise legte sie den Weg springend zurück. Dann tollte sie mit den beiden anderen auf der Wiese. Sie riß Gras aus und warf es in die Höhe. Oder sie streifte mit zwei Fingern Rispen ab. Nachher suchte sie Blumen. »Wer pflückt schneller einen Blumenstrauß, der Gärtner oder ich?« rief sie ihren Freundinnen vielleicht im Augenblick zu. Häufig brachte sie kleine Sträuße mit.

Ein schönes Bild also, wie die Mädchen an diesem bis an die Ränder von Licht gespannten Tag in ihrem Spiel sich aufhielten. Mich jedoch erfaßte plötzlich Entsetzen. Ich drehte mich um und saß lange bewegungslos in einem Sessel. Die Angst hatte mich überfallen, Annes Leben könne wie das meine in eine Sackgasse führen.

Ich sah sie (und sah mich selbst), verheiratet mit einem Mann, der abstößt durch seine Vitalität, mit der er protzt und die wie ein penetranter Geruch ist. Sie wird auch eine Tochter haben und wird dieses Kindes wegen möglicherweise manchen Entschluß nicht ausführen, den sie gefaßt hat.

Ein Tag wie jeder. Es ist bald siebzehn Uhr. In einer halben Stunde wird er zu Hause sein. Sie ist unfähig, noch etwas zu tun. Sie fummelt nur vor sich hin, irgend etwas, und schiebt dabei Brot in den Mund, zerstreut, Bissen um Bissen. Sie überlegt, was sie ihm sagen wird. Sie wird ihm alles sagen. Sie wird ihm das Schweigen vieler Jahre vor die Füße werfen. Dann wird sie hinausgehen und ihn allein lassen. Anders wird sie es nicht ertragen können. Hat er wirklich noch nicht gemerkt, wie es um sie beide steht? Wenigstens tut er so. Jahraus, jahrein diese Robustheit, undurchdringlich, als habe man ihm Paraffin unter die Haut gespritzt. Sie geht zur Haustür, öffnet und sieht die Straße hinunter. Wenn man draußen vorbeiginge, könnte man meinen, sie warte auf ihn. Die Schatten werden breiter: Unter den beiden Apfelbäumen im Vorgarten ist es, als spreizten sich Hände. Geschäftigkeit des Spätnachmittags. Eine lange Straße. Ganz am anderen Ende wird er auftauchen. Noch nie hat er an sich gezweifelt. So hat er sich immer betrogen. Sie geht ins Haus zurück. Ich könnte noch etwas tun, denkt sie, was könnte ich noch tun? Ich müßte den Tisch decken. Wenn er kommt, möchte er, daß der Tisch gedeckt ist. Sie tut das Notwendigste mit ein paar Handgriffen, um wieder unter der Tür stehen zu können.

Guten Tag, mein Mäuschen, wird er sagen, wenn er kommt, und sie dabei auf die Stirn küssen. Der Kuß wird von schneckenhafter Klebrigkeit und kühl sein. Sie wird spüren, wie sich ihre Kopfhaut zusammenzieht. Sie wird zurückweichen, aber er wird es nicht merken. Sie haßt ihn, weil er nie etwas merkt.

Gibt's was Neues, wird er fragen.

Nein.

Ist nichts mit der Post gekommen?

Nein.

Seine Fragen, die dieselben sind seit Jahren, leben in ihrem Ohr wie ein böses Gesumm, das sie nicht mehr los wird. Sie wird sehen, wie er sich seine Lippen leckt. Sie wird frieren.

Vielleicht wird er sich wundern, daß sie nicht im Haus ist.

Ich wollte etwas frische Luft haben, wird sie antworten. Ich war den ganzen Tag über nicht draußen. Auf die letzten Worte wird er kaum mehr hören. Er wird ihr sagen, daß er gleich soweit sein wird.

Später wird man sich gegenübersitzen. Sie selbst wird nichts zu sich nehmen, sich entschuldigen mit einer Magenverstimmung. Sie wird darauf warten, daß er zum Schluß ein Stück Hefekuchen in den Tee tunkt, und wird merken, daß sich in ihren Armbeugen Schweiß bildet. Dann wird sie zur Seite blicken und sich ihre Nägel in die Handballen pressen.

Er wird ihr sagen, Herr G., sein Mitarbeiter im Büro, verstehe nichts von der Arbeit.

Wie selbstgefällig er ist, wird sie wieder denken müssen. Und still sein. Er vermißt es nicht, wenn sie nichts sagt. Sie wird dasitzen. Es genügt ihm. Ich erhob mich, ging zum Fenster. Die drei Mädchen spielten Fangen, nicht weit. Ich deckte den Tisch. Dann rief ich Anne herein.

Ist Vater schon zurück? fragte sie.

Er wird gleich da sein.

Ich holte Reißnägel, hob das Packpapier vom Boden auf und heftete es auf dem Rahmen des Fensters fest. So wurde der Blick nicht mehr abgelenkt von dem, was draußen vor sich ging. Nur müßte man einen Vorhang kaufen, dachte ich, ihn darüberziehen. Es würde netter aussehen.

SIEGFRIED LENZ
Die Nacht im Hotel

Continuity causal + effect

Der Nachtportier strich mit seinen abgebissenen Fingerkuppen über eine Kladde, hob bedauernd die Schultern und drehte seinen Körper zur linken Seite, wobei sich der Stoff seiner Uniform gefährlich unter dem Arm spannte.

»Das ist die einzige Möglichkeit«, sagte er. »Zu so später Stunde werden Sie nirgendwo ein Einzelzimmer bekommen. Es steht Ihnen natürlich frei, in anderen Hotels nachzufragen. Aber ich kann Ihnen schon jetzt sagen, daß wir, wenn Sie ergebnislos zurückkommen, nicht mehr in der Lage sein werden, Ihnen zu dienen. Denn das freie Bett in dem Doppelzimmer, das Sie – ich weiß nicht aus welchen Gründen – nicht nehmen wollen, wird dann auch einen Müden gefunden haben.«

»Gut«, sagte Schwamm, »ich werde das Bett nehmen. Nur, wie Sie vielleicht verstehen werden, möchte ich wissen, mit wem ich das Zimmer zu teilen habe; nicht aus Vorsicht, gewiß nicht, denn ich habe nichts zu fürchten. Ist mein Partner – Leute, mit denen man eine Nacht verbringt, könnte man doch fast Partner nennen – schon da?«

»Ja, er ist da und schläft.«

»Er schläft«, wiederholte Schwamm, ließ sich die Anmeldeformulare geben, füllte sie aus und reichte sie dem Nachtportier zurück; dann ging er hinauf.

Unwillkürlich verlangsamte Schwamm, als er die Zimmertür mit der ihm genannten Zahl erblickte, seine Schritte, hielt den Atem an, in der Hoffnung, Geräusche, die der Fremde verursachen könnte, zu hören, und beugte sich dann zum Schlüsselloch hinab. Das Zimmer war dunkel. In diesem Augenblick hörte er jemanden die Treppe heraufkommen, und jetzt mußte er handeln. Er konnte fortgehen, selbstverständlich, und so tun, als ob er sich im Korridor geirrt habe. Eine andere Möglichkeit bestand darin, in das Zimmer zu treten, in welches er rechtmäßig eingewiesen worden war und in dessen einem Bett bereits ein Mann schlief.

Schwamm drückte die Klinke herab. Er schloß die Tür wieder und tastete mit flacher Hand nach dem Lichtschalter. Da hielt er plötzlich inne: neben ihm – und er schloß sofort, daß da die Betten stehen müßten – sagte jemand mit einer dunklen, aber auch energischen Stimme:

»Halt! Bitte machen Sie kein Licht. Sie würden mir einen Gefallen tun, wenn Sie das Zimmer dunkel ließen.«

»Haben Sie auf mich gewartet?« fragte Schwamm erschrocken; doch er erhielt keine Antwort. Statt dessen sagte der Fremde:

»Stolpern Sie nicht über meine Krücken, und seien Sie vorsichtig, daß Sie nicht über meinen Koffer fallen, der ungefähr in der Mitte des Zimmers steht. Ich werde Sie sicher zu Ihrem Bett dirigieren:

Gehen Sie drei Schritte an der Wand entlang, und dann wenden Sie sich nach links, und wenn Sie wiederum drei Schritte getan haben, werden Sie den Bettpfosten berühren können.«

Schwamm gehorchte: er erreichte sein Bett, entkleidete sich und schlüpfte unter die Decke. Er hörte die Atemzüge des anderen und spürte, daß er vorerst nicht würde einschlafen können.

»Übrigens«, sagte er zögernd nach einer Weile, »mein Name ist Schwamm.«

»So«, sagte der andere.

»Ja.«

»Sind Sie zu einem Kongreß hierhergekommen?«

»Nein. Und Sie?«

»Nein.«

»Geschäftlich?«

»Nein, das kann man nicht sagen.«

»Wahrscheinlich habe ich den merkwürdigsten Grund, den je ein Mensch hatte, um in die Stadt zu fahren«, sagte Schwamm. Auf dem nahen Bahnhof rangierte ein Zug. Die Erde zitterte, und die Betten, in denen die Männer lagen, vibrierten.

»Wollen Sie in der Stadt Selbstmord begehen?« fragte der andere.

»Nein«, sagte Schwamm, »sehe ich so aus?«

»Ich weiß nicht, wie Sie aussehen«, sagte der andere, »es ist dunkel.«

Schwamm erklärte mit banger Fröhlichkeit in der Stimme:

»Gott bewahre, nein. Ich habe einen Sohn, Herr ... (der andere nannte nicht seinen Namen), einen kleinen Lausejungen, und seinetwegen bin ich hierhergefahren.«

»Ist er im Krankenhaus?«

»Wieso denn? Er ist gesund, ein wenig bleich zwar, das mag sein, aber sonst sehr gesund. Ich wollte Ihnen sagen, warum ich hier bin, hier bei Ihnen, in diesem Zimmer. Wie ich schon sagte, hängt das mit meinem Jungen zusammen. Er ist äußerst sensibel, mimosenhaft, er reagiert bereits, wenn ein Schatten auf ihn fällt.«

»Also ist er doch im Krankenhaus.«

»Nein«, rief Schwamm, »ich sagte schon, daß er gesund ist, in jeder Hinsicht. Aber er ist gefährdet, dieser kleine Bengel hat eine Glasseele, und darum ist er bedroht.«

»Warum begeht er nicht Selbstmord?« fragte der andere.

»Aber hören Sie, ein Kind wie er, ungereift, in solch einem Alter! Warum sagen Sie das? Nein, mein Junge ist aus folgendem Grunde gefährdet: Jeden Morgen, wenn er zur Schule geht – er geht übrigens immer allein dorthin – jeden Morgen muß er vor einer Schranke stehen bleiben und warten, bis der Frühzug vorbei ist. Er steht dann da, der kleine Kerl, und winkt, winkt heftig und freundlich und verzweifelt.«

»Ja und?«

»Dann«, sagte Schwamm, »dann geht er in die Schule, und wenn er nach Hause kommt, ist er verstört und benommen, und manchmal heult er auch. Er ist nicht imstande, seine Schularbeiten zu machen, er mag nicht spielen und nicht sprechen: das geht nun schon seit Monaten so, jeden lieben Tag. Der Junge geht mir kaputt dabei!«

»Was veranlaßt ihn denn zu solchem Verhalten?«

»Sehen Sie«, sagte Schwamm, »das ist merkwürdig: Der Junge winkt, und – wie er traurig sieht – es winkt ihm keiner der Reisenden zurück. Und das nimmt er sich so zu Herzen, daß wir – meine Frau und ich – die größten Befürchtungen haben. Er winkt, und keiner winkt zurück; man kann die Reisenden natürlich nicht dazu zwingen, und es wäre absurd und lächerlich, eine diesbezügliche Vorschrift zu erlassen, aber . . .«

»Und Sie, Herr Schwamm, wollen nun das Elend Ihres Jungen aufsaugen, indem Sie morgen den Frühzug nehmen, um dem Kleinen zu winken?«

»Ja«, sagte Schwamm, »ja.«

»Mich«, sagte der Fremde, »gehen Kinder nichts an. Ich hasse sie und weiche ihnen aus, denn ihretwegen habe ich – wenn man's genau nimmt – meine Frau verloren. Sie starb bei der ersten Geburt.«

»Das tut mir leid«, sagte Schwamm und stützte sich im Bett auf. Eine angenehme Wärme floß durch seinen Körper; er spürte, daß er jetzt würde einschlafen können.

Der andere fragte: »Sie fahren nach Kurzbach, nicht wahr?«

»Ja.«

»Und Ihnen kommen keine Bedenken bei Ihrem Vorhaben? Offener gesagt: Sie schämen sich nicht, Ihren Jungen zu betrügen? Denn, was Sie vorhaben, Sie müssen es zugeben, ist doch ein glatter Betrug, eine Hintergehung.«

Schwamm sagte aufgebracht: »Was erlauben Sie sich, ich bitte Sie, wie kommen Sie dazu!« Er ließ sich fallen, zog die Decke über den Kopf, lag eine Weile überlegend da und schlief dann ein.

Als er am nächsten Morgen erwachte, stellte er fest, daß er allein im Zimmer war. Er blickte auf die Uhr und erschrak: bis zum Morgenzug blieben ihm noch fünf Minuten, es war ausgeschlossen, daß er ihn noch erreichte.

Am Nachmittag – er konnte es sich nicht leisten, noch eine Nacht in der Stadt zu bleiben – kam er niedergeschlagen und enttäuscht zu Hause an.

Sein Junge öffnete ihm die Tür, glücklich, außer sich vor Freude. Er warf sich ihm entgegen und hämmerte mit den Fäusten gegen seinen Schenkel und rief:

»Einer hat gewinkt, einer hat ganz lange gewinkt.«

»Mit einer Krücke?« fragte Schwamm.

»Ja, mit einem Stock. Und zuletzt hat er sein Taschentuch an den Stock gebunden und es so lange aus dem Fenster gehalten, bis ich es nicht mehr sehen konnte.«

GUNAR ORTLEPP
Ein Abend im Herbst

Ach, wenn das alles doch nicht wahr wäre.

Er hörte die Stimmen der Frauen durch die geschlossene Tür dringen, als er die vier Steinstufen im dunklen Flur hinabstolperte und verzweifelt eilte, ihrem Kreis zu entkommen. Aber auch im Freien hallten sie noch in ihm nach, und er hätte zerbersten mögen, um sich von diesem Knäuel drohender Schreie zu befreien, diesem Toben, das ihm die Brust zusammenpreßte und dem er hilflos ausgeliefert war.

Im Hof dunkelte es schon, und es war kühl. Einen Augenblick lang dachte er an einen schweigenden Sommerabend, an dem alles anders war als heute, heller und leichter; überlegen ging er neben ihr an Melchers Scheune vorbei, und weil er den Spott der Leute fürchtete, die immer abends aus den Fenstern sahen, hatte er schon weiter oben ihre Hand losgelassen. – Vergebens: Das andere Bild überschwemmte seine Vorstellung und ließ ihn nun um so deutlicher seine Verlassenheit fühlen. Wenn er nur wüßte, warum es geschehen war. Auf der Fußbank hinter dem Ofen kauernd hatte er den Geschrei zugehört, ohne seinen Sinn zu verstehen. Ihm war, als sei mit einem Male die ganze Stube verändert, wie ein Feind erschien sie ihm jetzt, ein anderes Zimmer als das, in dem er seine Schulaufgaben machte, während Großmutter nebenan bediente. Er erinnerte sich der Sonntage, an denen Besuch kam und die Stube voller Menschen und Qualm war und er, an Großvaters Knie gelehnt, den Männerunterhaltungen zuhörte, an die Abende, wenn ihn Mama von der Straße rief und er zum Essen hereinkam. Dann brachten Mama und Großmutter die Schüsseln und Teller von der Küche herüber, und Großvater, der noch am Fenster saß, legte die Pfeife weg und kam an den Tisch. Gestern noch! Er schüttelte verzweifelt den Kopf.

Als er an der Bodentreppe vorübergehen wollte, sah er Großvater im Halbdunkel hocken. Er hatte sich wieder beruhigt, nur der Atem pfiff noch; sein Gesicht war gerötet, Speichel rann aus seinen Mundwinkeln und tropfte auf das graue zerschlissene Holz der Treppe.

Wenn er nicht schon so groß wäre: er hätte sein Gesicht gegen den alten Stoff gepreßt, der so stark nach Öl und Arbeit roch, um sich in der Sicherheit der haarigen Arme zu verbergen. Wieder spürte er das Schlucken in seiner Kehle und mußte durch die Nase schlürfen, weil er kein Taschentuch hatte. Aber obwohl drinnen das Furchtbare noch immer seinen Lauf nahm, wurde er, während er vor Großvater stand, wieder ruhiger; der Druck wich von seiner Brust, als er den Augen entgegenblickte, die sich müde hoben.

»Jung', Jung'«, sagte Großvater nach einer Weile, indem er mit dem Kopf nickte, »was soll das noch werden.«

»Aber warum is' denn so'n Krach?« fragte er. »Was is' denn nur los?«

»Das verstehste nich'«, sagte Großvater bekümmert. Er schüttelte den Kopf und starrte wieder auf die Hände, die schlaff zwischen seinen Knien herabhingen.

Resignierend wandte er sich ab. Ihn fröstelte. Drinnen im Korridor hing seine Jacke, für ihn unerreichbar. War es denn möglich, sich freiwillig in das dunkle Wirrwarr zu begeben, dem er eben erst entkommen war? Er trat an das Gitter heran, hinter dem sich leblos – wie eine kleine Wüste mit Hügeln und Tälern – der aufgekratzte schwarze Boden ausbreitete. Großvater hatte das Fensterchen zum Hühnerstall noch nicht zugeschoben, und er stieg auf die wacklige Kiste, die an der Bretterwand lehnte, und schloß die Öffnung. Er hätte gern noch ein bißchen im Garten gearbeitet, aber es war schon zu dunkel, und außerdem würde Mama ihn bald hinaufrufen. Vom Hof aus konnte er zu dem aus dem Dach ragenden Küchenfenster emporsehen. Er dachte an die dunstige Küche, die ihn bald erwartete, an die holprigen getünchten Wände, an denen sich der Dampf absetzte und Wassertropfen bildete, die wie Tränen glitzerten. Ja, es war seltsam dunkel in der Küche und auch in dem kalten Zimmer gegenüber, wo die breiten Betten wenig Raum ließen. Das Schlafzimmer hatte ein schmales Fenster zwischen den schrägen Wänden, seine Tapete war dunkelblau und großblumig. Meist sah er es nur beim Schlafengehen, im Schein eines gelben Lichts, und seine Phantasie suchte dann nach einem beklemmenden Etwas, das in ihm zu schweben schien. Es war ein bedrückendes Zimmer. Erst wenn er im Bett lag, wenn er, in die weiche Sicherheit der Decke eingehüllt, den Ermahnungen und Geschichten seiner Mutter zuhörte, verließ ihn das ahnungsvolle Gefühl, dann waren alle Dinge gleichgültig, ohne Bedeutung.

Aufblickend bemerkte er, daß Großvater zu ihm herübersah.

»Komm«, sagte Großvater, indem er von der Treppe aufstand, »wir gehn noch 'n bißchen in 'n Garten.« Er lächelte ihm traurig zu. »Frierste?« fragte er. »Da, nimm mein Schackett.«

Er zog die braune Jacke aus und legte sie ihm über die Schultern. Das Gesicht des Jungen erhellte sich, als er den würzigen Duft roch, der aus dem groben Tuch strömte. Er kam sich komisch und verloren vor in dieser Hülle; ihre vorderen Enden streiften fast auf der Erde, so unförmig hing sie an ihm herunter.

Um der plötzlichen Erleichterung Ausdruck zu verleihen, sagte er: »Die stinkt aber mächtig, weißte.« Grinsend sah er zu Großvater.

»Is' ja auch 'ne alte«, meinte Großvater. Er riegelte das Gartentor auf. »Hoffentlich ruft dich deine Mutter nich' grad«, überlegte er. »Haste dich schon gewaschen?«

»Klar«, sagte er. »Schon vor'm Aben'brot.«

Auf der Gartenbank lagen noch die Pfeife und das Tabakspaket, und während Großvater sich setzte, um eine Pfeife zu stopfen, ging er voraus, den schmalen Gang zwischen den Beeten hindurch, die kahl und umgewühlt neben ihm lagen. Langsam schlenderte er bis zum Ende des Gartens; vor dem morschen Zaun blieb er stehen und sah durch die grauen Staketen über die öden nebeligen Felder bis hinüber zu den Schrebergärten. Verlassen sann er darüber nach, wie traurig heute alles war, wie verschieden dieses Feld und die Stube und die Wohnung oben von der Vertrautheit der Straße mit ihren blaßfarbenen Häuserfronten, wo er mit den anderen spielte. Als sei es eine völlig andere Welt, eine drohende und schwere, so sehr war sie für ihn an diesem Tag verwandelt.

Seufzend drehte er sich um. Großvater stand auf der Mitte des Pfades und betrachtete sich den Birnbaum, den er noch in diesem Jahr fällen wollte. Eine schwache Rauchwelle stieg vom Pfeifenkopf auf.

Wenn nun in Wahrheit alles einfach war, eine kleine Wolke das abendliche Ereignis, bereits wieder vergessen in der Helligkeit des folgenden Morgens, und dann nur die Erinnerung daran blieb, daß er wieder mal ein Angsthase gewesen war, ein Feigling?

Nachdenklich ging er den Weg zurück, auf Großvater zu.

»Jung'«, sagte Großvater, ohne den Blick vom Baum zu wenden, »nächste Woche schneid'n wir'n ab, was?«

»Ja?« fragte er. Er versuchte sich vorzustellen, wie sie mit der im Rhythmus der Schritte sich biegenden Säge den Weg heraufkamen, um den Birnbaum zu fällen.

»Wird wahrhaftig Zeit, daß er wegkommt; der Kerl trägt seit drei Jahren nichts mehr.«

»Und wenn er doch nochmal trägt, im nächsten Jahr?« schlug er eifrig vor.

Großvater wiegte bedenklich den Kopf. »Glaub' ich nich'«, meinte er. »Zu alt, weißte.«

Sie schwiegen eine Weile. Weit hinten auf der Hauptstrecke hörte der Junge das Raunen eines Zugs, er sann ihm einige Sekunden lang nach, bis er von einer aufgeregt kreischenden Stimme – es war die des Dicken – aus seiner Versunkenheit geschreckt wurde. Alles war in Ordnung. Es war ein gewöhnlicher, schöner, kühler Herbstabend, wie es gestern einer war und morgen einer sein würde; nichts war geschehen.

»Ich hab' heut' deine Freundin gesehn, heut' morgen«, sagte Großvater.

Er zuckte zusammen. »Meine Freundin?« fragte er leichthin.

»Tu nich' so«, sagte Großvater, »die Erika.«

Der Junge warf ihm einen schnellen Abwehrblick zu, aber Großvater betrachtete prüfend einen Zweig, den er zu sich herabgezogen hatte. Er sog an seiner Pfeife und schien ihn nicht zu beachten.

Befangen lachend bückte er sich nach einem weißen Steinchen. Plötzlich erfüllte ihn heiße Freude, und nun liefen sie zusammen übers Feld, und die Strähnen ihres verblichenen blonden Haars flogen hinter ihr her; oder sie gingen auf der sonnenhellen Straße, an dem laubgrün gestrichenen Zaun des Gösselmannschen Hauses vorbei. »Ssst«, folgte er mit einem Pfiff dem Schwirren des Kiesels, der irgendwo in der Dunkelheit des Feldes niederfiel, und ließ befreit die Hand sinken. Er zog die Jacke über die Schulter. »Ach die«, sagte er gleichgültig. Mit erwartungsvollem Blick sah er an Großvater vorbei.

»Ja«, sagte der, »mit ihrer Mutter in der Stadt.« Er sah ihn an. »Feines Mädchen.«

»Ach die«, sagte der Junge wieder, diesmal betont verächtlich, ohne Großvater anzusehen. Er fühlte, daß seine Backen ganz prall waren; unruhig trippelte er auf dem Boden. Nun möchte er mal bis zum Ende des Gartens rennen und wieder zurück, aber er dachte daran, daß Großvater weiterreden könnte, und blieb stehen. Obwohl *das* immer noch in ihm war: stärker war die morgendlich kühle, lichtüberflutete Straße; straff stand er vor dem Haus, seinen Pfiff spielerisch herauspressend, und fast im gleichen Moment tauchte ihr Gesicht hinter der Fensterscheibe auf; sie kaute noch, hinter ihren Schultern bemerkte er den Ranzen. Schon wieder warten, dachte er bewußt nachsichtig. Morgen früh; aber wie lange war es noch bis dahin: *das* und das bleiche Zimmer und schlafen; und dann anziehen und hinunterrennen, hallende Stufen an der polierten blauen Wand hinab; und Kaffee trinken: eine Ewigkeit.

Großvater sagte nichts weiter. Er bückte sich, um seine Pfeife auf einem der schräg in den Boden eingelegten alten Backsteine, die den Pfad einfaßten, auszuklopfen; dann ging er langsam den Weg hinauf.

Nein, es ließ sich nicht wegdenken, grübelte der Junge; auch Großvater machte sich darüber seine Gedanken, das merkte er. Neugierig blickte er auf das kragenlose, weiße gestreifte Hemd vor ihm, unter dem sich knochig die Wirbelsäule abhob. Er hatte plötzlich einen seiner rasenden Hustenkrämpfe bekommen und war aus dem Zimmer gerannt.

»Ttt«, schmatzte er kopfschüttelnd.

Großvater wandte sich zu ihm um. »Ob deine Mutter schon gerufen hat?« überlegte er. »Geh lieber rein, – is' besser.«

Er erschrak. Den Mund verziehend fragte er überstürzt: »Kann ich nich' noch 'n bißchen hierbleiben?« Hoffnungslos sah er durch die Dämmerung zu dem Gesicht hinauf und versuchte, seine Züge zu unterscheiden.

»Geh lieber rein«, sagte Großvater, »du weißt ja, was los is'.« Die hornige Hand umspannte leicht seinen Nacken. »Du weißt ja, nich'?«

Verlangend starrte er zum Zaun hinüber, aber er wußte, es war nutzlos. Entmutigt ließ er seine Hand in die Großvaters fallen.

»Gut' Nacht, Jung'«, sagte Großvater. »Ich komm' auch gleich.« »Gut' Nacht, Großvater«, sagte er.

Einen Augenblick blieb er unschlüssig stehen, dann drehte er sich

um und ging den Weg hinunter. Jetzt trat er schon in die Stube, in
der sich die Frauen drohend gegenüberstanden, und die Luft war
voller Spannung und Feindschaft. Oder ob Mama schon oben war?
Wenn nur gerade das nicht wäre, diese große Sorge, die ihn nicht
verließ; immer, wenn es richtig schön sein könnte, kam irgend
etwas dazwischen, um alles zu zerstören. Wie damals, als sie ihn
erwischten. Wenn es nur schon vorbei wäre. Er wollte, es wäre morgen früh, und er kam nun mit seinem Ranzen die Hauptstraße herunter, und dann saß er mit Erika auf der Veranda des großen sauberen Hauses, und sie konnten durch die Scheiben auf die kahlen
Büsche und die Gartenlaube sehen. Auf der Straße johlte der Dicke
immer noch. Würden sie es merken, wenn er nochmal hinaussah?
Er wüßte gern, wer die anderen waren, die in das Gebrüll einstimm-
ten; wahrscheinlich der lange Grimmich und sein Bruder. Mit übertrieben langen federnden Schritten stolzierten die drei die schwach
beleuchtete Straße entlang und sangen:

> O o o wir Bummla wir sind froh
> wir Bummla Bummla Bummla
> wir Bummla wir sind froh!

Lieber nicht, wo heute abend so dicke Luft war.

Den Atem einziehend, begann er leise zu pfeifen: O o o ... Nein,
die Sache hatte nicht so viel auf sich. Das ist unser Hof und hinter
mir liegt der Garten, und hier drinnen schlafen die Hühner, eines
dicht ans andere gepreßt sitzen sie schlafend nebeneinander. Und
das da ist unser Haus. In der Küche oben brannte Licht, Mama war
also schon hinaufgegangen, Gott sei Dank.

Er nahm die Jacke über den Arm und rannte bis zur Hintertür.
Im Flur war es stockfinster. Ob Großmutter böse ist? fragte er sich,
als er in die Wohnung trat; im letzten Moment wurde er wieder unruhig, und ängstlich sah er in die Küche, wo Großmutter Geschirr
spülte.

»Na«, sagte sie stirnrunzelnd, »jetzt wird's aber Zeit.«

»Ich war mit Großvater im Garten«, sagte er atemlos. »Und
Mama hat mich nich' gerufen.«

Hinter der Brille konnte er ihre Augen nur undeutlich erkennen,
doch ihre Stimme schien ihm unverändert.

»Mama is' schon oben.«

Er fühlte, wie eine Welle der Erleichterung ihn durchdrang, bei
dieser ruhigen und gleichgültigen und gewöhnlichen Stimme; die
Lampe schien mit einem Male eine hellere Lichtflut über die Küche
zu schütten, und nun war alles, wie es sein sollte; nichts war geschehen.

»Soll ich abtrocknen?« fragte er, einen Schritt nähertretend.

»Ne«, sagte Großmutter, »is' schon recht; ich bin gleich fertig.«
Sie betrachtete ihn prüfend. »Biste schon gewaschen?«

»Hmhm«, machte er nickend, »schon vor'm Essen.«

»Gut«, sagte sie, »dann geh' ins Bett. Mama is' schon oben.«

Ihre weichen dicken Finger strichen über sein Gesicht, und sie beugte sich nieder, um ihm ihren Gutenacht-Kuß zu geben. Bittend blickte er auf das sich erhebende Gesicht, auf die kleine Nase und den spitzen Ansatz ihres schwarzgrauen Haars.

»Großmutter?« fragte er.

»Was is'?« fragte sie. »Haste noch Hunger?«

Er überlegte. »Nein«, sagte er dann, »nichts. Gut' Nacht, Großmutter.«

»Schlaf schön«, sagte Großmutter.

Um der Kälte des Treppenhauses zu entgehen, rannte er die ersten zwei Absätze hinauf. Bei Herrmanns brannte Licht, und er hörte, wie jemand über den Korridor ging.

Morgen früh. Nun hatte er seinen Kaffee ausgetrunken, kein Hindernis lag mehr im Weg. Hoffentlich war der Dicke schon weg, denn wenn er ihn mit Erika zusammen gehen sah, würde er wieder spöttisch zu ihnen herüberrufen: Köhler Schürzenjäger. Na ja. Aber vielleicht war er schon vorausgegangen, vielleicht kam er auch erst später, so daß er ruhig neben ihr hergehen und stirnrunzelnd ihre dummen Fragen beantworten konnte. Am Nachmittag würde er allein am Bahndamm sitzen und über die Mühlwiese bis zu dem von Weiden umsäumten Bach sehen, in dessen Böschung er und der Dicke und die beiden Grimmichs eine Höhle hineingebaut hatten, bevor sie miteinander zerfallen waren. Nun, da sie seine Feinde waren, würde er ihnen eines Tages schon zeigen, daß er nicht nur ein Schürzenjäger war, sondern einer, vor dem man sich in acht nehmen mußte. Eines Tages würde er hingehen und ihre Höhle in Schutt und Asche legen.

Auf dem letzten Treppenabsatz blieb er, im Gefühl seiner Stärke, stehen, gerade als das Licht ausging. Dann ging er zählend die letzten sieben Stufen hinauf. In der Küche brannte kein Licht mehr, die Tür stand offen, und er merkte, daß Mama kein Feuer gemacht hatte. Zögernd trat er ins Schlafzimmer. Er erfaßte alles mit einem Blick: Die zerstreut liegenden Wäschestücke auf dem aufgeschlagenen Bett, den offenstehenden leeren Koffer und seine Mutter, die weinend, das Gesicht in ihren Händen verborgen, auf dem Bettrand saß. Und nun war da nur noch das kalte, von Zeichen des Aufbruchs erfüllte Schlafzimmer mit der großblumigen dunkelblauen Tapete und seinem welken Licht, und Mama und er, der angstvoll ahnte, daß alles zu Ende war.

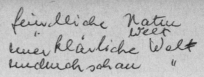

GABRIELE WOHMANN
Muränenfang

- Was willst du machen da unten? fragte das Kind.
- Ihnen auflauern, sagte der Mann, sie werden sich vorwagen bei der nächsten Welle.

Er sprang mit den klatschenden Füßen vom nassen Fels auf einen tiefergelegenen, beugte den rotbraunen Oberkörper, die Sehnen des rechten Arms waren angespannt, lauernd.

- So einer hat mehr Zähne im Mund als du und deine Großmutter zusammen, sagte er. Sogar die Großen zerren sie in ihre Höhlen.
- Was machen sie mit den Großen? fragte das Kind und sah schaudernd in die schwarze feuchte Schlucht, die kalte, sonnenlose.

Der Mann antwortete nicht, mit dichter gesammelter Aufmerksamkeit starrte er in den düsteren Eingang unter ihm, leise vibrierend in den geschmeidigen Muskeln. Das Kind roch die fischige Gier, die aus der Höhle drang und die das synkopische Schwappen des Wassers zwischen den Felswänden grünlich färbte; roch das Salz und die Sonne, die seine Lungen mit einem Übermaß an Luft und Helligkeit füllten; roch die kalte fettige Haut der Seelöwen, ihren glitschigen Trandunst.

- Da, da, siehst du sie? rief der Mann mit einer leisen harten Stimme, die schwankte vor mordlüsterner Erregung.

Das Kind beugte sich vor, kalt griff der nasse Stein um seine Brust: es sah sie, schwarz und glatt und biegsam unter dem durchsichtigen Wasser.

- Wie große Aale, sagte es im gedämpften Ton des Mannes. Es ist kalt.

Es fühlte sich nicht glücklich in dem rohen, blutrünstigen Dunstkreis der Muränen.

- Geh hinauf, sagte der Mann, wart oben, bis ich sie habe.

Das Kind warf, bevor es eine Klippe erkletterte, von der aus es den Mann nicht mehr sehn konnte, noch einen Blick auf den rotbraunen gespannten Rücken, der hart, aus der Entfernung unbewegt, pfeilkurvig gebeugt lauerte, auf die runde blaue Mütze. Oben war Sonne an einem blauen Himmel, gemildertes Lärmen, in dem die Brandung, das Kreischen der Möwen und das klanglose Gebell der Seelöwen nicht mehr polyphon und verwirrend, sondern wie ein farbiges, grelldumpfes Unisono an seine Ohren drangen. Der Stein war heiß, selten berührte ihn eine der brüllenden, schaumsprühenden Wellen.

- Hejj! rief das Kind in die Tiefe; wollte sehn, wie seine Stimme sich gegen das Toben wehrte.

Aber seinen Ruf packte eine hochpeitschende Welle, zerschlug ihn beim Wurf in die Schlucht.

Das Kind wählte einen Stein; saß reglos, in stumpfer Andacht auf

54

seinem Posten, starrend. Beobachtete den steifen Ernst der unbewegten Pinguine, die stumm, pedantisch und prüde, gleich gehauenen Standbildern, zwischen dem sprudelnden Tosen aushielten. Sah den zierlichen Guanovögeln zu, sah sie in Schwärmen beieinander in den Nischen hocken, die gelben Halbmonde auf den Wangen; sah sie jäh und übergangslos aufflattern und sich, die roten scharfen Schnäbel dolchartig gesenkt, auf die schwappenden und schäumenden Kämme stürzen. Feindseliges Geschrei von Pelikanen; deren boshaftes, gefräßiges Gelächter schreckte es auf. Es hob den Kopf, blickte aus den zusammengepetzten Augen in den blendenden Himmel: akkurat zogen sie da ihre Kreise, dunkel und schwer vor der flimmernden Luft, bedrohlich sanken die unerbittlichen Spiralen, tiefer, tiefer, tödlicher; stießen dann, hungrige mörderische Blitze, unvermittelt herab und packten die Beute; hoben sie; verschlangen sie aufsteigend, spiralig, schwingend. Das Kind hörte das schwere staubige Schlagen der Flügel, das Flattern der Federn.

– Hejj! rief es hinunter in die Schlucht. Bist du fertig, hejj! Seine Stimme zitterte klein, menschlich, durch den heulenden Hohn; durchdrang ihn nicht; starb im Möwengelächter.

– Hejj! rief es wieder.

Ein Windstoß nahm ihm den Atem weg und drückte ihn, zurückkehrend, in den offenen Mund, so daß es sich verschluckte, Wind und Atem keuchend aus den bebenden Rippen hustete. Es stand auf; es hatte keine Tränen in den angstgeweiteten Augen.

Unten in der Gruft war es kalt, naß, salzig. Der rotbraune Rücken war nicht mehr da, nicht mehr seine biegsame Konzentration. Vor der schwarzen Höhle trieb die blaue Mütze feucht und filzig. Das Kind sah in der steinernen Nische das geflickte Netz mit den sterbenden Muränen liegen; sah die häßlichen Rachen mit den dornigen Zähnen; roch die salzige nasse Gier; roch das fettige Phlegma der Seelöwen draußen auf den Klippen, auf denen die Sonnenflecken schillernd tanzten. In der Gruft, unter dem grünlichen Geschwappe, sah es das aalglatte Geschlängel, das knochenlose, der Muränen. Sah und roch und hörte sein Ausgeschlossensein. Seine kalte Hand griff ins Geröll, packte zwischen zwei Fingern einen runden Stein und schleuderte ihn auf die träg bewegte Mütze; nahm mehr Steine und warf sie alle, wütend, zitternd, auf das Stück gedunsenen blauen Stoffs.

– Hejj! rief es.

[handwritten: Traumatic Child is uncertain & fears the worst]

KLAUS NONNENMANN
Faire la Ronde

Wang hat nur ein Brettchen.

Vater sagt Dienstag. Wir kaufen den alten Gaskocher von Madame Veuillard, sie will uns das Schiffchen dazugeben. Für 200 Francs! Von ihrem Gérard, weißt du! Der kommt nach Saint-Cyr und mag es nicht mehr.

Vater sagt, ich bin traurig, wenn du so schaust, mein Wang, wir fangen erst an in dieser Stadt. Zurück kann keiner, sie bringen uns um zu Hause, Kommunisten sind alle Mörder. Ich kann dir das Toppsegel erneuern, dann wird es ein feines Schiff. Vater geht Kochen bei Hoanh Son in der Monsieur le Prince. Einer der vietnamesischen Studenten ist aus Vaters Dorf, das muß Wang hören, jeden Tag muß er es hören, was geht es mich an, er verbeugt sich, ich lebe in Paris.

Dienstags hat es Vater eilig, da kommt der aus dem Dorf zum Essen, sie schwatzen in der Küche und wie alles prächtig war vor dem Krieg.

Wang hat keine Schule heute, er schlendert im Luxembourg vor das Bassin in der Rotunde, sie bringen uns um, wir fangen erst an. Wang nimmt das Taschentuch. Er bindet es an den Stecken, er nennt sein Brettchen Kon Tiki, er kennt das Wort aus den Schaufenstern der Rue Soufflot.

Zwei Fregatten liegen am Großen Bassin. Sie sind weiß. Wang spürt seinen Hals atmen, sie schaukeln in der dampfenden Morgensonne. Wang kritzelt einen Strich in den Sand und schaut fast nicht hin. Die Jungens sieht er gar nicht. Er hält sein Kon Tiki, er läßt es so an den Fingern baumeln, eben gefunden. Der Wind fächert die Fontäne über den rauhen Spiegel, er reißt ein sprühendes Gitter aus der Säule und schlägt es hinüber gegen den Rand, wo die Schiffe ankern, kleine helle Träume, zwei wache Kinder neben ihnen, Herren der Côte d'Azur, Fregatte in Monte, Perlen Pulver und Picasso, immer das Zero im Einsatz, plus ne va plus, Fregatte mit Diesel und tausend Konserven, Kommunisten sind alle Mörder. Wang will Kommunist sein, Wang starrt auf die Fregatten und sitzt an Deck, sie kochen für ihn. Die Jungens kochen für Vater und ihn, zurück kann keiner, sie fangen erst an und kochen.

Sie kappen die Leine. Einer schießt den Start in die Luft. Der Gendarm bleibt stehn und nimmt eine Zigarette. Ein Mädchen verläßt den Roman auf der Bank.

Die Boote tänzeln vor dem Wind, sie schlingern ein wenig, dann fassen die Schwerter den Kurs und schneiden ihn auf die Fläche. Die Jungens laufen um das Bassin. Sie kauern auf dem Stein und beschwören die Schiffe.

Eines schert aus, Sainte-Geneviève, Goldlettern am Bug, schert aus, die Heilige taumelt, der Großbaum kommt über, kleiner Großbaum, aber das Ruder liegt fest! Wang fühlt das Herz, ein flatterndes Segel, die Fregatte dreht sich, sie schießt zurück über Backbord. Ihr Kiel quetscht Kreise auf das Meer. Sie wachsen – heran. Weißes Spielzeug in der Rotunde.

Wang steht bei dem Mädchen, es lächelt gegen die Boote. Seeräuber Wang, Dschunkenpirat unter dem Ledersegel, er wirft Feuer und Hakennetz, Katze Wang auf der Enterbrücke, das Messer im Mund. Perlen für eine Braut, blonde Beute und Lösegeld. Wang bückt sich und nimmt die Fregatte. Er faßt mit den Fingerspitzen das Schiff am Mast. Sanft stellt er den triefenden Rumpf in den Sand, er wartet und blinzelt devot. Der Junge kommt. Er ist wütend. Er bedankt sich und sagt: das tu ich schon selbst.

Eine Fregatte zieht unter das Tor der Fontäne. Gespaltene Sonne, blendende Trägheit. Drüben der Reeder und Kapitän, der kleine Kolumbus in Indien erwartet das Flaggschiff, sein Gendarm speit die gelbe Kippe in See. Kolumbus schreit.

Der Wind. Plötzlich steht der Wind.

Das Gitter läuft zurück in den Strahl, der leuchtende Bogen knickt ein und prasselt herunter wie ein Taifun. Er schlägt auf die Takelage und fegt sie in die niederbrechende Lava aus Gischt. Das Boot duckt sich im Hagel, Wang öffnet den Mund, Wang ballt die Fäuste und sieht.

Das Boot ist tapfer, es spreizt die durchnäßten Segel. Sie reiben den Sockel unter der Schale, sie klatschen, sie stoßen sich wund, sie kleben am schwarzen Stein. Dann löst sich ein Mast.

Das hilflose Heck bäumt sich im Sog, die Kruppe des Favoriten, glänzender Schweiß, die Angst vor Hürde und Schlag.

Wang liebt weiße Pferde und tapfere Boote. Wang sieht das Staurohr, es ist böse und kalt. Gebündelter Schaum aus aus der Hölle, ein Mörser, der Katarakte am Himmel hält und sich sperrt in der Glocke. Wang springt hinüber. Er deutet und ruft. Sie zögern, sie nicken. Sie halten die Joppe. Wang reißt die Schuhe herunter, er öffnet das schmutzige Hemd. Sie starren auf seine Haut und sind still. Sie nehmen das Brettchen, aber Wang schüttelt den Kopf. Er schleudert das Floß in die Mitte, Seenot, Triumph und verkrampftes Spiel. Kon Tiki knallt auf die Wellen und treibt gegen das Schiff.

Wang ist verrückt. Er weint laut. Er springt in das Becken, er ist glücklich und weint.

Fünf Züge, er taucht in den Regen, brauner Wang in der Rotunde. Seine Hand hebt die Fregatte, das nackte Märchen. Wang preßt es wild unter die Brust. Wang denkt an Vater und hält es nach oben. Er könnte stehen im Wasser, aber er schwimmt langsam und auf dem Rücken, über ihm in der Sonne das tropfende Wrack, Perlen und keine Beute.

Der Gendarm sagt bravo. Das Mädchen sieht herüber. Sie fassen seine Hände und sind verlegen.

Wang sagt: das tu ich gern, mir ist nicht kalt. Nein, sagt Wang, ich möchte es draußen lassen! Es heißt Kon Tiki, müßt ihr wissen. Das landet schon irgendwo.

Wang will kein Eis essen, aber er sagt, die Fregatten sind wunderbar.

Dienstag läuft mein neues Schiff vom Stapel.

Er zieht die Schuhe an und trocknet sich mit dem Hemd.

Er sagt: aber nicht hier. Es ist zu groß.

Wang sieht den Gendarm lächeln und sagt leise: es ist winzig, 200 Francs. Überhaupt kein Schiff. Wang lacht laut, trippelt herum und sagt: hört ihr meine Schuhe quietschen?

JENS REHN
Der Zuckerfresser

»Was schreibst'n da?«

Ich sah ihn an und konnte ihn nicht richtig erkennen, er stand genau in der Sonne. Ich setzte mich auf und drehte mich um.

»Biste von der Zeitung oder isses nurn Brief?«

Der Junge war mager wie ein neugeborenes Kalb. Seine hellblau ausgeschossene Turnhose hatte ein ziemliches Loch auf dem linken Bein. Das Flachshaar klebte naß am Kopf. Er hatte aber keine Gänsehaut. Das Wasser war bestimmt nicht wärmer als fünfzehn Grad.

»Kalt, was?« sagte ich. Was soll man schon sagen. »Willst du dich abrubbeln?«

Er rieb sich trocken und verdreckte mein Frottiertuch mit dem elenden Teerzeug. Die sollten endlich mal verbieten, daß die Dampfer draußen auf See ihr mistiges Öl außenbords pumpten und den ganzen Strand versauten. Und überhaupt: Mit dem Schreiben hatte es nicht so geklappt, wie ich es mir vorgestellt hatte, im Strandkorb gab es entweder Sonne mit Wind, oder ich saß ohne Wind im Schatten, ein bißchen braun wollte ich ja schließlich werden; und wenn ich mich auf den Bauch an den Sandwall meiner Strandburg legte, gab es auch keine Ruhe; entweder blies der Wind die Ecken vom Papier um, oder Sand rieselte drüber hin, oder ich bekam ein steifes Kreuz, oder der Schreibarm tat mir weh.

»Wo kommst du denn her?«

Der Junge machte eine unbestimmte Bewegung. Ich schätzte ihn auf sieben Jahre. Vielleicht auch acht.

»Kannst du denn schon lesen?«

Ich merkte sofort, daß das eine völlig verkehrte Frage gewesen war. Er beantwortete sie überhaupt nicht. Ich konnte mir vorstellen, was er jetzt dachte. Er zog die Nase hoch.

»Wasser, weißte«, sagte er und sah einer Möwe nach, die im Aufwind des Kliffs den Strand absegelte. »Schreibste Geschichten?«

»Auch. Ist aber nichts geworden, heute.«

»Wasn für Geschichten?«

»So alles Mögliche.«

»Für Bücher?«

»Auch, manchmal.«

»Was de selbst erlebt hast?«

»Selten. Meistens denkt man sich was aus.«

Es waren nicht mehr viele Leute am Strand. Fünfzehn Uhr, die Sonne stand schon recht niedrig. Ich zog mich an. Der Junge sah zu. Er blieb immer todernst.

»Wo gehsten jetzt hin? Hause?«

»Nein, Tee trinken, im Witthüs.«

Er zog die Augen etwas zusammen und leckte sich über die Lippen. Nicht wegen des Tees, ich erfuhr erst später, warum.

»Komm mit«, sagte ich, »wenn du Lust hast.«

Er drehte sich jedoch um und stakte durch den Sand davon. Auf dem hartgetretenen Weg am Fuße des Kliffs setzte er sich in Trab und verschwand bald hinter den Strandkörben. Ich suchte meine Sachen zusammen und ging. Vor der Haupttreppe saß der Bademeister und Strandwächter in seinem kleinen Rollkarren und las. Wenig zu tun in der Nachsaison. Die Badeflagge zeigte ablaufendes Wasser an, das Baden war aber noch nicht verboten. Ruhiges Wetter, wenn es auch nicht eben sanft wehte. In einigen wenigen Körben saßen noch ein paar ältere Leute oder Liebespaare, hatten sich in Decken gewickelt und lasen ebenfalls oder sahen einfach nur auf die See hinaus. Links am Kliff flitzten die Seeschwalben und verschwanden haarscharf in ihren Nestlöchern. Die eisernen Buhnen wurden noch vom Wasser überspült. Die meisten Möwen hatten sich nach drüben auf die Landseite der Insel ins Watt verzogen und warteten darauf, daß das Wasser noch weiter fiele, dann konnten sie bequem jagen und fressen.

Oben auf dem Kliff wehte es heftiger. Auf den Aussichtsbänken der Kurverwaltung saß niemand, und auch die Straßen des Ortes lagen ausgestorben, kahl und hölzern. In acht Tagen würden die Pensionen schließen, Schluß der Nachsaison. Vor ein paar Jahren war ich schon einmal hier gewesen, allerdings mitten in der Hochsaison, Massenpublikum, aufgedonnert und laut und mit zahllosen Autos. Jetzt, Ende September, war es viel schöner. Mit dem Wetter hatte ich Glück gehabt, bis jetzt wenigstens. Und auch mein Quartier war in Ordnung, abseits vom Ort nach Westerland zu, ruhig und solide, nicht zu teuer, kein Nepp. Ein einzelnes, niedriges Haus mit Strohdach, ich mag gerne unter einem Rieddach schlafen. Unten im Hause ein gemütlicher, holzgetäfelter Raum, an der einen Wand zwei Regale mit Flaschen zur Selbstbedienung, sehr angenehm. In dieser Jahreszeit gab es natürlich auch keine Veranstaltungen der Kurverwaltung mehr, Réunions oder Wahlen der Orts- und Strandkönigin und so weiter. Auf dem Flugplatz, drüben bei Keitum, war wohl gerade Lehrgangswechsel, schon seit Tagen hatte ich keine Düsenjäger mehr gehört. Vor einer Woche war einer ins Watt gestürzt, der Pilot hatte aber noch rechtzeitig abspringen können. Nun lagen ein paar Millionen Mark im Schlamm. Na ja.

Ich suchte mir einen Platz am Fuß der zweiten Düne, sah in die Brandung tief unter mir und rauchte eine Zigarette. Wenn eine Bö in die Düne einfiel, prickelten feine Sandkornfahnen auf meiner Gesichtshaut. Der Strandhafer duckte sich und zog mit seinen längsten Halmen gezirkelte Kreise in den feuchten Sand. Die Kreise überschnitten sich sauber und exakt, wie auf dem Reißbrett konstruiert.

Endlich ging ich zurück und die Hauptstraße landeinwärts, bis ich links abbiegen mußte zum Witthüs. Sicherlich eines der ältesten Häuser hier, weiß gekalkt, niedrig, das Rieddach sah recht verwittert aus. Im Hause gab es kleine Kabäuzchen, hier kredenzten appetitliche Bajaderen alle möglichen Teesorten, den echten »Friesischen« mit Rahm und Kandis, russischen Tee mit kandierten Kirschen und Preiselbeeren, grünen Indientee. Ich mag den russischen am liebsten. Die hübschen Geishas waren Studentinnen und nutzten ihre Semesterferien aus für ihren Geldbeutel. Eine gehobene Atmosphäre, nicht ohne Fröhlichkeit.

Aus dem Schallplattenverzeichnis suchte ich mir eine verschollene Kammermusik von Scarlatti aus, meine blonde Nymphe legte die Platte auf, und ich machte es mir mit meinem Tee gemütlich. Als mir dann etwas einfiel, holte ich mein Heft hervor und fing an zu schreiben.

»Schreibst ja doch!«

Da war der Junge wieder. Ein Auftritt wie beim Zauberkünstler, die Hexerei aus dem schieren Nichts. Er hatte jetzt eine Cordhose an und eine überraschend flotte Strickjacke aus Schafwolle. Er zeigte auf den Kandiszucker.

»Schenkste mir den?«

»Türlich. Nimm nur. Auch Tee?«

Er wollte keinen Tee, nur den Zucker. Er zerbiß ihn krachend in die Musik hinein. Mir lief es bei diesem Geräusch den Rücken hinauf.

»Biste fertig oder machste weiter?«

»Mit was?«

»Schreiben.«

Er hatte sich gesetzt, rechts neben mir hockte er auf der Eckbank, zwinkerte und kontrollierte die anderen Tische. Er konnte aber keinen Zucker mehr entdecken.

»Nein«, sagte ich und gab auf, der Musik zuzuhören. »Keine Lust mehr. Außerdem taugt die Geschichte nichts.«

»Biste allein hier?«

»Ja. Und du?«

»Haste keine Frau?«

»Nein.«

»Machste keine leiden?«

Ich brauchte nicht zu antworten, denn er sagte sofort: »Ich auch nicht. Mädchen sin tumbich.«

»Tumbich? Was ist denn das? Dumm?«

»Genau.«

»Nana –!«

»Ich könnt ganz gern noch'n bißchen Zucker haben!«

Die runde, <u>blonde Geisha</u> kam vorbei, blieb stehen und sah den Jungen an.

»Was!« sagte sie. »Bist *du* wieder hier?«

Der Junge stieß mich an, und wir waren uns einig über die Qualität dieser Frage.

»Lassen Sie ruhig. Wir kennen uns schon lange, und ich habe ihn eingeladen.«

»So?«

Es blieb ihr nichts übrig, als höflich zu bleiben: »Ich wundere mich nur, daß der ganze Junge nicht aus purem Zucker besteht. Dieser Zuckerfresser! Unser bester Kandiskunde. Ein Nassauer ist er, das ist er!«

»Genau!« sagte der Junge ungerührt und sah das Mädchen ernst an. Dann zu mir:

»Soll ich wohl noch was haben?«

»Klar.«

Der erste Satz von Scarlatti war zu Ende, die Nadel lief in der Leerrille, im Lautsprecher kratzte es. Das Mädchen drehte die Platte um und brachte eine zweite Schale mit Kandis. Der Tee war inzwischen kalt geworden, so bestellte ich neuen. Die Sonne ging jetzt unter, die letzten Strahlen über der Düne erreichten den Jungen in der Ecke. Sein ernstes Gesicht sah rot aus wie eine Tomate. Dann zerbiß er wieder den Zucker und brachte den zweiten Satz der Musik zur Strecke.

»Mensch!« sagte ich, »deine Zähne! Das ist doch nicht gut! Lutsche doch wenigstens!«

»Kanns ja mal sehn!« sagte er und fletschte mich an. Ein tadelloses Gebiß, ohne Lücke und gerade, eine Perlenkette. Er mußte doch schon älter sein, das waren keine Milchzähne mehr, auch weiter hinten nicht.

»Schreibste wirklich nich mehr?«

»Nein. Tee trinken und Musik ist schöner.«

»Was machsten nachher?«

»Weiß nich. Vielleicht lesen, zu Hause, oder nochmal am Strand längsgehen. Weiß noch nicht, mal sehn.«

»Haste Lust?«

»Wozu?«

»Was zeigen.«

»Was denn?«

Der letzte Zucker verschwand. Dieses Mal ging der Beißkrach in einer Fortissimostelle von Scarlatti unter. Das störte den Jungen jedoch nicht.

Die Sonne war nun untergegangen, und es wurde schnell dämmrig. Meine Geisha brachte eine Tischkerze.

»Nochmal Zucker?«

Sie konnte sich die Frage nicht verkneifen.

»Genau«, sagte der Junge und wurde noch ernster, wenn das überhaupt möglich gewesen wäre.

»Bitte sehr, wenn er mag«, sagte ich.

Das Mädchen brachte eine, wie mir schien, größere Portion.

»Den kute ich.« Er steckte den Kandis in die Hosentasche: »Is für Teetje!«

»Wer is denn Teetje? Dein Freund?«

»Wirste sehn. Kommste mit?«

Ich bezahlte, und wir gingen. Ein anderer Gast hatte die Siebente Bruckner bestellt, und so hatten wir einen weihevollen Abgang und Auszug.

Draußen war es finster geworden, und der Wind hatte noch zugenommen. Das Rauschen der Brandung war bis hierher zu hören. Der Junge lief voran, quer über die Heide auf einem schmalen, versteckten Gehsteig zu den Dünen in Richtung Kampen und Kliffende. Die Trümmer der bei Kriegsende gesprengten Artilleriebunker blickten schief und schwarz gegen die dunkelblauen, wehenden Wolken. Manchmal kam ein Stern durch, wurde aber sofort wieder zugedeckt. Der Mond war nicht zu sehen, er ging wohl erst später auf.

Zwischen zwei Dünenzügen hob sich der Weg sacht aufwärts, dann steiler, und schließlich mußten wir um einen mächtigen Betonklotz herumklettern. Unter dem Klotz zwängten wir uns in ein enges Loch. Völlige Dunkelheit.

»Warte mal!«

Die Stimme des Jungen klang dumpf vor mir. Ein Streichholz zischte, dann schwebten zwei Kerzenflammen schräg über mir.

»Komm rauf, hier isses!«

An der Seite war ein Teil des Bunkers unbeschädigt geblieben. Aus der abgebrochenen Zwischendecke hing verrosteter Eisendraht in wirren Mustern. Die Kerzen flackerten in einem Luftzug wer-weiß-woher, Schatten jagten um die Höhlenwände.

Der Junge hatte sich eine Ecke mit getrocknetem Seegras ausgepolstert. Er saß da, ließ die Beine baumeln und blickte mir mit großen, lichtglänzenden Augen entgegen.

»Das is Teetje«, sagte er. »Friß!«

Die Möwe sperrte den Schnabel auf und schluckte ein Stück Kandiszucker. Sie ruckte mit dem Hals. Gerechter Strohsack, ein zweiter Zuckerfresser, und was für einer! Die Möwe sah arg mitgenommen aus, der linke Flügel hing und der Vogel lahmte; die Federn waren teerverkleistert.

Der Junge nahm die Möwe auf den Schoß und streichelte sie. Das Tier hielt den Schnabel halb geöffnet und fiepte zart. Die schwarzen Knopfaugen mit den hellen Ringen beobachteten mich unbeweglich.

»Tag, Teetje!« sagte ich.

Die Möwe fraß den Zucker, und der Junge streichelte sie.

»Hab ich vor ner Woche gefunden, is ganz zahm, von Anfang an. Machsten leiden?«

»Genau«, sagte ich.

Der Junge verzog das Gesicht, und nun sah ich ihn zum erstenmal leise lächeln.

Wir haben uns in den nächsten Tagen noch zweimal getroffen, der Junge, die Möwe und ich. Ich sorgte dafür, daß den beiden der Kandis nicht ausging. Drei Tage bevor ich abfahren mußte, blieb der Junge plötzlich aus. Ich wartete vergebens. Erst am Abend des letzten Tages kletterte ich allein in den Höhlenbunker. Die Seegrasecke war leer.

Ich ging nochmals zurück zum Witthüs, trank meinen Abschiedstee, hörte der Musik zu und dachte ein wenig nach. Dann endlich fragte ich meine blonde Geisha beiläufig, ob sie den Jungen irgendwann in den letzten Tagen gesehen habe.

»Den Zuckerfresser?« sagte sie und horchte in Richtung des Plattenspielers; das ›Erwachen heiterer Gefühle auf dem Lande‹ – ›Allegro ma non troppo‹ mußte gleich zu Ende sein. Es dauerte aber doch noch ein bißchen, da wir beide auf einen Trugschluß hereingefallen waren, und sie sah mich geradeheraus an: »Ja – der! Am Dienstag war er hier und ging sofort wieder. Er sagte, ›<u>Teetje is tot</u>, un <u>ich eß kein Zucker mehr</u>.‹ Wissen *Sie*, wer Teetje ist?«

ILSE AICHINGER
Engel in der Nacht

Das sind die hellen Tage im Dezember, die ihre eigene Helligkeit durchschauen und darum immer heller werden, die ihrer Blässe zürnen und ihre Kürze als Verheißung nehmen, die von den langen Nächten genährt sind, stark genug, in Sanftmut sich selbst zu überstehen, stark genug, schwach genug und mild. Das sind diejenigen, die aus der Schwärze sonnig werden und nur daraus. Es sind nicht viele. Denn wenn es viele wären, geschähen auch zu viele seltsame Dinge, zu viele Kirchturmuhren würden sich ganz einfach in Gottes eigene Augen verwandeln. Darum sind diese Tage selten: damit die seltsamen Dinge seltsam bleiben, damit die Leute, die aus dem Krieg gekommen sind, nicht zu oft Schmerzen haben an ihren abgeschossenen Gliedern und nicht zuviel in Händen halten, die schon längst abgefroren sind. Daß sie nicht zuviel wissen von der Nacht, die stillt. Aber manchmal gibt es solche Tage – Vögel, die vergessen haben, nach dem Süden zu fliegen. Sie breiten ihre hellen Flügel über die Stadt, und die Luft zittert vor Wärme, sie machen unseren Hauch noch einmal unsichtbar, bevor es friert. Und wenn es soweit ist, sterben sie schnell. Sie wollen keine lange Dämmerung und keine roten Wolken, sie verbluten nicht offen. Sie fallen von den Dächern, und es ist finster. Vielleicht, wenn diese verirrten Vögel nicht wären, diese hellen Tage im Dezember, gäbe es auch keinen, der noch an Engel glaubt, wenn alle anderen schon hinter seinem Rücken lachen, der die Flügel hat rauschen hören vor Tag, als alle anderen nur die Hunde bellen hörten.

Meine Schwester war schuld daran. Sie war es, die mich an dem finsteren Morgen aus dem Bett gerissen und ans Fenster gezerrt hatte. »Da, da! Da fliegen sie! Hast du sie rauschen hören? Siehst du nicht ihre Schleppen? Wach auf! Du schläfst zu lang!« Und später, wenn Weihnachten schon ganz nahe war und die Bäume auf den Plätzen ihre Nadeln verloren, noch ehe sie verkauft waren: »Jetzt ist schon Silber in der Luft, jetzt kommt das Kind bald nach!« Wenn ich sagte: »Es regnet!«, lachte sie verächtlich. »Du schläfst zu lang!« Zu lang, immer um den Augenblick zu lang, in dem die Engel um das Haus flogen!

Ich hatte schon lange begonnen, den Schlaf wie den Tod zu fürchten. Was ist denn Sterben anderes, als die Engel zu versäumen? Mit aufgerissenen Augen lag ich wach und wartete auf das Rauschen der Flügel, auf das Silber in der Luft. Ich schlich ans Fenster und starrte hinaus, aber ich hörte nur die Betrunkenen unten rufen, und einmal schrie einer von ihnen »Halleluja!« Meine Schwester war längst eingeschlafen. Ich hörte es ein Uhr schlagen, zwei Uhr – ich zerbiß mein Kopfpolster und nickte ein. Ich erwachte wieder. Es sah jetzt fast so aus, als wäre eine Spur von Silber in der Luft. Ich sprang auf und holte Holz aus der Kiste, warf es in mein Bett und legte mich darauf. Aber noch ehe es drei Uhr schlug, schlief ich auf den Scheitern. Und am Morgen war meine Schwester wieder früher wach als ich. Sie hatte diesmal die Spitzen der Flügel gesehen, und es wäre noch viel mehr gewesen, hätte sie nicht ihre Zeit damit vertan, mich wach zu rütteln.

»Habt ihr den Engel gesehen?« Um diese Zeit begannen sie mich in der Schule zu höhnen, um diese Zeit hätte ich nicht mehr daran glauben dürfen, damals hätte ich die dicken, kleinen Engel von meinen Schultern schütteln müssen, aber ich lachte nur. »Ihr schlaft zu lang!« Von da ab begannen mich meine Engel zu überflügeln. Alle, die sagten: »Es gibt keine!« schliefen zu lang, die ganze Welt war ein Heerlager von Schlafenden geworden, über dem Engel kreisten.

An diesem Tag hatte mich meine Mutter abgeholt; die Mutter lebte nicht bei uns, aber sie kam von Zeit zu Zeit, um mich aus der Schule zu holen, und begleitete mich ein Stück heim. Manchmal sprach sie zu mir wie zu einem Erwachsenen. An diesem Tag erzählte sie mir, daß sie nächtelang wach lag und nicht schlafen konnte.

Ich liebte meine Mutter, und wenn ich einem Menschen auf der Welt mehr Glauben schenkte als meiner Schwester, war sie es. Wenn meine Mutter wach lag, mußte sie von den Engeln wissen. Ich erinnere mich genau, ich höre es, ich sehe es vor mir. Wir gehen gerade über den Platz, wo die Bäume verkauft werden, und der Himmel über dem Platz ist zu hoch für den Dezember, und der Mann bei den Bäumen ist eingeschlafen. Es ist ein warmer, trauriger Tag, ein verirrter Vogel. Meine Mutter hat schon lange etwas anderes zu reden begonnen, da frage ich sie nach den Engeln. Sie sagt: »Ich habe keine gesehen!« Sie bleibt stehen und sieht mich an und lacht und sagt: »Ich wußte auch nicht, daß du es noch glaubst. Ich habe keine gesehen.« Wir gehen dann schnell auseinander.

Aber ich war damals schon zu groß, um es einfach hinzunehmen, ich hatte zu lange daran geglaubt, und wenn sie mich getäuscht hatten, so hatten sie mich zu lange getäuscht. Ich wollte ein Zeichen, ich wollte plötzlich Heere von Engeln über die Plätze brausen hören, ich wollte alle Spötter zu Boden fallen sehen. Aber die Engel kamen nicht. Schwärme von Tauben flogen auf und kreisten unter dem stillen Himmel. Aber der Himmel war kein Himmel mehr, der Himmel war nur Luft. Sie hatten mich lächerlich gemacht, sie hatten mich verächtlich gemacht, zu lang hatte ich den hellen Rauch für weiße Kleider gehalten und das Nachhallen der Morgenglocken für das Rauschen von Flügeln. Sie hätten mich warnen sollen, und ich hätte es abgetan wie alle anderen, wie nichts, aber jetzt war es zu spät. Die Engel waren keine kleinen Engel mehr, keine Putten mit runden Gesichtern und kurzen, hellen Locken, die Engel waren größer geworden, ernster und heftiger, sie waren, wie ich selbst, im letzten Jahr zu schnell gewachsen, und sie abzuwerfen, war kein Spiel mehr. Denn die Engel, die mit uns zur Welt kommen, sind nur am Anfang so klein wie wir, sie wachsen mit uns, werden wilder und stärker, und ihre Flügel wachsen mit ihnen. Je älter wir werden, desto schwerer wird der Kampf.

Erst mit dem Einbruch der Dunkelheit kam ich nach Hause. Ich hatte in den Durchhäusern gelungert und auf den Bänken am Fluß, ich war für Stunden allein auf der Welt gewesen, allein zwischen den sinnlosen Toren und den Fenstern, die sinnlos sind, wenn es nicht Engel gibt, die sie bei Nacht mit ihren Flügeln streifen. Besser keine Fenster als diese, besser keine Tore, keine Häuser und kein Rauch aus den Kaminen, besser keine Lampen als solche, die nicht brennen, besser keine Welt als eine ohne Engel!

Meine Schwester wartete schon, meine Schwester wartete immer. Sie erwartete anscheinend etwas, was man nicht sehen konnte, jemanden, der nie kam, weil er schon da war. Ich hatte immer gedacht, sie erwartete die Engel. Sie lehnte am Treppengeländer, und ihre Zöpfe hingen darüber. Die Wohnungstür hinter ihr stand offen, Nebel sickerte durch die Ritzen der Flurfenster, das waren die Kleider der Engel, die sich verklemmt hatten. Aber diesmal fing ich sie, diesmal riß ich die Sterne aus ihrem Haar. Und als meine Schwester wieder sagte: »Ich habe sie gesehen«, konnte ich ihr nicht glauben. Sie sollte es beschwören!

Damals wußte ich noch nicht, daß es die Engel sind, die uns beschwören. Nicht wir sind es, die sie erträumen, die Engel träumen uns. Wir sind die Geister in ihren hellen Nächten, wir sind es, die mit Türen schlagen, die es nicht gibt, und über Schnüre springen, die wie Ketten rasseln. Vielleicht sollten wir sanfter in ihren Träumen sein, daß wir sie nicht erschrecken. Wenn die Schatten über die Wüste fallen, wirft sie der Himmel. Und meine Schwester konnte nicht schwören.

Als ich ihr ins Gesicht schrie: »Es gibt sie nicht, du hast gelogen, es gibt sie nicht!« verteidigte sie sich nicht, wie ich es erwartet hatte. Sie wurde nicht zornig und brach nicht in Gelächter aus, sie widersprach nicht einmal. Es schien überraschend für sie gekommen zu sein, und sie teilte mein Entsetzen. Meine Schwester war damals fünfzehn und schon ein Jahr aus der Schule, und doch war es, als hätte ich ihr etwas erzählt, was sie bisher nicht gewußt hatte, als wäre ihr Glaube an die Engel an dem meinen gegangen.

»Schwör auf die Flügel, schwör auf das Silber in der Luft, wenn du's gesehen hast!« Aber sie blieb ganz still. Ich war auf alles gefaßt gewesen, nur nicht auf dieses stumme Zurückweichen, diese plötzliche Wehrlosigkeit, auf das halbe Zugeben der Lüge. Ich hatte den Feind erwartet und war mit allen meinen Waffen ins Leere geritten. Sie hatte ihre Truppen zurückgezogen, vielleicht waren sie auch geflohen, ich weiß es bis heute nicht. Sie wärmte mein Essen und deckte den Tisch für mich, aber sie konnte nicht schwören. Ich zerrte an ihren Zöpfen und an ihrem Rock, wir schlugen uns, aber sie beschwor es nicht.

Wir saßen bei Tisch, wir saßen uns im Finstern gegenüber, wir hörten das Abendläuten und rührten uns nicht. Wir saßen in dem Zimmer, und das Zimmer lag in dem Haus, und das Haus stand auf der Kugel, die sich drehte, sinnlos drehte wie eine Betrunkene. Wir saßen beide ganz still, und meine Schwester saß noch stiller da als ich. Das schwache Licht einer Laterne strömte durch die Fenster über ihre Schultern und machte Engelshaar aus ihren Zöpfen, dasselbe, das man unten in den Buden billig zu kaufen bekam. Wir waren allein zu Hause, und vielleicht warteten wir noch immer auf ein Zeichen, auf das Brausen in der Luft. Wenn jemals, so hätten sie jetzt kommen müssen, um die Dächer der Buden abzuheben, um das falsche Engelshaar aus seiner niedlichen Verpackung zu reißen und das richtige fliegen zu lassen, das lang und strähnig war und wie Peitschenschnüre die Wangen aufriß, die es traf. Wenn irgendwann, so hätten sie jetzt kommen müssen, um die Laternen auszublasen und die Bäume auf den Märkten in Brand zu stecken, ehe sie verkauft waren. Aber sie kamen nicht, sie zerbrachen die Scheiben nicht und stießen uns nicht in die Seite. Sie führten uns nicht aus der Gefangenschaft. Sie ließen uns allein in der Hoffnung auf Spielzeug und süßes Backwerk, dem man die Flügel abbeißen konnte.

Wie lächerlich zu denken, daß unser Vater während dieser Zeit in der Stadt umherirrte, um irgendwo billige Geschenke zu finden, und daß in irgendwelchen Kirchen gerade gesungen wurde, wenn es keine Engel gab, die dem Kind vorausflogen. Und das Kind? Das irrte in seinem kleinen, weißen Schlitten durch die riesigen Weltenräume und wunderte sich über die großen Entfernungen. Das Kind war eine Wolke, weiter nichts. Meine Schwester konnte nicht schwören.

Ihr Heer war geschlagen, ohne sichtbar geworden zu sein, und das meine war sichtbar geschlagen. Und während das meine, durch die eisige Leere und Bereitwilligkeit des feindlichen Landes in Schrecken versetzt, sinnlos die Flucht ergriff, lag das ihre verwundet in tiefen Wäldern, ein Heer, das, von Anbeginn verwundet, nicht den leisesten Versuch gemacht hatte, sich zu verteidigen, ein Heer von Blutern, das den Tod erwartete, das Heer der geschlagenen Engel. Aber zwischen dem Aufschlagen der fliehenden Schritte und dem vergessenen Wald begannen ahnungslose Hirten ihre Herden zu weiden.

Als es ganz finster geworden war, ging ich schlafen. Draußen hatte Schnee zu fallen begonnen, der sich mit Regen mischte. Ich lag im Halbschlaf und sah, wie er den müden Engeln die Flügel schwerer und immer schwerer machte, während das Kind mutterseelenallein durch die Mondgebirge fuhr, an offenen Kratern entlang. Ich wollte es warnen, aber ich hatte keine Macht dazu.

Später hörte ich meinen Vater nach Hause kommen, und ich hörte, wie er einige Worte mit meiner Schwester wechselte. Sie sprachen nie viel miteinander. Noch später hörte ich die Schlüssel sich im Schloß drehen, er mußte wieder weggegangen sein. Meine Schwester öffnete die Tür zu unserem Zimmer und stand eine Weile lang unentschlossen dazwischen. Sie machte ein paar Schritte auf mein Bett zu, während ich ganz still lag. Sie beugte sich über mich, aber ich hielt die Augen geschlossen. Sie ging leise aus dem Zimmer. Als ich diesmal einschlief, träumte ich nichts mehr. Mein Schlaf war leer geworden, wie der Tod der Leute, die keine Auferstehung erwarten.

Aber wie ich eingeschlafen war gegen meinen Willen, erwachte ich gegen meine Erwartungen, ohne Zeit und in einem fremden Raum. Die Decke ist schwer wie eine Grabplatte aus Marmor. Unmöglich, sich zu bewegen oder die Augen zu öffnen. Ich will den Stein nicht. Schnee ist schöner, Schnee schmilzt! Was haben sie getan? Sie haben mich begraben, ohne daß ich gestorben bin! Sie sind nach Hause gegangen, jetzt zünden sie die Kerzen an, es riecht nach frischem Backwerk und verbrannten Zweigen. Ein Schneesturm hat draußen begonnen, wie gut es ist, daß sie noch vor dem Schneesturm nach Hause gekommen sind. Und ich? Ich bin nicht tot! Ihr Engel, rettet mich, schnell, eh mir noch die Luft ausgeht, kommt, warum kommt ihr nicht! Seid ihr gestorben? Ja. Jetzt weiß ich's: Ihr seid es, die gestorben sind. Wir haben euch begraben gestern abend. Wart ihr nicht tot? Seid ihr's, die lebend unter Steinen liegen? Ich will euch helfen, wartet, ich will mich rühren, ich heb den Stein! Mit allen meinen Kräften will ich ihn heben, mit meinen flachen Händen – Gott steh mir bei! Wie leicht der Stein ist! Ich fliege. Könnt ihr's auch? Der Stein war Schnee.

Mondlicht flutet ins Zimmer, es ist so hell, daß man verschlossene Türen für offene Fenster halten könnte, die Wände haben sich gedreht, die Kästen und Betten haben heimlich ihre Plätze getauscht. Es schwindelt mir – was hat mich aufgeweckt? Wer hat den schweren Stein in Schnee verwandelt? Es rauscht mir in den Ohren, aber das ist es nicht, die eigene Stimme weckt keinen aus dem Schlaf. Mein Herz schlägt laut, nein, es ist nicht mein Herz, das dort an Fenster schlägt, es ist auch nicht der Wind, der an den Scheiben rüttelt, sie aufgerissen hat und doch von außen zuhält! Seid ihr's?

Wie hab ich zweifeln können? Das war nicht ich, der einen Augenblick lang dachte, du wärst der Wind, mein Engel. Wie weiß dein Kleid ist, Schnee liegt auf deinem Haar, er fällt so dicht da draußen, daß ich nicht sehen kann, wie viele hinter dir sind. Es müssen viele sein, ein Heer? Darf ich auch näher kommen? Soll ich beten? Wie still du stehst! Darf ich die angelaufenen Scheiben öffnen? Ich will dich besser sehen, sehen will ich, wie du fliegen kannst! Beweg dich doch! Wie groß sind deine Flügel? Was hast du an den Füßen? Ich will dir öffnen, komm herein, mein Engel, wirf alles um mit deinen breiten Flügeln und sei willkommen!

Aber schon während ich auf das Fenster zukam, sah ich, daß der Engel abwehrend den Kopf bewegte, und ich erinnerte mich, daß meine Schwester immer sagte, man dürfe ihnen nicht ins Gesicht schauen, und ich erkannte, daß er den Saum seines Kleides nicht berührt haben wollte. Wieder packten mich furchtbare Zweifel, daß er Schnee sein könnte, ein hergewehtes Tuch, ein Traum. Ich wollte seine ausgebreiteten Flügel sehen.

Ein Windstoß kam durch das Fenster. Hände voll Flocken drangen mir in Mund und Augen, unter einem Schleier von Schnee sah ich den Engel schwanken, als wolle er die Flügel ausbreiten. Aber die Flocken waren so dicht, daß man kaum schauen konnte, ein Schneesturm mußte ausgebrochen sein, wieder kamen schwere Windstöße herein, schlugen das Fenster zu und verschleierten mir den Blick. Als ich die Augen blankgerieben hatte und das Fenster wieder aufriß, sah ich nichts mehr als den Schnee, der in dem engen, hohen Hof tobte und tanzte, fiel und in riesigen Wirbeln über die Dächer wieder zurückgeschleudert wurde, wie das Heer der Engel, das nicht berührt sein will.

Haltet sie, haltet sie: Wachset hoch, ihr Dächer, ihr Häuser werdet Türme, daß sie nie mehr hinüberkommen, ihr Rauchfänge treibt Rauch auf ihren Weg, damit sie ihn nicht finden, ihr Schläfer zündet

Lichter an, daß ihr sie seht. Wer holt sie ein, wer macht den Tag zum jüngsten? Wer ruft sie mir zurück? Das ist die Zeit, zu der mich meine Schwester weckt, heut weck ich sie: »Wach auf!«

Es schlägt sechs, zögernd fällt eine Glocke nach der anderen ein. Das Zimmer ist jetzt finster, ich kann das Bett nicht finden. Der Schnee war viel zu hell für meine Augen, zu lange hab ich ihnen nachgeschaut, gleich hätt' ich meine Schwester wecken müssen: »Wach auf, du schläfst zu lang!«

Die Decke fällt zu Boden, und meine Schwester hält sie nicht mit ihren Fäusten fest, und meine Schwester stöhnt nicht und wehrt sich nicht, wie ich mich jeden Morgen gegen den kalten Boden und die Engel wehre, sie stößt mich nicht zurück, sie bleibt so still wie alle, die nicht schlafen, wenn man sie weckt, so sanft, wie nur die bleiben, die nicht hier sind.

Und sie ist still geblieben, als wir sie im Hof fanden und aus dem Schnee hoben, der sie schon bedeckt hatte.

MAX BOLLIGER
Verwundbare Kindheit

[handschriftliche Notiz: Entweder Psychologie-Bew / Behauptung / oder Allgemein]

In Bildern nimmt das Kind die Welt auf. Aus diesen Bildern baut es sein Leben.

Seine ersten Eindrücke: eine enge Stube, in der man stets auf den Vater wartet, der oft betrunken ist. Rinnender Regen an den Fensterscheiben. Wind in der engen Gasse, in der es niemals Tag wird. Verwilderte Hunde und graue Menschen.

Wenn der Vater auf der Schwelle steht, möchte Martin sich verkriechen. Manchmal schlägt der Mann in das kleine Gesicht der Frau. In der Dunkelheit spürt Martin den warmen Körper seines kleinen Bruders, der neben ihm schläft und leise atmet. Er hört vor dem Einschlafen die leidenschaftlichen Gebete und das verhaltene Schluchzen seiner Mutter.

Das Kind empfindet diese Dinge und leidet. Ein Leid, das eine Form von Furcht ist, die sich vor allem in den Träumen enthüllt. Er hat Angst vor der Betrunkenheit, vor den Gebeten und vor den Tränen. Und dennoch wächst in seiner Seele das Glück: buntes Silberpapier, Holzstücke, die geringsten Dinge, denen das Kind ein reiches Leben gibt.

Als Martin zu den drei alten Frauen kommt, die seine Großtanten sind, fühlt er sich herausgerissen aus seinem Dasein, einsam und verloren in einer fremden Welt. Seine Angst ist ohne Zuflucht. Die wirklichen Dinge, vor denen er Angst hat – die Betrunkenheit, die Gebete, die Tränen – sind nicht mehr sichtbar, aber die Angst bleibt und fühlt sich preisgegeben wie eine Welle dem Wind. Das Kind weiß, daß alles trotzdem geschieht.

Die Frauen sind gut zu dem Kind. Aber das Haus ist ein Haus von Erwachsenen, und Martin ist zu scheu, um sein Kind-Sein aus sich selbst zu leben.

Am zweiten Tag entdeckt Martin das Bild. Er liegt allein in dem großen Zimmer. Durch das offene Fenster dringt das Rauschen des Flusses und der Lichtschein der Autos, die über die Brücke fahren. Das Licht wächst an über dem Fensterrahmen und schleicht schräg über die ältliche Tapetenwand, über die weiße Gipsdecke. Dann ist es wieder dunkel, und der wache Knabe hört, wie sich das Geräusch eines Wagens verliert.

Im Scheine dieses Lichtes sieht Martin das Bild; das Gesicht, die dunklen Augen, die in unaussprechlichem Schmerz ihn anschauen. Es ist eines jener Glasbilder, wie man es früher oft bei Todesfällen geschenkt erhielt: die Dornenkrönung. Das geneigte Haupt Christi, von einem ovalen Rand umgeben. Dort, wie die Dornen in die Haut eindringen, stürzt das Blut in großen Tropfen aus und perlt über die weiße, ungeformte Stirn.

Martin liegt mit weit offenen Augen in der Dunkelheit, schaut auf das erkennbare dunkle Oval und wartet mit wachsendem Schrecken auf den nächsten Lichtschein, der ihm das Antlitz wieder enthüllt.

Der Knabe rührt sich nicht. All seine frühe Angst und Not steigt in ihm auf und sammelt sich und strömt in diese Dornenkrönung ein. Nicht, daß Martin um den Sinn des Bildes weiß; für ihn ist es das Gesicht der Angst. Aber seine eigene verirrte Furcht klammert sich an diese Darstellung und steigert sich darin ins Unfaßliche.

Der Knabe wird stiller. Am Morgen, wenn er aufwacht, gleitet sein Blick über das olivgrüne Blumenmuster der Tapete, hält am Rande des Bildes an, wartet und öffnet sich dann plötzlich dem andern Gesicht, dem Gesicht der Angst. Schnell steht er auf. Vor dem Fenster erwacht der Tag. Martin lehnt sich über die Fensterbrüstung und blickt lange ins bewegte Wasser, durch das die Steine schattig schimmern. Wenn er sich dreht und dem Gesicht wieder in die Augen schaut, beginnt es sich zu bewegen wie das Wasser. Er ist gebannt von dem Gesicht, das sein Kind-Sein angreift. Manchmal möchte er schreien vor Angst. Er verbirgt sich hinter dem Vorhang, bis sich die Erregung seines Wesens wieder sachte legt. – Und nun nimmt ihn der Tag auf, der Tag der drei Frauen, in deren Leben scheinbar alles ruhig und geordnet geht. Martin holt die Milch an der Haustüre. Er spürt die Sonne auf seinem Gesicht. Es gibt unbeschattete Tage.

Am Abend wächst die Angst wieder. Eine der Tanten begleitet ihn in seine Kammer und zündet das Licht an. Martin zieht sich aus mit geschlossenen Augen. Nach einer Viertelstunde kommt die Tante wieder, um das Licht auszulöschen. Sie schaut auch in das magere Gesichtchen, hört den leisen Atem, bemerkt die gesenkten, bläulichen Lider und glaubt das Kind im Schlaf. Sie weiß nicht um die große Angst. Niemand weiß darum. Die großen Schmerzen sind stumm. Die Seele verschließt das Unfaßbare, und dort, wo sie krank ist, ist sie wie ein verwundetes Tier, das sich verbirgt.

Martin schläft nicht. Er muß auf den Augenblick warten, wo er durch die geschlossenen Lider den Lichtschein eines Fahrzeuges spürt. Dann schauen sich zwei Wesen wieder an. Ein Lebendiges und ein Totes. Christus und ein Kind. Hat nicht Christus jede Angst der Welt auf sich genommen? Der Abend lastet schwerer als der Morgen. Das Gesicht ist furchtbar im steigenden und sinkenden Licht. Der Knabe bleibt stundenlang wach. Die Angst verfolgt ihn. Wenn Martin endlich einschläft, plagen ihn wirre Träume. Er stöhnt im Schlaf. Das Kind zerstört sich. Es ist bleich, und die Züge seines Gesichtes halten nicht zusammen. Es verbirgt sich oft.

Eines Abends bleibt ein Auto mit angezündeten Scheinwerfern auf der Straße stehen. Der Lichtstreifen liegt genau über dem Bilde und löst das Marterantlitz aus der Dunkelheit los. Da beginnt das Kind zu schreien, laut wie ein Tier. Seine Erregung bricht aus ihm und überfällt sein ganzes Dastehn. Man findet ihn, den Knaben, mit blutüberströmtem Gesicht. Er hat seine Stirn an der scharfen Kante des Bettes angeschlagen. Nun liegt er still und bewußtlos am Boden . . .

Dieser große Ausbruch der Angst erfolgte – soll man sagen zufälliger- oder wunderbarerweise – am Karfreitag. Zwei Tage später, an Ostern also, fiel das Bild von der Wand. Der Nagel hatte sich aus der Mauer gelöst, und die Dornenkrönung lag, zur Unkenntlichkeit zerbrochen, am Boden.

Als das Kind nach einigen Tagen sein volles Bewußtsein wieder erreicht, fällt sein Blick auf die leere Stelle an der Wand, die sich dunkel abhebt. Die gequälten Züge lösen sich zu einer sanften Kindlichkeit und finden einen tiefen, befreienden Schlaf.

Jedes Wesen, das von einer großen Angst geheilt, bekommt das Leben noch einmal neu. Und der Knabe wächst seiner ersten Bestimmung zu: dem Kind-Sein.

HERBERT HECKMANN
Sisyphos war der größere

Er kam mit einem Lächeln auf die Welt, beglückte seinen Vater bei der unheilvollen Bilanz eines Unternehmens und lernte mit zwei Jahren das Gehen, ein Ereignis, das nicht von Bedeutung gewesen wäre, wenn er nicht mit zwanzig Jahren zu Fall gekommen wäre. Bis zu diesem Zeitpunkt strudelte sein Leben dahin: ein Leben aus ziellosen Verwöhnungen und mütterlichen Ermahnungen.

»Zieh deinen Schal an. Hast du dir die Haare gekämmt? Du ißt zu schnell. Stell dich unter, wenn es regnet.« Kinderreime, sommerliche Spiele, eine Burg im Gebüsch, ahnungslose Heiraten und Kriege und das strenge Gesicht des Vaters am Abend über die Zeitung weg. »Besser dich!«

Meist stand er abseits, im tadellosen Anzug, die Matrosenmütze keck im Nacken, und bedachte die geringfügige Umwelt mit einem mokanten Lächeln, halb Zuneigung, halb Verachtung.

»Ich werde hundert Frauen lieben.«

Sein Vater gab das Stichwort.

Die dicke Nachbarsfrau wischte die roten Hände an der Schürze trocken. »Hundert?«

Sie kicherte und zog den kleinen Kavalier zu sich.

»Hundert?«

Sie küßte ihn. Er verbarg sein Gesicht hinter den Händen und trat mit den Füßen nach ihr.

»Lassen Sie mich los!«

Als er außer Reichweite war, schrie er: »Kloß, Kloß!« Er sah nicht, wie sie plötzlich weinte, in ihre Wohnung eilte, die Tür barsch hinter sich zuwarf und vor den Spiegel trat.

Er lief die Straße entlang, aufgestört von den hastigen Zärtlichkeiten. Er schaute zum Himmel. Die Wolken waren Tiere. Riesen jagten kleine Kinder vor sich her. Pferde dampften vor Aufregung. Er schaute in die Sonne, bis ihm die Augen tränten. Er hörte den Lärm, der von der Stadt herankroch: Rattern, Rasseln, Klappern und Stampfen – er schrie hinein »Teufel!« und stürzte sich ins Gras, roch die Erde, die Dünste körperlicher Gewissensbisse. Die Welt zerschmolz in wehe Empfindungen. »Gott!«

Ein Wind sprang heran, strich hastig am Boden hin, griff in seine Haare. Er taumelte hoch und lief mit seinen Gedanken um die Wette.

Aus einem Seitenpfad hervor drang das Gejohle von Kindern, sie stürzten auf ihn zu. Er sah in spöttische Gesichter. Sie trugen die Stöcke wie Schwerter.

»Du bist ein Verräter.«

Ein sommersprossiges Gesicht tauchte vor ihm auf. Eine kindliche, heisere Stimme traf ihn.

»Augen hat er wie ein Mädchen.«

Eine schmutzige Hand nestelte an seinem Halstuch.

»Das ist für die Armen.«

Er weinte vor Wut ... »Kadaver!« Er schrie es ihnen zu. Sie steckten das Halstuch als Fahne an einen Stock und stürmten siegestaumelig davon, vom Staub umtanzt.

Er ordnete seine Kleider und ging an Hand seiner Träume nach Hause, küßte seine Mutter und sagte trotzig: »Ich will tausend Frauen lieben.«

»Halt den Mund«, unterbrach ihn der Vater, »mach erst die Aufgaben.« Die Mutter legte zärtlich den Arm um ihn.

»Iß erst etwas.« Sie lachte.

»Wie lieb hast du mich?«

Er streckte die Hände auseinander. Sie strich durch seine Haare.

»Stiefelchen muß sterben, ist noch so jung so jung.«

»Warum mußt du immer singen«, schimpfte der Vater, »diese Lieder von Rosen, Liebe und Tod. Es war einmal.«

Ich weiß nicht, wo das hinaus will.

Der Junge sah ängstlich von seinem Teller auf und beobachtete seine Mutter, die einige Tanzschritte versuchte.

»Reime!«

Sie fiel in Selbstvergessenheit.

»Mama, wir sollten davonfliegen.«

Er warf die Serviette auf den Tisch. Das Zimmer war grau. Ihr Kleid rauschte vorüber.

»Mama, ich liebe dich.«

Der Vater warf die Zeitung hin.

»Hört jetzt auf!«

»Gute Nacht, Papa.«

»Putz dir die Zähne!... und bete.«

Reinigungen. Er wusch sich die Hände, sah flüchtig sein Gesicht – fremde suchende Augen! Als er in den Kissen lag, beugte sich seine Mutter über ihn und küßte seine Stirn. Er verstand schon viel vom Leben, ohne es zu wissen. Er litt an Erfahrungen, die ihn bald heimsuchen sollten.

»Sei jetzt ruhig!«

Sie ließ ihre Hand kühl auf seiner Schläfe.

»Ich will ein Pferd.«

Ihre Haare waren wie Feuer, und in ihren Augen schimmerten kleine Flammen.

Am nächsten Morgen stand er wieder vor dem Spiegel und deklamierte mit schlafschwerer Stimme.

»Aus der Tiefe jubeln wir.«

Sie knöpfte ihm die Jacke zu und ordnete seine Kragen. Er war schon davongestürzt, als sie ihn ermahnte. Er hüpfte einige Schritte auf einem Bein und tanzte übermütig aus ihren Augen. Mit dem Läuten kam er in die Klasse.

»Es lebe die Republik.« Er griff an die Mütze und fiel in Paradeschritt bis zu seiner Bank, in der erwartungsvoll Thomas kauerte. Er verbeugte sich, ein blasser Junge mit langen schmalen Händen – wie ein Mädchen!

»Immer dasselbe Theater. Mein Alter sagt, alles sei Theater, die Welt...«

Er ließ die Schultern hängen.

Der Ankömmling verharrte schweigend, bis er in einen dürren Befehlston fiel. »Mätzchen! ich habe den Tabak mitgebracht.« Der Lehrer unterbrach sie. Das Fenster wurde geschlossen.

›Alexander war noch sehr jung, als er König wurde. Verantwortung und Pflicht, eine Dornenkrone von Abenteuer, Träume, muschelfarbene Fernen, goldgleißende Staatskarossen hinter Apfelschimmeln.‹

Sie saßen regungslos und geduldig. Unversehens rutschten die Ereignisse in ihre Welt ab.

›Stiefelchen muß sterben, ist noch so jung so jung, Zehntausende machten sich auf den Heimweg, durch ockerfarbene Wüsten, um die sich Geier scharten. Sie stolperten vorwärts.‹

Er strich mit der Zunge über die Unterlippe.

»Ich habe den Tabak.« – ›Kamele und Kanonen, die Zitronen barsten in der Sonne. Männer warfen vor Hitze die Kleider weg und duckten sich in die Schatten, die sie vor sich hertrugen.‹

Die Glocke war Kriegsgeschrei.

»Gib mir den Tabak!« zischte Thomas ihm zu. Er zeigte eine hochmütige Bereitwilligkeit zur Sünde. »Den Tabak!«

»Davon werden wir Männer.« Sie gingen Hand in Hand aus dem Klassenzimmer.

»Du blutige Seele, wenn es uns schlecht wird, werden wir zusammen sterben – Quia tu es deus fortitudo mea – Ich habe einen Hund sterben sehen, er schleppte sich in eine Ecke und leckte zitternd seine Pfoten. – Hast du seine Seele gesehen. – Die Seele ist ein Vogel. – In meinem Bauch regte sich ein Gefühl, wie wenn mein Vater mich ertappt. Ich habe bis siebzehn gezählt, und dann war es still – steinstill. – Gib mir den Tabak, wir wollen Männer werden.«

Sie standen sich fremd gegenüber. Die Glocke rief sie in die Klasse zurück.

»Für mich ist ein Hund ein Mensch.«

Thomas schaute seinen Freund von der Seite an. Seine Augen waren sanft und ohne Iris. »Sie kosten Steuer.« Der Lehrer ging auf und ab und warb mit weiten Gesten um Aufmerksamkeit.

›Zur Strafe mußte Sisyphos in der Unterwelt einen stets zurückprallenden Felsblock bergauf wälzen.‹

»Das passiert uns jeden Tag – und nichts Neues geschieht unter der Sonne. Wir leiden an Namen, die Schicksal spielen.«

Er sprach ihn leise nach . . . »Sisyphos.«

»Was hast du?« Thomas stieß ihn an.

Es huschte über seine Lippen. »Sisyphos, weiter nichts Besonderes.«

Aber plötzlich sprang er auf.

»Hat ihm denn keiner geholfen?«

Die anderen lachten, verstummten jedoch, als sie sein verzweifeltes, strenges Gesicht sahen.

»Ich werde ihn töten.«

»Wen?«

»Den grausamen Gott, der solche Strafen ausheckt.«

Seit dieser Zeit nannte man ihn Sisyphos. Er schaute mit einer menschenfreundlichen Arroganz auf seine Mitschüler herab. Sisyphos! Es klang wie die zischende Mühe, einen Wohlklang zu finden.

Später rauchten sie. Das Verbotene erforderte ein Zeremoniell:

sie wickelten den Tabak in Seiten, die sie aus der großen Literatur herausgerissen hatten.

»Jetzt sind wir Männer.«

Als sie mit grüngelbem Gesicht durch die Straßen taumelten, waren ihre Seelen in einem verzweifelten Einklang.

»Wir werden zurückkehren müssen.«

Die Straßen waren schwarz, und keiner beachtete sie.

»Der Genuß kommt erst später.« Trost in einem Satz. Sie brachten ihr Leben dahin wie ein Gespräch, standen mit erhitzten Köpfen zusammen und glaubten an eine Wirksamkeit ihrer Worte. Mit närrischer Verbissenheit suchten sie Fehler, die sie mit ausschweifenden Verbesserungsvorschlägen bedachten. Es waren Spiegelungen ihrer anfänglichen Seelen.

»Warum schaust du immer traurig drein, wenn du nachdenkst?« fragte ihn die Mutter.

»Mein Gesicht.« Er vergrub es in seinen Händen. »Dieser elende Friedhof meiner Wünsche.«

Das waren Worte, die Ekel vortäuschten, um das Vergnügen rein zu halten.

Sisyphos lebte von der Anhänglichkeit seines Freundes, der ihm zu immer neuen Ideen verhalf, indem er ihm hingebungsvoll lauschte. Er verschenkte viele Namen – von Alkibiades bis Moses – weltgeschichtliche Spuren, Metamorphosen. Er ließ ihn wissen, daß die Zeit zu eng sei, um etwas aufzuschieben. Sie gelobten sich Treue bis zum Schiffbruch ihres Lebens, kleideten die Welt in Metaphern, bis sie für sich selbst nichts mehr zurückbehielten. Ahnungen flackerten am Rande. Eines Morgens saß Sisyphos allein. Der Platz neben ihm war leer. Seine Phantasie strotzte vor Befürchtungen. Thomas fehlte ohne Entschuldigung.

Er wünschte, geheime Kräfte zu besitzen, um das Leben zu verwandeln. Er hatte Angst um seinen Freund. Es roch nach abgestandenen Gesprächen.

Am nächsten Tag stand es in der Zeitung:

›Auf dem Schulweg wurde ein Schüler überfahren. Der Autofahrer brach unter dem Eindruck des schrecklichen Unfalls zusammen.‹

»Warum hat er nicht auf mich gewartet?«

In seiner Mappe fand man ein zerlesenes Exemplar von Rimbauds Gedichten. Die Welt ist noch immer unerforscht.

Die Mutter sagte, indem sie ihren Sohn zu sich heranzog:

»Ihr schrecklichen Kinder!«

Er sträubte sich.

Sie umstanden neugierig die Leiche, über den beschwärmten Straßen hingen Fetzen Nebel. Einer zog den Hut – dieser eine wäre Sisyphos gewesen. – Aber er folgte nur von ferne dem Trauerzug. Es war ein nasser Oktobertag. Ein Vogel rief. Die Kreuze verflochten sich. Sein Blut sang.

Er kannte die Zeremonien der Trauer und wurde schweigsam, führte ein Tagebuch und betete mit abgewandtem Gesicht

›. . . die Frucht deines Leibes . . .‹ Er erschrak. Später gab er sich dem Laster einiger Verse hin, die zwischen die Vokabeln Tod und Sieg gespannt waren. Worttriumphe. Er schrieb sie im Dunkeln. Die Schrift lief quer über das Papier, überlängt und hastig. Eine Seite hielt er zurück, die unbeschrieben blieb.

Sein Vater überfiel ihn öfters mit politischen Gesprächen. »Wir dürfen nicht blind durchs Leben gehen.«

Er nannte Zahlen und Namen.

»Es geht uns alle an.«

Er sagte es mit der Unnachgiebigkeit eines Tyrannen, der es bei den Worten beläßt.

»Nehmen wir an, du könntest schon wählen.«

»Ich wähle den Ausweg.«

Er träumte von polarischen Entdeckungsreisen.

Der Vater roch nach bitterem Bier, nach wilden Kalkulationen. Er wurde einsilbig, wenn es um den Alltag ging.

»Ihr müßt die ersten Seiten der Zeitung lesen. Iß doch langsam. Bist du schon aufgeklärt?«

Mit Fremdworten half er seiner Verlegenheit ab. Die Fragen kamen abrupt und scharf, ohne auf die Antworten erpicht zu sein.

Zu anderer Zeit prahlte er mit seinem Sohn.

»Er schreibt Gedichte. Ich werde aus ihm nicht klug. Aber was wissen wir schon von den Früchten unseres Blutes.«

Er steckte großspurig seine Hände in die Rocktaschen und ging auf und ab.

»Possenspiele. Wir wollen sie austoben lassen, bis sie in den Filzpantoffeln des ruhigen Alters heimisch sind.« »Sie sprechen nur von Reife, wenn Verzicht ihr Leben ködert. Gott! Aus welchem Stoff sind wir gemacht, daß aus der Hoffnung wir ein Nachtasyl machen.«

Der Vater redete unentwegt.

»Meine ersten Gedichte widmete ich einer . . . hahaha, sie wollte Geld obendrein.«

Es waren spaßhafte Minuten, im Halbschlaf das Raunen seiner Stimme zu hören, wie er Gästen Anekdoten erzählte. Man sah ihn leibhaft vor sich, Schauspieler von Kopf bis zur Sohle und all das nur, um einer Pointe Zuhörer zu verschaffen.

»Es lebe die Kunst!«

»Sie hängen an verwirrten Fäden.«

›Sisyphos.‹ Der Name bemächtigte sich seines Herzens. Den Anlaß hatte er längst vergessen. Er schlief mit lachendem Gesicht.

Meist blieb er bis zum Rand der Träume wach, bis die Zärtlichkeiten der Imagination ihn bedrängten. Er schaltete das Licht aus und fiel zurück, ein an Land getriebener Fisch, den die Flut wieder heimholt. Die Nacht war ein unendlicher Mutterschoß.

»Du siehst krank aus. Was hast du denn?«

Die Fragen jagten nach ihm.

»Wünsche sind noch lange kein Leben.« Spitzfindigkeiten scharten sich in ihm zusammen.

Er erschauerte und unterdrückte ein Gähnen. Es wurde ihm erst warm, als er durch den Morgen stürmte und Menschen streifte.

Er suchte Zuflucht im Paradies der Gelehrsamkeit und genoß das Glück von Begründungen. Er fand eine Stütze in Verantwortungen. Als er aber erfuhr, auf welche Weise man zum Leben kommt, ungerufen und nackt, Asche einer Lust (die Kinder sind ein Versehen: und Gott liebt die Kinder), als er die Umstände der Liebe erfuhr, haßte er das Gehabe seines Vaters und mied die sanften Zärtlichkeiten seiner Mutter. Er wollte den Makel abwaschen. Es war so viel Strandgut in ihm, von üppigen Ländern an seine Ufer gespült. Deus venit – ein rein gestimmter Gesang. Das ist alles vorbei oder nie geschehen. Im engen Schacht eines engen Augenblicks traf ihn der Blitzstrahl einer anonymen Liebe. Sie dauerte über allen Zweifel hin an.

›Wer sich auf sein Herz verläßt, ist ein Narr, wer aber mit Weisheit geht, wird entrinnen – und die Weisheit hat allein im Herzen ihre Heimat.‹

Er wußte, daß er nur das erwarten konnte, was er selbst in sich hatte, was an den Innenwänden seines Herzens umrißhaft abgebildet war. Für bestimmte Dinge gibt es keine Weisheiten, die besänftigen. Klugen Dingen mangelt die Sehnsucht. Ungeduld trieb seinen Kopf zu zotigen Äußerungen. »Ich scheiß auf euer Verständnis.«

Zu seiner Mutter sagte er: »Geh in ein Kloster! . . .«

Er liebte Gott als Widerspruch.

Es gab eine Zeit, wo er jeden Tag die Welt untergehen ließ.

»Mama, so kann es nicht weitergehen.« Er stand mit verwirrtem Haar vor ihr. »Was würdest du machen, wenn du sterben müßtest?«

Sie trocknete sich die Hände ab, blieb einen Augenblick am Fenster stehen. Sie hatte graue Haare.

»Wir würden ein Fest geben.« Sie deckte den Tisch. Die Zeit taute seine Verwünschungen.

Der Vater wurde ungeduldig mit ihm. Die Leistungen in der Schule blieben mäßig und versprachen keine Karriere. Er hatte nur Interesse für große Individuen und Minerale. »Lächerlich.«

»Die Welt hockt voller Spießer.«

Er hätte aufschreien wollen. In dem verschossenen Männeranzug, einem Geschenk seines Patenonkels, der die Welt kennenzulernen noch nicht müde wurde und zuletzt aus Palästina schrieb, krümmte sich sein rebellischer Leib, ein Leib voller Entschlossenheit.

Als sein Vater die Verse und Tagebuchblätter in die Hände bekam, er hatte sie griffbereit auf seinem Tisch liegengelassen, gab es eine Familienszene. Hinterher wagte keiner zu essen.

Er stürzte aus dem Hause und irrte ziellos durch die nasse Stadt. Die Lichter klebten bläulich am Pflaster. In den Gassen roch es nach gebratenen Fischen und Öl. Grelle Mädchen flanierten vorüber – Königinnen.

Der Vater war noch wach, als er nach Hause kam. Grauhaarig saß er im Wohnzimmer über einigen Zeitungen. Seine Krawatte hing unordentlich herab. Neben ihm stand eine Flasche. Als er seinen Sohn durchnäßt vor sich sah, schlug er nach ihm.

»Hör doch hin, wenn ich mit dir rede.«

Sisyphos schmerzten die Füße. Er blickte furchtlos in ein abwesendes Gesicht.

»Laß mich allein.«

»Muß ich dulden, wie du zu deinem Vater sprichst?« Er wandte sich wortlos ab und ging auf sein Zimmer. Die wohltuende Unruhe seines hastigen Denkens schenkte ihm dichten Schlaf bis zum Hahnenschrei der unaufhörlichen Pflichten.

Der Vater verfolgte ihn mit kleinlichen Ermahnungen und war bemüht, in seinem Sohn das Gefühl unnachgiebiger Pflicht zu säen.

»Sei ordentlich, denk an deine Eltern.«

Eine Seligkeit der Täuschung überfiel Sisyphos. Er ging seine eigenen Wege und bedachte die Welt mit erlesenen Gemeinheiten.

Eines Abends raffte er sein erspartes Geld zusammen und lief zum Hafen.

›Gebt starkes Getränk denen, die am Umkommen sind, und den Wein den Betrübten, daß sie trinken und ihres Elends vergessen und ihres Unglücks nicht mehr gedenken.‹

Aus schlampigen Kaschemmen drang dicke Musik.

›Lover come back.‹

»Suchst du deine Mutter?« Er drückte sich in die Schatten geduckter Häuser, ließ aber die lichtumrandeten Eingänge gegenüber nicht aus den Augen, aus denen Gelächter und Gesang quoll.

›Teach me tonight.‹

Wind sprang ihn an und klatschte gegen die Häuserwand. Er wagte es nicht, irgendwo einzutreten. Er blieb zurück, als seine Gedanken wegschlenderten. Er sah goldbetreßte Portiers die Türen bedienen. Er war stolz, allein zu sein, und trank die Farben, spürte Trunkenheit in den Gliedern, Schwindel aufjauchzender Tänze, den Dreivierteltakt der Lebensbeteuerungen.

Jemand war hinter ihn getreten. Als er sich umdrehte, erblickte er ein Mädchen in einem engen roten Kleid. Er überragte es um Haupteslänge.

»Bist du allein?«

Sie griff nach seinem Arm und zerrte ihn in einen Hausgang. Dort sah er ihr schmales Gesicht von schlangigen Haaren umflossen. Als er den Zigarettenrauch einatmete, überkam ihn mit einemmal das Gefühl, daß alles schon einmal geschehen.

»Wir werden Männer.«

Er folgte ihr in ein schäbiges Zimmer. Als sie jedoch sich fiebernd an ihn drängte, spürte er Scheu, eine ins Fleisch getriebene Scham, daß er zurückwich.

»Laß mich!«

Kaum war er wieder auf der Straße angelangt, durch den Treppenraum schwelte Moderduft, bereute er die Flucht und stürzte zurück.

Auf sein hastiges Pochen öffnete sie.

»Was vergessen?«

Sie empfing ihn mit einem aufdringlichen Lachen.

Er ließ ihr sein ganzes Geld, bevor er ging. Lange hatte er ihr zugeschaut, wie sie in hilfloser Nacktheit in den grauen Kissen lag, bis sie, des Wartens überdrüssig, aufsprang und ihn barsch aus der Tür drängte. Er hatte kein Wort gesprochen.

Das Zimmer lag in aschfarbener Stille. Über dem Stuhl hingen ihre dünnen Kleider. Eine unförmige Lampe, über die ein rotes Tuch hing, streute dickes Licht über ihn. Das Fenster schuf Vertrautheit. Es stank nach Wäschewasser.

Illustrierte lagen über dem Tisch. In einem Teller häufte sich Zigarettenasche.

»Glücklich und traurig.«

Eine altertümliche Kommode stand ihm gegenüber, beladen mit Souvenirs und wahllosen Habseligkeiten.

Der feenhafte Aufzug der Morgenröte hob sich über die Dächer. Schleier hingen träge über dem Pflaster. Er hockte sich auf einen Stufensitz und ergab sich den Zärtlichkeiten des Windes. Der Vater empfing ihn mit einem Schwall von grellen Redensarten.

»Du bringst uns noch ins Grab.«

Der Lärm des Morgens wurde wach. Das Schlagen von Türen, das Geschrei geputzter Kinder, die zur Schule eilten, Reime auf den Lippen.

»Was soll nur aus dir werden?«

Er schwieg: mit der Besessenheit von krassen Einsichten ging er seinen Weg. Erfolge in der Schule besänftigten den Vater.

Nach längerer Zeit qualvollen Zögerns kehrte er zurück. Er fand sie fast an derselben Stelle, im selben roten Kleid. »Bist du allein?«

Sie erkannte ihn sofort.

Als er ihr auf dem Rummelplatz Blumen schoß, steckte sie eine lachend ins Haar und sagte:

»Jetzt bin ich wohl deine Frau.«

Er hielt sie stolz an der Hand und zerrte sie durch die Menge. Luftballons tanzten über ihren Köpfen. Geruch von Ausschweifungen, eine Wolke von Stimmen umwogte sie –. Im Riesenrad lehnte sie den Kopf an seine Schulter.

»Ach, laßt uns fliegen. Liebst du mich?«

»Vielleicht«, stimmte sie zu und hielt sich an der Kette fest, die sie umschloß. Lichter flogen vorüber, gejagt von dem Entzücken der

Zuschauer. »Fahrt schneller!« Als sie wieder auf der Erde standen, lachten sie zum Himmel.

»Treten Sie näher!« Eine Rakete zerschmolz unterm Mond. »Zehn Pfennige nur.« Im Karussell der Hysterie. Er preßte sie enger an sich. Die Nacht schäumte. Er sah es gar nicht, als sie einem Bekannten vieldeutend zuwinkte.

Der Staub hatte sie durstig gemacht. Als er ihr etwas zu trinken bringen wollte, war sie gegangen. Er stand allein vor einem Orchestrion und schaute in tausend Gesichter, verfolgte tausend Gebärden. Die Komödie setzte ihre Handlung fort. In einem Augenblick gewann er Übersicht. Ihm gelang das Zauberstück eines Exits.

»Wer wird ein Ende machen um meinetwillen?«

Die atemlose Musik des Orchestrions drängte sich um ihn. Silbern schmiegten sich die Pfeifen zusammen und wuchsen zu einem Dreieck, in einer jähen Anwandlung hob er die Hand und zeichnete den Takt. Er erschrak, als der Refrain ihm zum Herzen ging.

»Es waren nur selbstsüchtige Zuneigungen und Leidenschaften.« Er brüllte einen Gassenhauer.

›Ein Messer wetzt das andere und ein Mann den anderen‹, daß es aussah, als wollte sein Kopf mit der Stimme von den Schultern springen. Er sah in die Buden und Schaugerüste, umdrängt von der Brandung der Neugierigen. Flöte und Trommel fielen ein. Da capo. »Wir meinen, wir würden getrieben und gehen doch einen stracken Weg.« Seine Schritte spielten auf dem Pflaster. Mit dem Zapfenstreich des Tages kam er nach Hause.

Sein Vater wandte sich von ihm ab, und die Mutter bedachte ihn mit ängstlichen Zärtlichkeiten. »Iß langsam!« Aber es hatte sich alles geändert. Bald wurde er zwanzig.

PETER HÄRTLING
Jerschel singt

»Geh schon, Jerschel«, sagte die Babitschka, und Jerschel fuhr los, denn was blieb ihm andres übrig, wenn Babitschka, die Alte, die Erfahrene, ihm diesen Befehl gab, loszufahren auf der Jawa, dem Motorrad, das auch in den Himmel fährt, bitteschön.

Er zählte wieder die Häuser der Gröna, der regenvertrauten Fabrikstraße, einundzwanzig, zweiundzwanzig, Ende, rollte in die Platanenallee und ärgerte sich, daß ihn die Babitschka vom Familienrat fortgeschickt hatte, der heute zu beschließen gedachte, ob er deutsch oder tschechisch oder vielleicht jiddisch sprechen solle auf seinen Überlandfahrten –:

denn Jerschel Goldsporn war aus dem Topf der Familie gefallen wie ein schwarzes, bitteres Korn auf die Diele, unbewacht, und kein lobenswerter Schüler war er gewesen, die Lehrer hatten ihn einen Narren gescholten, erst auf tschechisch, später im Gymnasium auf deutsch, nicht nur der Parität wegen, und sie hatten ihm Zeugnisse für die Babitschka, die Großmutter, mitgegeben, die nicht zum anschaun waren, nicht einmal für ihn, der Geduld hatte mit Zahlen, mit großen und kleinen, aber diese Zahlen waren auch der Babitschka zu hoch gewesen, geschweige denn Mama und Papa, die ohnehin nicht unnütz reden durften, da Babitschka es sagte, wenn eine Entscheidung fiel, sie sagte: so oder so.

Heute hatte sie es auch veranlaßt, wegen seiner Tourneen; weil er, dieser Herr Ungut, der Jerschel mit seiner betäubenden Phantasie, sich einen Beruf ausgesucht hatte, der mit der Zukunft soviel zu tun hat wie das Leben mit der Hölle, bitteschön, sogar der Vorgeschmack gemahnt daran. Er war Rezitator geworden, nicht daß er gehobene Gedichte vortrug, von Schiller, der ihn rührte, wenigstens mit Kabale und Liebe, er, Jerschel Goldsporn, sang oder sagte Couplets, dem Pallenberg gleich, nur ein bisserl mieser, ein Gran schwächlicher, nicht minder krummbeinig dabei, nein, er war nicht übel und er erinnerte sich an Abende, da riß er zuerst einmal sich und dann alle andern ins lachende Gewitter seines Grams – er konnte, wenn er wollte, der Jerschel, aber wann wollte er schon, war er kaum mehr als ein taubes Korn, das aus dem Schoß der Familie geflogen war, den Bösen zu Fraß und Gaudium.

Jerschel fuhr – vorsichtig steuerte er, und beneidet wurde er von den Hübschen, denen die Nachmittagssonne gewogen war – fuhr vorsichtig also, auch das Hügerl zum Spielberg hinauf, wo schon manche Berühmtheit eingelocht war in den Kasematten, gebildet war er nämlich: fast hätte er studiert wie Bruder Sammy, Jura in Prag oder Sprachen, fast, sagte er sich, die Matura hatte er geschafft, mit einem Zeugnis, das der Babitschka leider die Beerenleswoche verdorben hatte, liebe Güte, was kann man nachträglich daran ändern, aber wahrlich verdorben war die Woche, und die Konfitür ist ihr schlimm mißraten, was den Papa wiederum bewogen hatte, ihm Hausarrest aufzubrummen und danach in der Schuhwarenfabrik, die der Großvater schon aufgebaut hatte, Buchführung zu üben, zum Spaß vom alten Nawratil, welcher der Buchführung mit Schnauzbart und Redisfeder vorstand. Bosche mui, war das komisch. Eben sagte Jerschel Servus, und die Mizzi Ribasch war vorübergesteckelt auf hohen Pöms, ein wenig mollert, aber zum wegschaun war sie, die Mizzi. Wie war nur der Name von dem Italiener, dem Revoluzzer, den sie auf den Spielberg geschleppt hatten? Einundzwanzig Jahre alt war er jetzt, du Schlampus, du Krampus, wie die Babitschka zu ihm sagte, wenn sie ihn lieb hatte, das hatte sie ihn zwar immer, doch wann zeigte sie es ihm schon?

Ein Feigling bist, hatte ihn die Babitschka angeschrien, als ihn der Beppo vom Domberg verprügelt hatte, ohne Grund, nur auf die Füße getreten war er ihm, ein einziges Mal, aus Versehen, und der Beppo war auf ihn losgefahren wie ein giftiger Derwisch und hatte ihm ins Gesicht gespuckt, und er hatte sein Gesicht in die Armkehle gelegt und gerufen: Laß schon, laß schon, bitte, ich will dir nie mehr was tun – was der Babitschka zu Ohren gedrungen war, worauf sie ihm noch nachträglich eine geschmiert hatte, eine getachtelt, wie sie sich ausdrückte, und in ihr rundes Gesicht, von dem Papa behauptete, es sehe aus wie ein Apfel aus der Hanna-Ebene, war Blut geschossen. Er ist jetzt mutiger geworden, den deutschen Buben aus der Kirschgasse ist er davongelaufen, als sie ihm nachriefen: Jud, Jud, kack in den Hut!, obwohl sie ihn nicht einmal schlagen wollten. Dabei war die Babitschka die Tochter eines deutschen Hanna-Bauern gewesen, aber wie konnte er denen das rasch erklären, solche verwickelten Familienverhältnisse, und jetzt mußte er womöglich auf böhmisch seine Couplets singen, weil die deutschen Truppen bald einmarschieren würden. Die Leute in Troppau würden ihn nicht verstehen und die in Trübau auch nicht. Sang Pallenberg nicht deutsch? Tot war er schon. Die Massary aber lebte, schön war sie, wie eine Pfauenfeder mit schillerigen Augen, eine einzige wunderschöne Feder, die kitzeln konnte mit ihrer Stimme: O, Jo-jo-jo-jo-josef! Und seine Couplets? Die Babitschka würde bei Vernunft bleiben und ihm nicht seine Existenz ruinieren, schade wärs, wo er sich schon eine Jawa verdient hatte und die Einrichtung für sein Zimmer, exquisit, Geschmack hatte er, der Jerschel, sonst wäre er kein solch erfolgreicher Vortragsreisender geworden. Aber nun tschechisch singen? Nie würde er das böhmisch können:

Wo gehste hin?
No, nach Brinn –

Ein Refrain wie ein Zuckerl. Jerschel war mit seiner Jawa auf den Abend zu gefahren: vom Dom sah er einen Schatten und der Spielberg sah aus wie Vesuvschlacke. Es ist besser, ich kutschier nach Haus, die werden inzwischen beraten haben, und er bemerkte die

Mizzi nicht, die währenddessen beim Friseur gewesen war und verweinte Augen hatte, vielleicht vom Friseur, was nicht stimmte, das würde sich aber später erst herausstellen.

Daheim hatten sie beschlossen, er solle seine Gedichte weiter auf deutsch vortragen, nur die unanständigen Liederln müsse er fallenlassen, sagte die Babitschka, in solchen Dingen solle er jetzt Zurückhaltung üben, das könne man ihm später ankreiden, wer wüßte, was die für falsche Kehlen mitbrächten, die Deutschen. – Ja, kommen die denn wirklich, fragte Jerschel. – Sie sind im Anmarsch, sagte die Babitschka, und die Mama schluchzte sich ihr schwermütiges Herz aus dem Leib. Sie sagte nie etwas, sie weinte auch selten, melancholisch freilich war sie.

Die Ribaschs fahren morgen ins Ausland, sagte die Babitschka. – So – sagte Jerschel und dachte, wieviele Lieder er wohl würde noch singen können, wenn die unanständigen verboten sind. Viele nicht. – So, dann geht die Mizzi fort. Schlimm.

Die deutschen Truppen zogen am nächsten Tag ein. Draußen auf der Gröna sangen die Deutschen, sogar einige Tschechen gebärdeten sich fröhlich, und sie saßen in Babitschkas Salon, hockten wie im Hühnerstall, wenn der Fuchs vor der Tür schleicht und schnüffelt.

Die Woche darauf hatte er in Troppau einen Vortragsabend. Nicht daß du mir ein zotiges Versel hersagst, gab ihm die Babitschka auf, und er sagte: Nein, das tu ich nicht. Und er tats nicht. Als er mitten im Singen war, die Leute auf seiner Seite hatte, was ein jeder Vortragskünstler spürt, bitteschön, und er die Pointen streute gleich Pfefferkörnern, da schrie einer, in Troppau wars wohl: Aufhören mit dem Gejiddel! Wir haben die Nase voll! Dann fielen die Pointen auf gebohnertes Parkett. Niemand lachte mehr. Er kürzte sein Programm, hörte auf, und Applaus gab es keinen, Jerschel aber wollte sich auf seine Jawa schwingen: den Reifen war die Luft ausgelassen, und ein Deutscher kam heran und schmierte ihm eine, auf die rechte Backe, worauf Jerschel an die Babitschka dachte, an ihre Forderung, zurückschlagen sollst du, doch er wehrte sich lieber nicht, lachte ein bißchen entschuldigend, fragte den aufgebrachten Herrn: Bitteschön, was wollen Sie denn von mir, ich hab Sie doch im Moment noch hübsch unterhalten? Der Herr wußte keine bessere Antwort als: Saujud! Jerschel hastete in eine Seitengasse, ließ die Jawa, obwohl sie ihm teuer war, auf ihren Plattfüßen stehen, fand den Bahnhof, versteckte sich eine Weile im Klosett, stieg in den Zug und wünschte sich, daß er anders aussähe als er aussah. Auf der Backe schmerzte ihn der Schlag dieses Herrn, der keine Freude gehabt hatte an seinen Couplets und an ihm. Nicht eine Zweideutigkeit hatte er gesungen. Seis drum, die wären ohnehin zu blöd, die Banausen. Die Babitschka fragte er hernach, ob es dienlicher gewesen wäre, dem betreffenden Herrn die Watschen zu erwidern, und die Babitschka riet ihm, auf solche Gespräche solle er sich gar nicht einlassen. Und mit den Tourneen sei es zu Ende. Der Impresario habe eine Fahrkarte nach London gelöst, und seine Geschäfte übernehme niemand. Was willst du, Buberl, sagte die Babitschka, jetzt vergeht jedermann das Witzeln, und sie war lieb zu ihm wie seit Monaten schon nicht mehr.

Im nächsten Jahr, glaube ich, es ist schwer, in solchen Zeiten mit der Zeit zu Rande zu kommen, im nächsten Jahr mußten sie sich melden für eine Fahrt nach Theresienstadt, alle, die Babitschka, Mama und Papa, Jerschel. Nur Sammy, sein Bruder, hatte eine Stelle im Ausland gefunden und ihnen auffordernde Briefe geschrieben, welche die Babitschka mit einem Blödian zur Seite legte. Solche Briefe konnten sie nicht mehr ändern, die Zeit auch nicht, selbst die Deutschen nicht, da ihr Vater doch ein deutscher Hanna-Bauer gewesen war, der ihr beigebracht hatte, darauf zu achten, daß die Bauern nicht schummelten bei der Ernte. Das hatte sie bei ihm gelernt.

Am frühen Morgen sollten sie sich bereithalten, stand auf der Einladung, und ihr Gepäck dürfe höchstens soundsoviele Kilo schwer sein, am Güterbahnhof also, was Jerschel verwunderte. Die Babitschka sagte: Mit unsereins wollen die Deutschen nicht mehr zusammenkommen. Es ist ihnen in den Kopf gestiegen, daß ein paar von ihnen gerade Nasen und blaue Augen haben. Auch ich habe blaue Augen, aber das hat mit meinem Verstand nichts zu tun, nichts, Jerschel. Sie wurden abgeholt von einem Uniformierten, auf dem Bürgersteig vorm Haus warteten andere Soldaten, die sie nicht anschauten, womöglich fürchteten sie sich vor den Sternen, die sie auf der Brust trugen. Die Soldaten zogen Gesichter, als gingen sie eben über Brennesseln, aber wahrscheinlich waren sie, die heute nach Theresienstadt reisen mußten, die Brennesseln, dachte Jerschel, und ihm fielen Zeilen für ein neues Couplet ein, das er in Theresienstadt würde singen können, wo sie unter sich waren.

Mit ihnen zog auch das junge Ehepaar Löbisch. Die Frau wiegte ein Kind auf ihren Armen, ein kleines, das atmete schwer und über sein Gesichtlein hatte sich eine Maske aus Scharlach gestülpt. Krank ist es, arg krank, sagte Frau Löbisch zu der Babitschka, und da sollen wir eine Reise machen, wo es doch ins Krankenhaus müßte und schon eine Bettstelle frei steht im jüdischen Spital, ein Doktor, den wir kennen, hat das vermittelt, und mich hätte er untergebracht in der Küche. Ich hätte mich getrennt von dem Mann, lang haben wirs uns überlegt, ums Kind geht es aber, nicht wahr – sagte sie zur Babitschka, die nicht antwortete und einem der Soldaten aufs Koppel starrte.

Auf dem Güterbahnhof warteten viele, die nach Theresienstadt fahren sollten, und viele weinten sehr, andere schwiegen wie ihre Bewacher. Wo Frauen weinen, gerät die Ordnung aus den Fugen. Die Soldaten trieben sie zusammen, keilten sie ein, doch schienen sie dem Jerschel nicht allzu aufmerksam, und ihm kam ein Gedanke, als er die junge Frau Löbisch betrachtete, die das röchelnde Scharlachkind im Arm hielt, dem ein Bett bereitgemacht war im Spital. Ich will euch was singen, schrie er, hob die Arme wedelnd über den Kopf, schrie weiter: Was hilft euch das Geheul, große Güte, lacht, denn weinen könnt ihr noch lang, das verspreche ich euch! – Einer der Wächter schlug ihm den Gewehrschaft gegen das Knie und sagte: Halt die Fresse, Jud! aber er sang, sang jenes Couplet mit dem Refrain:

> Wo gehste hin?
> No, nach Brinn.

In dem Liedchen kamen allerlei köstliche Dinge vor, die sicher nicht anständig waren, halt ein bißchen schlüpfrig, doch geistvoll und lustig. Alle lauschten ihm, dem Sänger, Frauen lachten aus ihren Tränen, Männer zogen besserwisserisch die Brauen hoch, Kinder staunten, lachten auch und Jerschel tanzte jetzt zu seinem Liedel, sah, wie die Soldaten zu schmunzeln begannen, nicht alle, und einer sagte: Das kann er wenigstens, der Jud; als das Couplet zuende war, rief Jerschel: Ich will euch vorführen, wie ein garantiert echtes Veitstänzel aussieht, hüpfte umher wie ein Popanz auf dem Rost, verrenkte sich, wieherte, grölte schaurige Moritaten dazu und übertraf sich selbst, dachte in sich hinein: So gut warst du noch nie, Jerschel, und so gut wirst du nie wieder sein. Aus den Augenwinkeln sah er, während die Müdigkeit ihm mit Beben in die Knie zog, daß die Babitschka aus dem Wächterkreis getreten war, in die Menge der zivilen Bewacher und Helfer hineindrängte, wo ein Krankenauto stand. Die junge Frau Löbisch war verschwunden, vor ihm aber lachte Herr Löbisch.

Ein Offizier trat heran und fuhr ihn an: Aufhören! die Soldaten keilten die Menge auseinander. Die Babitschka stand wieder neben ihm und schaute ihn verwundert an: Ein Künstler hättst du werden können, Buberl. Jerschel fühlte sich glücklich. Sie wurden zu dem Viehwaggon getrieben, der sie und fünfzig andere nach Theresienstadt fahren würde. Das hab ich nicht gewußt, sagte die Babitschka, aber du hast mirs gezeigt, nur spät hast du mirs gezeigt. Sie gab ihm einen Schubs und sagte: »Geh schon, Jerschel!«

KARL ALFRED WOLKEN
Zinnwald

Da saß sie noch auf dem Rad: Zöpfe und blaugefrorene Nase – beugte sich gegen den Wind und drehte sich um nach den Büchern auf dem Gepäckträger, die übrigbleiben sollten, aber ihr Onkel, dieser Tolpatsch, bereitete uns eine Erschütterung aus Geschrei, vergrub etwas, schlug die Erde auf mit dem Pickel, hatte selbst etwas zu vergraben, drehte sich ab und dann uns wieder zu und gab uns zu essen, knöpfte sein Hemd auf, schwitzte neben dem Ofen, atmete rasselnd und verfiel in schleimigen Raucherhusten – zögernd streckten wir die Beine aus und zitterten noch in der Erinnerung an die Panzer, die an uns vorbei waren mit ungeheuerem Lärm, fünf im ganzen, wir hätten runtergehn sollen von den Rädern. Mir schlenkerte der Lenker unter den Händen, und als ich den Löffel hielt, zitterte ich nach und bat ihn, doch unsere Sachen mitzuvergraben, aber er neben dem Ofen fing wieder auf ungute Art an laut zu werden, hustete etwas ins Taschentuch, und wir fuhren mit den Sachen zurück – diesmal überholten uns Panzer von hinten, vielleicht dieselben fünf, auf PKW's saßen Landser, Flinten unterm Arm, trotz der Hundekälte, Eis zerknallte unter den Ketten. So die Straße hinunter mit dem Wind, der sauste im Wintergras, und hinein in unser Dorf, das uns mit unheimlicher Stille empfing: da lagen trotz der Kälte Leute in den Fenstern, blickten angestrengt über uns weg, als wir über die letzte Steigung kamen und hinunter auf den Dorfplatz, wo rechts die Post steht und links die Bürgermeisterei mit einem Vorbau: in dem stand oft Susanne. Ich in der Post schrieb etwas auf Löschpapiere und zeigte ihr das über die Straße, und sie stützte den Arm auf, hob eine Hand oder faltete etwas zu einem Zeichen, mit dem Rücken zum Vater – obwohl der nichts hatte gegen Zeichen, denn wenn ich zu ihm ins Haus kam, meinen Köter bei mir, der Susanne auf den Stuhl jagte, wo sie stehenblieb, während er bellte, daß es einem die Sprache verschlug, nahm er mich am Arm und gab mir selbst Zeichen, Winke, wie die Gruppe Bosemüller zu verstehen sei, während ich im Vorbau am Fenster stand wie sonst Susanne, bis ich an ihm vorbei verschwand, an seinem steifen Bein vorbei, den Hund mitnehmend und auch Susanne hinter mir her, mit Seitenblicken auf den Köter bis auf den Dorfplatz, – wo jetzt, als wir über die letzte Steigung kamen, ihr Vater lag und entsetzlich schrie. Susanne schlidderte aufheulend über eine Eispfütze, schlug sich das Knie auf, lag lang da, den Rock zerrissen, und krümmte sich: und irgendeiner von denen, die herumstanden, warf sich über sie, und mir legte sich eine Hand vor die Augen, und ehe ich nicht pampig wurde, nahm er sie nicht weg. Ich also riß die Hand herunter, so kam sie weg, sie kam wieder, und ich riß sie noch einmal herunter, riß mich ganz los und schlug hin neben Susanne, die schrie und um sich schlug: Vater, Vater. Mit den Händen auf der Erde: Vater! Vater! – geradezu unaufhörlich. Über das Rad wälzte ich mich, dies lange Heulen zu ersticken, da legte sich wieder die Hand vor meine Augen – diesmal biß ich hinein, dafür trat mich ein Fuß, aber ich war sie los und konnte frei und ungehindert hören, wie Susannes Vater noch mehr schrie als sie: Sauhunde, Mörder! weil sie ihn auf das Bettlaken gelegt hatten, das er zuvor ausgehängt hatte, als unsere das Dorf verließen und nicht vorauszusehen war, daß sie wiederkämen. Diese standen nun herum, weiß und verfroren, einer aber über ihnen im offenen Luk eines Panzers, den schmalen schneidigen Kopf werd ich nie vergessen, und der fährt weiß im Gesicht über ihren Vater weg bis ein Offizier ruft: »Gut, Zinnwald! Aufhören!«

Direkt vor meinen Augen zuckte Susannes Rücken, als ich sie herumdrehte, schlug sie mir ins Gesicht und schrie, geh weg, geh weg – mit aller Kraft und ist doch nur eine zarte Person, reicht mir kaum bis an die Schulter, reibt dort manchmal ihre Nase, – konnte aber zuschlagen und war nicht hochzubekommen von der Erde vor Erschöpfung. Die endlich warf sie auf den Rücken und gab dem Auge viel verdrehtes Weiß – so legten wir sie in eine Decke und trugen sie zu ihrer Mutter, die unterm Tisch in der Küche neben einer am Boden zerschellten Tasse lag und schon still geworden war, während der Teekessel auf dem Herd laut knistert: alles Wasser ist verkocht. Als ich ihn wegnehme vom Feuer, springt mir Kesselstein ins Auge, ich laß die Decke los, und weil sie hart aufschlägt, fängt Susanne nun endlich an zu weinen, mich aber fährt einer an und hebt sogar die Hand, ich soll mich zusammennehmen, während ich mein Auge reibe und es unten auf dem Platz wummert von den Panzern, die nun einen Bogen machen um ihren Vater und in Richtung Zwiebrück verschwinden, wo sie alle hingemacht worden sein sollen von Tiefflieger. Als ich mich umdrehte, waren die anderen fort und saßen die beiden am Tisch, nach vorne gegen ihn gelehnt, und aus dem offenen Ofenloch schlug Kohlenlicht, an dem ich mir die Hände wärmte, das ich aber verließ, als die beiden gar nicht anfangen wollten zu reden, und zudeckte mit dem frischgefüllten Wasserkessel – ich ging auch: um am nächsten Tag wiederzukommen wegen der wachsenden Verfinsterung ihrer Augen und obwohl nicht aufzukommen war gegen den Schrecken, den Gedanken an Zinnwald – bis ich schließlich doch nur kam, um mit ihnen zuerst dünnen und dann starken Kaffee zu trinken und die Tassen unterm Wasserhahn zu spülen oder ihnen die Wäsche im allzukalten Wasser auszuspülen und ihnen bei der kleinen Steuererklärung zu helfen: wir tauschten keine Zeichen mehr von Post zu Vorbau und zurück, wir berührten uns zuerst absichtslos, später absichtsvoll; doch ich dachte nicht, daß unsere Vertrautheit außerordentlich sei, erwartete aber auch nicht, daß Susanne sich in den ersten Jahren nachts aufbäumen, um sich schlagen und maßlos sein und viel zu oft den Vater oder Zinnwald im Mund haben würde in Augenblicken, in denen ich mich so weit nicht zurückzuerinnern wünsche. Das ließ mich verstummen und auf die Seite rücken – der Vater dabei, das wäre noch gegangen, aber Zinnwald war mir zuviel, wir hatten ja auch andere Sorgen, die uns so lange über den Kopf wuchsen, bis wir es endlich so weit gebracht hatten, wie wir es gar nicht hatten bringen wollen: Geld genug und eine Wohnung und schließlich den Jungen, der manches ins rechte Lot hatte bringen sollen, es aber nicht brachte. Was sollte ich denn tun gegen die Kraft ihrer Erinnerung? Was sagen, wenn kein Name mehr fällt? Und das, wenn man sich noch sagen muß: das ist nicht krank, sie hat ein Recht sich so zu erinnern, denn nichts wurde in Ordnung gebracht, nur umgebracht wurde? Krank davon, legte sie sich auch noch hin, einige Wochen, ich hielt ihre Hände und sollte Geduld haben mit einem Kerl, der verschwiegen und abgeleugnet wurde tagsüber, aber nachts immerhin Kraft genug besaß, sie aus dem Schlaf, aus dem Bett zu jagen, daß sie nicht mehr wußte, warum sie auf einmal im Zimmer stand und nicht im Bett lag. Wenn wir dauernd von ihm sprechen, sagte sie, da muß ich ja von ihm träumen. Aber es war nicht gesprochen worden von ihm – und da wurde es mir zuviel, dieser Kerl im Haus – ich fuhr mit ihr in den Schnee, ohne den Jungen, der blieb bei Freunden, wir aber hoch in die Berge hinauf, nicht ins Dorf neben dem Skihang, und blieben einen ganzen Monat – dann hatte sie es wieder einmal hinter sich und wir konnten zurückkehren: den Weg hinunter ins Dorf hinter einem Pferdeschlitten her, und als wir an die Straße kommen, wo der Schlitten wendet, ich mit den Koffern voraus die Straße ins Dorf hinein und in eine Café-Bar, wo die jungen Leute sitzen, die schon von nichts mehr was wissen, aber die Musik besser kennen als wir und merkwürdig gefärbte dünne Säfte zu dem Lärm trinken.

Ein Kerl war hereingekommen, älter als sie und wir und fröhlicher als wir alle zusammen – vielleicht war er schon da betrunken, jedenfalls kniff er die Kellnerin, die stieß ihm das Tablett entgegen und hauchte, nicht faul, zurück, in sein Gesicht, er erwiderte es noch einmal, und sie ließ mit zusammengekniffenen Augen ab von ihm, so daß er sich umdrehen kann auf seinem abgelaufenen Absatz und an die Musik-Box gehen und seine Ellenbogen dort gebrauchen. Sofort hat er Platz, schiebt eine Münze hinein, *Allein im Wüstensand* kommt sofort und er löst sich vom Chrom und tritt tiefer, nach hinten, in den Schatten und tanzt vor sich hin, Kopf hoch und zurück, Hände an der Seite und erhoben: das wiederholt sich. Für das gleiche Geld die gleiche Musik und den gleichen Tanz hinten im Schatten, bis er wieder ins Helle kommt, betrunken übrigens, und schon wieder eine Münze in der Hand. Einem Jungen wird das zuviel, er sagt: dreh ab! – da hängt er schon über ihm und schlägt zu mit einer fixen, geübten und bösen Bewegung. Sofort ist das Knäuel fertig, drei, vier Jungen dazu und von hinten der Wirt, der mit den Armen mächtig fuchtelt und schreit: »Genug, Zinnwald! Schluß jetzt!«

Ich bin noch verdutzt über den Namen, da packt schon der Wirt Zinnwald und will ihn hinauswerfen, aber der verschafft sich Luft auf seine Weise, steht allein auf weiter Flur und sagt zu allen: faßt mich nicht an, nicht ihr! – so daß der Wirt sich freiwillig wieder hinter den Tresen verfügt und Susanne sich in dem falschen Gefühl, daß jetzt nur etwas Entsetzliches oder gar nichts passieren darf, über den Tisch zu mir beugt und sagt, ich solle etwas unternehmen, da ich es nun mit keiner Windmühle zu tun habe wie bisher. Aber was soll ich tun? Ich kenne die Gerichte, das gibt eine endlose Geschichte mehr und ändert nichts an den Aus- und Zusammenbrüchen Susannes, die ich kenne wie keiner und die sich den Zinnwald ansieht, wie er trinkt, wie er hinunterschüttet und wieder eines und noch eines hebt und sagt zu denen, die ihm den Rücken zukehren: mich schmeißt ihr nicht raus, ihr nicht! Und der nun ihren Blick bemerkt und ihr zugewendet mit dem Finger an die Stirn tippt, daß ich beinahe aufstehe, aber plötzlich, da ihm seine Musik fehlt, in bösartige Laune verfällt und sein Geld auf den Tresen schmeißt, während Susanne mir solange wiederholt, daß er es sei, daß er es ganz bestimmt sei, bis ich, der ewigen Wiederholungen müde, Geld auf den Tisch lege, die Koffer nehme und sie wohl oder übel mit mir kommen muß. Aber sie gehen sehen und zu ihr herüberkommen, das ist für Zinnwald eins, und sagen: die Koffer tragen! Das ist eins für ihn, und wir gehen zusammen hinaus, er mit den Koffern voraus und sagt ihr, als wäre ich nicht vorhanden, was es mit ihm auf sich hat und wo er schon überall war und daß er jetzt gerade zurückgekommen ist nach Deutschland, und der alte schneidige Kopf kommt wieder durch, der Soldatenkopf. Herrgott, ist mir das lästig – dieser Mensch und die Forderung, daß ich etwas tun solle, ich kann mich an meinen jahrelangen Haß nicht erinnern, sondern nur denken, daß er einmal geboren wurde in einem bestimmten Haus in einer bestimmten Landschaft, und sitzt zwanzig Jahre darauf in einem Panzer und rollt über einen Mann weg, ist später aber doch auch der Mann, der mit der Hand über ein Gesicht fährt, irgendwo Holz hackt und eine Pfeife raucht, die Füße auf einer Bank, oder der Mann, dem die Sonne das Gehirn verbrannt hat, der sich nicht mehr erinnert, so daß er nun fröhlich und unbeschwert neben uns herlaufen und sich aufrichten kann an zwei Koffern, die andere in den Boden ziehen. Und dazu Susanne absuchen kann mit seinen verschwommenen Augen – trotzdem will ich nichts übers Knie brechen, mag der Mensch sein, wie er will, ich greif ihm sogar unter die Arme, aber er sagt, er mag das nicht: bin selbst groß, kann schon alleine laufen! Und lacht mich aus bis auf den Bahnsteig – so sicher auf seinen Beinen, daß er auf dem nächstbesten Fetzen einer Bananenschale ausgleitet: ich habe schon die Hand für eine Mark Schnapsgeld in der Tasche, da haut es ihn hin, die Koffer jagen nach links und nach rechts, und er, mit einer gefährlichen Wut auf alle Bananenschalen, richtet sich auf und funkelt mich an dafür, als hätte ich ihm ein Bein gestellt, flucht wie blödsinnig. Und die Idiotie, mich für die Bananenschale zu nehmen, widert mich an, und da er sowieso nichts mehr unter den Sohlen hat, sondern nur zuviel in den Beinen, nehme ich die Hand ohne Geld aus der Tasche und sehe nur noch halb, wie der Zug mit großartigem Wummern aus der Halle kommt, so daß Susanne die Hände vor die Augen schlägt vor dem Lärm und daß der Beamte aus seinem Häuschen tritt ganz am anderen Ende und nichts sehen kann – und da alles mich an das erinnert, was ich hinter mich bringen möchte, und da Zinnwald auch mit dem zweiten Bein nicht wieder auf die Erde kommen will, trete ich schnell mit dem Fuß gegen das, was noch steht, und führe so herbei, was er mit dem ganzen Aufwand an Geschrei und Bewegung zu verhindern versucht.

Sein Schrei unter den Rädern ist das Äußerste, was ich still ertragen kann – was alles folgt: der Wirbel, in dem man ihn wegschafft, die Fragen, die man an uns richtet, das Bedauern über den gräßlichen Anblick, der uns nicht erspart blieb, und später zuhause Susannes befriedigte Erleichterung, als sie unseren Jungen wieder hat und kann ihn auf den Schoß nehmen – das ist schon leichter zu ertragen. Nur ist es mir nun nahezu unerträglich zu hören: wie sehr sie überzeugt ist, daß viele schreckliche Dinge auf dieser Welt sich ohne unser Zutun regeln mit den Jahren, mit der Zeit – bis ich sie schließlich wie ein Stein anblicke und sie mir ratlos gegenübersitzt wegen der Veränderungen, die ohne Zweifel in mir vorgehen: denn schließlich habe ich ihr und mir nur den Zinnwald vom Hals geschafft, der seinen Kopf aus dem Luk hob und über ihren Vater wegrollte, um mir einen Zinnwald aufzuhalsen, den ich unter den Zug stoße, um ihn endlich loszusein.

HORST BIENEK
Stimmen im Dunkel

Der Gedanke, daß er sich in einem nachtdunklen Gefängnis befinden könnte, erschien Robert so lächerlich und absurd, daß er sich mit der Hand über das Gesicht strich, verwundert die harten und zwickenden Bartstoppeln bemerkte, aber noch in der Unsicherheit des Begreifens aufstand und sich an der feuchtkalten Wand vorwärtstastete. Kaum war er zwei Schritte gegangen, da stolperte er über einen Strohsack, der auf dem Boden ausgebreitet lag. Er stürzte und schlug mit dem Kopf heftig gegen den Leib eines Mannes, der, plötzlich aus dem Schlaf geschreckt, laut aufschrie wie ein Tier. Robert sprang zurück, er drückte sich zitternd an die Wand, und da fiel ihm alles wieder ein: die Verhaftung, die Verhöre, die Protokolle, das Gericht und die Verurteilung und jetzt diese Zelle, von der man nicht wußte, ob es eine Zelle war, weil einfach nur Dunkelheit da war, nach allen Seiten hin undurchdringliche Finsternis, die wie ein enges Gewand seinen Körper einschnürte, die durch Nase, Mund und Ohren in ihn einfloß, so daß er nichts mehr fühlte, nur noch die bittere, verschwenderische Finsternis. Von irgendwo drangen jetzt auch Geräusche an sein Ohr, er hörte ein Kratzen und Scharren, dann Stimmen, die immer lauter wurden und nach Ruhe riefen. Der Mann auf dem Strohsack verstummte langsam. Robert lehnte gebückt an der Wand, etwas zusammengekauert wie ein Mensch, der Angst hat. Aber er hatte keine Angst; in ihm war nur der Wunsch, das Dunkel zu durchdringen, wenn nicht mit den Augen, so mit den Ohren. Der Mann, der vorhin aufgeschrien hatte, sagte etwas, er sagte es mit einer Stimme, in der noch die Furcht zitterte: »Mein Gott, was ist los? Was ist denn passiert?«

Aber keiner antwortete. Auch Robert nicht. Robert war nur verwundert, eine menschliche Stimme zu hören, eine Sprache, die er verstand. Vorhin, als das Schreien war, glaubte er, so müsse ein Tier schreien, wenn es getötet wird. Robert hielt den Atem an, um sich nicht zu verraten. Die Stimmen von vorhin waren verstummt. Es war wieder ganz still. Nur der Mann, der eben gesprochen hatte, wälzte sich unruhig und verängstigt auf seinem Strohsack hin und her. Er murmelte noch leise und unverständlich vor sich hin, dann aber blieb auch er ganz ruhig.

Die Stille drang mit Schwertern auf Robert ein. Und je lautloser die Finsternis wurde, desto mehr schmerzte sie ihn. Er mußte etwas sagen. Er mußte dieses Schweigen zerstören. Er hielt einfach die Stille nicht mehr aus, in der sich der ungewisse Raum ausdehnte bis in die Unendlichkeit. »Sie da! Sie haben doch geschrien vorhin, nicht wahr?« Er sagte es stockend, und fast schien es ihm, als ob jedes seiner Worte von den Wänden widerhallte. Keine Antwort erfolgte. Aber der Mann, der vorhin so geschrien hatte, bewegte sich wieder auf seinem Strohsack. Das gab Robert Mut, weiterzusprechen. »Ich muß mich bei Ihnen entschuldigen. Ich habe Sie erschreckt. Ich ging ein paar Schritte und bin über einen Strohsack gestürzt. Dabei ... dabei ...« Er schwieg plötzlich. Er fühlte, wie der andere sich aufrichtete. Er konnte es nicht sehen, und doch wußte er genau, daß der andere jetzt aufrecht saß und ihn anblickte.

»Wie finster es ist!« sagte der andere langsam und bedächtig.

»Ja. Man kann nicht einmal die Hand vor den Augen sehen.« Die Worte schwirrten wie Insekten durch die Dunkelheit.

»Wo sind wir hier?«

»Das wollte ich Sie gerade fragen.« Beide fühlten, daß es besser wäre, hier zu verstummen. Wer diese Frage nicht beantworten kann, kann überhaupt nicht antworten. Und doch sprachen sie weiter; sie klammerten sich an leere, fremde Worte, um in der Dunkelheit nicht zu ertrinken.

»Gibt es hier überhaupt ein Fenster?«

»Nein. Nur einen Luftschacht. Da drüben.« Der andere schien mit der Hand in irgendeine Richtung zu zeigen. Er vergaß, daß niemand ihn sehen konnte. »Manchmal hört man durch den Schacht Schreie von oben. Und Türenklappen. Seitdem ich hier bin, habe ich dreimal Schießen gehört.«

»Sind Sie schon lange hier?«

»Ich weiß es nicht. Manchmal dünkt es mich, es müßten schon Jahre vergangen sein, seitdem sie mich hier eingesperrt haben. Und manchmal glaube ich, ich bin erst seit einigen Stunden hier. Ich weiß es wirklich nicht.« Robert schwieg eine Weile. Dann fragte er:

»Wird es hier niemals hell? Ich meine, weiß man denn nie, wann Tag und wann Nacht ist?«

»Hier ist immer Nacht. Das weiß man. Es ist das einzige, was wir wissen.«

Robert biß sich auf die Lippen. Er wußte nicht, wie er fragen sollte. Der andere schien aber noch mehr zu wissen. Das mußte er aus ihm herausbekommen. »Wie ist es denn mit dem Essen?« fragte er zögernd.

»Es ist nicht schlecht. Aber es gibt immer nur Eintopf, so daß man nie weiß, wann es morgens oder abends ist. Das Essen wird durch eine Klappe gereicht, aber auch draußen im Gang ist es dunkel. Man kann nichts sehen.«

»Aber wenn ein Neuer gebracht wird oder einen von uns holt man heraus, dann muß doch die Tür geöffnet werden, dann kann man doch sehen, wer uns bewacht . . .«

»Ich habe noch keinen gesehen. Es geschieht, daß plötzlich, wenn alle schlafen, die Tür aufgeht, und ein Neuer wird hereingestoßen. So wie Sie vorhin. Nur ein kurzer Lichtschein, ein kalter Luftzug weht herein – das ist alles.«

»Mein Gott«, sagte Robert mehr zu sich selbst, »das ist ja unheimlich.« Und lauter: »Sie sagen immer wir. Sind denn noch andere hier?«

»Ja. Ich glaube, wir sind jetzt fünf. Die andern liegen hinten. Genau weiß man es nie, wieviel hier drinnen sind. Sie haben in der letzten Zeit mehr herausgeholt als gebracht.«

Robert fühlte, wie es ihn heiß durchpulste. Er krallte seine Hände fest in den nassen und bröckelnden Kalkputz. Die Worte des andern drangen wie ekles Gewürm in sein Ohr. Die schwarze Finsternis wurde violett und begann zu tanzen.

»Gehen Sie zwei Schritte zurück«, hörte er den andern sprechen, »dort ist ein Strohsack, der ist für Sie bestimmt. Wenn Ihnen schlecht ist, drüben in der Ecke ist ein Kübel.«

Robert taumelte zwei Schritte zurück und fiel auf den Strohsack. Er wunderte sich, daß er auf etwas Weiches fiel. Aber noch mehr wunderte er sich, daß der andere so genau Bescheid wußte. Wie konnte er in dieser Finsternis den Strohsack sehen, wie konnte er wissen, wo sich der Kübel befand? Vielleicht war die Dunkelheit, die würgende, flatternde, schmerzende Dunkelheit nur für ihn da; vielleicht war er blind? Da überfiel ihn die Angst. Seit langem spürte er sie wieder in seinen Adern. Die Verhöre, das Urteil, die Schüsse: das konnte ihm keine Furcht mehr einflößen. Aber blind zu sein, nichts mehr zu sehen und doch dabei zu denken, das war es, was ihn so erschreckte. Er tastete nach seinen Augen, er fühlte die Lider zucken. »Vielleicht bin ich blind?« schrie er.

Die Stimme des andern klang ruhig und besonnen. Robert horchte auf. »Nein, es ist nur die Finsternis in diesem Loch hier, die uns blind macht. Wenn Sie erst eine Weile hier sind, werden Sie auch im

Dunkel sehen lernen. Wir haben uns alle daran gewöhnt.« Der Mann erhob sich. Robert hörte es, er richtete sich halb auf und starrte dorthin. Er glaubte, als er die schlurfenden Schritte hörte, einen Schatten zu sehen. Der Mann öffnete den Kübel und harnte. Robert hörte das Wasser plätschern, er mußte daran denken, daß der Mann vorhin geschrien hatte wie ein Tier, und er dachte, so schreit ein Reh, wenn es getötet wird. Der Mann ging wieder auf seinen Platz.

Robert legte sich zurück und verschränkte die Arme unter seinem Kopf. Müdigkeit lähmte für Sekunden seine Gedanken. Dann plötzlich spürte er matt und verlangend eine Sehnsucht, Lärm zu hören, ein lautes, ohrenbetäubendes Geräusch, nicht nur dieses leise Scharren und Kratzen ganz hinten in der Finsternis. Er hatte Lust auf den Lärm einer Maschinenhalle, er hatte Lust auf das Dröhnen eines Bombengeschwaders. Er sank in sich zusammen. Er fragte leise: »Wie heißen Sie?«

Der andere antwortete nicht. »Ich werde Sie Reh nennen«, sagte Robert. »Als Sie schrien, dachte ich, so müsse ein Reh schreien, wenn es getötet wird.« Er fügte hinzu: »Sie sind verurteilt?«

»Hier sind nur Verurteilte«, antwortete Reh.

»Sie sind auch . . . ?«

»Nein«, unterbrach Reh ihn, »ich habe jemand erschlagen. Aber die gleiche Strafe . . . Sie fragen viel . . .«

Robert schwieg. Hinten in der Finsternis scharrten Fledermäuse. Sie wisperten und berieten sich. Eine spannte breit ihre Flügel und schwirrte durch den Raum. Robert sah einen Schatten, dunkler als die Dunkelheit. Oder täuschte er sich? Er wartete auf den Flügelschlag. Er wartete auf das Signal. Er wartete darauf, daß die Finsternis sich erhellen würde. Nicht auf einmal, wie wenn man an einem Schalter dreht und die Leere ringsum ist plötzlich Raum, sondern darauf, daß sie sich langsam färben würde. Erst blau vielleicht, und die Luft wäre wie Seide, und dann heller, und die Luft wäre wie Rauch, der sich zersetzt, und zuletzt wäre die gelbe Wand wirklich gelb und der schwarze Fußboden wirklich schwarz, und die Fledermäuse würden sich in den Ecken drängen und erschrocken die Spinnweben zerstören. Der Schatten, der wie eine Fledermaus näher kam, hockte sich vor dem Strohsack nieder: ein Mensch saß da und sprach zu ihm: »Sie sind doch der Neue, nicht wahr?«

Robert starrte auf den vermeintlichen Schatten, der sich dicht vor seinem Kopf niedergelassen hatte. Er nickte. Da fiel ihm ein, daß der andere sein Nicken nicht sehen konnte. Er sagte laut: »Ja, ich bin noch nicht lange hier. Ich weiß nicht, wo ich bin.«

Der andere schien etwas zu überlegen. Dann fragte er: »Sie kommen von oben? – Sind Sie meinem Bruder begegnet?« Und wie erklärend fügte er hinzu: »Ich suche nämlich meinen Bruder.«

Robert setzte sich. Er fühlte ganz deutlich sein Gegenüber. Er hätte ihn beschreiben können, so deutlich glaubte er ihn zu sehen: er mußte noch jung sein, höchstens zwanzig, das Haar kurz geschoren, das Gesicht zart, mit weichen Zügen, aber von Trauer überschattet, der Mund groß und rot wie eine blutende Wunde, eine schwarze Flügeljacke, bis zum Hals hoch geschlossen: so lebte er in Roberts Vorstellung.

»Wer ist dein Bruder?« fragte Robert. »Ich weiß nicht, wer du bist!« Der andere beeilte sich zu erklären: »Ich bin Arkadij, und Oliver ist mein Bruder. Er ist zwei Jahre älter. Aber er sieht mir sehr ähnlich. Nur hat er einen schmalen, verkniffenen Mund. Und er ist sehr schweigsam. Du mußt ihn oben gesehen haben?«

Robert versuchte, sich zu erinnern. Seit seiner Verhaftung war er nur mit ganz wenigen Menschen zusammengekommen. Er verneinte. »Ich weiß nicht, ob ich von oben komme. Ich war vorher in einer Einzelzelle.« Der andere, der seinen Bruder suchte, sagte mit Bestimmtheit: »Alle kommen von oben. Man wird immer tiefer nach unten geschafft. Damit die Hoffnung geringer wird.«

Als Robert noch zu den Verhören geschleppt wurde, hatte er von einem gehört, der fliehen wollte und draußen von der Wache erschossen wurde. Man sprach davon, man klopfte es durch alle Zellen. Er erinnerte sich plötzlich daran, der Name fiel ihm wieder ein: Oliver. So war es wohl der Bruder, den sie getötet haben. Bis hierher mag die Nachricht noch nicht gedrungen sein. Sollte er nun davon berichten? Konnte man diese blutende Wunde noch mehr aufreißen? Mund, der schon welk war von soviel Tod.

»Du kannst ruhig alles sagen«, hörte er den andern reden. »Wir sind hier alles Politische. Nur der da« (er machte eine Bewegung in der Dunkelheit) »ist ein Mörder. Aber er ist ein guter Mensch. – Mein Bruder ist unschuldig, weißt du. Ich habe alles auf mich genommen. Vielleicht haben sie ihn freigelassen?«

»Ja«, sagte Robert ganz verwirrt. Vielleicht war dieser Oliver gar nicht tot. Vielleicht war er, Robert, es selbst, den sie auf der Flucht erschossen hatten. Er hatte immer den Gedanken gehabt zu fliehen. Vielleicht ist so der wirkliche Tod: eine ewige, undurchdringliche, fesselnde Finsternis. Und in diesem unendlichen Raum ein paar Verdammte, unlösbar an die Nacht geschmiedet. Würde er jetzt die Wahrheit sagen, wenn er ihm sagte, sein Bruder sei tot? Er schwieg.

»Du weißt also nichts? Schade!« sagte der Junge. »Mein Bruder und ich, wir haben uns sehr geliebt.« Robert schwieg noch immer. Er strich sich mit der Hand über den stoppligen Schädel. Ganz hinten stand jemand geräuschvoll auf und ging schweren Schrittes zum Kübel. Er ging mit einer Sicherheit durch die Finsternis, die Robert erstaunte. Für ein paar Sekunden schien er abgelenkt, dann wandte er sich wieder dem Jungen zu. »Kannst du mich sehen?« fragte er ihn.

»Ja«, antwortete der Junge, ohne zu zögern. »Du siehst wie ein großer Hund aus. Wir hatten daheim einen schwarzen Wachhund, der sah dir ähnlich.«

Robert wollte lachen. Aber er erschrak vor sich selbst. Unwillkürlich tastete er nach seinem Gesicht, fühlte mit der Handfläche über Nase, Mund und Kinn. Dann streckte er beide Hände aus, als wollte er etwas abwehren. Hinten schloß jemand den Kübel und stapfte wieder zurück. »Wer ist das?« fragte Robert.

»Ein alter Bauer. Er behauptet, schon als junger Mann ins Gefängnis gekommen zu sein. Wir nennen ihn einfach Pferd, weil er wie eine Schindmähre trottet.« Der Junge lachte kurz. Es klang, als lachte etwas aus ihm heraus, das er gar nicht gewollt.

Langes Schweigen. Da sagte hinten eine abgerissene Stimme: »Im Namen des Vaters und des Sohnes . . .«

Der Junge hockte noch immer dicht vor Robert. Er flüsterte jetzt: »Es gibt gleich etwas zu essen. Der Alte hat mit seinem scharfen Katzengehör schon das Klappern der Kessel gehört. Bleib hier sitzen, bis ich dich rufe. Du kannst mich übrigens Fledermaus nennen; alle nennen mich hier Fledermaus, ich weiß auch nicht warum. Aber es ist besser, wenn niemand den richtigen Namen weiß.« Dann sprang er davon.

Robert schüttelte den Kopf. Er stand auf und ging langsam in die Richtung, in der er den Kübel vermutete. Er nahm sich vor, nicht umzukehren, bevor er nicht den Kübel erreicht hatte. Sein Fuß berührte etwas Weiches. Das war die Stelle, wo der Mann lag, den er Reh nannte. Er ging weiter. Unter sich glaubte er warme, atmende Leiber zu sehen, wie dunkle Tiere auf der Nachtweide. Er schritt an ihnen vorbei, er ging hundert, ging tausend Schritte, ohne an eine Wand zu stoßen, ohne den Kübel zu erreichen. Aber immer noch waren die Geräusche der Schläfer ganz nahe um ihn, und er fühlte, daß er sich im Dickicht aus Dunkelheit verirrt hatte. Plötzlich hörte er das Klirren von Schüsseln. Die dunklen Tierleiber sprangen auf und stürzten davon. Er ging den Geräuschen nach. Er stieß gegen einen, der die Arme angewinkelt hielt. Robert stellte sich hinter ihn. Er tastete über dessen Kopf, den Hals, den Leib: es war ein Mensch. Da bekam er einen Stoß in die Seite. Robert zuckte zusammen. Er schob sich weiter und kam an eine zugige Öffnung. Ein magerer, blaß aufschimmernder Arm reichte ihm eine dampfende Schüssel heraus. Er nahm sie, versuchte einen Blick durch die Öffnung zu werfen, aber von hinten stieß ihn jemand weiter. So ging er mit seiner Schüssel weg; er fand jetzt ohne Schwierigkeiten zu seinem Strohsack zurück.

Er saß da und aß. Er hörte die andern in der Suppe rühren oder laut schlürfen. Er dachte: Mein Gott, soll es ewig so finster bleiben? Er dachte: Hier werde ich wahnsinnig. Und dann dachte er: Das ist die Hölle.

Nach dem Essen kam Fledermaus und holte die Schüssel. Robert streckte sich auf dem Strohsack aus und schlief ein. Fledermaus hatte eine alte, zerschlissene Decke gebracht und ihn damit zugedeckt.

Als er erwachte, hörte er hinten die drei sprechen. Reh lag nicht weit vor ihm und sang leise mit halbgeöffneten Lippen vor sich hin. Die Geräusche waren im Meer der Dunkelheit aufgespannt wie Rettungsseile. Das beruhigte ihn. Die Einsamkeit war geschwunden. Er stand auf und ging, noch unsicheren Schrittes, aber geradewegs, zum Kübel. Er fand ihn gleich.

Als er zurückkam, hielt ihn Reh an der Hose fest. »He! Hund!« zischte er leise, »setz dich hierher!« Robert setzte sich auf eine Ecke des Strohsacks. Der andere hielt ihn noch immer fest. »Glaubst du, daß wir hier noch einmal herauskommen?« fragte Reh mit ängstlicher Stimme.

Robert wußte nicht warum, aber sein Herz schlug laut. »Ich weiß es nicht. Ich weiß es nicht!« sagte er ganz schnell. »Wenn es nicht bald geschieht, werde ich wahnsinnig.« Er spürte die Dunkelheit wie einen Wasserfall auf sich einstürzen. Er fühlte sich wie betäubt. Der Lärm des Bombengeschwaders brach herein, die Luft erzitterte. Robert schrie auf, als er unter sich in den Abgrund sah, tausendäugig starrte ihm das Tier entgegen: der Wahnsinn. Die Luft schwirrte, die Luft roch nach Aas, die Luft bestand aus Nadeln, und das Tier leckte ihn mit blutigen Zungen.

Als der Abgrund sich wieder schloß, saßen sie um ihn, und Robert hörte sie reden. Sie sprachen leise. Sie erzählten vom Sonntag und was sie an jenem Tage machten – als sie noch draußen in der Freiheit eines sonnenglänzenden Tages waren. Robert hörte ihre Stimmen aufsteigen, wie Rauch aus stillen Häusern schwebten die Worte und zeichneten erfundene Bilder. Er ging zu seinem Strohsack, er bestieg die Insel; hinter ihm brandete der Schmerz.

Robert verließ kaum noch seinen Strohsack. Er lag da, die Hände aufgestützt, und starrte mit schmerzenden Augen in die Dunkelheit. Er wartete nur auf den Augenblick, da sich die Tür öffnen würde und ein Lichtschein hereinfiel. Auf diesen Augenblick des Lichts wartete er. Manchmal übermannte ihn die Müdigkeit, sein Kopf fiel zurück, er versank in einen dämmernden Schlaf, aus dem ihn das leiseste Geräusch riß. Die Angst, das Öffnen der Tür zu versäumen, summte wie ein böses Insekt in seinem Hirn.

Und dann geschah es, als sie alle schliefen. Ein Schlüssel drehte sich im Schloß. Ein Riegel wurde zurückgeschoben. Die Tür öffnete sich. Ein weißer Lichtschein zerschnitt die Dunkelheit mit scharfem Messer. Wie eine schräge Mauer aus weißem Marmor erstarrte das Licht in der Zelle. Robert kniete auf dem Strohsack und starrte mit fiebrigen Augen ins Licht. In der Tür stand ein Soldat mit hoher Schildmütze. Robert erschauerte. Er fühlte sich allein und nackt und einsam. Er hörte den Soldaten schreien. Er hörte ihn fluchen. Dann sah er die dunklen Leiber der Tiere in den Lichtstrahl trotten. Wie ein Magnet zog das Licht die Sträubenden herbei. Das Pferd ging voran, schlaftrunken und schwerfällig, die lange schmutziggraue Mähne hing zottig den mageren Hals herab. Der Leib war aufgedunsen und schaukelte zwischen den lahmen Beinen. Das Pferd war

Rob: point of view (wahrsch: sieht ein wirkl. Pferd)

wirklich ein Pferd! Und dahinter folgte die Fledermaus. Der kleine Kopf hing ein wenig zur Seite, die Flügel waren nur halb aufgespannt. Und trotzdem waren sie erschreckend groß. Robert fühlte eine Sekunde lang die Augen der Fledermaus auf sich gerichtet, und er wußte, daß er sich so die Augen Arkadijs vorgestellt hatte. Er spürte, wie Ungeziefer ihn umschwirrte, Gewürm fraß von seiner Zunge. Seine Backenmuskeln arbeiteten. Er fürchtete, sich jeden Augenblick zu erbrechen. Da sah er das Reh. Es war groß und von aschgrauer Farbe. Die Ohren hingen schlapp vom gesenkten Kopf. Wie ein blindes Tier taumelte das Reh im Licht, verfing sich in den eigenen Füßen, stürzte auf die Vorderläufe. Der Soldat schob es mitleidlos mit dem Stiefel durch die Türöffnung. Der Leib scharrte auf dem Boden. Bevor der Uniformierte die Tür von außen verschloß, rannte mit schnellen Sprüngen noch ein kleines schwarzes Tier hinaus, Robert konnte es nicht erkennen. Schon knallte der Riegel. Die Finsternis schäumte auf und schlug wie eine Meereswoge über ihm zusammen.

Dann schlich die Stille heran, das große, gierige, lautlose Tier, und fiel Robert an. Er schrie laut auf und stürzte sich auf den Platz, den der Mann, der Reh genannt wurde, bewohnt hatte. Der Strohsack war leer. Robert rief nach Arkadij, seine Stimme überschlug sich, er brachte nur noch ein heiseres Bellen hervor. Er sprang nach hinten, zerwühlte die anderen Strohsäcke. Alles war leer. Nur er allein war noch in dieser verfluchten, mörderischen, wahnsinnigen Finsternis. Er allein. Er spürte das Gewürm in seinem Munde, und der Ekel würgte ihn. Er streckte die Zunge weit heraus, so wie das bei Hunden üblich ist, und wartete, bis man auch ihn mit Flüchen rufen würde.

ambigueres

WOLFDIETRICH SCHNURRE
Die Reise zur Babuschka

Karl glaubte nicht, daß es mal so kommen könnte, wie Aljoscha gesagt hatte; es lag ihm nicht, sich vorzustellen, daß jede Selbstverständlichkeit von irgendeinem himmlischen Auge registriert und dann pedantisch verzinst werden sollte. War ein Mensch in Not, half man ihm. Ging man selbst dabei drauf – Pech gehabt. Wenn nicht, auch gut.

Aljoscha sah das anders. Für ihn war Karls Tat eine Leistung; er hatte Tränen in den Augen, als Karl ihn aus dem Feuer schleppte. Nicht vor Schmerz, obwohl es ihn ganz schön geschnappt hatte diesmal; nein, vor Rührung, vor Dankbarkeit oder so was. »Du sollst sehn«, sagte er über Karls Schulter weg, »du sollst sehn, einmal bin ich auch dran, dir zu helfen. Dann sollst du's gut haben. Und pflegen will ich dich dann, goshpodin, will ich dich pflegen.«

»Fein«, keuchte Karl, »da freu ich mich drauf.«

Als er mit Aljoscha zum Gefechtsstand kam, war der Chef da. Er hatte einen Splitter im Arm, und ein Sanitäter dokterte an ihm herum, obwohl die Schwerverwundeten in Reihen dalagen.

»Jetzt schmeißen Sie sich auch noch für einen Hiwi weg«, sagte der Chef, »für einen russischen Pferdeknecht! Ehre haben Sie wohl gar nicht mehr im Leib?«

Karl ließ Aljoscha zur Erde gleiten, er legte ihn zu den übrigen und setzte sich. »Er hat den Bauch kaputt«, sagte er; »sollte ich ihn liegenlassen?« Er hustete.

»Und Sie –?« fragte der Chef.

Karl fuhr sich mit dem Handrücken über den Mund. Blut klebte daran; es troff ihm aus den Mundwinkeln, er merkte es erst jetzt.

»Wär Ihnen nie passiert, wenn Sie nicht diesen blödsinnigen Hiwi rausgeholt hätten«, sagte der Chef. »Au!« schrie er den Sanitäter an, »passen Sie doch auf, Mensch!« Karl sah zu Aljoscha hin. Der preßte die Kinnbacken aufeinander. Als er Karls Blick spürte, lächelte er.

Der Chef sagte: »Ich warne Sie, Obergefreiter Gruber. Sie wissen, daß Sie dem Kommandeur schon öfter aufgefallen sind. Dieses dauernde Rumglucken mit den Russen. Außerdem –« Er zündete sich mit dem freien Arm eine Zigarette an, »außerdem weiß man auf Kriegsgerichten in der Regel zwischen forciertem Draufgängertum und beabsichtigter Selbstverstümmelung verdammt gut zu unterscheiden, Obergefreiter Gruber.«

Arschriese, dachte Karl; in die Schnauze schlagen müßte man dir.

»Willste dich mal hinlegen!« sagte der Oberarzt. »Sitzt der Kerl mit'm Lungenschuß, sowas.«

Karl legte sich. Erst auf den Rücken; doch da verschluckte er sich. Dann auf die Seite; das ging; das Blut lief ihm in zwei Bächen, die sich unter dem Kinn vereinigten, den Hals runter. Er fühlte sich leicht, wunderbar leicht.

Behandelt wurden nur die Arm- und Beinverletzten; die übrigen kamen in die Vorhölle, in den Abkratzpalast. Das war das Zelt, in dem die mit den Kopfverletzungen, mit den Bauch- und den Lungenschüssen herumlagen, bis man sie auf die Panjewagen verlud, die sie zum Verbandsplatz bringen sollten. Wenn das dann noch Sinn hatte.

Was sie alle bekamen, ob Lungenschuß oder Splitter im Knie: die Tetanusspritze. Auch Aljoscha; auch Karl.

»Laßt uns zusammen«, sagte Karl zu den Sanitätern, die sie reintrugen. Es war komisch; daß er Aljoscha aus dem Granatwerferfeuer geholt hatte, war noch ein Experiment gewesen. Aber daß er ihn jetzt plötzlich brauchte, war echt.

Im Zelt drin war es dunkel. Sie lagen auf Stroh.

»In zwei Stunden kommen die Wagen, Leute«, sagte der Sanitäter. Dann fiel die Zeltklappe zu.

»Nu«, sagte Aljoscha, »was ist –: Wie geht's dir?«

»Nicht schlecht«, keuchte Karl; »und dir?«

»Ich flieg«, sagte Aljoscha; »eine Taube bin ich.«

»Mich kannst du wegblasen wie 'n Löwenzahnfallschirm.«

Aljoscha blies die Backen auf. »Nu, was ist, warum fliegst du nicht?«

»Schade«, sagte Karl, »aber mir muß einer 'n Stein in die Hose genäht haben.«

Sie lachten lautlos.

»Weißt du«, sagte Aljoscha; »nicht, daß mein Leben was taugte, nein. Aber die Babuschka, siehst du – die Großmutter –«

»Du liebst sie?« fragte Karl und dachte an seine Frau, von der er sich getrennt hatte, weil er anfing, Mitleid mit ihr zu bekommen.

»Du müßtest sie sehn«, sagte Aljoscha; »wenn sie sich in den Ofen bückt und die Pfanne rausholt, die schwarze, mit dem brutzeln-den Talg drauf und den weißen Kartoffeln. Goshpodin! So emsig. Und erst wenn sie sich umdreht: Setz dich, Ljoschinka, Täubchen; hast genug rumrennen müssen, diesen unguten Krieg lang. Ruh jetzt; mach Schluß mit dem Ärger. Und ich setz mich und rühr nur im Napf und starr zu ihr hin, und ich seh, daß es ihr ebenso geht, daß sie auch nur mich ansieht; bis ihr das Angestarre zu dumm wird. Iß du jetzt! schreit sie und schüttelt die Fäuste. Nu, was sollst du da machen? Tauchst den Kopf in den Dampf und fängst an zu löffeln.«

»Wir werden zu ihr gehn«, sagte Karl.

Aljoscha drehte das Gesicht zu ihm hin. »Sie wird dir einen Speck-kuchen backen«, sagte er, »mit Buttermilch drüber. *So* dick. Und gelb; viel Eier. Du schläfst im Bett. Ich und die Babka, wir gehn in die Nische. Wenn du Lust hast, gehn wir abends auch auf die Kol-chose; da gibt's Musik, und auch Wodka manchmal, und Mädchen.«

Sie mußten aufhören, ein Verwundeter schrie.

»Was ist los«, fragte der Sanitäter durch den Zeltspalt.

»Verpfeif dich«, sagte einer; »laß ihn wenigstens in Ruhe kre-piern.«

»Wie ein Pferd«, sagte Aljoscha; »weißt du, ein Pferd. Hast du schon mal ein Pferd schreien hören? So wenn es sterben muß, wie es dann schreit, ja?«

»Nein«, sagte Karl.

»Genau so.« Aljoscha hielt den Atem an.

»Was ist?« fragte Karl.

»Meine Pferde«, sagte Aljoscha. »Das wär was: der Babuschka sie mitbringen. Hm?«

»Schade«, sagte Karl; »aber das geht nicht, Aljoscha.«

»Nein«, sagte Aljoscha. »Aber wenn sie jetzt nur nicht der Di-mitry kriegt. Der Dimitry nämlich, weißt du, der hat neulich einer Eidechse den Kopf abgebissen. Der ist aus einem Dorf bei Tiflis; da tun sie das noch. Einer Eidechse, Karel!«

»Vielleicht kriegt sie Wassil.«

»Ja«, sagte Aljoscha; »Wassil ist gut. Wassils Pferde waren immer blank. Und rund waren die, was?«

»Ja«, sagte Karl. »Und am dicksten warn sie, als die Bombe ihnen die Füße weggerissen hatte, und die Sonne ihnen den Bauch wie Kürbisse auftrieb.«

»Das war ein Kummer«, sagte Aljoscha. »Goshpodin, wie sie dalagen, der Sascha und die kleine Kathinka. War das auch ein Pferdchen, die Kathinka, was? War das ein Stutchen, die Kleine? So was Schmales, der ihre Fesseln. Und erst die Mähne! Ganz blau. Er hat sie geflochten, der Wassil, geflochten hat er die Mähne; mit Stroh, weißt du, und mit roten Bändern.«

»Ja«, sagte Karl; »schön sah das aus. Ich glaub bestimmt, daß Wassil die Pferde kriegt.«

Aljoscha schwieg.

Er denkt an seine Pferde, dachte Karl. Er hat einen Bauchschuß, krepiert in ein paar Stunden und denkt an seine Großmutter und an die Pferde.

Von draußen schimmerte eine Leuchtkugel durch die Zeltplane. Die Verwundeten stöhnten.

Woran er wohl jetzt denkt, dachte Aljoscha und versuchte, in dem blauen Leuchtkugellicht zu Karl hinzusehen. Lauter rote Bläschen hat er vorm Mund. Ob er jetzt sterben muß? Wenn er kaputt geht, geht er wegen dir kaputt, Ljoscha.

Der Sterbende schrie wieder.

»Halt doch die Schnauze, Kerl«, sagte jemand; »wir machen's doch auch ruhig ab.«

»Was sagt er, Karel«, flüsterte Aljoscha; »darf er nicht schreien?«

»Er will, daß er ruhig sein soll«, sagte Karl.

»Aber er stirbt doch.«

»Warum muß er schrein, wenn er stirbt?« fragte Karl.

»Nu, ist doch schlimm.«

»Was –: Sterben –?«

»Totsein mein ich; so all das Dunkel um einen, und niemand da, den du kennst.«

»Was willst du«, sagte Karl; »vielleicht war hier schon niemand da, der ihn gekannt hat.«

Aljoscha dachte nach. »Dann braucht er aber doch nicht zu schreien.«

»*Er* schreit ja auch nicht«, sagte Karl; »das Leben schreit.«

»Das Leben?« fragte Aljoscha; »was hat es? Wird es gequält, daß es so schreit?«

»Es ärgert sich«, sagte Karl; »es hat wieder verloren; es verliert immer.«

»Nein«, sagte Aljoscha.

»Nein?« Karl sah zu ihm rüber.

»Sieh mal«, sagte Aljoscha; »die Babuschka, nicht, die ist jetzt so alt geworden. Goshpodin, und was hat sie alles gesehn! Krieg und Teufel, Dreck und Blut; was du willst. Aber meinst du, sie hätte mal was vom Sterben gesagt? Nein, nie hat sie das. Nichts. Gar nichts.

Schön, mal in die Ecke gegangen zur Ikone und sich bekreuzigt und was gemurmelt. Aber ans Sterben gedacht? Die Babuschka –? Die denkt nicht ans Sterben. Die will gar nicht sterben. Siehst du, *so* ist das.«

»Aha«, sagte Karl; »so ist das also. Sie will nicht. Und warum nicht?«

»Nu«, sagte Aljoscha, »weil's gut ist.«

»Was.«

»Na so: übers Feld gehn. Das Backen. Das Melken. Das Essen. Feuer anmachen. Alles eben.«

»Aber die Babuschka hat doch nicht bloß immer nur Sonnenblumenkerne gekaut, sie hat doch auch deine Mutter geboren und deinen Großvater geliebt.«

»Na, das ist doch auch gut.«

»Was –? Das Gernhaben –? Das Kinderkriegen –?«

Aljoscha drehte den Kopf zu Karl hin. »Nu sicher; was fragst du?«

Karl schwieg. So nochmal anfangen können, dachte er. Und er dachte wieder an seine Ehe, diese Schinderei. Dieses dauernde Experimentieren, dachte er. Ehe, Krieg, Freundschaft, Mut –: Experimente, Experimente. Ausweichen, Flucht; Staub, Wirbel; nur sich's nicht setzen lassen. Nicht, so war es doch? Er dachte: Der hat sich; und du willst dich nicht; das ist der ganze Unterschied. Er sagte: »Aljoscha. Du mußt mir helfen.«

»Nu«, sagte Aljoscha; »wenn ich kann. Was ist, Karel?« Der Wind trieb MG-Geknatter herüber.

»Wie ist das, Aljoscha«, sagte Karl; »du hast doch sicher auch jemand sehr gern; irgendein Mädchen, nicht?«

»Ein Mädchen?« fragte Aljoscha; »ich hab doch die Babuschka. Ich kann doch nicht – wenn ich die Babuschka hab, sieh mal, da kann ich doch nicht noch ein Mädchen haben.«

»Nein?« Karl stemmte den Oberkörper hoch. Er verschluckte sich. Er hustete; sein Atem keuchte. »Wirklich nicht?«

»Zwei –?« sagte Aljoscha; »das würd mich verrückt machen.«

»Ja, ist das so?« Karl sank wieder zurück. »Denk mal, ich könnte das.«

»Was –«, fragte Aljoscha; »die Babuschka und noch ein Mädchen? Zwei –? Nein, das könntest du nicht.«

»Nicht nur zwei«, sagte Karl. »Zum Beispiel meine Frau und noch zwei oder drei andre. Dutzende. Jeden Tag eine andre.«

»Warum?« fragte Aljoscha; »warum so viele?«

»Ich weiß nicht«, sagte Karl.

Draußen war Wagenrumpeln zu hören.

»Jetzt fahren sie uns ins Lazarett«, sagte Aljoscha. »Alles weiß, was? Die Betten –; die Hemden –; und Vorhänge, ja? Weiße Vorhänge –?«

»Ja«, sagte Karl. »Sie flicken uns zusammen, und dann gehn wir nachhause.«

»Na, na«, sagte Aljoscha; »einfach nachhause?«

»Was willst du machen mit deinem kaputten Bauch?« fragte Karl.

»Das ist wahr. Ich werd immer nur Weißbrot und Kascha essen dürfen, was?«

Die Zeltklappe hob sich; der Oberarzt kam herein. »So«, sagte er und steckte einen Kerzenstumpf an, »die ersten zwölf.« Er beugte sich über Aljoscha und hob dessen blutigen Mantel etwas an.

Karl sah dem Arzt ins Gesicht. Beherrscht oder abgestumpft, dachte er.

»Der geht mit«, sagte der Oberarzt. »Was ist mit dir?«

»Lunge«, sagte Karl.

»Richtig.« Der Oberarzt drehte ihn um und betastete unter der Feldbluse Karls Schulterblätter. »Was machst du bloß für 'n Quatsch?«

»Aus –?«

Der Oberarzt blickte ihn über die Brille weg an. »Noch mal versuchen?«

Karl sah zu Aljoscha hin, den gerade zwei Sanitäter raustrugen. Ich brauch ihn, dachte er. Und er hängt an mir. Endlich mal einer, der an mir hängt.

»Los«, sagte er.

Die Sanitäter hoben Karl auf. Experiment Nummer tausendundeins, dachte er.

Sie wurden Kopf an Kopf auf denselben Wagen gelegt. Der Fahrer breitete eine Decke über sie aus.

Sie standen eine halbe Stunde. Der Mond kam. Im Wald sang der Sprosser. Aljoscha hatte Schmerzen; er knirschte mit den Zähnen.

Die Pferde vorm Wagen rupften Gras, der Fahrer war eingenickt.

Karl sah in den Himmel. Etwas wie Genugtuung war in ihm. Geschafft, dachte er. Ein Leben lang bin ich ihm weggelaufen; immer war's hinter mir her. Jetzt hab ich's eingeholt, jetzt hab ich Vorsprung. Eine Nasenlänge Ewigkeit; die holt's nicht mehr auf.

»Karel –«, sagte Aljoscha plötzlich.

»Ja«, sagte Karl; »Ljoscha, was ist?«

»Warum bist du in den Krieg gegangen?«

»Siehst du«, sagte Karl, »das ist es. Genau das. Ja, warum eigentlich.«

»Mußtest du?«

»Nein«, sagte Karl. »Ich wollte.«

»Warum.«

»Aufsitzen!« rief der Sanitätsfeldwebel.

Die Fahrer, die abgestiegen waren, setzten sich auf ihre Wagen.

»Maaaaarsch!«

Karls und Aljoschas Wagen war der letzte in der Kolonne. Ihr Fahrer schlief noch; aber die Pferde liefen von allein los.

»Es widerte mich an«, sagte Karl und schob sich auf der Strohschütte des Wagens zurecht; »verstehst du. Ich wollte nicht mehr.«

»Was –: Leben –?«

»Doch; leben schon. Aber anders.«

»Wie anders.«

»Nicht mehr so feige, so – so dreckig, so viehisch, so – so egoistisch.«

»Egoistisch – was ist das.«

»Nichts Besondres. Wir sind's alle. Aber *ich* wollt's nicht mehr sein, verstehst du, ich nicht mehr. Ewig andre Menschen kaputtmachen. Leben – diesen ganzen Mist. Diese Lüge. Satt hatt ich's, verstehst du: satt.«

»Aber im Krieg, da macht doch auch einer den andern kaputt. Da ist's doch noch viel schlimmer, im Krieg.«

»Im Krieg ist man ehrlich, Aljoscha. Da sagt man gleich: Dir hau ich den Schädel ein. Und nicht erst: Ich liebe dich. Und dann murkst er die Selbstliebe ab, der Krieg. *So* klein wirst du im Krieg; *so* winzig. Tut gut, wenn du dir über bist; ist verlockend, wenn du dich haßt.«

Aljoscha starrte in den Himmel. Er ist krank, dachte er; er reißt vor sich selber aus.

»Die Babuschka«, sagte er langsam, »die Babuschka sagt immer: Wenn du *mich* gern hast, Ljoscha, mußt du auch *dich* gernhaben. Nu, Karel, hat sie nicht recht? Wie kann ich hassen, was sie gern hat, hm?«

»Wenn man eine Babuschka hat«, sagte Karl, »sieht das alles anders aus.«

»Na, du hast doch die Frau gehabt, Karel, die Kinder –. Ist das weniger, als eine Babuschka ist?«

Karl hustete, er mußte achtgeben, daß er sich nicht verschluckte. »Eine Babuschka, die versteht dich; aber eine Frau, Ljoscha, die liebt. Und Liebe, nichts als Liebe – das ist was Furchtbares.«

»Los, hüsta, ihr Zossen!« rief der Fahrer und trieb die Pferde an. Die setzten sich in Trab.

Aljoscha stöhnte.

»Fahr langsam«, sagte Karl auf deutsch, so laut er konnte; »er hat den Bauch kaputt.«

»Herrje«, sagte der Fahrer, »ich dacht, du wärst auch bloß so 'n Hiwi.« Er ließ die Pferde wieder im Schritt gehen.

Eine Kette Leuchtspurgeschosse perlte über sie weg. Die Radachsen knarrten.

Aljoscha drehte den Kopf zu Karl hin. Im Mondlicht sah das Blutgerinnsel um dessen Mund und Kinn wie ein Bartgestrüpp aus.

»Wir fahren jetzt zur Babuschka«, sagte Aljoscha, »weißt du das? Das Lazarett ist nur eine Station auf dem Weg zu ihr hin; nur ein Halteplatz, ja.«

»Was wird sie sagen«, fragte Karl, »wenn wir kommen? Wird sie sich die Hände an der Schürze abputzen, wenn sie dich sieht? Wird sie rausgerannt kommen? Wird sie sich freuen?«

»Paß auf«, sagte Aljoscha, »das ist so. Sie guckt aus dem Fenster, wenn der Wagen rasselt; sie hat ihn ja gehört, den Wagen, nicht?

Goshpodin! schreit sie, und nichts zu essen gemacht! Und rein wieder ins Haus mit dem Kopf und rennt auf ihren emsigen Beinen den Kellergang runter, die Sauermilch holen im Steintopf. Hier, sagt sie, und schneidet uns Brot ab und legt die Löffel neben den Borschtsch, eßt das erst mal, Kinderchen, eßt; ich mach euch was Bessres inzwischen. So sagt sie, siehst du, und steht keinen Augenblick still; keinen Augenblick, nein.«

»Aber sie wird dich doch erst mal fragen, wie dir's gegangen ist, nein?«

»Wird sie nicht. Warum denn? Bin ja da. Bin ja gesund. Lauf ja und eß ja, nicht? Gar nichts wird sie fragen. Schimpfen wird sie auf sich, schimpfen und lachen und wieder in den Keller laufen und zwei Stück Fleisch aus dem Pökelfaß holen. Das ist von Mischa, weißt du, das Fleisch. Karel, ich sag dir, du, das war ein Schweinchen! Zwei Zentner hat es gehabt, das geliebte. Und sauber war es. Geputzt hat sie's immer, die Babka, geputzt und gewaschen. Hast du auch eins zuhause?«

»Nein«, sagte Karl, »aber einen Hund hab ich mal gehabt.«

»Wie war der«, fragte Aljoscha; »groß? Hat er sie gebissen, die du nicht leiden konntest, hat er aufgepaßt?«

»Einmal hat er mich selber gebissen«, sagte Karl. »Ich – ich hatte die Uniform an, weißt du; er konnte Uniformen nicht leiden.«

»Siehst du«, sagte Aljoscha: »wie die Babuschka. Die Babuschka hat immer gesagt: Es gibt Bauern, und es gibt Städter; es gibt Arbeiter, und es gibt Ingenieure, Aljoscha. Jeder hat sein Tuch und jeder hat seine Mütze; der Kleine eine kleine, der Dicke eine weite. Der Reiche hat eine Weste mit Silberknöpfen, und wir haben ein Sackhemd. So ist es vorgesehn, so ist es richtig. Aber, hat die Babuschka gesagt, aber, Aljoscha: wenn der Reiche ein braunes Tuch kriegt mit Blechknöpfen dran und der Arme ein braunes Tuch kriegt mit Blechknöpfen dran, was ist dann, Aljoscha? Weiß nicht, Babuschka, hab ich gesagt, sag's mir. Dann, hat die Babuschka gesagt, glaubt der Arme, daß er reich ist, und der Reiche, daß er arm ist; dann geht alles Gesetz kaputt, und niemand weiß mehr, wer der andre jetzt ist, weil sie doch alle jetzt gleich sind von außen. Weil doch der Faule so aussieht wie der Tüchtige jetzt, und der Gute so wie der Böse, Aljoscha.« Und der Mörder wie der Gemordete, und der Feige wie der Tapfere, dachte Karl. »Ja«, sagte er, »da hat die Babuschka wieder was Richtiges gesagt.«

»Nicht?« sagte Aljoscha; »ja, so was hat sie gewußt. Nicht, daß sie klug wäre, die Liebe. Nein, gut ist sie; gut, weißt du.«

»Und wer gut ist«, fragte Karl mühsam, »der weiß so was alles?«

»Was?«

»Was richtig ist. Was man tun muß.«

»Nu«, sagte Aljoscha, »was fragst du.«

Ja, dachte Karl; was frag ich. Er sagte: »Ob die Babuschka auch gewußt hätte, was man tun muß, wenn es hinter einem her ist?«

»Wer«, fragte Aljoscha; »wer ist hinter dir her?«

»Das Nichts«, sagte Karl.

Im Osten blitzten Mündungsfeuer auf; Sekunden später zuckte der Abschußknall über sie hinweg.

»Der Iwan«, sagte Aljoscha.

Karl hielt die Augen geschlossen. Wenn er bloß nicht vor mir stirbt, dachte er; wenn er bloß nicht vor mir stirbt.

»Das Nichts –?« fragte Aljoscha und sah zu Karl hin. Was er für Blut verliert, dachte er.

Karl nickte.

»Was ist das.«

»Wenn ich's wüßte, würd ich nicht vor ihm wegrennen.«

»Du rennst vor was weg, das du nicht kennst?«

»Ja«, keuchte Karl; »denk mal.«

»Das versteh ich nicht.«

»Hör zu«, sagte Karl, ohne die Augen zu öffnen; »warum lebst du, Aljoscha?« Er hustete.

Aljoscha überlegte. »Weil – weil es die Babuschka jetzt allein auch nicht immer so schafft. Dann der Acker –, das Sonnenblumenfeld –; oder das Haus gar, die Risse im Lehm: wer soll die heilmachen, was? Na, und die Kuh erst, die Hühner – was soll denn mit denen sein, hm? Soll die *Babka* vielleicht im Winter das Futter stehlen auf der Kolchose –?«

»Nein«, sagte Karl, »sicher nicht.« Er versuchte sich etwas aufzurichten. »Und weißt du, warum *ich* lebe?« Ein Hustenanfall warf ihn wieder zurück.

»Na?« fragte Aljoscha. Er weiß es nicht, dachte er; goshpodin, er weiß es nicht.

Karl schwieg; sein Atem rasselte.

Lauter Bläschen, dachte Aljoscha, lauter rote Bläschen hat er vorm Mund. »Sieh mal«, sagte er bedächtig, »der Gregory, nicht, mein Bruder – ihr habt ihn vor Kremetschugg totgemacht –, der hat die Babuschka auch mal gefragt. Wie ist das, Babka, hat er gesagt, manchmal, wenn ich übers Feld gehe abends und hol die Lisaweta nachhause, die Kuh, da frag ich mich so: und wenn du sie jetzt nicht holst, die Kuh, und dich hinlegst und einschläfst und nie wieder aufwachst, Gregory, was ist dann? Du weinst, hat er zur Babka gesagt, gut. Aber sonst –: was ist? Die Kuh geht allein nachhause; und am Abend, Babuschka, hat er gesagt, am Abend, da machst du dem Ljoscha genau so seine Bratkartoffeln wie immer.«

Karl hob ächzend den Kopf. »Und –? Was hat ihm die Babka darauf gesagt?«

»Was sie ihm gesagt hat? Nu, hat sie gesagt, nu, Gregory, was soll ich dem Ljoscha auch keine Bratkartoffeln machen. Du bist tot; soll er hungern deswegen?«

»Weiter hat sie nichts gesagt?«

»Nein«, sagte Aljoscha, »weiter nichts.«

»Und was war«, fragte Karl angestrengt, »als der Gregory dann wirklich tot war?«

»Nichts«, sagte Aljoscha; »sie hat die Ikone verhängt für zwei Tage, und am Mittag sind wir aufs Feld gegangen.«

Sie fuhren über eine Wiese. Schlamm saugte sich in den Radspeichen fest; Kiebitze kreischten. Ein Brachvogel pfiff.

Sie hat die Ikone verhängt für zwei Tage, und am Mittag sind sie aufs Feld gegangen, dachte Karl. Was, der Gregory tot? Nu ja. Komm, Ljoscha, wir müssen die Kartoffeln noch häufeln. Er lächelte.

»Was ist?« fragte Aljoscha, der ihn angesehen hatte.

»Ich freu mich«, sagte Karl; »kannst du dir das vorstellen: Ich freu mich.«

Der Wagen hielt. Weiter vorn war ein anderer in einen Graben gefahren. »Hoooo-ruck!« riefen ein paar Stimmen zugleich; »hooo-ruck!«

Die Pferde schüttelten sich. Das Geschirr klatschte auf die schweißigen Leiber; die dampften.

»Auf die Babuschka, ja?« fragte Aljoscha; »auf die Babuschka freust du dich, Karel?«

»Ja«, sagte Karl; »ich freu mich, daß wir zusammen zur Babuschka fahren.« So kann man's auch nennen, dachte er. Und er fragte: »Wie liegt euer Haus? Am Rand vom Dorf oder mittendrin? Stehn Bäume davor? Pappeln vielleicht?«

»Was ist«, fragte Aljoscha und stützte sich etwas auf; »warum sprichst du so leise?«

»Ich sprech doch nicht leise«, flüsterte Karl; »hör doch, ich sprech ja ganz laut.« Er lächelte wieder; die Augen hielt er geschlossen. Das Haus, dachte er, das Haus der Babuschka. Wetten, daß Sonnenblumen davor stehn? »Stehn Sonnenblumen davor«, fragte er; »ja?«

»Nein«, sagte Aljoscha, »Mais; für die Kuh, weißt du. Das heißt, die Kolben essen wir selber.«

»Hüh!« rief der Kutscher.

Sie fuhren wieder.

»Melkt sie selber?« fragte Karl.

»Was —?« fragte Aljoscha und beugte sich über ihn.

Er versteht mich nicht, dachte Karl. »Natürlich melkt sie selber«, sagte er; »nicht, Ljoscha?«

Aljoscha hatte Schmerzen; aber er spürte sie nicht. Er sah Karl ins Gesicht, und schluckte. »Es — es sind nur ein paar Häuser«, sagte er stockend und brachte den Mund dicht an Karls Ohr; »fünf oder sechs, weißt du. Wir liegen ganz außen; wenn du vom Westen kommst, vom Wald her, weit links; an den Pappeln; ja, an der Pappelgruppe. Viel Sand; aber guter Kartoffelboden. Auch Roggen kommt leidlich; manchmal auch Mohn. Hörst du mich noch —?«

Karl bewegte die Lippen. Er lächelte.

Aljoscha hielt sein Ohr über Karls Mund.

»Ist es weiß«, flüsterte Karl; »ja, Ljoscha? Ganz weiß, das Haus mit der Babuschka drin?«

Es ist braun, dachte Aljoscha, rissig und braun. »Ja, es ist weiß«, sagte er. »Es leuchtet wie ein Segel mittags, wie eine Wolke, Karel.«

»Und der Stall«, flüsterte Karl; »der Stall mit den Tieren drin; erzähl, wie es im Stall aussieht, ja?«

Aljoscha biß sich auf die Lippen. Das blutet und blutet aus seinem Mund, dachte er, und hört nicht auf. »Wenn man reinkommt«, sagte er heiser, »wenn man reinkommt, ist rechts gleich die Bucht für das Schwein; da stapeln wir Brennholz. Oben drüber liegt die Stange für die Hühner. Vier Stück haben wir; eins hat der Habicht geholt. Und links, links steht die Kuh, die Lisaweta; vier Liter gibt sie am Tag; vier, ja. Manchmal auch nur zwei oder einen; manchmal auch gar nichts; wie die Weide ist, je nachdem.«

Die Wiesen, durch die sie fuhren, waren mit Tümpeln durchsetzt; Nebel stieg auf aus ihnen, Frösche quarrten. Karls Kopf war seitlich auf die Schulter gesunken. Aljoschas Wange lag dicht neben Karls Mund; der Atemhauch, der sie traf, hätte von einem Falterflügel herrühren können.

»Über den Hühnern«, sagte Aljoscha gepreßt und schmeckte das Salz seiner Tränen, »über den Hühnern liegen Kiefernstangen, frisch geschälte. Da kommt im Herbst das Winterheu drauf. Von außen ist der Stall nochmal mit Holz verschalt; innen sind die Wände aus Weidengeflecht und aus Lehm; aber gekalkt: weiß; das haben sie gern, die Tiere.«

»Aljoscha«, sagte Karl plötzlich laut, »das Mohnfeld, das Mohnfeld –«

»Was?« fragte Aljoscha. »Warum sprichst du nicht russisch?«
Karl schwieg.

Aljoscha beugte sich über sein Gesicht. Den Mund konnte er wegen des Bluts nicht erkennen. Aber die Augen. Sie waren starr.

»Was denn für 'n Mohnfeld?« fragte der Fahrer und drehte sich um.

Aljoscha zitterte. Er hatte wahnsinnige Angst, der Fahrer könnte merken, daß Karl gestorben wäre und würde ihn abladen.

»Manchmal haben wir auch ein Lamm aufgezogen«, sagte Aljoscha laut zu dem toten Karl und starrte auf den Rücken des Fahrers; »so ein krausliges, weißt du. Wenn es ein Schaf war, so ein richtiges, haben wir es geschoren. Gab allerhand Wolle. Die haben wir eingetauscht auf dem Kolchos; gegen fertiges Leinen. Hat die Babka Hemden gemacht draus, auch mal ein Bettuch.«

Der Fahrer bewegte sich.

»Den Flachs allerdings«, sagte Aljoscha noch lauter und fing wieder an zu zittern, »den Flachs hat sie selber gesponnen; abends vorm Haus meist. Wenn der Mond schien, auch nachts noch. Ich hab daneben gesessen und Löffel geschnitzt oder so was.«

Als der Fahrer auf der Bank vorn zusammengesackt war und zu schnarchen begann, hörte Aljoscha auf zu reden. Er hatte sich schon vorher mehrmals unterbrochen, hatte den Kopf gehoben und sich umgesehen; die Gegend kam ihm bekannt vor. Wenn er nur diese irrsinnigen Schmerzen in den Eingeweiden nicht gehabt hätte; so kriegte er nur immer den Kopf etwas hoch; sobald er die Ellenbogen dazunehmen wollte, hätte er aufschreien können vor Qual.

Aber dann erkannte er es doch; an einer Baumgruppe sah er es: Pappeln; und dahinter lagen die Häuser; fünf oder sechs, graubraun, strohgedeckt und aus Lehm: Er war da. Dort drüben, links zum Wald hin, das letzte mit dem Holzstall daneben, das war es – das Haus, in dem die Babuschka wohnte.

»Paß auf«, sagte Aljoscha zu Karl, »paß auf jetzt, da ist es.« Er lachte vor Freude. Er richtete sich auf ohne den geringsten Schmerz. »Langsam, Pferdchen, langsam«, sagte er und half Karl sich hochzustützen. »So«, sagte er, »geht's?«

Karl setzte sich auf. »Natürlich geht's. Wo ist es«, fragte er.

»Da«, sagte Aljoscha, »zum Wald hin; das linke.«

»Braun?« fragte Karl; »du hast doch gesagt, daß es weiß wär.«

»Ist es auch«, sagte Aljoscha; »das täuscht. Aber komm jetzt.«

Er schwang sich vom Wagen.

Karl folgte.

»Nu –?« sagte Aljoscha.

Sie standen einen Augenblick still und lauschten auf das leiser werdende Wagengerumpel.

In Aljoschas Schläfen summte das Blut; ein Messer bohrte sich in seine Eingeweide. Er taumelte. Dann packte er Karls Handgelenk. »Komm«, keuchte er, »komm, Karel.«

Aber Karl war zu müde; er blieb stehen.

Da lief Aljoscha allein. Er lief geradewegs auf die Lehmkate zu, auf die linke, auf die mit dem Holzstall daneben. Auch die Pferde waren müde. Die Deichsel des letzten Wagens krachte dem vorderen in die Rückwand.

Der Fahrer fuhr hoch. »Was ist los?« fragte er.

»Idiot«, sagte der vorletzte, »Pinkelpause.«

Der andere sprang ab und ließ Wasser am Hinterrad.

»Na«, sagte er dabei zu Aljoscha und Karl, »na, ihr beiden –?«

»Fritze!« rief er dann, »komm mal her.«

»Wo brennt's denn?« fragte der zweite.

»Sieh dir mal die beiden hier an.«

Der andere sah über die Rückwand weg: »Die Fuhre hättst du dir sparen können.«

HANS BENDER
Der Brotholer

»Du bist Brotholer«, sagte einer zu Norbert, der vor der Pritsche die Jacke auszog.

»Ja, ich weiß.«

»Du bist Brotholer«, sagte ein anderer.

»Du bist Brotholer«, sagte einer und stieß Norbert in den Rükken.

»Ich weiß, aber laßt mich vorher die Hände waschen.«

»Ich nehme das Brot auch so!« rief einer von oben.

Norbert trocknete die Hände, nahm das Tablett vom Pfosten und ging zum vorderen Ende der Baracke. Vor der Tür der Kopfstube standen die Brotholer Schlange. Drinnen zählte der Propagandist: »Eins, zwei, drei, vier, fünf, sechs . . .«

»Ich möchte einmal zwei Brote essen«, sagte der Vordermann Norberts.

»Zwei? Ich könnte zehn Brote essen!« sagte ein anderer.

». . . Zwölf, dreizehn, vierzehn, fünfzehn . . .«, zählte der Propagandist. Norbert rückte zur Tür. Dann war nur noch einer vor ihm, und Norbert kam auf die Schwelle und sah die Stube.

Rechts und links an der Wand standen Betten, weiße, flauschige Decken lagen auf den Betten und Kissen mit weißen Bezügen. Über den Betten hingen gerahmte Fotografien. Über dem rechten Bett war ein Bord, auf dem Bücher standen. In der Ecke, unter dem Fenster – das groß war und geteilte Scheiben hatte – war ein Ofen, aus Ziegelsteinen gemauert. Davor stand eine Bank. Der junge Propagandist saß darauf, hatte die Beine angezogen und ein Brett, auf dem er die Brotportionen abstrich, gegen die Knie gestützt. Wärme füllte die Stube, die trockene Wärme der Birkenscheite. Der junge Propagandist hatte die Hemdsärmel hochgekrempelt, das Hemd hatte einen Kragen und war gebügelt.

»Wieviel Brote bekommst du?« fragte der ältere Propagandist. – »Vierundzwanzig«, sagte Norbert.

»Stimmt's?« fragte der ältere Propagandist den jungen.

»Stimmt«, sagte der.

»Eins, zwei, drei, vier, fünf . . .« Der ältere Propagandist nahm die Brotstücke vom Regal und legte eines nach dem anderen auf das Tablett. Das Brot, dunkelbraun und feucht, war in viereckige Würfel geschnitten. Einen Tisch hatten sie vor dem Ofen, mit einer Decke, einer Blumenvase, in die Papierblumen gesteckt waren, und einem Aschenbecher aus Porzellan, in den der junge Propagandist seine qualmende Papyrosi legte.

». . . zweiundzwanzig, dreiundzwanzig, vierundzwanzig – Hast du auch mitgezählt?« fragte der ältere Propagandist.

»Wie?«

»Ich meine, ob du mitgezählt hast? Vielleicht beschummle ich dich, dann kannst du hungern bis morgen.«

»Nein, ich habe nicht mitgezählt«, sagte Norbert.

»Siehst du – aber ich beschummle dich nicht.«

Norbert hatte die Brote verteilt. Ein Brot blieb übrig. Er zählte die Leute, und alle waren da. Vierundzwanzig. Jeder hatte sein Brot.

»Ich habe ein Brot zuviel«, sagte Norbert zu Wansdorf, seinem Nachbar. Der neben Wansdorf sagte: »Bring's schon dem Propagandisten. Der hat immer Hunger.«

Wansdorf sagte ruhig: »Ja, bring's ihm. Sicher fehlt es bei einer anderen Brigade.«

»Der Dummkopf«, sagte einer.

»Ein Brot zuviel? Der will wohl Spießruten laufen!« rief oben einer und beugte sich herab. Norbert nahm das Tablett und trug das Brot durch den Gang. Er klopfte an die Tür der Kopfstube. Der junge Propagandist öffnete und schrie: »Was ist los?«

»Ich habe ein Brot zuviel«, sagte Norbert.

»Gib her«, sagte der Propagandist. Er nahm das Brot, schlug die Tür zu und drehte den Schlüssel im Schloß. –

Die Gefangenen saßen eng nebeneinander auf den Pritschen. Sie hielten die Kochgeschirre zwischen den Knien, und das Brot lag auf ihren Schenkeln. Sie schlurften und kauten. Schnee klebte vor den Scheiben, und die Birnen streuten gelbes Licht.

Wansdorf war vor zwei Tagen aus einem anderen Lager gekommen, im Einzeltransport. Er trug die schwarze Uniform der Panzerleute. Die Schulterstücke waren abgetrennt, und auf den Ellbogen waren die Flecke einer Zeltbahn mit großen Stichen aufgenäht. Wansdorf hatte eine gute Figur und ein gutes Gesicht. Er war sauber, und es machte Norbert nichts aus, neben ihm zu liegen.

Norbert sagte: »Man müßte in einer Kopfstube wohnen. Sie haben einen Tisch, einen Ofen, ein Bett, und wenn sie sich schlafen legen, können sie ihre Jacken und Hosen ausziehen.«

Wansdorf sagte: »Ich bleibe lieber hier.«

Norbert sagte: »Nicht so viele Gesichter sehen. Licht haben und einen Ofen, in den man Scheite legen und zusehen kann, wie sie verbrennen.«

»Ja, ins Feuer sehe ich auch gern«, sagte Wansdorf. »Bei Petsamo hatten wir einmal ein Feuer –«

»Du warst in Petsamo?«

»Mit drei Freunden, die älter waren als ich.«

»Petsamo ist weit.«

»Hört auf mit eurem Petsamo! Ich will schlafen«, sagte der Nebenmann von Wansdorf.

»Du siehst, nicht einmal unterhalten kann man sich in dieser verfluchten Baracke«, sagte Norbert. »Eine Kopfstube müßte man haben.«

Am Abend ging der Propagandist durch die Baracke. Die Gefangenen, die gegessen hatten und sich unterhielten, verstummten, als er vorbeikam. Er war dick, trug eine Jacke aus einer Wolldecke, vom Lagerschneider angefertigt, er ging schnell, und seine Augen konnten keinen ansehen. Er blieb vor Norbert stehen und sagte: »Komm mit, ich habe mit dir zu sprechen.«

Norbert schoß das Blut in die Stirn. Der Propagandist sprach mit ihm, und die anderen sahen es. Wansdorf kramte in seinem Tornister. Der Propagandist ging voraus und schloß die Tür, als Norbert eingetreten war.

»Ist es der?« fragte der ältere Propagandist den jungen Propagandisten, der Werner hieß.

»Ja, das ist der, der das Brot zurückgebracht hat«, sagte Werner.

»Das war doch selbstverständlich«, sagte Norbert.

»Nein, das war nicht selbstverständlich«, sagte der Propagandist. »Jeder andere hätte es selber verdrückt. Aber du sollst es auch verdrücken. Hier, nimm's!« Er nahm ein Stück Brot aus dem Regal und gab es Norbert.

»Danke«, sagte Norbert. »Hunger hab ich immer.«

»Setz dich zu uns«, sagte der Propagandist. »Oder bist du müde?«

»Ich habe vom Einrücken bis jetzt geschlafen«, sagte Norbert.

»Wohin willst du dich setzen? Auf das Bett? Auf den Stuhl? Auf die Bank?«

»Auf die Bank am liebsten.« Er setzte sich auf die Bank vor dem Ofen. Auf dem Ofen lag eine eiserne Platte, die glühte.

»Du könntest Tee aufbrühen«, sagte der Propagandist zu Werner, und Norbert fragte er: »Weißt du noch, wie Butter schmeckt?«

»Butter.«

»Er weiß es nicht. Gib ihm Butter.«

Werner streckte sich zum Fenster und holte eine Butterdose vom Sims, eine dieser runden, schwarzen Bakelitdosen, wie sie bei den Marketenderwaren im Krieg verkauft wurden. Werner schraubte den Deckel ab und schob Norbert die Dose hin.

»Und ein Messer.«

»Hier, ein Messer.«

»Danke.«

»Schmier dir tüchtig drauf.«

»Weißt du«, sagte der Propagandist, »wir haben vorgesehen, daß du in die Kopfstube ziehst. – Der russische Lagerführer will haben, daß wir in die Kopfstube im Wachgebäude ziehen. Hier soll ein Gefangener einziehen, der das Brot verteilt und Aufsicht hält. Während wir überlegten, brachtest du das Brot zurück – aber du ißt ja gar nicht.«

»Er geniert sich«, sagte Werner. Er nahm Norbert das Brot und das Messer aus den Händen und strich Butter auf den Anschnitt. Er goß Tee in den Becher, der vor Norbert stand, und der Tee dampfte neben dem Brot mit der Butter.

Der Propagandist sagte: »Du könntest noch jemanden in die Stube mitnehmen. Die Betten bleiben sowieso hier. Willst du nicht diesen Wansdorf mitnehmen, der neben dir liegt?«

Werner sagte: »Ja, das könnte man machen. Wansdorf ist zwar erst zwei Tage hier, doch er macht einen guten Eindruck.«

»Wenn es dir Spaß macht«, sagte der ältere Propagandist, »nimm Wansdorf mit in die Stube. Ich glaube, die Dolmetscherin hat nichts dagegen.«

Diese Propagandisten können die Wünsche von der Stirn ablesen, dachte Norbert.

Die Propagandisten zogen aus. Norbert half, ihre Koffer, eine Kiste, die Bücher und Töpfe in die Kopfstube im Wachgebäude zu tragen.

Norbert und Wansdorf zogen ein. Die Birne blendete, und neben dem Ofen lagen Birkenscheite. Wansdorf zerspellte ein Scheit, hielt ein Streichholz daran und schob es in den Ofen. Er schichtete Scheiter darüber, die Feuer fingen. Norbert stopfte den Abfall in einen Eimer, kehrte die Stube aus und spannte die Decken über die Strohsäcke.

»Bilder müßten wir haben«, sagte Wansdorf.

»Ich habe Fotografien«, sagte Norbert.

»Ich habe keine«, sagte Wansdorf. »Sie haben sie mir abgenommen, als ich in Borowitschi ins Gefängnis eingeliefert wurde.«

»Du warst im Gefängnis?«

»Ja, aber davon erzähle ich dir später.«

Wansdorf brachte Wasser zum Kochen und brühte Tee auf. Sie rauchten Machorkazigaretten und saßen auf der Bank vor dem Ofen. Gegen Mitternacht nahmen sie die Trage, um das Brot für den anderen Tag in der Küchenbaracke zu holen. Schnee fiel in großen, nassen Flocken. Die Brotausgeber standen mit weißen Jacken hinter dem Schalter und setzten die Brotstücke auf die Trage.

»Es sind zwei mehr«, sagte der, der die Brotausgeber beaufsichtigte. » Jeder, der in der Kopfstube wohnt, bekommt ein Stück mehr. Erzähl's nicht weiter.«

Eine Stunde später gingen sie schlafen. Wansdorf zog sich aus, Norbert zog sich aus. In der Baracke konnte man sich nicht ausziehen. Dort lag man auf Brettern. Jeder hatte nur eine Decke oder einen Mantel, und in der Nacht wurde es kalt.

»Wie fühlst du dich?« fragte Norbert.

»Gut«, sagte Wansdorf.

»Du wolltest mir von Petsamo erzählen.«

»Ich bin müde, Norbert. Morgen erzähle ich dir, und nicht nur von Petsamo.«

Die Birne schwebte über Norberts Augen. Solange sie brannte, konnte er nicht einschlafen. Es war schön, noch eine Weile wach zu bleiben. Es war still. Das Brot duftete. Er legte die Hand an die Ofenwand. Sie wärmte noch lange.

Die Brigaden waren ausgerückt, bis auf zwei Gefangene, die sich am Tag vorher die Zehen erfroren hatten. Norbert ordnete das Brot, stellte Pappschilder mit der Zahl und der Stärke der Brigaden vor die Stapel, rasierte sich und ging zur Wäscherei, sein schmutziges Hemd zu tauschen.

»Am Samstag ist Tausch«, sagte der Gefangene, der die Wäsche verwaltete.

»Ich wohne in der Kopfstube!« sagte Norbert.

»Das ist was anderes«, sagte der Gefangene hinter dem Schalter. Er suchte in seinen Wäschestapeln und sagte: »Ich gebe dir ein Hemd mit Kragen, ein gebügeltes Hemd.«

Alles war anders, wenn man in der Kopfstube wohnte.

Er zog das frische Hemd an und legte sich auf das Bett. Werner kam herein und sagte: »Du sollst zur Dolmetscherin kommen.«

»Zur Dolmetscherin?«

»Weiß der Teufel, was sie will.«

Norbert hatte nie mit der Dolmetscherin zu tun gehabt. Er wußte, sie zensierte die Post: sie saß in einer Stube im Wachgebäude. Manchmal ging sie mit einem der Offiziere durchs Lager. Sie trug Stiefel, einen Uniformmantel, und ihr Haar hatte sie als Flechten um den Kopf gelegt.

»Beeil dich«, sagte Werner.

Schlafbenommen taumelte Norbert hinter Werner ins Wachgebäude. Die Dolmetscherin öffnete. Ein Offizier saß neben ihr am Tisch. Er sagte: »Guten Tag, wie geht es Ihnen?« Er lachte, weil es ihm Mühe machte, die eingelernten Worte richtig zu betonen. Er hielt eine Zigarettenschachtel über den Tisch, in der Zigaretten lagen, die ein Goldmundstück hatten.

Die Dolmetscherin nahm eine Zigarette, und der Offizier nahm eine Zigarette.

Die Dolmetscherin sagte: »Sie wohnen in der Kopfstube. Baracke sieben.«

»Ja«, sagte Norbert.

»Es ist besser als bei den vielen, nicht wahr?«

»Ja«, sagte Norbert. »Es ist besser.«

»Und wer wohnt bei Ihnen?«

»Wansdorf heißt er«, sagte Norbert. »Vor drei Tagen ist er ins Lager gekommen.«

»Und Sie verstehen sich gut mit Wansdorf?« fragte die Dolmetscherin. »Ja, sehr gut«, sagte Norbert. Der Offizier und die Dolmetscherin redeten miteinander; dann fragte sie: »Russisch können Sie nicht?«

»Nein«, sagte Norbert. »Nur fluchen.«

»Fluchen ist schlecht«, sagte die Dolmetscherin. »Die Russen fluchen schlecht.«

Der Offizier schob ein Blatt über den Tisch, vor Norbert hin und sagte: »Unterschreiben!«

Die Dolmetscherin sagte: »Unterschreiben Sie hier. Eine For-malität.«

»Unterschreiben?« fragte Norbert. »Warum unterschreiben?«

»Damit Sie schweigen, nur dazu verpflichtet es, damit Sie schweigen über alles, was wir jetzt sprechen. Ja?«

Sie tauchte einen Federhalter in das Tintenfaß und reichte ihn Norbert herüber. »Es verpflichtet zu nichts. Nur schweigen müssen Sie.«

Norbert nahm den Federhalter und schrieb seinen Namen unter mehrere Zeilen russischer Worte. Er dachte: Ich habe keinen schönen Namen, ich habe eine charakterlose Schrift. Nun werde ich mich immer schämen, wenn ich meinen Namen schreibe.

»Wenn Sie doch darüber sprechen, werden Sie nach unseren Gesetzen bestraft«, sagte die Dolmetscherin.

Warum habe ich unterschrieben? dachte Norbert. Das Blatt lag vor ihm. Warum zerriß er es nicht?

Da nahm die Dolmetscherin das Blatt fort. Der Offizier sprach, und die Dolmetscherin sagte: »Sie wollen doch nicht, daß es wieder Krieg gibt, daß Sie wieder verwundet werden und in Gefangenschaft kommen?«

»Nein«, sagte Norbert, »ich will nicht wieder in Gefangenschaft kommen.«

»Aber es gibt Gefangene, die wollen, daß es wieder Krieg gibt. Wansdorf ist einer von denen, die wollen, daß es wieder Krieg gibt.« »Ich glaube es nicht«, sagte Norbert.

»Wir haben Beweise, daß er es will, aber noch nicht alle Beweise. Zu verhindern, daß Leute wie Wansdorf wieder einen Krieg anfangen, müssen Sie uns helfen«, sagte die Dolmetscherin.

»Helfen, ich kann nicht helfen«, sagte Norbert.

Die Dolmetscherin sagte: »Wansdorf wird Ihnen erzählen, was er früher machte. Wenn er Ihnen nicht erzählt, suchen Sie es zu erfahren. Er hat im Jahre 1938 in der Tschechoslowakei einen Menschen ermordet.«

»Wansdorf –«

»Wir wissen es aus den Dokumenten. Wenn er es Ihnen sagt, kommen Sie zu uns. So können Sie uns helfen.«

Der Offizier redete weiter. Die Dolmetscherin hörte ihm zu, dann sagte sie zu Norbert: »Sie werden es gut haben. Sie wohnen in der Kopfstube und gehen nicht mehr zur Arbeit. Leutnant Michailow hat es befohlen.«

Der Offizier hielt noch einmal die Zigarettenschachtel hin. Dann ging Norbert.

Die Baracke lag auf einem Hügel. Der Weg stieg bergan und war glatt. Neun Stufen hatte die Holzstiege zur Baracke. Die beiden, die die Zehen erfroren hatten, lagen auf der Pritsche und schliefen. Norbert ging in die Stube, setzte sich auf das Bett. Als er die Schritte und Stimmen der Brigaden hörte, erschrak er.

Norbert verteilte das Brot. Wansdorf half ihm dabei. Die Brotholer quollen über die Schwelle und hielten das Tablett vor dem Bauch. Gegen Mitternacht gingen Norbert und Wansdorf mit der Trage zur Küche, und als sie in den Betten lagen, sagte Wansdorf: »Heute erzähle ich dir.«

»Von Petsamo?« fragte Norbert.

»Ja, warum nicht – und keiner brüllt Ruhe, und keinen stört der Machorkaqualm. – Darf ich dir eine drehen? – Ob ich dir eine Zigarette drehen soll?«

»Ja, bitte«, sagte Norbert.

Wansdorf erzählte von seinen ersten Fahrten, von nahen und weiten Fahrten und der Fahrt nach Petsamo. Er schilderte die Seen, die Wälder, die Tundra, die Mitternachtssonne und die Fahrt mit der finnischen Eisenbahn, er nannte die Namen der finnischen Städte: Kuopio, Kojana, Sortavala und Savukoski. Wansdorf konnte gut erzählen, Norbert sah alles, was er gesehen hatte.

»Damals war ich vierzehn«, sagte Wansdorf. »Es war im Sommer 1931. In den folgenden Jahren war ich in Italien, in Jugoslawien, und die letzte Fahrt machten wir nach Schottland. Später war es nicht mehr so leicht, wegzukommen. 1938, im Frühjahr, wurde ich in die tschechische Armee eingezogen, und im Sommer kam es zu den ersten Unruhen.«

Erzähl nicht weiter! wollte Norbert sagen, aber er sagte es nicht.

»Die Tschechoslowakei ist ein schönes Land«, sagte Wansdorf. »Ihr im Westen wißt es nicht. Wir wohnten nicht weit von der Grenze. Mein Vater war Bürgermeister im Ort. Im Sommer 1938 fingen die tschechischen Behörden an, meinem Vater Schwierigkeiten zu machen. – Hörst du auch zu, Norbert?«

Norbert gab keine Antwort. Er hatte die Augen geschlossen, er hörte jedes Wort. Er wußte, wenn Wansdorf weitersprach, verriet er sich. Hatte er einen Menschen getötet? Nein, er wollte es nicht wissen! Er wollte es nicht wissen!

Wansdorf fragte wieder: »Schläfst du schon?«

Norbert atmete tief, Schlaf vorzutäuschen. Er hörte, wie Wansdorf nach langer Zeit aufstand, auf nackten Sohlen herüberkam, sich über ihn beugte und die Birne im Gewinde drehte, bis sie erlosch.

Einer der beiden, die die Zehen erfroren hatten, kam herein und fragte, ob er sein Brot rösten dürfe. Norbert freute sich, daß er kam. »Wenn du es lieber geröstet ißt, warum nicht?«

Der Gefangene kniete mit seinem Holzteller vor den Ofen, legte die Scheiben auf die Platte und wendete sie um, bis beide Seiten gebräunt waren. Er sah auf und sagte: »Zwölf Scheiben mache ich aus einem Stück Brot. So habe ich jede Stunde am Tag ein Brot.«

Norbert gab ihm eines der übriggebliebenen Stücke. Der Brotröster sagte: »Nun habe ich vierundzwanzig Scheiben Brot und kann alle halbe Stunde eine essen.«

Norbert dachte: Wenn ich ihm noch eins schenke, kann er alle zwanzig Minuten ein Brot essen, und wenn ich ihm noch eins schenke, alle fünfzehn Minuten, und wenn ich ihm noch eins schenke, alle zwölf Minuten, und wenn ich ihm noch eins schenke und noch eins, und noch eins – er konnte es nicht mehr errechnen. Nein, er war nie ein guter Rechner gewesen . . .

Die Brigaden kamen später als sonst. Einer von den Begleitmannschaften hatte einen Gefangenen mit dem Seitengewehr in den Arm gestochen. Es hatte Verhandlungen gegeben. Der Gefangene war auf dem Transport ins Lazarett gestorben. Die Gefangenen schliefen nicht nach dem Essen. Sie saßen in brodelnden Gruppen auf den Pritschen.

Am Abend, als Norbert und Wansdorf in den Betten lagen, sagte Wansdorf: »Was würdest du tun, Norbert, wenn einer deinen Vater erschlägt, deine Mutter auf die gemeinste Weise umbringt, dein Elternhaus anzünden läßt, und du siehst den Schuft nach einigen Wochen wieder? Er will sich gerade davonmachen, er ist verkleidet, aber du erkennst ihn, und er erkennt dich. Er winselt vor dir, und du kannst mit ihm machen, was du willst. Du stehst ihm allein gegenüber, du hast eine Pistole in der Hand, und niemand sieht, was du machst?«

»Das ist selbstverständlich«, sagte Norbert.

Wansdorf drehte sich zur Wand. Seine Schultern ragten aus der Decke. Seine Haare, wenige Zentimeter lang, sträubten sich über dem Wirbel.

Ob ich ihm alles sage? dachte Norbert. Er stand auf, zog die Hose an, fuhr mit den Füßen in die Holzsandalen und ging in die Baracke. In der Ecke, unter dem Licht, stand eine Gruppe Gefangener. Einer sah Norbert kommen, er sagte es den anderen, sie gingen auseinander und krochen auf die Pritschen.

Eine Ratte plumpste in den Lichtfleck. Sie hielt ein Stück Brot zwischen den Zähnen.

Am nächsten Tag war die Baracke leer. Auch die beiden, die die Zehen erfroren hatten, waren ausgerückt. Schnee klebte vor den Scheiben. Der Boden war feucht. Die Luft roch verbraucht.

Heute werden sie mich holen, dachte Norbert.

Gegen Abend, eine Stunde bevor die Brigaden einrückten, kam Werner und sagte: »Die Dolmetscherin erwartet dich.«

Norbert ging in das Wachgebäude. Die Tür stand offen, und die Dolmetscherin saß am Tisch.

»Was gibt es Neues?« fragte sie.

»Nichts«, sagte Norbert.

»Sie sind jeden Abend zusammen«, sagte die Dolmetscherin, »Sie unterhalten sich, Sie erzählen sich, und Sie behaupten, nichts zu wissen.«

»Ich weiß nichts«, sagte Norbert.

»Er hat vielleicht Andeutungen gemacht. Auch Andeutungen genügen.«

»Nein!«

Der Offizier kam in die Stube. Er sagte: »Guten Tag, wie geht es Ihnen?« Er nahm die Brieftasche aus seinem Mantel und legte vier Geldscheine vor Norbert auf den Tisch.

Die Dolmetscherin sagte: »Behalten Sie es. Kaufen Sie damit, was Ihnen Freude macht. Vielleicht essen Sie gern Butter?«

»Ich esse nicht gern Butter«, sagte Norbert.

»Dann was anderes«, sagte die Dolmetscherin.

»Ich nehme kein Geld«, sagte Norbert.

Sie übersetzte es dem Offizier. Er gestikulierte. Die Dolmetscherin sagte: »Wir können Sie zwingen, uns zu sagen, was Sie von Wansdorf wissen.«

»Ich weiß nichts von ihm«, sagte Norbert.

»Er hat es Ihnen gesagt. Einer aus der Baracke hat es gehört.«

»Keiner hat es gehört, weil wir nie darüber gesprochen haben.«

Die Dolmetscherin sagte: »Warum wollen Sie ihn in Schutz nehmen? Er verdient nicht Ihren Schutz.«

Nun gab Norbert keine Antwort mehr. Die Dolmetscherin stand auf, der Offizier stand auf. Sie flüsterten miteinander. Draußen am Tor brüllte der Wachoffizier. Die Brigaden rückten ein. Ihre Holzsohlen klopften auf den gefrorenen Weg.

Die Dolmetscherin fragte: »Sie wollen es uns also nicht sagen?«

»Nein«, sagte Norbert, »ich weiß es nicht, und wenn ich es wüßte, würde ich es nicht sagen. Wansdorf ist mein Freund.«

Die Dolmetscherin übersetzte. Norbert wußte nicht, was »Freund« auf russisch hieß. »Drug« mußte es heißen oder so ähnlich, denn immer wieder sagte die Dolmetscherin »drug«, und der Offizier sagte immer wieder »drug«, und wie sie es sagten, war es ein dunkles und gefährliches Wort. Die Worte dazwischen wurden immer weniger, und der Offizier sagte nur noch »drug«, immer lauter und wütender. Er schrie »drug«, kam hinter dem Tisch hervor, stellte sich neben Norbert, der mit gesenktem Kopf dasaß, und stieß ihm die Faust zwischen die Augen.

Am Abend zogen Norbert und Wansdorf in die Baracke. Werner, der junge Propagandist, zog in die Kopfstube und übernahm das Kommando.

Norbert ging zur Arbeit. Er gehörte zur Brigade, die den Bahndamm baute. Es war eine schwere Arbeit, aber es war besser so.

Als die Brigade einrückte, war Norbert Brotholer.

»Du bist Brotholer!« riefen sie von allen Seiten.

»Er hat keinen Hunger«, sagte einer.

»Er hat sich in der Kopfstube sattgefressen«, sagte ein anderer. Norbert nahm das Tablett vom Pfosten und ging zur Kopfstube. Er sah auf das Tablett, und der Propagandist zählte die Brote darauf. Norbert verteilte die Brote, eines blieb übrig. Er zählte nicht nach, er legte es an seinen Platz, neben das Brot, das ihm zustand, und deckte den Mantel darüber.

Die Gefangenen löffelten die Suppe aus dem Kochgeschirr. Sie rauchten Machorkazigaretten und legten sich schlafen.

Norbert schlief nicht. Der Mantel lag neben ihm, und die zwei Brote waren darunter versteckt. Er fror, aber er deckte sich nicht zu.

Nach dem Essen ging der junge Propagandist durch die Baracke. Er trug die Stiefel eines Offiziers, er stellte sich am Ende der Pritschen auf einen Hocker, schob zwei Finger zwischen die Jackenknöpfe und brüllte: »Herhören!«

Die Gefangenen rieben sich die Augen. Laut sagte Werner: »Kameraden! Wir wissen, was ein Stück Brot ist! Wir haben Brot schätzen gelernt! Wer einem Kameraden das Stück Brot wegnimmt, nimmt ihm das Leben! Einer von euch hat wissentlich ein Brot zuviel abgeholt. Er hat es auch nicht zurückgebracht, nach vier Stunden nicht zurückgebracht! Er hat es einem Kameraden weggenommen!«

Die Gefangenen erhitzten sich. Sie schrien: »Wo ist das Schwein?« – »Sag uns den Namen!« – »Wir wollen den Namen von dem Schwein wissen!«

Der Propagandist sagte: »Wir können ihn dem Russen melden.« »Niemals!« schrien die Gefangenen.

Der Propagandist sagte: »Der Russe würde die Sache auch nicht tragisch nehmen. *Er* hat keinen Verlust. Er hat uns unser zustehendes Brot gegeben. Zudem würden wir uns bloßstellen, als Deutsche!«

»Wir bestrafen ihn!« knurrte ein Gefangener.

Der Propagandist sagte: »Ja, es gibt einen zweiten Weg: wir bestrafen ihn selbst.«

Die Gefangenen schrien: »Sag uns den Namen!« – »Sag uns endlich den Namen von dem Schwein!«

Der Propagandist stieg vom Stuhl, er ging durch den Flur und blieb vor Norbert stehen.

Norbert saß da, und es war ihm gleichgültig, was nun geschehn würde.

Der Propagandist riß den Mantel weg, und die Gefangenen sahen die zwei Brote da liegen.

Wie Tiere schrien sie, und der Propagandist schrie in den Tumult: »Ihr wißt, was ihr zu tun habt!«

Sie zerrten Norbert von der Pritsche, sie boxten ihn zur Tür, wo der freie Platz war. Einer zog ihm die Jacke aus, und einer riß ihm das Hemd vom Körper. Sie zerrten ihn in den zweiten Flur, damit er weiterginge, an allen Pritschen vorbei. Einer schlug ihn mit einem Stock, einer schlug ihn mit dem Koppel, das er an beiden Enden festhielt, und einer, der im Verdacht stand, ein Spitzel zu sein, stieß ihm die Faust ins Gesicht. Einer hob vor ihm den rechten Arm, ließ ihn wieder sinken und schrie: »Du bist mir viel zu dreckig! Ich will meine Hände nicht beschmutzen. Viel zu dreckig bist du mir!« Einer warf seine Holzschuhe nach ihm, und einer spritzte ihm das Spülwasser aus dem Kochgeschirr in die Augen. Einer trat ihn in den

Unterleib. Dann spürte Norbert nicht mehr, wohin sie ihn schlugen und mit was sie ihn schlugen.

Noch einige Schritte kam er vorwärts, bis zur Pritsche, wo Wansdorf saß. Sich am Balken neben ihm festzuhalten, streckte Norbert die Hand aus, aber Wansdorf ergriff seine Hand.

WOLFGANG BORCHERT
Die lange lange Straße lang

Fischer bringt die Schuld nicht los

Links zwei drei vier links zwei drei vier links zwei weiter, Fischer! drei vier links zwei vorwärts, Fischer! schneidig, Fischer! drei vier atme, Fischer! weiter, Fischer, immer weiter zickezacke zwei drei vier schneidig ist die Infantrie zickezackejuppheidi schneidig ist die Infantrie die Infantrie – – – –

Ich bin unterwegs. Zweimal hab ich schon gelegen. Ich will zur Straßenbahn. Ich muß mit. Zweimal hab ich schon gelegen. Ich hab Hunger. Aber ich muß mit. Muß. Ich muß zur Straßenbahn. Ich muß mit. Zweimal hab ich schon drei vier links zwei drei vier aber mit muß ich drei vier zickezacke zwei drei vier juppheidi ist die Infantrie Infantrie fantrie fantrie – – – 57 haben sie bei Woronesch begraben. 57, die hatten keine Ahnung, vorher nicht und nachher nicht. Vorher haben sie noch gesungen. Zickezackejuppheidi. Und einer hat nach Hause geschrieben: – – – dann kaufen wir uns ein Grammophon. Aber dann haben viertausend Meter weiter ab die Andern auf Befehl auf einen Knopf gedrückt. Da hat es gerumpelt wie ein alter Lastwagen mit leeren Tonnen über Kopfsteinpflaster: Kanonenorgel. Dann haben sie 57 bei Woronesch begraben. Vorher haben sie noch gesungen. Hinterher haben sie nichts mehr gesagt. 9 Autoschlosser, 2 Gärtner, 5 Beamte, 6 Verkäufer, 1 Friseur, 17 Bauern, 2 Lehrer, 1 Pastor, 6 Arbeiter, 1 Musiker, 7 Schuljungen. 7 Schuljungen. Die haben sie bei Woronesch begraben. Sie hatten keine Ahnung. 57.

Und mich haben sie vergessen. Ich war noch nicht ganz tot. Juppheidi. Ich war noch ein bißchen lebendig. Aber die andern, die haben sie bei Woronesch begraben. 57. 57. Mach noch ne Null dran. 570. Noch ne Null und noch ne Null. 57 000. Und noch und noch und noch. 57 000 000. Die haben sie bei Woronesch begraben. Sie hatten keine Ahnung. Sie wollten nicht. Das hatten sie gar nicht gewollt. Und vorher haben sie noch gesungen. Juppheidi. Nachher haben sie nichts mehr gesagt. Und der eine hat das Grammophon nicht gekauft. Sie haben ihn bei Woronesch und die andern 56 auch begraben. 57 Stück. Nur ich. Ich, ich war noch nicht ganz tot. Ich muß zur Straßenbahn. Die Straße ist grau. Aber die Straßenbahn ist gelb. Ganz wunderhübsch gelb. Da muß ich mit. Nur daß die Straße so grau ist. So grau und so grau. Zweimal habe ich schon zickezacke

vorwärts, Fischer! drei vier links zwei links zwei gelegen drei vier
weiter, Fischer! Zickezacke juppheidi schneidig ist die Infantrie
schneidig, Fischer! weiter, Fischer! links zwei drei vier wenn nur der
Hunger der elende Hunger immer der elende links zwei drei vier
links zwei links zwei links zwei – – –

Wenn bloß die Nächte nicht wärn. Wenn bloß die Nächte nicht
wärn. Jedes Geräusch ist ein Tier. Jeder Schatten ist ein schwarzer
Mann. Nie wird man die Angst vor den schwarzen Männern los. Auf
dem Kopfkissen grummeln die ganze Nacht die Kanonen: Der Puls.
Du hättest mich nie allein lassen sollen, Mutter. Jetzt finden wir uns
nicht wieder. Nie wieder. Nie hättest du das tun sollen. Du hast doch
die Nächte gekannt. Du hast doch gewußt von den Nächten. Aber
du hast mich von dir geschrien. Aus dir heraus und in diese Welt
mit den Nächten hineingeschrien. Und seitdem ist jedes Geräusch
ein Tier in der Nacht. Und in den blaudunklen Ecken warten die
schwarzen Männer. Mutter Mutter! in allen Ecken stehn die schwarzen Männer. Und jedes Geräusch ist ein Tier. Jedes Geräusch ist ein
Tier. Und das Kopfkissen ist so heiß. Die ganze Nacht grummeln die
Kanonen darauf. Und dann haben sie 57 bei Woronesch begraben.
Und die Uhr schlurft wie ein altes Weib auf Latschen davon davon
davon. Sie schlurft und schlurft und schlurft und keiner keiner hält
sie auf. Und die Wände kommen immer näher. Und die Decke kommt
immer tiefer. Und der Boden der Boden der wankt von der Welle
Welt. Mutter Mutter! warum hast du mich allein gelassen, warum?
Wankt von der Welle. Wankt von der Welt. 57. Rums. Und ich will
zur Straßenbahn. Die Kanonen haben gegrummelt. Der Boden
wankt. Rums. 57. Und ich bin noch ein bißchen lebendig. Und ich
will zur Straßenbahn. Die ist gelb in der grauen Straße. Wunderhübsch gelb in der grauen. Aber ich komm ja nicht hin. Zweimal hab
ich schon gelegen. Denn ich hab Hunger. Und davon wankt der
Boden. Wankt so wunderhübsch gelb von der Welle Welt. Wankt
von der Hungerwelt. Wankt so welthungrig und straßenbahngelb.

Eben hat einer zu mir gesagt: Guten Tag, Herr Fischer. Bin ich
Herr Fischer? Kann ich Herr Fischer sein, einfach wieder Herr
Fischer? Ich war doch Leutnant Fischer. Kann ich denn wieder Herr
Fischer sein? Bin ich Herr Fischer? Guten Tag, hat er gesagt. Aber
der weiß nicht, daß ich Leutnant Fischer war. Einen guten Tag hat
er gewünscht – für Leutnant Fischer gibt es keine guten Tage mehr.
Das hat er nicht gewußt.

Und Herr Fischer geht die Straße lang. Die lange Straße lang. Die
ist grau. Er will zur Straßenbahn. Die ist gelb. So wunderhübsch
gelb. Links zwei, Herr Fischer. Links zwei drei vier. Herr Fischer
hat Hunger. Er hält nicht mehr Schritt. Er will doch noch mit, denn
die Straßenbahn ist so wunderhübsch gelb in dem Grau. Zweimal
hat Herr Fischer schon gelegen. Aber Leutnant Fischer kommandiert: Links zwei drei vier vorwärts, Herr Fischer! Weiter, Herr
Fischer! Schneidig, Herr Fischer, kommandiert Leutnant Fischer.

Und Herr Fischer marschiert die graue Straße lang, die graue graue lange Straße lang. Die Mülleimerallee. Das Aschkastenspalier. Das Rinnsteinglacis. Die Champs-Ruinés. Den Muttschuttschlagindutt-broadway. Die Trümmerparade. Und Leutnant Fischer kommandiert. Links zwei links zwei. Und Herr Fischer Herr Fischer marschiert, links zwei links zwei links zwei links vorbei vorbei vorbei – – – –

Das kleine Mädchen hat Beine, die sind wie Finger so dünn. Wie Finger im Winter. So dünn und so rot und so blau und so dünn. Links zwei drei vier machen die Beine. Das kleine Mädchen sagt immerzu und Herr Fischer marschiert nebenan das sagt immerzu: Lieber Gott, gib mir Suppe. Lieber Gott, gib mir Suppe. Ein Löffelchen nur. Ein Löffelchen nur. Ein Löffelchen nur. Die Mutter hat Haare, die sind schon tot. Lange schon tot. Die Mutter sagt: Der liebe Gott kann dir keine Suppe geben, er kann es doch nicht. Warum kann der liebe Gott mir keine Suppe geben? Er hat doch keinen Löffel. Den hat er nicht. Das kleine Mädchen geht auf seinen Finger-beinen, den dünnen blauen Winterbeinen, neben der Mutter. Herr Fischer geht nebenan. Von der Mutter sind die Haare schon tot. Sie sind schon ganz fremd um den Kopf. Und das kleine Mädchen tanzt rundherum um die Mutter herum um Herrn Fischer herum rund-herum: Er hat ja keinen Löffel. Er hat ja keinen Löffel. Er hat ja keinen nicht mal einen hat ja keinen Löffel. So tanzt das kleine Mäd-chen rundherum. Und Herr Fischer marschiert hinteran. Wankt nebenan auf der Welle Welt. Wankt von der Welle Welt. Aber Leutnant Fischer kommandiert: Links zwei juppvorbei schneidig, Herr Fischer, links zwei und das kleine Mädchen singt dabei: Er hat ja keinen Löffel. Er hat ja keinen Löffel. Und zweimal hat Herr Fischer schon gelegen. Vor Hunger gelegen. Er hat ja keinen Löffel. Und der andere kommandiert: Juppheidi juppheidi die Infantrie die Infantrie die Infantrie – – – –

57 haben sie bei Woronesch begraben. Ich bin Leutnant Fischer. Mich haben sie vergessen. Ich war noch nicht ganz tot. Zweimal hab ich schon gelegen. Jetzt bin ich Herr Fischer. Ich bin 25 Jahre alt. 25 mal 57. Und die haben sie bei Woronesch begraben. Nur ich, ich, ich bin noch unterwegs. Ich muß die Straßenbahn noch kriegen. Hunger hab ich. Aber der liebe Gott hat keinen Löffel. Er hat ja keinen Löffel. Ich bin 25 mal 57. Mein Vater hat mich verraten und meine Mutter hat mich ausgestoßen aus sich. Sie hat mich allein geschrien. So furchtbar allein. So allein. Jetzt gehe ich die lange Straße lang. Die wankt von der Welle der Welt. Aber immer spielt einer Klavier. Immer spielt einer Klavier. Als mein Vater meine Mutter sah – spielte einer Klavier. Als ich Geburtstag hatte – spielte einer Klavier. Bei der Heldengedenkfeier in der Schule – spielte einer Klavier. Als wir dann selbst Helden werden durften, als es den Krieg gab – spielte einer Klavier. Im Lazarett – spielte dann einer Kla-vier. Als der Krieg aus war – spielte immer noch einer Klavier. Immer spielt einer. Immer spielt einer Klavier. Die ganze lange Straße lang.

Die Lokomotive tutet. Timm sagt, sie weint. Wenn man hoch-
kuckt, zittern die Sterne. Immerzu tutet die Lokomotive. Aber
Timm sagt, sie weint. Immerzu. Die ganze Nacht. Die ganze lange
Nacht nun schon. Sie weint, das tut einem im Magen weh, wenn sie
so weint, sagt Timm. Sie weint wie Kinder, sagt er. Wir haben einen
Wagen mit Holz. Das riecht wie Wald. Unser Wagen hat kein Dach.
Die Sterne zittern, wenn man hochkuckt. Da tutet sie wieder. Hörst
du? sagt Timm, sie weint wieder. Ich versteh nicht, warum die
Lokomotive weint. Timm sagt es. Wie Kinder, sagt er. Timm sagt,
ich hätte den Alten nicht vom Wagen schubsen sollen. Ich hab den
Alten nicht vom Wagen geschubst. Du hättest es nicht tun sollen,
sagt Timm. Ich habe es nicht getan. Sie weint, hörst du, wie sie
weint, sagt Timm, du hättest es nicht tun sollen. Ich hab den Alten
nicht vom Wagen geschubst. Sie weint nicht. Sie tutet. Lokomo-
tiven tuten. Sie weint, sagt Timm. Er ist von selbst vom Wagen gefallen. Ganz von selbst, der Alte. Er hat gepennt, Timm, gepennt
hat er, sag ich dir. Da ist er von selbst vom Wagen gefallen. Du
hättest es nicht tun sollen. Sie weint. Die ganze Nacht nun schon.
Timm sagt, man soll keine alten Männer vom Wagen schubsen. Ich
hab es nicht getan. Er hat gepennt. Du hättest es nicht tun sollen,
sagt Timm. Timm sagt, er hat in Rußland mal einen Alten in den
Hintern getreten. Weil er so langsam war. Und er nahm immer so
wenig auf einmal. Sie waren beim Munitionsschleppen. Da hat
Timm den Alten in den Hintern getreten. Da hat der Alte sich umgedreht. Ganz langsam, sagt Timm, und er hat ihn ganz traurig an-
gekuckt. Gar nichts weiter. Aber er hat ein Gesicht gehabt wie sein
Vater. Genau wie sein Vater. Das sagt Timm. Die Lokomotive
tutet. Manchmal hört es sich an, als ob sie schreit. Timm meint sogar, sie weint. Vielleicht hat Timm recht. Aber ich hab den Alten
nicht vom Wagen geschubst. Er hat gepennt. Da ist er von selbst.
Es rüttelt ja ziemlich auf den Schienen. Wenn man hochkuckt, zittern die Sterne. Der Wagen wankt von der Welle Welt. Sie tutet.
Schrein tut sie. Schrein, daß die Sterne zittern. Von der Welle Welt.

Aber ich bin noch unterwegs. Zwei drei vier. Zur Straßenbahn.
Zweimal hab ich schon gelegen. Der Boden wankt von der Welle
Welt. Wegen dem Hunger. Aber ich bin unterwegs. Ich bin schon so
lange so lange unterwegs. Die lange Straße lang. Die Straße.

Der kleine Junge hält die Hände auf. Ich soll die Nägel holen. Der
Schmied zählt die Nägel. Drei Mann? fragt er.

Vati sagt, für drei Mann.

Die Nägel fallen in die Hände. Der Schmied hat dicke breite Finger. Der kleine Junge ganz dünne, die sich biegen von den großen
Nägeln.

Ist der, der sagt, er ist Gottes Sohn, auch dabei?

Der kleine Junge nickt.

Sagt er immer noch, daß er Gottes Sohn ist?

Der kleine Junge nickt. Der Schmied nimmt die Nägel noch mal.

Dann läßt er sie wieder in die Hände fallen. Die kleinen Hände biegen sich davon. Dann sagt der Schmied: Na ja.

Der kleine Junge geht weg. Die Nägel sind schön blank. Der kleine Junge läuft. Da machen die Nägel ein Geräusch. Der Schmied nimmt den Hammer. Na ja, sagt der Schmied. Dann hört der kleine Junge hinter sich: Pink Pank Pink Pank. Er schlägt wieder, denkt der kleine Junge. Nägel macht er, viele blanke Nägel.

57 haben sie bei Woronesch begraben. Ich bin über. Aber ich hab Hunger. Mein Reich ist von dieser dieser Welt. Und der Schmied hat die Nägel umsonst gemacht, juppheidi, umsonst gemacht, die Infantrie, umsonst die schönen blanken Nägel. Denn 57 haben sie bei Woronesch begraben. Pink Pank macht der Schmied. Pink Pank bei Woronesch. Pink Pank. 57 mal Pink Pank. Pink Pank macht der Schmied. Pink Pank macht die Infantrie. Pink Pank machen die Kanonen. Und das Klavier spielt immerzu Pink Pank Pink Pank Pink Pank – – – –

57 kommen jede Nacht nach Deutschland. 9 Autoschlosser, 2 Gärtner, 5 Beamte, 6 Verkäufer, 1 Friseur, 17 Bauern, 2 Lehrer, 1 Pastor, 6 Arbeiter, 1 Musiker, 7 Schuljungen. 57 kommen jede Nacht an mein Bett, 57 fragen jede Nacht:

Wo ist deine Kompanie? Bei Woronesch, sag ich dann. Begraben, sag ich dann. Bei Woronesch begraben. 57 fragen Mann für Mann: Warum? Und 57mal bleib ich stumm.

57 gehen nachts zu ihrem Vater. 57 und Leutnant Fischer. Leutnant Fischer bin ich. 57 fragen nachts ihren Vater: Vater, warum? und der Vater bleibt 57mal stumm. Und er friert in seinem Hemd. Aber er kommt mit.

57 gehen nachts zum Ortsvorsteher. 57 und der Vater und ich. 57 fragen nachts den Ortsvorsteher: Ortsvorsteher, warum? Und der Ortsvorsteher bleibt 57mal stumm. Und er friert in seinem Hemd. Aber er kommt mit.

57 gehen nachts zum Pfarrer. 57 und der Vater und der Ortsvorsteher und ich. 57 fragen nachts den Pfarrer: Pfarrer, warum? Und der Pfarrer bleibt 57mal stumm. Und er friert in seinem Hemd. Aber er kommt mit.

57 gehen nachts zum Schulmeister. 57 und der Vater und der Ortsvorsteher und der Pfarrer und ich. 57 fragen nachts den Schulmeister: Schulmeister, warum? Und der Schulmeister bleibt 57mal stumm. Und er friert in seinem Hemd. Aber er kommt mit.

57 gehen nachts zum General. 57 und der Vater und der Ortsvorsteher und der Pfarrer und der Schulmeister und ich. 57 fragen nachts den General: General, warum? Und der General – der General dreht sich nicht einmal rum. Da bringt der Vater ihn um. Und der Pfarrer? Der Pfarrer bleibt stumm.

57 gehen nachts zum Minister. 57 und der Vater und der Ortsvorsteher und der Pfarrer und der Schulmeister und ich. 57 fragen nachts den Minister: Minister, warum? Da hat der Minister sich

sehr erschreckt. Er hatte sich so schön hinterm Sektkorb versteckt, hinterm Sekt. Und da hebt er sein Glas und prostet nach Süden und Norden und Westen und Osten. Und dann sagt er: Deutschland, Kameraden, Deutschland! Darum! Da sehen die 57 sich um. Stumm. So lange und stumm. Und sie sehen nach Süden und Norden und Westen und Osten. Und dann fragen sie leise: Deutschland? Darum? Dann drehen die 57 sich rum. Und sehen sich niemals mehr um. 57 legen sich bei Woronesch wieder ins Grab. Sie haben alte arme Gesichter. Wie Frauen. Wie Mütter. Und sie sagen die Ewigkeit durch: Darum? Darum? Darum? 57 haben sie bei Woronesch begraben. Ich bin über. Ich bin Leutnant Fischer. Ich bin 25. Ich will noch zur Straßenbahn. Ich will mit. Ich bin schon lange lange unterwegs. Nur Hunger hab ich. Aber ich muß. 57 fragen: Warum? Und ich bin über. Und ich bin schon so lange die lange lange Straße unterwegs.

Unterwegs. Ein Mann. Herr Fischer. Ich bin es. Leutnant steht drüben und kommandiert: Links zwei drei vier links zwei drei vier zickezacke juppheidi zwei drei vier links zwei drei vier die Infantrie die Infantrie pink pank pink pank drei vier pink pank drei vier pink pank pink pank die lange Straße lang pink pank immer lang immer rum warum warum warum pink pank pink pank bei Woronesch darum bei Woronesch darum pink pank die lange lange Straße lang. Ein Mensch. 25. Ich. Die Straße. Die lange lange. Ich. Haus Haus Haus Wand Wand Milchgeschäft Vorgarten Kuhgeruch Haustür.

Zahnarzt
Sonnabends nur nach Vereinbarung

Wand Wand Wand

Hilde Bauer ist doof

Leutnant Fischer ist dumm. 57 fragen: warum. Wand Wand Tür Fenster Glas Glas Glas Laterne alte Frau rote rote Augen Bratkartoffelgeruch Haus Haus Klavierunterricht pink pank die ganze Straße lang die Nägel sind so blank Kanonen sind so lang pink pank die ganze Straße lang Kind Kind Hund Ball Auto Pflasterstein Pflasterstein Kopfsteinköpfe Köpfe pink pank Stein Stein grau grau violett Benzinfleck grau grau die lange lange Straße lang Stein Stein grau blau flau flau so grau Wand Wand grüne Emaille

Schlechte Augen schnell behoben
Optiker Terboben
Im 2. Stockwerk oben

Wand Wand Wand Stein Hund Hund hebt Bein Baum Seele Hundetraum Auto hupt noch Hund pupt doch Pflaster rot Hund tot Hund tot Hund tot Wand Wand Wand die lange Straße lang Fenster Wand Fenster Fenster Fenster Lampen Leute Licht Männer immer noch Männer blanke Gesichter wie Nägel so blank so wunderhübsch blank – – – –

Vor hundert Jahren spielten sie Skat. Vor hundert Jahren spielten sie schon. Und jetzt jetzt spielen sie noch. Und in hundert Jahren dann spielen sie auch immer noch. Immer noch Skat. Die drei Männer. Mit blanken biederen Gesichtern.

Passe.

Karl, sag mehr.

Ich passe auch.

Also dann – – ihr habt gemauert, meine Herren.

Du hättest ja auch passen können, dann hätten wir einen schönen Ramsch gehabt.

Man los. Man los. Wie heißt er?

Das Kreuz ist heilig. Wer spielt aus?

Immer der fragt.

Einmal hat es die Mutter erlaubt. Und noch mal Trumpf!

Was, Karl, du hast kein Kreuz mehr?

Diesmal nicht.

Na, dann wollen wir mal auf die Dörfer gehen. Ein Herz hat jeder. Trumpf! Nun wimmel, Karl, was du bei der Seele hast. Achtundzwanzig.

Und noch einmal Trumpf!

Vor hundert Jahren spielten sie schon. Spielten sie Skat. Und in hundert Jahren, dann spielen sie noch. Spielen sie immer noch Skat mit blanken biederen Gesichtern. Und wenn sie ihre Fäuste auf den Tisch donnern lassen, dann donnert es. Wie Kanonen. Wie 57 Kanonen.

Aber ein Fenster weiter sitzt eine Mutter. Die hat drei Bilder vor sich. Drei Männer in Uniform. Links steht ihr Mann. Rechts steht ihr Sohn. Und in der Mitte steht der General. Der General von ihrem Mann und ihrem Sohn. Und wenn die Mutter abends zu Bett geht, dann stellt sie die Bilder, daß sie sie sieht, wenn sie liegt. Den Sohn. Und den Mann. Und in der Mitte den General. Und dann liest sie die Briefe, die der General schrieb. 1917. Für Deutschland. – steht auf dem einen. 1940. Für Deutschland. – steht auf dem anderen. Mehr liest die Mutter nicht. Ihre Augen sind ganz rot. Sind so rot.

Aber ich bin über. Juppheidi. Für Deutschland. Ich bin noch unterwegs. Zur Straßenbahn. Zweimal hab ich schon gelegen. Wegen dem Hunger. Juppheidi. Aber ich muß hin. Der Leutnant kommandiert. Ich bin schon unterwegs. Schon lange lange unterwegs.

Da steht ein Mann in einer dunklen Ecke. Immer stehen Männer in den dunklen Ecken. Immer stehn dunkle Männer in den Ecken. Einer steht da und hält einen Kasten und einen Hut. Pyramidon! bellt der Mann. Pyramidon! 20 Tabletten genügen. Der Mann grinst, denn das Geschäft geht gut. Das Geschäft geht so gut. 57 Frauen, rotäugige Frauen, die kaufen Pyramidon. Mach eine Null dran. 570. Noch eine und noch eine. 57000. Und noch und noch und noch. 57 000 000. Das Geschäft geht gut. Der Mann bellt: Pyramidon. Er grinst, der Laden floriert: 57 Frauen, rotäugige Frauen, die kaufen Pyramidon. Der Kasten wird leer. Und der Hut wird voll. Und der Mann grinst. Er kann gut grinsen. Er hat keine Augen. Er ist glücklich: Er hat keine Augen. Er sieht die Frauen nicht. Sieht die 57 Frauen nicht. Die 57 rotäugigen Frauen.

Nur ich bin über. Aber ich bin schon unterwegs. Und die Straße ist lang. So fürchterlich lang. Aber ich will zur Straßenbahn. Ich bin schon unterwegs. Schon lange lange unterwegs.

In einem Zimmer sitzt ein Mann. Der Mann schreibt mit Tinte auf weißem Papier. Und er sagt in das Zimmer hinein:

> Auf dem Braun der Ackerkrume
> weht hellgrün ein Gras.
> Eine blaue Blume
> ist vom Morgen naß.

Er schreibt es auf das weiße Papier. Er liest es ins leere Zimmer hinein. Er streicht es mit Tinte wieder durch. Er sagt in das Zimmer hinein:

> Auf dem Braun der Ackerkrume
> weht hellgrün ein Gras.
> Eine blaue Blume
> lindert allen Haß.

Der Mann schreibt es hin. Er liest es in das leere Zimmer hinein. Er streicht es wieder durch. Dann sagt er in das Zimmer hinein:

> Auf dem Braun der Ackerkrume
> weht hellgrün ein Gras.
> Eine blaue Blume –
> Eine blaue Blume –
> Eine blaue –

Der Mann steht auf. Er geht um den Tisch herum. Immer um den Tisch herum. Er bleibt stehen:

> Eine blaue –
> Eine blaue –
> Auf dem Braun der Ackerkrume –

Der Mann geht immer um den Tisch herum.

57 haben sie bei Woronesch begraben. Aber die Erde war grau. Und wie Stein. Und da weht kein hellgrünes Gras. Schnee war da. Und der war wie Glas. Und ohne blaue Blume. Millionenmal Schnee. Und keine blaue Blume. Aber der Mann in dem Zimmer weiß das nicht. Er weiß es nie. Er sieht immer die blaue Blume. Überall die blaue Blume. Und dabei haben sie 57 bei Woronesch begraben. Unter glasigem Schnee. Im grauen gräulichen Sand. Ohne Grün. Und ohne Blau. Der Sand war eisig und grau. Und der Schnee war

wie Glas. Und der Schnee lindert keinen Haß. Denn 57 haben sie bei Woronesch begraben. 57 begraben. Bei Woronesch begraben.

Das ist noch gar nichts, das ist ja noch gar nichts! sagt der Obergefreite mit der Krücke. Und er legt die Krücke über seine Fußspitze und zielt. Er kneift das eine Auge klein und zielt mit der Krücke über die Fußspitze. Das ist noch gar nichts, sagt er. 86 Iwans haben wir die eine Nacht geschafft. 86 Iwans. Mit einem MG, mein Lieber, mit einem einzigen MG in einer Nacht. Am andern Morgen haben wir sie gezählt. Übereinander lagen sie. 86 Iwans. Einige hatten das Maul noch offen. Viele auch die Augen. Ja, viele hatten die Augen noch offen. In einer Nacht, mein Lieber. Der Obergefreite zielt mit seiner Krücke auf die alte Frau, die ihm auf der Bank gegenübersitzt. Er zielt auf die eine alte Frau und er trifft 86 alte Frauen. Aber die wohnen in Rußland. Davon weiß er nichts. Es ist gut, daß er das nicht weiß. Was sollte er sonst wohl machen? Jetzt, wo es Abend wird?

Nur ich weiß es. Ich bin Leutnant Fischer. 57 haben sie bei Woronesch begraben. Aber ich war nicht ganz tot. Ich bin noch unterwegs. Zweimal hab ich schon gelegen. Vom Hunger. Denn der liebe Gott hat ja keinen Löffel. Aber ich will auf jeden Fall zur Straßenbahn. Wenn nur die Straße nicht so voller Mütter wäre. 57 haben sie bei Woronesch begraben. Und der Obergefreite hat am anderen Morgen 86 Iwans gezählt. Und 86 Mütter schießt er mit seiner Krücke tot. Aber er weiß es nicht, das ist gut. Wo sollte er sonst wohl hin. Denn der liebe Gott hat ja keinen Löffel. Es ist gut, wenn die Dichter die blauen Blumen blühen lassen. Es ist gut, wenn immer einer Klavier spielt. Es ist gut, wenn sie Skat spielen. Immer spielen sie Skat. Wo sollten sie sonst wohl hin, die alte Frau mit den drei Bildern am Bett, der Obergefreite mit den Krücken und den 86 toten Iwans, die Mutter mit dem kleinen Mädchen, das Suppe haben will, und Timm, der den alten Mann getreten hat? Wo sollten sie sonst wohl hin? folgt: Das Bewußtsein würde überall

Aber ich muß die lange lange Straße lang. Lang. Wand Wand Tür Laterne Wand Wand Fenster Wand Wand und buntes Papier buntes bedrucktes Papier.

Sind Sie schon versichert?
Sie machen sich und Ihrer Familie
eine Weihnachtsfreude
mit einer Eintrittserklärung in die
URANIA LEBENSVERSICHERUNG

2erlei Bedeutung 1) Leids Schuld
2) Mitleids losigkeit

57 haben ihr Leben nicht richtig versichert. Und die 86 toten Iwans auch nicht. Und sie haben ihren Familien keine Weihnachtsfreude gemacht. Rote Augen haben sie ihren Familien gemacht. Weiter nichts, rote Augen. Warum waren sie auch nicht in der Urania Lebensversicherung? Und ich kann mich nun mit den roten Augen herumschlagen. Überall die roten rotgeweinten rotgeschluchzten

Augen. Die Mutteraugen, die Frauenaugen. Überall die roten rotgeweinten Augen. Warum haben sich die 57 nicht versichern lassen?
Nein, sie haben ihren Familien keine Weihnachtsfreude gemacht.
Rote Augen. Nur rote Augen. Und dabei steht es doch auf tausend
bunten Plakaten: Urania Lebensversicherung Urania Lebensversicherung ——— *bietet den Ausweg*

Evelyn steht in der Sonne und singt. Die Sonne ist bei Evelyn.
Man sieht durch das Kleid die Beine und alles. Und Evelyn singt.
Durch die Nase singt sie ein wenig und heiser singt sie bißchen.
Sie hat heute nacht zu lange im Regen gestanden. Und sie singt, daß
mir heiß wird, wenn ich die Augen zumach. Und wenn ich sie auf-
mach, dann seh ich die Beine bis oben und alles. Und Evelyn singt,
daß mir die Augen verschwimmen. Sie singt den süßen Weltuntergang. Die Nacht singt sie und Schnaps, den gefährlich kratzenden
Schnaps voll wundem Weltgestöhn. Das Ende singt Evelyn, das
Weltende, süß und zwischen nackten schmalen Mädchenbeinen:
heiliger himmlischer heißer Weltuntergang. Ach, Evelyn singt wie
nasses Gras, so schwer von Geruch und Wollust und so grün. So
dunkelgrün, so grün wie leere Bierflaschen neben den Bänken, auf
denen Evelyns Knie abends mondblaß aus dem Kleid raussehen, daß
mir heiß wird.

Sing, Evelyn, sing mich tot. Sing den süßen Weltuntergang, sing
einen kratzenden Schnaps, sing einen grasgrünen Rausch. Und
Evelyn drückt meine graskalte Hand zwischen die mondblassen
Knie, daß mir heiß wird.

Und Evelyn singt. Komm lieber Mai und mache, singt Evelyn
und hält meine graskalte Hand mit den Knien. Komm lieber Mai
und mache die Gräber wieder grün. Das singt Evelyn. Komm lieber
Mai und mache die Schlachtfelder bierflaschengrün und mache den
Schutt, den riesigen Schutthaufen grün wie mein Lied, wie mein
schnapssüßes Untergangslied. Und Evelyn singt auf der Bank ein
heiseres hektisches Lied, daß mir kalt wird. Komm lieber Mai und
mache die Augen wieder blank, singt Evelyn und hält meine Hand
mit den Knien. Sing, Evelyn, sing mich zurück unters bierflaschen-
grüne Gras, wo ich Sand war und Lehm war und Land war. Sing,
Evelyn, sing und sing mich über die Schuttäcker und über die
Schlachtfelder und über das Massengrab rüber in deinen süßen heißen mädchenheimlichen Mondrausch. Sing, Evelyn, sing, wenn die
tausend Kompanien durch die Nächte marschieren, dann sing, wenn
die tausend Kanonen die Äcker pflügen und düngen mit Blut. Sing,
Evelyn, sing, wenn die Wände die Uhren und Bilder verlieren, dann
sing mich in schnapsgrünen Rausch und in deinen süßen Weltuntergang. Sing, Evelyn, sing mich in dein Mädchendasein hinein, in dein
heimliches, nächtliches Mädchengefühl, das so süß ist, daß mir heiß
wird, wieder heiß wird von Leben. Komm lieber Mai und mache
das Gras wieder grün, so bierflaschengrün, so evelyngrün. Sing,
Evelyn!

Aber das Mädchen, das singt nicht. Das Mädchen, das zählt, denn das Mädchen hat einen runden Bauch. Ihr Bauch ist etwas zu rund. Und nun muß sie die ganze Nacht am Bahnsteig stehen, weil einer von den 57 nicht versichert war. Und nun zählt sie die ganze Nacht die Waggons. Eine Lokomotive hat 18 Räder. Ein Personenwagen 8. Ein Güterwagen 4. Das Mädchen mit dem runden Bauch zählt die Waggons und die Räder – die Räder die Räder die Räder – – – – 78, sagt sie einmal, das ist schon ganz schön. 62, sagt sie dann, das reicht womöglich nicht. 110, sagt sie, das reicht. Dann läßt sie sich fallen und fällt vor den Zug. Der Zug hat eine Lokomotive, 6 Personenwagen und fünf Güterwagen. Das sind 86 Räder. Das reicht. Das Mädchen mit dem runden Bauch ist nicht mehr da, als der Zug mit seinen 86 Rädern vorbei ist. Sie ist einfach nicht mehr da. Kein bißchen. Kein einziges kleines bißchen ist mehr von ihr da. Sie hatte keine blaue Blume und keiner spielte für sie Klavier und keiner mit ihr Skat. Und der liebe Gott hatte keinen Löffel für sie. Aber die Eisenbahn hatte die vielen schönen Räder. Wo sollte sie sonst auch hin? Was sollte sie sonst wohl tun? Denn der liebe Gott hatte nicht mal einen Löffel. Und nun ist von ihr nichts mehr über, gar nichts mehr hin.

Nur ich. Ich bin noch unterwegs. Noch immer unterwegs. Schon lange, so lang schon lang schon unterwegs. Die Straße ist lang. Ich komm die Straße und den Hunger nicht entlang. Sie sind beide so lang.

Hin und wieder schrein sie los. Links auf dem Fußballplatz. Rechts in dem großen Haus. Da schrein sie manchmal los. Und die Straße geht da mitten durch. Auf der Straße geh ich. Ich bin Leutnant Fischer. Ich bin 25. Ich hab Hunger. Ich komm schon von Woronesch. Ich bin schon lange unterwegs. Links ist der Fußballplatz. Und rechts das große Haus. Da sitzen sie drin. 1000. 2000. 3000. Und keiner sagt ein Wort. Vorne machen sie Musik. Und einige singen. Und die 3000 sagen kein Wort. Sie sind sauber gewaschen. Sie haben ihre Haare geordnet und reine Hemden haben sie an. So sitzen sie da in dem großen Haus und lassen sich erschüttern. Oder erbauen. Oder unterhalten. Das kann man nicht unterscheiden. Sie sitzen und lassen sich sauber gewaschen erschüttern. Aber sie wissen nicht, daß ich Hunger hab. Das wissen sie nicht. Und daß ich hier an der Mauer steh – ich, der von Woronesch, der auf der langen Straße mit dem langen Hunger unterwegs ist, schon so lange unterwegs ist – daß ich hier an der Mauer steh, weil ich vor Hunger nicht weiter kann. Aber das können sie ja nicht wissen. Die Wand, die dicke dumme Wand ist ja dazwischen. Und davor steh ich mit wackligen Knien – und dahinter sind sie in sauberer Wäsche und lassen sich Sonntag für Sonntag erschüttern. Für zehn Mark lassen sie sich die Seele umwühlen und den Magen umdrehen und die Nerven betäuben. Zehn Mark, das ist so furchtbar viel Geld. Für meinen Bauch ist das furchtbar viel Geld. Aber dafür steht auch das

Wort PASSION auf den Karten, die sie für zehn Mark bekommen. MATTHÄUS-PASSION. Aber wenn der große Chor dann BA-RABBAS schreit, BARABBAS blutdurstig blutrünstig schreit, dann fallen sie nicht von den Bänken, die Tausend in sauberen Hemden. Nein und sie weinen auch nicht und beten auch nicht und man sieht ihren Gesichtern, sieht ihren Seelen eigentlich gar nicht viel an, wenn der große Chor BARABBAS schreit. Auf den Billetts steht für zehn Mark MATTHÄUS-PASSION. Man kann bei der Passion ganz vorne sitzen, wo die Passion recht laut erlitten wird, oder etwas weiter hinten, wo nur noch gedämpft gelitten wird. Aber das ist egal. Ihren Gesichtern sieht man nichts an, wenn der große Chor BARABBAS schreit. Alle beherrschen sich gut bei der Passion. Keine Frisur geht in Unordnung vor Not und vor Qual. Nein, Not und Qual, die werden ja nur da vorne gesungen und gegeigt, für zehn Mark vormusiziert. Und die BARABBAS-Schreier die tun ja nur so, die werden ja schließlich fürs Schreien bezahlt. Und der große Chor schreit BARABBAS. MUTTER! schreit Leutnant Fischer auf der endlosen Straße. Leutnant Fischer bin ich. BARABBAS! schreit der große Chor der Saubergewaschenen. HUNGER! bellt der Bauch von Leutnant Fischer. Leutnant Fischer bin ich. TOR! schreien die Tausend auf dem Fußballplatz. BARABBAS! schreien sie links von der Straße. TOR! schreien sie rechts von der Straße. WORONESCH! schrei ich dazwischen. Aber die Tausend schrein gegenan. BARAB-BAS! schrein sie rechts. TOR! schrein sie links. PASSION spielen sie rechts. FUSSBALL spielen sie links. Ich steh dazwischen. Ich. Leutnant Fischer. 25 Jahre jung. 57 Millionen Jahre alt. Woronesch-Jahre. Mütter-Jahre. 57 Millionen Straßen-Jahre alt. Woronesch-Jahre. Und rechts schrein sie BARABBAS. Und links schrein sie TOR. Und dazwischen steh ich ohne Mutter allein. Auf der wanken-den Welt ohne Mutter allein. Ich bin 25. Ich kenne die 57, die sie bei Woronesch begraben haben, die 57, die nichts wußten, die nicht wollten, die kenn ich Tag und Nacht. Und ich kenne die 86 Iwans, die morgens mit offenen Augen und Mäulern vor dem Ma-schinengewehr lagen. Ich kenne das kleine Mädchen, das keine Suppe hat und ich kenne den Obergefreiten mit den Krücken. BARABBAS! schrein sie rechts für zehn Mark den Saubergewaschenen ins Ohr. Aber ich kenne die alte Frau mit den drei Bildern am Bett und das Mädchen mit dem runden Bauch, das unter die Eisenbahn sprang. TOR! schrein sie links, tausendmal TOR! Aber ich kenne Timm, der nicht schlafen kann, weil er den alten Mann getreten hat und ich kenne die 57 rotäugigen Frauen, die bei dem blinden Mann Pyrami-don einkaufen. PYRAMIDON steht für 2 Mark auf der kleinen Schachtel. PASSION steht auf den Eintrittskarten rechts von der Straße, für 10 Mark PASSION. POKALSPIEL steht auf den blauen, den blumenblauen Billetts für 4 Mark auf der linken Seite der Straße. BARABBAS! schrein sie rechts. TOR! schrein sie links. Und immer bellt der blinde Mann: PYRAMIDON! Dazwischen

steh ich ganz allein, ohne Mutter allein, auf der Welle, der wanken-
den Welle Welt allein. Mit meinem bellenden Hunger! Und ich
kenne die 57 von Woronesch. Ich bin Leutnant Fischer. Ich bin 25.
Die anderen schrein TOR und BARABBAS im großen Chor. Nur
ich bin über. Bin so furchtbar über. Aber es ist gut, daß die Saubergewaschenen die 57 von Woronesch nicht kennen. Wie sollten sie
es sonst wohl aushalten bei Passion und Pokalspiel. Nur ich bin noch
unterwegs. Von Woronesch her. Mit Hunger schon lange lange
unterwegs. Denn ich bin über. Die andern haben sie bei Woronesch
begraben. 57. Nur mich haben sie vergessen. Warum haben sie mich
bloß vergessen? Nun hab ich nur noch die Wand. Die hält mich. Da
muß ich entlang. TOR! schrein sie hinter mir her. BARABBAS!
schrein sie hinter mir her. Die lange lange Straße entlang. Und ich
kann schon lange nicht mehr. Ich kann schon so lange nicht mehr.
Und ich hab nur noch die Wand, denn meine Mutter ist nicht da.
Nur die 57 sind da. Die 57 Millionen rotäugigen Mütter, die sind so
furchtbar hinter mir her. Die Straße entlang. Aber Leutnant Fischer
kommandiert: Links zwei drei vier links zwei drei vier zickezacke
BARABBAS die blaue Blume ist so naß von Tränen und von Blut
zickezacke juppheidi begraben ist die Infanterie unterm Fußballplatz
unterm Fußballplatz.

Ich kann schon lange nicht mehr, aber der alte Leierkastenmann
macht so schneidige Musik. Freut euch des Lebens, singt der alte
Mann die Straße lang. Freut euch, ihr bei Woronesch, juppheidi, so
freut euch doch solange noch die blaue Blume blüht freut euch des
Lebens solange noch der Leierkasten läuft – – – –

Der alte Mann singt wie ein Sarg. So leise. Freut euch! singt er,
solange noch, singt er, so leise, so nach Grab, so wurmig, so erdig,
so nach Woronesch singt er, freut euch solange noch das Lämpchen
Schwindel glüht! Solange noch die Windel blüht!

Ich bin Leutnant Fischer! schrei ich. Ich bin über. Ich bin schon
lange die lange Straße unterwegs. Und 57 haben sie bei Woronesch
begraben. Die kenn ich.

Freut euch, singt der Leierkastenmann.

Ich bin 25, schrei ich.

Freut euch, singt der Leierkastenmann.

Ich hab Hunger, schrei ich.

Freut euch singt er und die bunten Hampelmänner an seiner Orgel
schaukeln. Schöne bunte Hampelmänner hat der Leierkastenmann.
Viele schöne hampelige Männer. Einen Boxer hat der Leierkastenmann. Der Boxer schwenkt die dicken dummen Fäuste und ruft:
Ich boxe! Und er bewegt sich meisterlich. Einen fetten Mann hat der
Leierkastenmann. Mit einem dicken dummen Sack voll Geld. Ich
regiere, ruft der fette Mann und er bewegt sich meisterlich. Einen
General hat der Leierkastenmann. Mit einer dicken dummen Uniform. Ich kommandiere, ruft er immerzu, ich kommandiere! Und er
bewegt sich meisterlich. Und einen Dr. Faust hat der Leierkasten-

mann mit einem weißen weißen Kittel und einer schwarzen Brille. Und der ruft nicht und schreit nicht. Aber er bewegt sich fürchterlich so fürchterlich.

Freut euch, singt der Leierkastenmann und seine Hampelmänner schaukeln. Schaukeln fürchterlich. Schöne Hampelmänner hast du, Leierkastenmann, sag ich. Freut euch, singt der Leierkastenmann. Aber was macht der Brillenmann, der Brillenmann im weißen Kittel? frag ich. Er ruft nicht, er boxt nicht, er regiert nicht und er kommandiert nicht. Was macht der Mann im weißen Kittel, er bewegt sich, bewegt sich so fürchterlich! Freut euch, singt der Leierkastenmann, er denkt, singt der Leierkastenmann, er denkt und forscht und findet. Was findet er denn, der Brillenmann, denn er bewegt sich so fürchterlich. Freut euch, singt der Leierkastenmann, er erfindet ein Pulver, ein grünes Pulver, ein hoffnungsgrünes Pulver. Was kann man mit dem grünen Pulver machen, Leierkastenmann, denn er bewegt sich fürchterfürchterlich. Freut euch, singt der Leierkastenmann, mit dem hoffnungsgrünen Pulver kann man mit einem Löffelchen voll 100 Millionen Menschen totmachen, wenn man pustet, wenn man hoffnungsvoll pustet. Und der Brillenmann erfindet und erfindet. Freut euch doch solange noch, singt der Leierkastenmann. Er erfindet! schrei ich. Freut euch solange noch, singt der Leierkastenmann, freut euch doch solange noch.

Ich bin Leutnant Fischer. Ich bin 25. Ich hab dem Leierkastenmann den Mann im weißen Kittel weggenommen. Freut euch doch solange noch. Ich hab dem Mann, dem Brillenmann im weißen Kittel, den Kopf abgerissen! Freut euch doch solange noch. Ich hab dem weißen Kittelbrillenmann, dem Grünpulvermann, die Arme abgedreht. Freut euch doch solange noch. Ich hab den Hoffnungsgrünenerfindermann mittendurchgebrochen. Ich hab ihn mittendurchgebrochen. Nun kann er kein Pulver mehr mischen, nun kann er kein Pulver mehr erfinden. Ich hab ihn mittenmittendurchgebrochen.

Warum hast du meinen schönen Hampelmann kaputt gemacht, ruft der Leierkastenmann, er war so klug, er war so weise, er war so faustisch klug und weise und erfinderisch. Warum hast du den Brillenmann kaputt gemacht, warum? fragt mich der Leierkastenmann.

Ich bin 25, schrei ich. Ich bin noch unterwegs, schrei ich. Ich hab Angst, schrei ich. Darum hab ich den Kittelmann kaputt gemacht. Wir wohnen in Hütten aus Holz und aus Hoffnung, schrei ich, aber wir wohnen. Und vor unsern Hütten da wachsen noch Rüben und Rhabarber. Vor unsern Hütten da wachsen Tomaten und Tabak. Wir haben Angst! schrei ich. Wir wollen leben! schrei ich. In Hütten aus Holz und aus Hoffnung! Denn die Tomaten und Tabak, die wachsen doch noch. Die wachsen doch noch. Ich bin 25, schrei ich, darum hab ich den Brillenmann im weißen Kittel umgebracht. Darum hab ich den Pulvermann kaputt gemacht. Darum darum

ich — wir — Vertreter einer gruppe

darum – – – Freut euch, singt da der Leierkastenmann, so freut euch doch solange noch solange noch solange noch freut euch, singt der Leierkastenmann und nimmt aus seinem furchtbar großen Kasten einen neuen Hampelmann mit einer Brille und mit einem weißen Kittel und mit einem Löffelchen ja Löffelchen voll hoffnungsgrünem Pulver. Freut euch, singt der Leierkastenmann, freut euch solange noch ich hab doch noch so viele viele weiße Männer so furchtbar-furchtbar viele. Aber die bewegen sich so fürchterlichfürchterlich, schrei ich, und ich bin 25 und ich hab Angst und ich wohne in einer Hütte aus Holz und aus Hoffnung. Und Tomaten und Tabak, die wachsen doch noch.

Freut euch doch solange noch, singt der Leierkastenmann.

Aber der bewegt sich doch so fürchterlich, schrei ich.

Nein, er bewegt sich nicht, er wird er wird doch nur bewegt. Und wer bewegt ihn denn, wer wer bewegt ihn denn?

Ich, sagt da der Leierkastenmann so fürchterlich, ich!

Ich hab Angst, schrei ich und mach aus meiner Hand eine Faust und schlag sie dem Leierkastenmann dem fürchterlichen Leier-kastenmann in das Gesicht. Nein, ich schlag ihn nicht, denn ich kann sein Gesicht das fürchterliche Gesicht nicht finden. Das Gesicht ist so hoch am Hals. Ich kann mit der Faust nicht heran. Und der Leierkastenmann der lacht so fürchterfürchterlich. Doch ich find es nicht ich find es nicht. Denn das Gesicht ist ganz weit weg und lacht so lacht so fürchterlich. Es lacht so fürchterlich!

Durch die Straße läuft ein Mensch. Er hat Angst. Seine Mutter hat ihn allein gelassen. Nun schrein sie so fürchterlich hinter ihm her. Warum? schrein 57 von Woronesch her. Warum? Deutschland, schreit der Minister. Barabbas, schreit der Chor. Pyramidon, ruft der blinde Mann. Und die andern schrein: Tor. Schrein 57mal Tor. Und der Kittelmann, der weiße Brillenkittelmann, bewegt sich so fürch-terlich. Und erfindet und erfindet und erfindet. Und das kleine Mäd-chen hat keinen Löffel. Aber der weiße Mann mit der Brille hat einen. Der reicht gleich für 100 Millionen. Freut euch, singt der Leierkastenmann.

Ein Mensch läuft durch die Straße. Die lange lange Straße lang. Er hat Angst. Er läuft mit seiner Angst durch die Welt. Durch die wankende Welle Welt. Der Mensch bin ich. Ich bin 25. Und ich bin unterwegs. Bin lange schon und immer noch unterwegs. Ich will zur Straßenbahn. Ich muß mit der Straßenbahn, denn alle sind hinter mir her. Sind furchtbar hinter mir her. Ein Mensch läuft mit seiner Angst durch die Straße. Der Mensch bin ich. Ein Mensch läuft vor dem Schreien davon. Der Mensch bin ich. Ein Mensch glaubt an To-maten und Tabak. Der Mensch bin ich. Ein Mensch springt auf die Straßenbahn, die gelbe gute Straßenbahn. Der Mensch bin ich. Ich fahre mit der Straßenbahn, der guten gelben Straßenbahn.

Wo fahren wir hin? frag ich die andern. Zum Fußballplatz? Zur Matthäus-Passion? Zu den Hütten aus Holz und aus Hoffnung mit

Wohin: 1) Gefahr
2) Holzhütter & Hoffnung

Tomaten und Tabak? Wo fahren wir hin? frag ich die andern. Da sagt keiner ein Wort. Aber da sitzt eine Frau, die hat drei Bilder im Schoß. Und da sitzen drei Männer beim Skat nebendran. Und da sitzt auch der Krückenmann und das kleine Mädchen ohne Suppe und das Mädchen mit dem runden Bauch. Und einer macht Gedichte. Und einer spielt Klavier. Und 57 marschieren neben der Straßenbahn her. Zickezackejuppheidi schneidig war die Infantrie bei Woronesch heijuppheidi. An der Spitze marschiert Leutnant Fischer. Leutnant Fischer bin ich. Und meine Mutter marschiert hinterher. Marschiert 57millionenmal hinter mir her. Wohin fahren wir denn? frag ich den Schaffner. Da gibt er mir ein hoffnungsgrünes Billett. Matthäus – Pyramidon steht da drauf. Bezahlen müssen wir alle, sagt er und hält seine Hand auf. Und ich gebe ihm 57 Mann. Aber wohin fahren wir denn? frag ich die andern. Wir müssen doch wissen: wohin? Da sagt Timm: Das wissen wir auch nicht. Das weiß keine Sau. Und alle nicken mit dem Kopf und grummeln: Das weiß keine Sau. Aber wir fahren. Tingeltangel, macht die Klingel der Straßenbahn und keiner weiß wohin. Aber alle fahren mit. Und der Schaffner macht ein unbegreifliches Gesicht. Es ist ein uralter Schaffner mit zehntausend Falten. Man kann nicht erkennen, ob es ein böser oder ein guter Schaffner ist. Aber alle bezahlen bei ihm. Und alle fahren mit. Und keiner weiß: ein guter oder böser. Und keiner weiß: wohin. Tingeltangel, macht die Klingel der Straßenbahn. Und keiner weiß: wohin? Und alle fahren: mit. Und keiner weiß – – – – und keiner weiß – – – – und keiner weiß –

In der Straßenb. sind alle wieder da, d. h.
die Leidenden

INGEBORG BACHMANN
Unter Mördern und Irren

Wo kommt der Fremde her

Erzähler: Mann

Die Männer sind unterwegs zu sich, wenn sie abends beieinander sind, trinken und reden und meinen. Wenn sie zwecklos reden, sind sie auf ihrer eigenen Spur, wenn sie meinen und ihre Meinungen mit dem Rauch aus Pfeifen, Zigaretten und Zigarren aufsteigen und wenn die Welt Rauch und Wahn wird in den Wirtshäusern auf den Dörfern, in den Extrastuben, in den Hinterzimmern der großen Restaurants und in den Weinkellern der großen Städte.

Wir sind in Wien, mehr als zehn Jahre nach dem Krieg. »Nach dem Krieg« – dies ist die Zeitrechnung.

Wir sind abends in Wien und schwärmen aus in die Kaffeehäuser und Restaurants. Wir kommen geradewegs aus den Redaktionen und den Bürohäusern, aus der Praxis und aus den Ateliers und treffen uns, heften uns auf die Fährte, jagen das Beste, was wir verloren haben, wie ein Wild, verlegen und unter Gelächter. In den Pausen, wenn keinem ein Witz einfällt oder eine Geschichte, die unbedingt erzählt werden muß, wenn keiner gegen das Schweigen aufkommt

Das Fehlen der Sufor hebt die Figur her

und jeder in sich versinkt, hört hin und wieder einer das blaue Wild klagen – noch einmal, noch immer.

An dem Abend kam ich mit Mahler in den »Kronenkeller« in der Inneren Stadt zu unserer Herrenrunde. Überall waren jetzt, wo es Abend in der Welt war, die Schenken voll, und die Männer redeten und meinten und erzählten wie die Irrfahrer und Dulder, wie die Titanen und Halbgötter von der Geschichte und den Geschichten; sie ritten herauf in das Nachtland, ließen sich nieder am Feuer, dem gemeinsamen offenen Feuer, das sie schürten in der Nacht und der Wüste, in der sie waren. Vergessen hatten sie die Berufe und die Familien. Keiner mochte daran denken, daß die Frauen jetzt zu Hause die Betten aufschlugen und sich zur Ruhe begaben, weil sie mit der Nacht nichts anzufangen wußten. Barfuß oder in Pantoffeln, mit aufgebundenen Haaren und müden Gesichtern gingen die Frauen zu Hause herum, drehten den Gashahn ab und sahen furchtvoll unter das Bett und in die Kasten, besänftigten mit zerstreuten Worten die Kinder oder setzten sich verdrossen ans Radio, um sich dann doch hinzulegen mit Rachegedanken in der einsamen Wohnung. Mit den Gefühlen des Opfers lagen die Frauen da, mit aufgerissenen Augen in der Dunkelheit, voll Verzweiflung und Bosheit. Sie machten ihre Rechnungen mit der Ehe, den Jahren und dem Wirtschaftsgeld, manipulierten, verfälschten und unterschlugen. Schließlich schlossen sie die Augen, hängten sich an einen Wachtraum, überließen sich betrügerischen wilden Gedanken, bis sie einschliefen mit einem letzten großen Vorwurf. Und im ersten Traum ermordeten sie ihre Männer, ließen sie sterben an Autounfällen, Herzanfällen und Pneumonien; sie ließen sie rasch oder langsam und elend sterben, je nach der Größe des Vorwurfs, und unter den geschlossenen zarten Lidern traten ihnen die Tränen hervor vor Schmerz und Jammer über den Tod ihrer Männer. Sie weinten um ihre ausgefahrenen, ausgerittenen, nie nach Hause kommenden Männer und beweinten endlich sich selber. Sie waren angekommen bei ihren wahrhaftigsten Tränen.

Wir aber waren fern, die Corona, der Sängerbund, die Schulfreunde, die Bündler, Gruppen, Verbände, das Symposion und die Herrenrunde. Wir bestellten unseren Wein, legten die Tabakbeutel vor uns auf die Tische und waren unzugänglich ihrer Rache und ihren Tränen. Wir starben nicht, sondern lebten auf, redeten und meinten. Viel später erst, gegen Morgen, würden wir den Frauen über die feuchten Gesichter streichen im Dunkeln und sie noch einmal beleidigen mit unserem Atem, dem sauren starken Weindunst und Bierdunst, oder hoffen, inständig, daß sie schon schliefen und kein Wort mehr fallen müsse in der Schlafzimmergruft, unserem Gefängnis, in das wir doch jedesmal erschöpft und friedfertig zurückkehrten, als hätten wir ein Ehrenwort gegeben.

Wir waren weit fort. Wir waren an dem Abend wie an jedem Freitag beisammen: Haderer, Bertoni, Hutter, Ranitzky, Friedl, Mahler und ich. Nein, Herz fehlte, er war diese Woche in London, um seine endgültige Rückkehr nach Wien vorzubereiten. Es fehlte auch Steckel, der wieder krank war. Mahler sagte: »Wir sind heute nur drei Juden«, und er fixierte Friedl und mich.

Friedl starrte ihn verständnislos mit seinen kugeligen wäßrigen Augen an und preßte seine Hände ineinander, wohl weil er dachte, daß er doch gar kein Jude sei, und Mahler war es auch nicht, sein Vater vielleicht, sein Großvater – Friedl wußte es nicht genau. Aber Mahler setzte sein hochmütiges Gesicht auf. Ihr werdet sehen, sagte sein Gesicht. Und es sagte: Ich täusche mich nie.

Es war schwarzer Freitag. Haderer führte das große Wort. Das hieß, daß der Irrfahrer und Dulder in ihm schwieg und der Titan zu Wort kam, daß er sich nicht mehr klein machen und der Schläge rühmen mußte, die er hatte hinnehmen müssen, sondern derer sich rühmen konnte, die er ausgeteilt hatte. An diesem Freitag wendete sich das Gespräch, vielleicht weil Herz und Steckel fehlten und weil Friedl, Mahler und ich keinem als Hemmnis erschienen; vielleicht aber auch nur, weil das Gespräch einmal wahr werden mußte, weil Rauch und Wahn alles einmal zu Wort kommen lassen.

Jetzt war die Nacht ein Schlachtfeld, ein Frontzug, eine Etappe, ein Alarmzustand, und man tummelte sich in dieser Nacht. Haderer und Hutter tauchten ein in die Erinnerung an den Krieg, sie wühlten in der Erinnerung, in manchem Dunkel, das keiner ganz preisgab, bis es dahin kam, daß ihre Gestalten sich verwandelten und wieder Uniformen trugen, bis sie dort waren, wo sie beide wieder befehligten, beide als Offiziere, und Verbindung aufnahmen zum Stab; wo sie mit einer »Ju 52« hinübergeflogen wurden nach Woronesch, aber dann konnten sie sich plötzlich nicht einigen über das, was sie von General Manstein zu halten gehabt hatten im Winter 1942, und sie wurden sich einfach nicht einig, ob die 6. Armee entsetzt hätte werden können oder nicht, ob schon die Aufmarschplanung schuld gewesen war oder nicht; dann landeten sie nachträglich auf Kreta, aber in Paris hatte eine kleine Französin zu Hutter gesagt, die Österreicher seien ihr lieber als die Deutschen, und als in Norwegen der Tag heraufkam und als die Partisanen sie umzingelt hatten in Serbien, waren sie so weit – sie bestellten den zweiten Liter Wein, und auch wir bestellten noch einen, denn Mahler hatte begonnen, uns über ein paar Intrigen aus der Ärztekammer zu berichten.

Wir tranken den burgenländischen Wein und den Gumpoldskirchner Wein. Wir tranken in Wien, und die Nacht war noch lange nicht zu Ende für uns.

An diesem Abend, als die Partisanen schon Haderers Achtung errungen hatten und nur nebenbei von ihm scharf verurteilt worden waren (denn ganz deutlich wurde es nie, wie Haderer eigentlich darüber und über noch anderes dachte, und Mahlers Gesicht sagte mir noch einmal: Ich täusche mich nie!), als die toten slowenischen Nonnen nackt im Gehölz vor Veldes lagen und Haderer, von Mahlers Schweigen verwirrt, die Nonnen liegen lassen mußte und innehielt in seiner Erzählung, trat ein alter Mann an unseren Tisch, den wir seit langem kannten. Es war dies ein herumziehender, schmutziger, zwergenhafter Mensch mit einem Zeichenblock, der sich aufdrängte, für ein paar Schilling die Gäste zu zeichnen. Wir wollten nicht gestört und schon gar nicht gezeichnet werden, aber der entstandenen Verlegenheit wegen forderte Haderer den Alten unvermutet und großzügig auf, uns zu zeichnen, uns einmal zu zeigen, was er könne. Wir nahmen jeder ein paar Schilling aus der Börse, taten sie zusammen auf einen Haufen und schoben ihm das Geld hin. Er beachtete das Geld aber nicht. Er stand da, beglückt den Block auf den linken abgewinkelten Unterarm gestützt, mit zurückgeworfenem Kopf. Sein dicker Bleistift strichelte auf dem Blatt mit solcher Schnelligkeit, daß wir in Gelächter ausbrachen. Wie aus einem Stummfilm wirkten seine Bewegungen, grotesk, zu rasch genommen. Da ich ihm zunächst saß, reichte er mir mit einer Verbeugung das erste Blatt.

Er hatte Haderer gezeichnet:

Mit Schmissen in dem kleinen Gesicht. Mit der zu straff an den Schädel anliegenden Haut. Grimassierend, ständig schauspielernd den Ausdruck. Peinlich gescheitelt das Haar. Einen Blick, der stechend, bannend sein wollte und es nicht ganz war.

Haderer war Abteilungsleiter am Radio und schrieb überlange Dramen, die alle großen Theater regelmäßig und mit Defizit aufführten und die den uneingeschränkten Beifall der ganzen Kritik fanden. Wir alle hatten sie, Band für Band, mit handschriftlicher Widmung zu Hause stehen. »Meinem verehrten Freund . . .« Wir waren alle seine verehrten Freunde – Friedl und ich ausgenommen, weil wir zu jung waren und daher nur »liebe Freunde« sein konnten oder »liebe, junge, begabte Freunde«. Er nahm von Friedl und mir nie ein Manuskript zur Sendung an, aber er empfahl uns an andere Stellen und Redaktionen, fühlte sich als unser Förderer und der von noch etwa zwanzig jungen Leuten, ohne daß es je ersichtlich wurde, worin diese Förderung bestand und welche Resultate die Gunst zeitigte. Es lag freilich nicht an ihm, daß er uns vertrösten und zugieich mit Komplimenten befeuern mußte, sondern an dieser »Bagage«, wie er sich ausdrückte, an dieser »Bande von Tagedieben« überall, den Hofräten und anderen hinderlichen vergreisten Elementen in den Ministerien, den Kulturämtern und im Rundfunk; er bezog dort das höchste mögliche Gehalt, und er erhielt in gemessenen Abständen sämtliche Ehrungen, Preise und sogar Medaillen, die Land und Stadt zu vergeben hatten; er hielt die Reden zu den großen Anlässen, wurde als ein Mann betrachtet, der zur Repräsentation geeignet war, und galt trotzdem als einer der freimütigsten und unabhängigsten Männer. Er schimpfte auf alles, das heißt, er schimpfte immer auf die andere Seite, so daß die eine Seite erfreut war und ein andermal die andere, weil nun die eine die andere war. Er nannte, um es genauer zu sagen, einfach die Dinge beim Namen, zum Glück aber selten die Leute, so daß sich nie jemand im besonderen betroffen fühlte.

Von dem Bettelzeichner so hingestrichelt auf das Papier, sah er aus wie ein maliziöser Tod oder wie eine jener Masken, wie Schauspieler sie sich noch manchmal für den Mephisto oder den Jago zurechtmachen.

Ich reichte das Blatt zögernd weiter. Als es bei Haderer anlangte, beobachtete ich ihn genau und mußte mir eingestehen, daß ich überrascht war. Er schien nicht einen Augenblick betroffen oder beleidigt, zeigte sich überlegen, er klatschte in die Hände, vielleicht dreimal zu oft – aber er klatschte, lobte immer zu oft – und rief mehrmals »Bravo«. Mit diesem »Bravo« drückte er auch aus, daß er allein hier der große Mann war, der Belobigungen zu vergeben hatte, und der Alte neigte auch ehrerbietig den Kopf, sah aber kaum auf, weil er es eilig hatte, mit Bertonis Kopf zu Ende zu kommen.

Bertoni aber war so gezeichnet:

Mit dem schönen Sportlergesicht, auf dem man Sonnenbräune vermuten durfte. Mit den frömmelnden Augen, die den Eindruck von gesundem Strahlen zunichte machten. Mit der gekrümmten Hand vor dem Mund, als fürchtete er, etwas zu laut zu sagen, als könnte ein unbedachtes Wort ihm entschlüpfen.

Bertoni war am »Tagblatt«. Seit Jahren schon war er beschämt über den ständigen Niedergang des Niveaus in seinem Feuilleton, und jetzt lächelte er nur mehr melancholisch, wenn ihn jemand aufmerksam machte auf eine Entgleisung, auf Unrichtigkeiten, den Mangel an guten Beiträgen oder richtiger Information. Was wollen Sie – in diesen Zeiten! schien sein Lächeln zu sagen. Er allein konnte den Niedergang nicht aufhalten, obwohl er wußte, wie eine gute Zeitung aussehen sollte, o ja, er wußte es, hatte es früh gewußt, und darum redete er am liebsten von den alten Zeitungen, von den großen Zeiten der Wiener Presse und wie er unter deren legendären Königen damals gearbeitet und von ihnen gelernt hatte. Er wußte alle Geschichten, alle Affairen von vor zwanzig Jahren, er war nur in jener Zeit zu Hause und konnte diese Zeit lebendig machen, von ihr ohne Unterlaß erzählen. Gern sprach er auch von der düsteren Zeit danach, wie er und ein paar andere Journalisten sich durchgebracht hatten in den ersten Jahren nach 1938, was sie heimlich gedacht und geredet und angedeutet hatten, in welchen Gefahren sie geschwebt hatten, ehe sie auch die Uniform angezogen hatten, und nun saß er noch immer da mit seiner Tarnkappe, lächelte, konnte vieles nicht verschmerzen. Er setzte seine Sätze vorsichtig. Was er dachte, wußte niemand, das Andeuten war ihm zur Natur geworden, er tat, als hörte immer die Geheime Staatspolizei mit. Eine ewige Polizei war aus ihr hervorgegangen, unter der Bertoni sich ducken mußte. Auch Steckel konnte ihm kein Gefühl der Sicherheit zurückgeben. Er hatte Steckel, bevor Steckel emigrieren mußte, gut gekannt, war wieder Steckels bester Freund, nicht nur weil er bald nach 1945 für ihn gebürgt und ihn ans »Tagblatt« zurückgeholt hatte, sondern weil sie sich in manchem miteinander besser verständigen konnten als mit den anderen, besonders wenn von »damals« die Rede war. Es wurde dann eine Sprache benutzt, die Bertoni zu irgendeiner frühen Zeit einmal kopiert haben mußte, und nun hatte er keine andere mehr und war froh, sie wieder mit jemand sprechen zu können – eine leichte, flüchtige, witzige Sprache, die zu seinem Aussehen und seinem Gehaben nicht recht paßte, eine Sprache der Andeutung, die ihm jetzt doppelt lag. Er deutete nicht, wie Steckel, etwas an, um einen Sachverhalt klarzumachen, sondern deutete, über die Sache hinweg, verzweifelt ins Ungefähre.

Der Zeichner hatte das Blatt wieder vor mich hingelegt. Mahler beugte sich herüber, sah kurz darauf mit leichte hochmütig. Ich gab es lächelnd weiter. Bertoni sagte nicht »Bravo«, weil Haderer ihm zuvorkam und ihm die Möglichkeit nahm, sich zu äußern. Er sah seine Zeichnung nur wehmütig und nachdenklich an. Mahler sagte, nachdem Haderer sich beruhigt hatte, über den Tisch zu Bertoni: »Sie sind ein schöner Mensch. Haben Sie das gewußt?«

Und so sah der Alte Ranitzky:

Mit einem eilfertigen Gesicht, dem Schöntuergesicht, das schon nicken wollte, ehe jemand Zustimmung erwartete. Selbst seine Ohren und seine Augenlider nickten auf der Zeichnung.

Ranitzky, dessen konnte man sicher sein, hatte immer zugestimmt. Alle schwiegen, wenn Ranitzky mit einem Wort die Vergangenheit berührte, denn es hatte keinen Sinn, Ranitzky gegenüber offen zu sein. Man vergaß es besser und vergaß ihn besser; wenn er am Tisch saß, duldete man ihn schweigend. Manchmal nickte er vor sich hin, von allen vergessen. Er war allerdings zwei Jahre lang ohne Bezüge gewesen nach 1945 und vielleicht sogar in Haft gewesen, aber jetzt war er wieder Professor an der Universität. Er hatte in seiner »Geschichte Österreichs« alle Seiten umgeschrieben, die die neuere Geschichte betrafen, und sie neu herausgegeben. Als ich Mahler einmal über Ranitzky hatte ausfragen wollen, hatte Mahler kurz zu mir gesagt: »Jeder weiß, daß er es aus Opportunismus getan hat und unbelehrbar ist, aber er weiß es auch selber. Darum sagt es ihm keiner. Aber man müßte es ihm trotzdem sagen.« Mahler jedenfalls sagte es ihm mit seiner Miene jedesmal oder wenn er ihm antwortete oder bloß einmal sagte: »Hören Sie . . .« und damit erreichte, daß Ranitzkys Augenlider zu flattern anfingen. Ja, er brachte ihn zum Zittern, jedesmal bei der Begrüßung, bei einem flachen, flüchtigen Händedruck. Dann war Mahler am grausamsten, wenn er nichts sagte oder die Krawatte nur etwas zurechtrückte, jemand ansah und zu verstehen gab, daß er sich an alles gleichzeitig erinnerte. Er hatte das Gedächtnis eines gnadenlosen Engels, zu jeder Zeit erinnerte er sich; er hatte einfach ein Gedächtnis, keinen Haß, aber eben dies unmenschliche Vermögen, alles aufzubewahren und einen wissen zu lassen, daß er wußte.

Hutter endlich war so gezeichnet:

Wie Barabbas, wenn es Barabbas selbstverständlich erschienen wäre, daß man ihn freigab. Mit der kindlichen Sicherheit und Sieghaftigkeit in dem runden pfiffigen Gesicht.

Hutter war ein Freigegebener ohne Scham, ohne Skrupel. Alle mochten ihn, auch ich, vielleicht sogar Mahler. Gebt diesen frei, sagten auch wir. So weit waren wir mit der Zeit gekommen, daß wir ständig sagten: gebt diesen frei! Hutter gelang alles, es gelang ihm sogar, daß man ihm das Gelingen nicht übel nahm. Er war ein Geldgeber und finanzierte alles mögliche, eine Filmgesellschaft, Zeitungen, Illustrierte und neuerdings ein Komitee, für das Haderer ihn gewonnen hatte und das sich »Kultur und Freiheit« nannte. Er saß jeden Abend mit anderen Leuten an einem anderen Tisch in der Stadt, mit den Theaterdirektoren und den Schauspielern, mit Geschäftsleuten und Ministerialräten. Er verlegte Bücher, aber er las nie ein Buch, wie er sich auch keinen der Filme ansah, die er finanzierte; er ging auch nicht ins Theater, aber er kam nachher an die Theatertische. Denn er liebte die Welt aufrichtig, in der über all das gesprochen wurde und in der etwas vorbereitet wurde. Er liebte die Welt der Vorbereitungen, der Meinungen über alles, der Kalkulation, der Intrigen, der Risiken, des Kartenmischens. Er sah den anderen gerne zu, wenn sie mischten, und nahm Anteil, wenn ihre Karten sich verschlechterten, griff ein oder sah zu, wie die Trümpfe ausgespielt wurden, und griff wieder ein. Er genoß alles, und er genoß seine Freunde, die alten und die neuen, die schwachen und die starken. Er lachte, wo Ranitzky lächelte (Ranitzky lächelte sich durch und lächelte meistens nur, wenn jemand ermordet wurde von der Runde, ein Abwesender, mit dem er morgen zusammentreffen mußte, aber er lächelte so fein und zwiespältig, daß er sich sagen konnte, er habe nicht beigestimmt, sondern nur schützend gelächelt, geschwiegen und sich das Seine dachte). Hutter lachte laut, wenn jemand ermordet wurde, und er war sogar imstande, ohne sich dabei etwas zu denken, davon weiterzuberichten. Oder er wurde wütend und verteidigte einen Abwesenden, ließ ihn nicht morden, trieb die anderen zurück, rettete den Gefährdeten und beteiligte sich dann sogleich hemdsärmelig am nächsten Mord, wenn er Lust darauf bekam. Er war spontan, konnte sich wirklich erregen, und alles Überlegen, Abwägen lag ihm fern.

Haderers Begeisterung über den Zeichner ließ jetzt nach, er wollte in das Gespräch zurück, und als Mahler es sich verbat, daß man ihn zeichnete, war er ihm dankbar und winkte dem alten Mann ab, der darauf sein Geld einstrich und sich ein letztes Mal vor dem großen Mann, den er erkannt haben mußte, verbeugte.

Ich hoffte zuversichtlich, daß das Gespräch auf die nächsten Wahlen kommen würde oder auf den unbesetzten Theaterdirektorposten, der uns schon drei Freitage Stoff gegeben hatte. Aber an diesem Freitag war alles anders, die anderen ließen nicht ab von dem Krieg, in den sie hineingeraten waren, keiner kam aus dem Sog heraus, sie gurgelten in dem Sumpf, wurden immer lauter und machten es uns unmöglich, an unserem Tischende zu einem anderen Gespräch zu kommen. Wir waren gezwungen, zuzuhören und vor uns hinzustarren, das Brot zu zerkleinern auf dem Tisch, und hier und da wechselte ich einen Blick mit Mahler, der den Rauch seiner Zigarette ganz langsam aus dem Mund schob, Kringel blies und sich diesem Rauchspiel ganz hinzugeben schien. Er hielt den Kopf leicht zurückgeneigt und lockerte sich die Krawatte.

»Durch den Krieg, durch diese Erfahrung, ist man dem Feind näher gerückt«, hörte ich jetzt Haderer sagen.

»Wem?« Friedl versuchte sich stotternd einzumischen. »Den Bolivianern?« Haderer stutzte, er wußte nicht, was Friedl meinte, und ich versuchte, mich zu erinnern, ob die damals auch mit Bolivien im Kriegszustand gewesen waren. Mahler lachte ein lautloses Gelächter, es sah aus, als wollte er dabei den fortgeblasenen Rauchring wieder in den Mund zurückholen.

Bertoni erläuterte rasch: »Den Engländern, Amerikanern, Franzosen.«

Haderer hatte sich gefaßt und fiel ihm lebhaft ins Wort: »Aber das waren doch für mich nie Feinde, ich bitte Sie! Ich spreche einfach von den Erfahrungen. Von nichts anderem wollte ich reden. Wir können doch anders mitreden, mitsprechen, auch schreiben, weil wir sie haben. Denken Sie bloß an die Neutralen, denen diese bitteren Erfahrungen fehlen, und zwar schon lange.« Er legte die Hand auf die Augen. »Ich möchte nichts missen, diese Jahre nicht, diese Erfahrungen nicht.«

Friedl sagte wie ein verstockter Schulbub, aber viel zu leise: »Ich schon. Ich könnte sie missen.«

Haderer sah ihn undeutlich an; er zeigte nicht, daß er zornig war, sondern wollte womöglich zu einer allem und jedem gerecht werdenden Predigt ausholen. In dem Moment stemmte aber Hutter seine Ellbogen auf den Tisch und fragte derart laut, daß er Haderer ganz aus dem Konzept brachte: »Ja, wie ist das eigentlich? Könnte man nicht sagen, daß Kultur nur durch Krieg, Kampf, Spannung möglich ist ... Erfahrungen – ich meine Kultur, also wie ist das?«

Haderer legte eine kurze Pause ein, verwarnte erst Hutter, tadelte darauf Friedl und sprach dann überraschend vom ersten Weltkrieg, um dem zweiten auszuweichen. Es war von der Isonzoschlacht die Rede, Haderer und Ranitzky tauschten Regimentserlebnisse aus und wetterten gegen die Italiener, dann wieder nicht gegen die feindlichen Italiener, sondern gegen die verbündeten im letzten Krieg, sie sprachen von »in den Rücken fallen«, von »unverläßlicher Führung«, kehrten aber lieber wieder an den Isonzo zurück und lagen zuletzt im Sperrfeuer auf dem Kleinen Pal. Bertoni benutzte den Augenblick, in dem Haderer durstig sein Glas an den Mund setzte, und fing unerbittlich an, eine unglaubliche und verwickelte Ge-

schichte aus dem zweiten Weltkrieg zu erzählen. Es handelte sich
darum, daß er und ein deutscher Philologe in Frankreich den Auftrag bekommen hatten, sich um die Organisation eines Bordells zu
kümmern; der Mißgeschicke dabei mußte kein Ende gewesen sein,
und Bertoni verlor sich in den ergötzlichsten Ausführungen. Sogar
Friedl schüttelte sich plötzlich vor Lachen, es wunderte mich und
wunderte mich noch mehr, als er plötzlich sich bemühte, auch eingeweiht zu erscheinen in die Operationen, Chargen, Daten. Denn
Friedl war gleichaltrig mit mir und war höchstens, wie ich, im letzten
Kriegsjahr zum Militär gekommen, von der Schulbank weg. Aber
dann sah ich, daß Friedl betrunken war, und ich wußte, daß er
schwierig wurde, wenn er betrunken war, daß er nur zum Hohn mit-
sprach und sich aus Verzweiflung einmischte, und nun hörte ich
auch den Hohn heraus aus seinen Worten. Aber einen Augenblick
lang hatte ich auch ihm mißtraut, weil er einkehrte bei den anderen,
sich hineinbegab in diese Welt aus Eulenspiegeleien, Mutproben,
Heroismus, Gehorsam und Ungehorsam, jene Männerwelt, in der
alles weit war, was sonst galt, was für uns tagsüber galt, und in der
keiner mehr wußte, wessen er sich rühmte und wessen er sich schämte
und ob diesem Ruhm und dieser Scham noch etwas entsprach in
dieser Welt, in der wir Bürger waren. Und ich dachte an Bertonis
Geschichte von dem Schweinediebstahl in Rußland, wußte aber,
daß Bertoni nicht fähig war, auch nur einen Bleistift in der Redaktion
einzustecken, so korrekt war er. Oder Haderer zum Beispiel hatte im
ersten Krieg die höchsten Auszeichnungen erhalten, und man erzählt sich noch, daß er damals von Hötzendorf mit einer Mission
betraut worden war, die große Kühnheit erfordert hatte. Aber
Haderer war, wenn man ihn hier besah, ein Mensch, der überhaupt
keiner Kühnheit fähig war, nie gewesen sein konnte, jedenfalls nicht
in dieser Welt. Vielleicht war er es in der anderen gewesen, unter
einem anderen Gesetz. Und Mahler, der kaltblütig ist und der furcht-
loseste Mensch, den ich kenne, hat mir erzählt, daß er damals, 1914
oder 1915, als junger Mensch bei der Sanität, ohnmächtig geworden
sei und Morphium genommen habe, um die Arbeit im Lazarett aushalten zu können. Er hatte dann noch zwei Selbstmordversuche gemacht und war bis zum Ende des Krieges in einer Nervenheilanstalt
gewesen. Alle operierten sie also in zwei Welten und waren verschieden in beiden Welten, getrennte und nie vereinte Ich, die sich nicht
begegnen durften. Alle waren betrunken jetzt und schwadronierten
und mußten durch das Fegefeuer, in dem ihre unerlösten Ich schrien,
die bald ersetzt werden wollten durch ihre zivilen Ich, die liebenden,
sozialen Ich mit Frauen und Berufen, Rivalitäten und Nöten aller
Art. Und sie jagten das blaue Wild, das früh aus ihrem einen Ich
gefahren war und nicht mehr zurückkehrte, und solang es nicht
zurückkehrte, blieb die Welt ein Wahn. Friedl stieß mich an, er
wollte aufstehen, und ich erschrak, als ich sein glänzendes, geschwollenes Gesicht sah. Ich ging mit ihm hinaus. Wir suchten zweimal in

der falschen Richtung den Waschraum. Im Gang bahnten wir uns einen Weg durch eine Gruppe von Männern, die in den großen Kellersaal hineindrängten. Ich hatte noch nie solch einen Andrang im »Kronenkeller« erlebt und auch diese Gesichter hier noch nie gesehen. Es war so auffällig, daß ich einen der Kellner fragte, was denn los sei heute abend. Genaueres wußte er nicht, meinte aber, es handle sich um ein »Kameradschaftstreffen«, man gebe sonst die Räume für solche Versammlungen nicht her, aber der Oberst von Winkler, ich wisse wohl, der berühmte, werde auch kommen und mit den Leuten feiern, es sei ein Treffen zur Erinnerung an Narvik, glaube er.

Im Waschraum war es totenstill. Friedl lehnte sich an das Waschbecken, griff nach der Handtuchrolle und ließ sie eine Umdrehung machen.

»Verstehst du«, fragte er, »warum wir beisammen sitzen?«

Ich schwieg und zuckte mit den Achseln.

»Du verstehst doch, was ich meine«, sagte Friedl eindringlich.

»Ja, ja«, sagte ich.

Aber Friedl sprach weiter: »Verstehst du, warum sogar Herz und Ranitzky beisammen sitzen, warum Herz ihn nicht haßt, wie er Langer haßt, der vielleicht weniger schuldig ist und heute ein toter Mann ist. Ranitzky ist kein toter Mann. Warum sitzen wir, Herr im Himmel, beisammen! Besonders Herz verstehe ich nicht. Sie haben seine Frau umgebracht, seine Mutter . . .«

Ich dachte krampfhaft nach, und dann sagte ich: »Ich verstehe es. Doch, ja, ich verstehe es.«

Friedl fragte: »Weil er vergessen hat? Oder weil er, seit irgendeinem Tag, will, daß es begraben sei?«

»Nein«, sagte ich, »das ist es nicht. Es hat nichts mit Vergessen zu tun. Auch nichts mit Verzeihen. Mit all dem hat es nichts zu tun.«

Friedl sagte: »Aber Herz hat doch Ranitzky wieder aufgeholfen, und seit mindestens drei Jahren sitzen sie jetzt beisammen, und er sitzt mit Hutter und Haderer beisammen. Er weiß alles über die alle.«

Ich sagte: »Wir wissen es auch. Und was tun wir?«

Friedl sagte eifriger, als wäre ihm etwas eingefallen: »Aber ob Ranitzky Herz haßt dafür, daß er ihm geholfen hat? Was meinst du? Wahrscheinlich haßt er ihn auch noch dafür.«

Ich sagte: »Nein, das glaube ich nicht. Er meint, es sei recht so, und fürchtet höchstens, daß noch etwas im Hinterhalt liegt, noch etwas nachkommt. Er ist unsicher. Andre fragen nicht lang, wie Hutter, und finden es natürlich, daß die Zeit vergeht und die Zeiten sich eben ändern.

Damals, nach 45, habe ich auch gedacht, die Welt sei geschieden, und für immer, in Gute und Böse, aber die Welt scheidet sich jetzt schon wieder und wieder anders. Es war kaum zu begreifen, es ging ja so unmerklich vor sich, jetzt sind wir wieder vermischt, damit es sich anders scheiden kann, wieder die Geister und die Taten von anderen Geistern, anderen Taten. Verstehst du? Es ist schon so weit, auch wenn wir es nicht einsehen wollen. Aber das ist auch noch nicht der ganze Grund für diese jämmerliche Einträchtigkeit.«

Friedl rief aus: »Aber was dann! Woran liegt es denn bloß? So sag doch etwas! Liegt's vielleicht daran, daß wir alle sowieso gleich sind und darum zusammen sind?«

»Nein«, sagte ich, »wir sind nicht gleich. Mahler war nie wie die anderen, und wir werden es hoffentlich auch nie sein.«

Friedl stierte vor sich hin: »Also Mahler und du und ich, wir sind aber doch auch sehr verschieden voneinander, wir wollen und denken doch jeder etwas anderes. Nicht einmal die anderen sind sich gleich, Haderer und Ranitzky sind so sehr verschieden, Ranitzky, der möchte sein Reich noch einmal kommen sehen, aber Haderer bestimmt nicht, er hat auf die Demokratie gesetzt und wird diesmal dabei bleiben, das fühle ich. Ranitzky ist hassenswert, und Haderer ist es auch, bleibt es für mich trotz allem, aber gleich sind sie nicht, und es ist ein Unterschied, ob man nur mit dem einen von beiden oder mit beiden an einem Tisch sitzt. Und Bertoni . . .!«

Als Friedl den Namen schrie, kam Bertoni herein und wurde rot unter der Bräune. Er verschwand hinter einer Tür, und wir schwiegen eine Weile. Ich wusch mir die Hände und das Gesicht.

Friedl flüsterte: »Dann ist eben alles doch mit allem im Bund, und ich bin es auch, aber ich will nicht! Und du bist auch im Bund!«

Ich sagte: »Im Bund sind wir nicht, es gibt keinen Bund. Es ist viel schlimmer. Ich denke, daß wir alle miteinander leben müssen und nicht miteinander leben können. In jedem Kopf ist eine Welt und ein Anspruch, der jede andere Welt, jeden anderen Anspruch ausschließt. Aber wir brauchen einander alle, wenn je etwas gut und ganz werden soll.«

Friedl lachte boshaft: »Brauchen. Natürlich, das ist es; vielleicht brauche ich nämlich einmal Haderer . . .« Ich sagte: »So habe ich es nicht gemeint.«

Friedl: »Aber warum nicht? Ich werde ihn brauchen, du hast leicht reden im allgemeinen, du hast nicht eine Frau und drei Kinder. Und du wirst vielleicht, wenn du nicht Haderer brauchst, einmal jemand anderen brauchen, der auch nicht besser ist.« Ich antwortete nicht.

»Drei Kinder habe ich«, schrie er, und dann zeigte er, einen halben Meter über dem Boden mit der Hand hin und her fahrend, wie klein die Kinder waren.

»Hör auf«, sagte ich, »das ist kein Argument. So können wir nicht reden.«

Friedl wurde zornig: »Doch, es ist ein Argument, du weißt überhaupt nicht, was für ein starkes Argument das ist, fast für alles. Mit zweiundzwanzig habe ich geheiratet. Was kann ich dafür. Du ahnst ja nicht, was das heißt, du ahnst es nicht einmal!«

Er verzog sein Gesicht und stützte sich mit der ganzen Kraft auf das Waschbecken. Ich dachte, er würde umsinken. Bertoni kam wieder heraus, wusch sich nicht einmal die Hände und verließ den Raum so rasch, als fürchtete er, seinen Namen noch einmal zu hören und noch mehr als seinen Namen.

Friedl schwankte und sagte: »Du magst Herz nicht? Habe ich recht?«

Ich antwortete ungern. »Wieso denkst du das? . . . Gut, also, ich mag ihn nicht. Weil ich ihm vorwerfe, daß er mit denen beisammen sitzt. Weil ich es ihm immerzu vorwerfe. Weil er mitverhindert, daß wir mit ihm und noch ein paar anderen an einem anderen Tisch sitzen können. Er aber sorgt dafür, daß wir alle an einem Tisch sitzen.«

Friedl: »Du bist verrückt, noch verrückter als ich. Erst sagst du, wir brauchen einander, und jetzt wirfst du Herz das vor. Ihm werfe ich es nicht vor. Er hat das Recht dazu, mit Ranitzky befreundet zu sein.«

Ich sagte aufgebracht: »Nein, das hat er nicht. Keiner hat ein Recht dazu. Auch er nicht.«

»Ja, nach dem Krieg«, sagte Friedl, »da haben wir doch gedacht, die Welt sei für immer geschieden in Gut und Böse. Ich werde dir aber sagen, wie die Welt aussieht, wenn sie geschieden ist, reinlich. Es war, als ich nach London kam und Herz' Bruder traf. Die Luft war mir abgeschnitten. Ich konnte kaum atmen, er wußte nichts von mir, aber es genügte ihm nicht einmal, daß ich so jung war, er fragte mich sofort: Wo waren Sie in der Zeit, und was haben Sie getan? Ich sagte, ich sei in der Schule gewesen, und man hätte meine älteren Brüder als Deserteure erschossen, ich sagte auch, daß ich zuletzt noch hatte mitmachen müssen, wie alle aus meiner Klasse. Darauf fragte er nicht weiter, aber er begann zu fragen nach einigen Leuten, die er gekannt hatte, auch nach Haderer und Bertoni, nach vielen. Ich versuchte zu sagen, was ich wußte, und es kam also heraus, daß es einigen von denen leid tat, daß einige sich genierten, ja, mehr konnte man wohl beim besten Willen nicht sagen, und andere waren ja tot, und die meisten leugneten und verschleierten, das sagte ich auch. Haderer wird immer leugnen, seine Vergangenheit fälschen, nicht wahr? Aber dann merkte ich, daß dieser Mann mir gar nicht mehr zuhörte, er war ganz erstarrt in einem Gedanken, und als ich wieder von den Unterschieden zu reden begann, der Gerechtigkeit halber sagte, daß Bertoni vielleicht nie etwas Schlechtes getan habe in der Zeit und höchstens feige gewesen war, unterbrach er mich und sagte: Nein, machen Sie bloß keinen Unterschied. Für mich ist da kein Unterschied, und zwar für immer. Ich werde dieses Land nie mehr betreten. Ich werde nicht unter die Mörder gehen.«

»Ich verstehe es, verstehe ihn sogar besser als Herz. Obwohl –«, sagte ich langsam, »so geht es eigentlich auch nicht, nur eine Weile, nur solange das Ärgste vom Argen währt. Man ist nicht auf Lebenszeit ein Opfer. So geht es nicht.«

»Mir scheint, es geht in der Welt auf gar keine Weise! Wir schlagen uns hier herum und sind nicht einmal fähig, diese kleine trübe Situation für uns aufzuklären, und vorher haben sich andere herumgeschlagen, haben nichts aufklären können und sind ins Verderben gerannt, sie waren Opfer oder Henker, und je tiefer man hinuntersteigt in die Zeit, desto unwegsamer wird es, ich kenne mich manchmal nicht mehr aus in der Geschichte, weiß nicht, wohin ich mein Herz hängen kann, an welche Parteien, Gruppen, Kräfte, denn ein Schandgesetz erkennt man, nach dem alles angerichtet ist. Und man kann immer nur auf seiten der Opfer sein, aber das ergibt nichts, sie zeigen keinen Weg.«

»Das ist das Furchtbare«, schrie Friedl, »die Opfer, die vielen, vielen Opfer zeigen gar keinen Weg! Und für die Mörder ändern sich die Zeiten. Die Opfer sind die Opfer. Das ist alles. Mein Vater war ein Opfer der Dollfuß-Zeit, mein Großvater ein Opfer der Monarchie, meine Brüder Opfer Hitlers, aber das hilft mir nicht, verstehst du, was ich meine? Sie fielen nur hin, wurden überfahren, abgeschossen, an die Wand gestellt, kleine Leute, die nicht viel gemeint und gedacht haben. Doch, zwei oder drei haben sich etwas dazu gedacht, mein Großvater hat an die kommende Republik gedacht, aber sage mir, wozu? Hätte sie ohne diesen Tod denn nicht kommen können? Und mein Vater hat an die Sozialdemokratie gedacht, aber sage mir, wer seinen Tod beanspruchen darf, doch nicht unsere Arbeiterpartei, die die Wahlen gewinnen will. Dazu braucht es keinen Tod. Dazu nicht. Juden sind gemordet worden, weil sie Juden waren, nur Opfer sind sie gewesen, so viele Opfer, aber doch wohl nicht, damit man heute endlich draufkommt, schon den Kindern zu sagen, daß sie Menschen sind? Etwas spät, findest du nicht? Nein, das versteht eben niemand, daß die Opfer zu nichts sind! Genau das versteht niemand, und darum beleidigt es auch niemand, daß diese Opfer auch noch für Einsichten herhalten müssen. Es bedarf doch dieser Einsichten gar nicht. Wer weiß denn hier nicht, daß man nicht töten soll?! Das ist doch schon zweitausend Jahre bekannt. Ist darüber noch ein Wort zu verlieren? Oh, aber in Haderers letzter Rede, da wird noch viel darüber geredet, da wird das geradezu erst entdeckt, da knäuelt er in seinem Mund Humanität, bietet Zitate aus den Klassikern auf, bietet die Kirchenväter auf und die neuesten metaphysischen Platitüden. Das ist doch irrsinnig. Wie kann ein Mensch darüber Worte machen. Das ist ganz und gar schwachsinnig oder gemein. Wer sind wir denn, daß man uns solche Dinge sagen muß?«

Und er fing noch einmal an: »Sagen soll mir einer, warum wir hier beisammen sitzen. Das soll mir einer sagen, und ich werde zuhören. Denn es ist ohnegleichen, und was daraus hervorgehen wird, wird auch ohnegleichen sein.«

Ich verstehe diese Welt nicht mehr! – das sagten wir uns oft in den Nächten, in denen wir tranken und redeten und meinten. Jedem schien aber für Augenblicke, daß sie zu verstehen war. Ich sagte Friedl, ich verstünde alles und er habe unrecht, nichts zu verstehen. Aber ich verstand dann auf einmal auch nichts mehr, und ich dachte jetzt, ich könnte ja nicht einmal leben mit ihm, noch weniger natürlich mit den anderen. Schlechterdings konnte man mit einem Mann wie Friedl auch nicht in einer Welt leben, mit dem man sich zwar einig war in vielen Dingen, aber für den eine Familie ein Argument war, oder mit Steckel, für den Kunst ein Argument war. Auch mit Mahler konnte ich manchmal nicht in einer Welt leben, den ich am liebsten hatte. Wußte ich denn, ob er bei meiner nächsten Entscheidung dieselbe Entscheidung treffen würde? »Nach hinten« waren wir einverstanden miteinander, aber was die Zukunft betraf? Vielleicht war ich auch bald von ihm und Friedl geschieden – wir konnten nur hoffen, dann nicht geschieden zu sein.

Friedl wimmerte, richtete sich auf und schwankte zur nächsten Klosettür. Ich hörte, wie er sich erbrach, gurgelte und röchelte und dazwischen sagte: »Wenn das doch alles heraufkäme, wenn man alles ausspeien könnte, alles, alles!«

Als er herauskam, strahlte er mich mit verzerrtem Gesicht an und sagte: »Bald werde ich Bruderschaft trinken mit denen da drinnen, vielleicht sogar mit Ranitzky. Ich werde sagen . . .«

Ich hielt ihm das Gesicht unter die Wasserleitung, trocknete es ihm, dann packte ich ihn am Arm. »Du wirst nichts sagen!« Wir waren schon zu lange weg gewesen und mußten zurück an den Tisch. Als wir an dem großen Saal vorbeikamen, lärmten die Männer von dem »Kameradschaftstreffen« schon derart, daß ich kein Wort von dem verstand, was Friedl noch sagte. Er sah wieder besser aus. Ich glaube, wir lachten über etwas, über uns selber wahrscheinlich, als wir die Tür aufstießen zum Extrazimmer.

Noch dickerer Rauch stand in der Luft, und wir konnten kaum hinübersehen bis zu dem Tisch. Als wir näher kamen und durch den Rauch kamen und unseren Wahn abstreiften, sah ich neben Mahler einen Mann sitzen, den ich nicht kannte. Beide schwiegen, und die anderen redeten. Als Friedl und ich uns wieder setzten und Bertoni uns einen verschwommenen Blick gab, stand der Unbekannte auf und gab uns die Hand; er murmelte einen Namen. Es war nicht die geringste Freundlichkeit in ihm, überhaupt nichts Zugängliches, sein Blick war kalt und tot, und ich schaute fragend Mahler an, der ihn kennen mußte. Er war ein sehr großer Mensch, Anfang dreißig, obwohl er älter wirkte im ersten Augenblick. Er war nicht schlecht gekleidet, aber es sah aus, als hätte ihm jemand einen Anzug geschenkt, der noch etwas größer war, als seine Größe es verlangte. Es brauchte eine Weile, bis ich von dem Gespräch wieder etwas auffassen konnte, an dem sich weder Mahler noch der Fremde beteiligten.

Haderer zu Hutter: »Aber dann kennen Sie ja auch den General Zwirl!«

Hutter erfreut zu Haderer: »Aber natürlich. Aus Graz.«

Haderer: »Ein hochgebildeter Mensch. Einer der besten Kenner des Griechischen. Einer meiner liebsten alten Freunde.«

Jetzt mußte man befürchten, daß Haderer Friedl und mir unsere mangelhaften Griechisch- und Lateinkenntnisse vorhalten würde, ungeachtet dessen, daß seinesgleichen uns daran gehindert hatten, diese Kenntnisse rechtzeitig zu erwerben. Aber ich war nicht in der Stimmung, auf eines der von Haderer bevorzugten Themen einzugehen oder gar ihn herauszufordern, sondern beugte mich zu Mahler hinüber, als hätte ich nichts gehört. Mahler sagte leise etwas zu dem Fremden, und der antwortete, grade vor sich hinblickend, laut. Auf jede Frage antwortete er nur mit einem Satz. Ich schätzte, er müsse ein Patient Mahlers sein oder jedenfalls ein Freund, der sich von ihm behandeln ließ. Mahler kannte immer alle möglichen Individuen und hatte Freundschaften, von denen wir nichts wußten. In einer Hand hielt der Mann eine Zigarettenpackung, mit der anderen rauchte er, wie ich noch nie jemand hatte rauchen gesehen. Er rauchte mechanisch und sog in ganz gleichmäßigen Abständen an der Zigarette, als wäre Rauchen alles, was er könne. An dem Rest der Zigarette, einem sehr kurzen Rest, an dem er sich verbrannte, ohne das Gesicht zu verziehen, zündete er die nächste Zigarette an und rauchte um sein Leben.

Plötzlich hielt er inne im Rauchen, hielt die Zigarette zitternd in seinen riesigen unschönen geröteten Händen und neigte den Kopf. Jetzt hörte ich es auch. Obwohl die Türen geschlossen waren, tönte von dem großen Saal jenseits des Ganges bis zu uns herüber der gegrölte Gesang. Es hörte sich an wie »In der Heimat, in der Heimat, da gibt's ein Wiedersehn ...«

Er zog rasch an seiner Zigarette und sagte laut zu uns her, mit derselben Stimme, mit der er Mahler seine Antworten gegeben hatte:

»Die kehren noch immer heim. Die sind wohl noch nicht ganz heimgekehrt.«

Haderer lachte und sagte: »Ich weiß nicht, wie ich Sie verstehen soll, aber das ist wirklich eine unglaubliche Störung, und mein verehrter Freund, der Oberst von Winkler, könnte seine Leute auch zu mehr Ruhe anhalten ... Wenn das so weitergeht, müssen wir uns noch nach einem anderen Lokal umsehen.«

Bertoni warf ein, er habe schon mit dem Wirt gesprochen, es sei eine Ausnahme, dieses Frontkämpfertreffen, eines großen Jubiläums wegen. Genaueres wisse er nicht ...

Haderer sagte, er wisse auch nichts Genaueres, aber sein verehrter Freund und ehemaliger Kamerad ...

Mir war entgangen, was der Unbekannte, der weiterredete, während Haderer und Bertoni ihn übertönten, zu uns her gesagt hatte – Friedl allein dürfte ihm zugehört haben –, und darum war mir unklar, warum er plötzlich sagte, er sei ein Mörder.

». . . ich war keine zwanzig Jahre alt, da wußte ich es schon«, sagte er wie jemand, der nicht zum erstenmal darangeht, seine Geschichte zu erzählen, sondern der überall von nichts anderem reden kann und nicht einen bestimmten Zuhörer braucht, sondern dem jeder Zuhörer recht ist. »Ich wußte, daß ich dazu bestimmt war, ein Mörder zu sein, wie manche dazu bestimmt sind, Helden oder Heilige oder durchschnittliche Menschen zu sein. Mir fehlte nichts dazu, keine Eigenschaft, wenn Sie so wollen, und alles trieb mich auf ein Ziel zu: zu morden. Mir fehlte nur noch ein Opfer. Ich rannte damals nachts durch die Straßen, hier« – er wies vor sich hin durch den Rauch, und Friedl lehnte sich rasch zurück, damit er nicht von der Hand berührt würde – »hier rannte ich durch die Gassen, die Kastanienblüten dufteten, immer war die Luft voll von Kastanienblüten, auf den Ringstraßen und in den engen Gassen, und mein Herz verrenkte sich, meine Lungen arbeiteten wie wilde, eingezwängte Flügel, und mein Atem kam aus mir wie der Atem eines jagenden Wolfes. Ich wußte nur noch nicht, wie ich töten sollte und wen ich töten sollte. Ich hatte nur meine Hände, aber ob sie ausreichen würden, meinen Hals zuzudrücken? Ich war damals viel schwächer und schlecht ernährt. Ich kannte niemand, den ich hätte hassen können, war allein in der Stadt, und so fand ich das Opfer nicht und wurde fast wahnsinnig darüber in der Nacht. Immer war es in der Nacht, daß ich aufstehn und hinuntergehen mußte, hinaus, und an den windigen, verlassenen, dunklen Straßenecken stehen und warten mußte, so still waren die Straßen damals, niemand kam vorbei, niemand sprach mich an, und ich wartete, bis ich zu frieren anfing und zu winseln vor Schwäche und der Wahnsinn aus mir wich. Das währte nur eine kurze Zeit. Dann wurde ich zum Militär geholt. Als ich das Gewehr in die Hand bekam, wußte ich, daß ich verloren war. Ich würde einmal schießen. Ich überantwortete mich diesem Gewehrlauf, ich lud ihn mit Kugeln, die ich so gut wie das Pulver erfunden hatte, das war sicher. Bei den Übungen schoß ich daneben, aber nicht, weil ich nicht zielen konnte, sondern weil ich wußte, daß das Schwarze, dieses Augenhafte, kein Auge war, daß es nur in Stellvertretung da war, ein Übungsziel, das keinen Tod brachte. Es irritierte mich, war nur eine verführerische Attrappe, nicht Wirklichkeit. Ich schoß, wenn Sie so wollen, mit Zielsicherheit daneben. Ich schwitzte entsetzlich bei diesen Übungen, nachher wurde ich oft blau im Gesicht, erbrach mich und mußte mich hinlegen. Ich war entweder irrsinnig oder ein Mörder, das wußte ich genau, und mit einem letzten Rest von Widerstand gegen dieses Schicksal redete ich darüber zu den anderen, damit sie mich schützten, damit sie geschützt waren vor mir und wußten, mit wem sie es zu tun hatten. Aber die Bauernburschen, Handwerker und die Angestellten, die auf meiner Stube waren, machten sich nichts daraus. Sie bedauerten mich oder verlachten mich, aber sie hielten mich nicht für einen Mörder. Oder doch? Ich weiß nicht. Einer sagte »Jack the Ripper«

zu mir, ein Postbeamter, der viel ins Kino ging und las, ein schlauer Mensch; aber ich glaube, im Grunde glaubte er es auch nicht.«

Der Unbekannte drückte seine Zigarette aus, sah rasch nieder und dann auf, ich fühlte seinen kalten langen Blick auf mich gerichtet, und ich wußte nicht, warum ich wünschte, diesen Blick auszuhalten. Ich hielt ihn aus, aber er dauerte länger als der Blick, den Liebende und Feinde tauschen, dauerte, bis ich nichts mehr denken und meinen konnte und so leer war, daß ich zusammenfuhr, als ich die laute, gleichmäßige Stimme wieder hörte.

»Wir kamen nach Italien, nach Monte Cassino. Das war das größte Schlachthaus, das Sie sich denken können. Dort wurde dem Fleisch so der Garaus gemacht, daß man meinen könnte, für einen Mörder wäre es ein Vergnügen. Es war aber nicht so, obwohl ich schon ganz sicher war, daß ich ein Mörder war, und ich war ein halbes Jahr sogar öffentlich mit einem Gewehr herumgegangen. Ich hatte, als ich in die Stellung von Monte Cassino kam, keinen Fetzen von einer Seele mehr an mir. Ich atmete den Leichengeruch, Brand- und Bunkergeruch wie die frischeste Gebirgsluft. Ich verspürte nicht die Angst der anderen. Ich hätte Hochzeit halten können mit meinem ersten Mord. Denn was für die anderen einfach ein Kriegsschauplatz war, das war für mich ein Mordschauplatz. Aber ich will Ihnen sagen, wie es kam. Ich schoß nicht. Ich legte zum erstenmal an, als wir eine Gruppe von Polen vor uns hatten; es sind dort ja aus allen Ländern Truppen gelegen. Da sagte ich mir: nein, keine Polen. Mir paßte es nicht, dieses Benamen der anderen – Polacken, Amis, Schwarze – in dieser Umgangssprache. Also keine Amerikaner, keine Polen. Ich war ja ein einfacher Mörder, ich hatte keine Ausrede, und meine Sprache war deutlich, nicht blumig wie die der anderen. »Ausradieren«, »aufreiben«, »ausräuchern«, solche Worte kamen für mich nicht in Frage, sie ekelten mich an, ich konnte das gar nicht aussprechen. Meine Sprache war also deutlich, ich sagte mir: Du mußt und du willst einen Menschen morden. Ja, das wollte ich, und schon lange, seit genau einem Jahr fieberte ich danach. Einen Menschen! Ich konnte nicht schießen, das müssen Sie einsehen. Ich weiß nicht, ob ich es Ihnen ganz erklären kann. Die anderen hatten es leicht, sie erledigten ihr Pensum, sie wußten meist nicht, ob sie jemand getroffen hatten und wie viele, sie wollten es auch nicht wissen. Diese Männer waren ja keine Mörder, nicht wahr?, sie wollten überleben oder sich Auszeichnungen verdienen, sie dachten an ihre Familien oder an Sieg und Vaterland, im Augenblick übrigens kaum, damals kaum mehr, sie waren ja in der Falle. Aber ich dachte unentwegt an Mord. Ich schoß nicht. Eine Woche später, als die Schlacht einmal den Atem anhielt, als wir nichts mehr von den alliierten Truppen sahen, als nur die Flugzeuge versuchten, uns den Rest zu geben und noch lange nicht alles Fleisch hin war, das dort hinwerden sollte, wurde ich zurückgeschafft nach Rom und vor ein Militärgericht gebracht. Ich sagte dort alles über mich, aber man wollte mich wohl nicht verstehen, und ich kam ins Gefängnis. Ich wurde verurteilt wegen Feigheit vor dem Feinde und Zersetzung der Wehrkraft, es waren da noch einige Punkte, deren ich mich nicht mehr so genau entsinne. Dann wurde ich plötzlich wieder herausgeholt, nach Norden gebracht zur Behandlung in eine psychiatrische Klinik. Ich glaube, ich wurde geheilt und kam ein halbes Jahr später zu einer anderen Einheit, denn von der alten war nichts übriggeblieben, und es ging nach dem Osten, in die Rückzugsschlachten.«

Hutter, der eine so lange Rede nicht ertragen konnte und gerne jemand anderen zum Geschichten- oder Witzeerzählen gebracht hätte, sagte, indem er eine Brezel brach: »Nun, und ist es dann gegangen mit dem Schießen, mein Herr?«

Der Mann sah ihn nicht an und, anstatt noch einmal zu trinken wie alle anderen in diesem Augenblick, schob er sein Glas weg, in die Mitte des Tisches. Er sah mich an, dann Mahler und dann noch einmal mich, und diesmal wendete ich meine Augen ab.

»Nein«, sagte er schließlich, »ich war ja geheilt. Deswegen ging es nicht. Sie werden das verstehen, meine Herren. Einen Monat später war ich wieder verhaftet und bis zum Kriegsende in einem Lager. Sie werden verstehen, ich konnte nicht schießen. Wenn ich nicht mehr auf einen Menschen schießen konnte, wieviel weniger dann auf eine Abstraktion, auf die ›Russen‹. Darunter konnte ich mir überhaupt nichts vorstellen. Und man muß sich doch etwas vorstellen können.«

»Ein komischer Vogel«, sagte Bertoni leise zu Hutter; ich hörte es trotzdem und fürchtete, der Mann habe es auch gehört.

Haderer winkte den Ober herbei und verlangte die Rechnung. Aus dem großen Saal hörte man jetzt einen anschwellenden Männerchor, er hörte sich an wie der Chor in der Oper, wenn er hinter die Kulissen verbannt ist. Sie sangen: »Heimat, deine Sterne . . .«

Der Unbekannte hielt wieder lauschend den Kopf geneigt, dann sagte er: »Als wär kein Tag vergangen.« Und: »Gute Nacht!« Er stand auf und ging riesenhaft und ganz aufrecht der Tür zu. Mahler stand ebenfalls auf und sagte mit erhobener Stimme: »Hören Sie!« Es war ein stehender Ausdruck von ihm, aber ich wußte, daß er jetzt wirklich gehört werden wollte. Und doch sah ich ihn zum erstenmal unsicher, er sah zu Friedl und mir her, als wollte er sich einen Rat holen. Wir starrten ihn an; es war kein Rat in unseren Blicken.

Wir verloren Zeit mit dem Zahlen, Mahler ging finster, überlegend und drängend auf und ab, drehte sich plötzlich zur Tür, riß sie auf, und wir folgten ihm, denn der Gesang war plötzlich abgerissen, nur ein paar einzelne Stimmen, auseinanderfallend, waren noch zu hören. Und zugleich gab es eine Bewegung im Gang, die einen Handel oder ein Unglück verriet.

Wir stießen im Gang mit einigen Männern zusammen, die durcheinanderschrien; andere schwiegen verstört. Nirgends sahen wir den Mann. Auf Haderer redete jemand ein, dieser Oberst vermutlich, weiß im Gesicht und im Diskant sprechend. Ich hörte die Satzfetzen: ». . . unbegreifliche Provokation . . . ich bitte Sie . . . alte Frontsoldaten . . .« Ich schrie Mahler zu, mir zu folgen, rannte zur Stiege und nahm mit ein paar Sprüngen die Stufen, die dunkel, feucht und steinig wie aus einem Stollen hinauf in die Nacht und ins Freie führten. Unweit vom Eingang des Kellers lag er. Ich beugte mich zu ihm nieder. Er blutete aus mehreren Wunden. Mahler kniete neben mir, nahm meine Hand von der Brust des Mannes fort und bedeutete mir, daß er schon tot war.

Es hallte in mir die Nacht, und ich war in meinem Wahn.

Als ich am Morgen heimkam und kein Aufruhr mehr in mir war, als ich nur mehr dastand in meinem Zimmer, stand und stand, ohne mich bewegen zu können und ohne bis zu meinem Bett zu finden, fahl und gedankenlos, sah ich auf der Innenfläche meiner Hand das Blut. Ich erschauerte nicht. Mir war, als hätte ich durch das Blut einen Schutz bekommen, nicht um unverwundbar zu sein, sondern damit die Ausdünstung meiner Verzweiflung, meiner Rachsucht, meines Zorns nicht aus mir dringen konnten. Nie wieder. Nie mehr. Und sollten sie mich verzehren, diese hinrichtenden Gedanken, die in mir aufgestanden waren, sie würden niemand treffen, wie dieser Mörder niemand gemordet hatte und nur ein Opfer war – zu nichts. Wer aber weiß das? Wer wagt, das zu sagen?

Ausgespart wird Tod, von wem, wie

GERHARD FRITSCH
Fahrt nach Allerheiligen

Bleiches Zwielicht zwischen den Wänden, die Müdigkeit ballte sich in den Knien. In allen Ecken lag Papier, grau auf grauem Beton. Wann hier zusammengekehrt wird? Erst später. Heute vielleicht gar nicht. Allerheiligen ist ein Feiertag, nur die Zeitungskarren rollten drüber hin, ein dumpfes Gewitter.

Der Mann suchte nach dem Waschraum, er wußte nicht, wo sich dieser befand, er kannte den Bahnhof nicht genau.

Beton und Glas, sachlich, hell, aber mit dem Eindruck des Halbfertigen, Unvollendeten. Bei allen neuen Bahnhofsgebäuden dachte der Mann unwillkürlich an Warschau, halbfertig und schon halb wieder Ruine, Betonklotz an der Kreuzung der Warschauer Hauptstraßen, unvollendet, unvollendbar vielleicht, Fragment, Zwielicht und zwielichtige Gestalten. Nein, hier war alles kleiner, provinzieller, übersichtlicher, nur der Waschraum schwer zu finden. Und es roch nicht nach Machorka.

Ein Eisenbahner gab mürrisch Auskunft, aber das waren dann die Bäder und der Friseur, und die hatten wegen Umbau geschlossen.

Zurück den langen Gang, hinter tau- und dunstbeschlagenem Glas, viel Glas, der Vorplatz mit Taxis und Straßenbahnen, Blick gegen die Stadt im Morgen.

Ein flaschengrüner Polizist ging langsam den breiten Gang entlang. Prüfte er die Gesinnung der Schläfer? Er ließ die Leute ungeschoren. Sie hockten auf den wenigen Bänken und dösten vor sich hin. Jeder mit sich allein, weit auseinandergerückt, verfielen sie im Morgenlicht. Gegen einen Papierkorb lehnte einer in uralter, verschmierter Uniform der Wehrmacht, die es seit mehr als zwölf Jahren nicht mehr gab. Aus den Taschen der Uniform quollen Papiere, wie bei den Toten sah das aus. Aber der Mann schnarchte, rasselnd, wie verrostet innen. Das Kinn voll roter Bartstoppeln gegen die Brust gepreßt, die Hände in den Hosentaschen. Neben den verlatschten Schuhen sank ein dreckiges Bündel unaufhörlich in sich zusammen. Es schien jedenfalls so, als werde es immer kleiner, je länger man hinsah. Wie die Schläfer.

Kamerad, du bist noch immer nicht heimgekehrt, aber wer ist das schon wirklich? Du bist ein bißchen dreckiger als wir anderen, aber du mußt ja zu keinem Klamottenappell mehr.

Der Polizist ging an ihm vorbei. Er kannte ihn wahrscheinlich: ein harmloser Obdachloser. In der XVIII. Lektion des Lateinbuches stand der Satz, daß ein Weiser seine ganze Habe bei sich trage ... omnia secum portat. Das hing in der Erinnerung eingefressen wie der Chlorgestank von manchen Plätzen. Wenn alle Weise wären, die nur ein Bündel haben am Morgen aller Heiligen!

In der Halle war es schon deutlich Tag, hier konnte niemand mehr schlafen, hier gab es schon Eilige, Hastende, hier hatte niemand vor dem Leben kapituliert. Der Lautsprecher sagte die ersten Züge der Flügelbahnen an.

Auch die Toilettenfrau war schon im Dienst, sie bewachte auch die Waschräume, die endlich gefundenen. Bewachte sie strickend, dick und mütterlich an einem wachsleinwandbespannten Tisch sitzend, sorgenvoll seufzend dann und wann. Auch ihr Reich zeigte schon Spuren des Verfalls, trotz weißen Kacheln und blanken Chromklinken. Und zwölf Stunden müsse sie hier sitzen und nichts, nichts zu sehen, klagte sie zum Abschied. Sie haben vergessen, Fenster zu machen. Wie im Gefängnis sitze sie da, aber wer denke schon an eine Frau, die hier ...

Sorgfältig auf dem Tisch lagen die vorbereiteten Rationen zerschnittenen Seidenpapiers. Eine pflichtbewußte mütterliche Frau und kein Fenster.

Überwältigend groß sah der Morgenhimmel in die Bahnhofsrestauration. Rosenrotes Licht, rote Wolken, über tiefen Nebelschwaden. Der Pikkolo sortierte Zuckerstückchen in die kleinen Metallschalen, der Ober schrieb die Speisenkarte für heute, den 1. November. Seine Finger fielen zögernd auf die Tasten der Schreibmaschine. Im Saal waren mehr Kellner als Gäste. Auch hier saß man so, als wolle man möglichst viel Abstand zum Nächsten haben, allein sein, möglichst allein im rosenfingrigen Licht.

Einer der Einsamen, ein Einbeiniger, redete hinter seiner Bierflasche halblaut vor sich hin. Drei Tische weiter sah ein besserer Herr in eleganter Landestracht indigniert dem Rauch seiner Zigarette nach.

Und Zeitungen, auch hier wieder. Wozu las man sie immer wieder? Dem Mann, der noch immer mehr als eine Stunde Zeit bis zur Weiterfahrt hatte, tat es leid, warten zu müssen. Die Zeitungen waren wie eine Papierwand vor der Wirklichkeit, die noch immer nicht erreicht war, die hinter dem Dunst noch weiter östlich lag. Griff nach der Zeitung, Reflexbewegung wie nach der Zigarette.

Die Welt, das, was die Zeitungen als Welt darstellten, hatte sich seit gestern nicht verändert. Warum der dicke Uniformierte, der Eroberer Berlins, auf einmal wieder abgesetzt war, wußte keiner. Der rote Napoleon, schrieben sie, ein Mann zu allem entschlossen – und er bekannte seine Fehler, übte Selbstkritik, prangerte seine Überheblichkeit an. Den ersten roten Napoleon hatte man erschossen, nun waren die Marschälle auch dort dick und fett und voller Orden. Sie wurden nur abgesetzt. Und der einstige Waffenbruder Eisenhower gab seine ersten Kommentare dazu, der Tod sah ihm aus dem Gesicht, das in die Runde der Pressekonferenz lächelte, bemüht, diszipliniert.

Der rote Marschall blickte finster und bullig. Er hatte Berlin erobert, war in der Verbannung gewesen, wiedergekehrt, und nun ...

55.878 Meter ist der Popocatepetl hoch, sagte der Einbeinige laut, die Kameraden sind alle gefallen, alle, keine Post mehr. Der Popocatepetl wird genommen, klar Mensch, 55.878 Meter.

Ruhe, bitte, sagte der Ober. Aber der Einbeinige sprach weiter, er kam allmählich in Schwung, er begann zu gestikulieren. Arme hatte er beide noch, und er griff nach seinen Metallkrücken, hob sie an, als wären sie Flügel, mit denen man leicht den Gipfel des Popocatepetl erreicht. Alle Indignation der eleganten Landestracht half nichts, eine Predigt des Einbeinigen war nicht mehr abzuwenden, er hatte schwarze, stechende Augen und eine Schmachtlocke in die Stirn. Was will er mit dem Popocatepetl? Seine Höhenangabe kehrte immer wieder, herausfordernd, mahnend, ein Refrain, zu dem die Krückenflügel flatterten.

Der ist auch noch nicht heimgekehrt, zum Heulen ist das, in der schönsten neuen Restauration keucht das herum, das Gestern, das auch kein Allerheiligen unter die Erde bringt. Ruhe, rief der Ober, mehr ließ ihn die noch nicht vollendete Speisekarte nicht unternehmen, wir sind ein seriöses Lokal.

Ob man dem Krückenflieger helfen könnte? Lieber nicht, dachte der Mann und sah nur zu, interessiert, beobachtend, wie er bisher stets gelebt hatte. Wieso kommt er zu dieser dezidierten Höhenangabe? 55.878 Meter – wie hoch ist der Popocatepetl wirklich?

Es wird jeder in den Arsch getreten, rief der Einbeinige, die Juden sind schuld und die verdammten Weiber. Ja, die Juden und die Weiber. Wir müssen, wir müssen ...

Kusch, rief der Ober über viele Tische hinweg. Die Krücken fuchtelten drohend, die Kellnerin hinter der Theke kicherte, jetzt predigte der Einbeinige Unflat, Eisenhower lächelte mühsam und tapfer nach dem zweiten oder dritten Infarkt, die nur Verkühlungen sein durften, der rote Napoleon preßte die Lippen aufeinander, die elegante Landestracht sagte: unerhört. Aber niemand tat etwas anderes, als dem Lallen zuzuhören, neugierig, höchstens ein bißchen mitleidig. Was sollte man tun, der Ober hatte die Speisenkarte noch nicht fertig. 55.878 Meter, aber das war nicht mehr der Berg mit dem Namen, den der Einbeinige fließend aussprechen konnte. Zahlen, rief die Landestracht und zahlte auch, jetzt war also das Schreiben der Speisenkarte doch unterbrochen worden, und der Ober baute sich vor dem Einbeinigen auf. Schweigend, aber zum Äußersten entschlossen.

Er mußte nicht mehr eingreifen, denn eine magere Weibsperson kam durch die Schwungtüre, der Einbeinige konnte sie nicht gesehen, nur ihre Schritte gehört haben, er wurde plötzlich still, ließ die Krücken sinken, zog sich an ihnen auf und verließ wortlos die Gaststätte. Die Magere folgte ihm nach. Die Speisenkarte wurde vollendet.

Der Mann blätterte wieder in der Zeitung, es war die in dieser Stadt am meisten gelesene. Die Lokalnachrichtenseite war mit »Lichter der Erinnerung auf jedem Grab« aufgemacht, eine Mischung aus Feuilleton und Information. »Schon letzten Sonntag waren die Stadtbewohner vom frühen Morgen bis in die Abendstunden in ununterbrochenem Strom zu ihren lieben Toten in den in herbstlicher Pracht prangenden Gottesacker gezogen.«

In den Gottesacker also. Aber »es gab kaum ein Grab, von dem nicht ein Licht zum Zeichen der Erinnerung leuchtete und das nicht von lieben Händen mit Blumen geschmückt war. Und heute vormittag wird auf dem Waldfriedhof der A-cappella-Chor ›Sängerlust‹ den Toten beider Weltkriege eine würdige Gedenkfeier halten, während der Männergesangverein ›Einklang‹ sich morgen zur Totenehrung versammelt. Die Straßenbahn fährt alle drei Minuten ...«

55.878 Meter ist der Popocatepetl hoch, rosenfingrig greift Eos ins Lokal, der Mann legte die Zeitung aus der Hand.

Wo sind die Birkenkreuze an der Rollbahn nach Smolensk hingekommen, welche liebe Hand schmückt die Gräber auf dem Friedhof von Karlsbad, wo die Großeltern begraben sind? Wer kann darüber anders als pathetisch schreiben? Und es wäre doch verdammt gut, wenn ein Gesangverein »Einklang« unter Albert Schweitzer in Bratenrock und Tropenhelm in Karlsbad und Smolensk und in Auschwitz und in Berlin jetzt sänge, ein großer, großer Chor, a cappella in diesen ganzen verdammt vielen Sprachen und

Gesinnungen, alle Fahnen könnten sie mitnehmen, alle, und alle Provinzblätter könnten ihre Zeilenschinder zur Berichterstattung schicken.

Aber der Popocatepetl ist 55.878 Meter hoch. Zahlen, Herr Ober!

Auf einmal war es spät, sehr spät, der Mann griff hastig nach seinem Koffer. Herr, lasse sie alle ruhen in Frieden, und mich laß nicht zu spät kommen zum Zug.

Die Halle wimmelte von Menschen, alle trugen Buketts, Kränze, Blumenstöcke, Astern wogten weiß und rostrot, auch der Bahnsteig war voll von ihrem scharfen Ruch, der schon die Abfallhaufen im Friedhofseck vorwegnahm, die Bitternis des ersten Frostes, aber auch das Frühjahr, das nächste.

JOSEF REDING

Meine Politiker-Sortiermaschine

Die verehrte Regierung braucht von
meiner Politiker-Sortiermaschine kein Ungemach zu befürchten. Die Herren der Regierung haben ja bereits mit deutlich sichtbarer Wirkung beschlossen, Politiker zu werden. Mein Apparat – macchina selectionis policiensis – dient lediglich zur Verhinderung politischen Nachwuchses. Sie dürfte aus diesem Grunde für die Regierung von besonderer Wichtigkeit sein, da erfahrungsgemäß das Kabinett nicht durch Rücktritte, sondern nur durch Aussterben reduziert wird. Mit anderen Worten: Brauchbarer politischer Nachwuchs ist konzentriertes Gift für die jetzige Regierung. Dieses Gift kontrolliert abzuleiten ist die Aufgabe meiner Erfindung.

Es handelt sich bei meiner Sortiermaschine um eine röntgenologische Konstruktion, die Einsichten in das Großhirn der Kandidaten erlaubt. Zeigen sich im geröntgten Schädelraum Nebelschwaden, so ist Vorsicht geboten. Wir haben es mit Lebewesen zu tun, die eine wichtige Voraussetzung für die Laufbahn des Politikers unter der Großhirnrinde tragen.

Ich stimme unserer lieben Regierung ohne Vorbehalte zu, wenn sie hier erregt einwirft, es bedürfe nicht erst meines Röntgengeräts, um Nebel in den Hirnen von Politikern festzustellen. Es genüge eine einfache Bundestagsrede. Kein Widerspruch! Nur möchte ich darauf hinweisen, daß die wichtigste Phase meines Auslesesystems erst *nach* der Fixierung des Nebels eingeleitet wird: Jeder Politiker in spe bekommt mein »Großes Nebelzeugnis mit goldenem Rand«.

Das Zertifikat ist von weitreichender Bedeutung. Keiner der verdächtigen Nachwuchspolitiker darf von nun an durch eine Prüfung fallen. Sämtliche Kommissionen sind staatlicherseits anzuweisen, dem Kandidaten nach Vorlage des »Großen Nebelzeugnisses mit goldenem Rand« die Prüfung zu schenken und als »Bestanden« einzutragen.

Warum? – Ich gestatte mir, der Regierung zur Sache eine retrospektive Geschichte zu erzählen. Was wäre gewesen, wenn der junge Herr A. H. aus Braunau am Inn die Aufnahmeprüfung an der Akademie der Bildenden Künste zu Wien bestanden hätte, statt mit dem klaren Vermerk »Probezeichnung ungenügend« abgrundtief durchzufallen?

Dann hätten wir heute bei den üppig quellenden Wagner-Festspielen in Bayreuth einen alten, rüstigen Bühnenbildner, der gar erschröckliche Pappdrachen kleistert und viele süße Holzschwertlein für den Siegfried bastelt. Während des akustischen Mammut-Festivals säße der Alte mit seiner angegrauten Stirnsträhne hinter den Kulissen. Er pfiffe in heiterer Gelassenheit Takte aus der »Götterdämmerung« vor sich hin, allenfalls verstiege er sich zu einem gebremsten Brummeln von Passagen des Badenweiler Marsches. Ach ja.

Aber man hat Herrn A. H. auf Grund seiner miserablen Leistungen bedenkenlos durchfallen lassen. Dadurch gab man diesem zornigen jungen Mann Zeit, ganze Spiralnebel in den Windungen seines Hirns zu entdecken. Und folgerichtig beschloß Herr A. H., Politiker zu werden.

So fehlt heute in Bayreuth ein passionierter Bühnenbildner, dem die wohlwollende Kritik in jeder Festspielsaison »eine gewisse Neigung zum eindrucksvoll Monumentalen, wenn nicht gar pathetisch Übersteigerten« bescheinigt. Und – kausaler Zusammenhang – so fehlen heute zwischen Königsberg und Trier, Nowosibirsk und Los Angeles dreißig Millionen Menschen.

Haben Sie doch die Güte, lobsame Regierung, nach diesen Erfahrungen die Auflagenhöhe des »Großen Nebelzeugnisses mit goldenem Rand« von vornherein recht großzügig zu bemessen. Sie werden's brauchen!

MARTIN GREGOR-DELLIN
Begräbnisse

1

Ein Schauer Herbstluft wehte den Hauptweg entlang, auf dem die kleine Versammlung der hutlos Trauernden einen Halbkreis bildete. Man schwieg mit angezogenem Kinn, als der Sarg, schwarz und silberbeschlagen, zur ausgeschachteten Grube herangetragen wurde. Die Träger, in Ledermänteln und Schaftstiefeln, die von Schlamm bespritzt waren, stakten durch Haufen von Laub. Wolkenfetzen rissen herab ins Geäst kahler Alleebäume, zwischen denen hier, an dieser Stelle, ein weißes Band quergespannt worden war. Ein Beamter der Friedhofsverwaltung gab die Beerdigung frei, indem er, ähnlich wie bei Brückeneinweihungen und Radfernfahrten, das Band durchschnitt.

Der Sarg wurde über der Grube auf Bohlen abgesetzt. Es begannen die Reden. Gestorben war der Ordentliche Rat Hiob. Er hinterließ außer seiner Frau, einer noch jungen Witwe, keine Angehörigen, sondern nur Verdienste. Die Witwe, in kostbare, ganz aus dem Gebrauch gekommene schwarze Schleier gehüllt, stellte dankbar fest, daß die würdige Lage des Grabs am Hauptweg den laut gerühmten Verdiensten des Verblichenen entsprach.

Niemand weinte, obwohl auch die Worte des Pfarrers nicht über den Tod hinwegtrösteten. Die vier Diener des Sarges warteten auf ihr Stichwort, das der Pfarrer mit ihnen verabredet hatte: beim Amen der Einsegnung sollte der Sarg in die Grube sinken.

Gerade war es nun soweit, der Pfarrer breitete seine Arme aus, so daß sich die weiten Ärmel seines Gewandes entfalteten und mit der unteren Kante ins Grab zeigten, während die Hände sanft zum grauen unfreundlichen Himmel hinaufwiesen – in diesem Augenblick ereignete sich ein Zwischenfall.

Ein Bote kam heran. Unverfroren durchschritt er den Kreis, ging an den gebreiteten Händen des Pfarrers vorbei auf den Beamten der Friedhofsverwaltung zu und zog ihn in ein Gespräch. Der Beamte winkte dem Pfarrer einzuhalten. Es entstand Getuschel, Unruhe. Die Trauernden steckten ihre Köpfe zueinander, nur die Witwe blieb von allem ungerührt und starrte auf den Sarg. Wind ließ die Bäume ächzen, die Mäntel der Sargträger knatterten. Schließlich rief der Beamte die Sargträger, den Pfarrer und die übrigen Redner zusammen und eröffnete ihnen folgende Neuigkeit:

Ein Erlaß war soeben ergangen. Danach bestimmte der Zentrale Direktor des Bestattungswesens, künftig seien jene, die sich bisher ein Grab der teuren Reihe hätten leisten können oder durch Verdienst den Durchschnitt überragten, an der kahlen Mauer beizusetzen. (Dort befand sich die Reihe der schattenlosen, billigen Kleingräber.) Die bislang Benachteiligten dagegen erhielten einen Anspruch auf die Gräber am Hauptweg.

Das war eine erstaunliche Neuordnung, ohne Zweifel! Sie wurde deshalb auch nicht ohne Kopfschütteln aufgenommen. Man munkelte, auch der neue Direktor des Bestattungswesens gehöre zu den Zukurzgekommenen – wollte er sich deshalb an dem soeben verstorbenen Rat rächen? Gönnte er ihm den Platz nicht? Wie dem auch sei – die Beisetzung verstieß gegen das Gesetz. Der Ordentliche Rat Hiob durfte hier nicht liegen.

Man brach also die Einsegnung ab. Die Sargdiener trugen, mit den Mänteln am Sarge scheuernd, den verstorbenen Rat zur Mauer hinüber und begannen dort in aller Eile eine neue Grube zu schachten. Vieles – mit Ausnahme der Reden – wiederholte sich hier: das Band wurde zerschnitten (es war von zwei Trägern gehalten worden), der Pfarrer hob die Arme. Und diesmal weinte wenigstens einer, nämlich die Witwe. Es sank der Sarg, Erde polterte hinunter, handweise geworfen, dann löste die Trauergemeinde sich auf. Damit, so könnte man denken, hatte der Rat seine Ruhe. Jedoch geschah es nach einiger Zeit, daß man die Verdienste des Verstorbenen nicht mehr anerkannte. Es hatten sich in der Verwaltung Fehler ergeben, die auf die Tätigkeit des Ordentlichen Rats zurückgeführt wurden. Der Rat Hiob mußte sich noch nach dem Tode gefallen lassen, daß er in eine niedrigere Gehaltsstufe zurückversetzt wurde, was beispielsweise für die Rente der Hinterbliebenen von Belang war.

Jetzt stellte man also fest, daß der Rat Hiob gar nicht an die Mauer gehörte!

Denn nichts zeichnete ihn mehr aus: er hatte jetzt Anrecht auf ein schattiges großes Grab. Es wurde erörtert, ob man Alleebäume an die Mauer verpflanzen und die Grabstätte künstlich erweitern solle.

Das erwies sich jedoch als unklug, da dieses Grab dann zu sehr von der Reihe abgestochen hätte.

Also blieb nichts anderes übrig, als den Rat Hiob an den Hauptweg zurückzubetten. Was auch geschah.

Ein kleiner Kreis von Freunden fand sich ein, auch die Witwe. Ihr Gesicht strahlte, denn der Tod war lange genug her, das Grab nun nach ihrem Wunsch.

Etwas anderes jedoch ereilte den Zentralen Direktor des Bestattungswesens: seine mörderische Tätigkeit der Neuordnung überanstrengte ihn so, daß er binnen kurzer Zeit von einem Herzleiden dahingerafft wurde.

Da er aber zufolge seiner Verdienste um die Reform des Bestattungswesens noch kurz vor seinem Ende ausgezeichnet und in eine höhere Gehaltsstufe versetzt worden war, wies man ihm (wie es sein Gesetz befahl) eines jener billigen Gräber an der Friedhofsmauer an.

2

Ein Schauer Herbstluft weht die Mauer entlang, an der die kleine Versammlung der hutlos Trauernden einen Halbkreis bildet. Man schweigt mit angezogenem Kinn und sucht die Ohren vor dem schabenden Geräusch der Schaufeln am Sarg abzuwenden: die Träger, in Ledermänteln und Schaftstiefeln, graben den Direktor des Bestattungswesens wieder aus! Wolkenfetzen taumeln über die leere Reihe an der Mauer, die Träger ziehen die Seile an, reißen den erdbeschmierten Sarg in ihre Hüfte, heben ihn auf die Schultern und staken davon durch Haufen von Laub.

Was ist geschehen? Das Gerücht, der Zentrale Direktor sei einem Herzschlag erlegen, hat sich nicht bestätigt. Seine Geschichte war vielmehr die:

Nach dem Erlaß, der die Bevorzugten an die Mauer verwies und den Benachteiligten endlich die Gräber am Hauptweg freimachte, war niemand mehr verschieden, dessen Gehalt, dessen Verdienste so überzeugten, daß er sich für ein Begräbnis an der trostlosen Mauer eignete. Es gab plötzlich keinen mehr, der in der schattenlosen Reihe billiger Gräber liegen mußte (oder durfte). Das führte zu einem völligen Chaos des Bestattungswesens, da alles sich in den teuren Gräbern drängte. Der Zentrale Direktor wußte sich keinen Rat. Man fragte ihn immer dringlicher: Wie willst du erklären, daß nur noch Gescheiterte, Schlechtweggekommene sterben, nachdem doch dein Gesetz den Bevorzugten unter den Toten den Kampf ansagte? Entweder gibt es keine Gutgestellten mehr, oder aber sie weigern sich zu sterben, weil sie abwarten wollen, was aus dem von dir angerichteten Chaos wird . . .

Eine Lösung mußte gefunden, ein Anfang an der Mauer gemacht werden. Deshalb entschloß sich der beförderte und ausgezeichnete Direktor des Bestattungswesens, in einem Akt helden-

mütiger Selbstaufopferung Hand an sich zu legen ... Er brachte
sich selbst an die leere Mauer.

Aber sein Irrtum war schlagend: ein hohes Gremium befand seinen Selbstmord für unmoralisch, da er auf diesem Wege seine Per-
sönlichkeit dem allgemeinen Nutzen entzogen habe. Seine Beför-
derung wurde hinfällig, das brachte ihn auf den Hauptweg zurück
und nahm seinem Selbstmord den Sinn.

Nun ist er umgebettet. Ein Beamter der Friedhofsverwaltung gibt
das Grab am Hauptweg frei, er durchschneidet, ähnlich wie bei
Brückeneinweihungen und Radfernfahrten, das weiße Band. Es
sinkt, von Erde gefolgt, der Sarg mit dem Zentralen Direktor.

Sollte jedoch sein Erlaß nicht aufgehoben werden, bleibt die Lage
verworren, da nicht abzusehen ist, wann jemals in der neugeord-
neten Gesellschaft ein Mensch mit so hohen Verdiensten in Wohl-
habenheit hinsterben wird, daß er die Reihe der Begräbnisse mit
einer Ausnahme durchbricht.

JÜRGEN BECKER
Im Bienenbezirk und Ameisen

Ja es stand eine Notiz im städtischen Anzeiger die meldete die Verlegung eines Hauptamtes einer öffentlichen Anstalt *wohin denn?* Jeeh!
von dem Neubau reden die schon ein halbes Jahr und von uns hat da
keiner was drauf gegeben bei diesem Hin und Her all die Zeit, wir
saßen doch gut und nahe dran an der Zentrale, *das ist lang her*. Es war
in der Notiz auch die Rede von der gewissermaßen kulturellen Auf-
wertung des weitberüchtigten Sperrbezirks, weswegen schon von
einem prüden Ausland welche rüberfuhren und mal sehen wollten:
die Bienchen am hellen Tag und Zuhälterein. Messergesteche. Drei
Uhren am Gelenk. Der Nepp. Der Suff. Die süße Schwäre der Altstadt. Trümmergebüsch, und so. So kam denn Gegenrede auf etwa
von der kulturellen Desavouierung des betroffenen Hauptamtes oder
den wahrscheinlichen Anfechtungen seiner Sekretärinnen (kann ich
denn jetzt noch saharahell?); die routinemäßigen Razzien mochten
Besucher in Verlegenheit bringen; ganz zu schweigen von der
reaktionärerseits festzustellenden Relation zwischen dem kriminellen
Klima des Viertels und dem in politischer Hinsicht nicht allerseits
gefälligen des Hauses, *da wollte also keiner rein in die Backsteinkiste?*
Nein. Doch. Ich habe nein gesagt. Ich sage schon lange nichts mehr.
Ich aber mag die Gegend. Unter bürokratischem Aspekt war es eine
maßgenommene Hilfe der Zentrale zur Konzentration ihres Hauptamtes: ist aber in die Hose gegangen, alle Zimmer zu klein und
keiner weiß wer wo sitzt. Fragen Sie hinten am Gang. *Ich wollte bloß
sehen was läuft.* Schön schön ich kann nicht klagen nein, nämlich die
Herren sitzen jetzt alle beisamm, zusamm auch die Abteilungen, da

renn ich weniger rum und die Zentrale die hab ich vom Hals, dem Hauptamt bin ich unterstellt, allein, nicht jemand sonst, so, vom Rundlauf bin ich los, Zentrale, der Wagen hin ist weg, so, ich kann nicht klagen nein, ich hab die Herren unter mir, da bin ich unterstellt, nicht und niemand sonst wem. *Also die Boten* was die sagen aber was ich kann ich flüstern mitgemacht habe? der Umzug erst von nach und dann von nach und der Boß setzt sich bloß rein und ich finde doch den Brief vom Walser nicht mal Platz für den Kocher nein ich geh bald ich kündige nein der Blick in diese Höfe da saß ich doch anders. *Warum der ganze Rummel denn?* Schon als die Zentrale sich niederließ auf engbegrenztem Grundstück ohne die Möglichkeit der Ausdehnung inmitten Krach Verkehrskreisel und Taubenmist. Na! Etwa im Jrüngürtel unsres abgekanzelten OB: wo hätten die Ämter sich forthecken können! So aber preßten Damen und Herren bald aneinander vorbei und höflich in den Korridoren: die wachsende Zahl der Angestellten schuf Mißverhältnis zur bestehenden der Räume: mehr reingekünngelt als abgeschossen: ein Ausschuß fing zu tagen an: der stellte seinerseits ein beanspruchte Raum für Wartende Planung Research Konferenzen verlangte Anschlüsse Stockwerke Zuschüsse: erklärtes Arbeitsziel war die Verteilung des Gesamtapparates auf Filialen und Ausweichstellen in erreichbarer Nähe: stellt doch fest wo hier was frei oder wo was gebaut und mietet mal drauf los dann. In dieser verrammelten Innenstadt. *War das nichts im Herderhaus* saßen wir schon nicht übel *aber?* Die Herren unseres Hauptamtes, nicht jeder mochte pflegen den kollegialen Kontakt, fragen Sie nach aber ich weiß nichts, jeder umstritt seine Sache für sich, deine Linie paßt mir nicht, das Schlitzohr wo steckt es schon wieder, wer steht grade dafür, das paßte ihm nicht, der wollte nicht hier, den lehnte er ab, da hörte er drauf, das gab er nicht zu, weil er von früher, den kaufen wir uns, da bin ich gegen, essen gehe ich allein, *nun sitzt ihr alle in dem Milieu,* es kreischt schon in der Früh. Aber die heisere Stimme des Chefs heißt es hat nicht widersprochen der Verlegung: denn ihm ist zugesagt worden, *worauf Sie nun warten umsonst?* Ja sein verwuseltes Hauptamt sollte ein Haus haben für die Herren allesamt. Die Verbindung mit der Zentrale sollte herstellen und halten ein regelmäßiger Wagenpendel. Das kollegiale Verhältnis sollte nicht entstört sondern erst angeknüpft werden durch Konferenz und Gespräch am gemeinsamen Tisch. Viertens. Fünftens. Wir sitzen doch alle am selben Schlauch. Aber wir müssen feststellen, daß weder erstens noch letztens. Denn meine Sekretärin wo soll ich die suchen. Ich brauche zwanzig Minuten zu Fuß. Mir ist das zu eng hier. Die Akte draußen im Schrank im Flur. Der ist nicht gestrichen. Da liegt die Ablage nicht. Geben Sie mir die Verbindung ist wieder futsch. Ich habe drei Apparate und bin nicht vorhanden. Im ersten Stock. Nein. Der vorletzte Gang. Drüber das Badezimmer daneben. Da sollte Wohnung sein. Linkshintenrum. Wo denn machen wir mal Sitzung. Wir suchen ein Zimmer für unseren runden Tisch. Da brechen wir einfach zwei Wände weg. Dann geht doch gleich in den Keller. Da lagert der Supermarkt. Gehn wir auf die Straße zum Reden. Wollen Sie berichten? Das bringt nicht Ordnung in etwas das selber Ordnung nicht hat. *Und die Pläne* der verantwortlichen Planung? Wir bedauern daß dieser Ausschuß je zu wirken begonnen hat. Er unterteilt sich in mehr Abteilungen als die Zentrale hat, inzwischen. Der tatsächliche Effekt bedeutet das Gegenteil des gewollten, genau. Der Weg in die Zentrale ist nutzlos geworden. Es gibt keine Zentrale. Es gibt einzig einen Ausschuß: der sitzt wo die Zentrale einst saß. Zählen Sie die Tauben und errechnen Sie die Menge an Weizen. Nicht gänzlich ohne Erfolg: die Innenstadt ist vollkommen vermietet. Wir rechnen mit zweitausend Angestellten. Wir optieren auf jeden Vorort. Wir prüfen den Wald. Machen Sie mal die Runde, die Filialen, die suchen Sie mal zusammmen, was rauskommt unterm Strich, das ist der ganze Apparat. Und die Herren vom Ausschuß selber, das kann nicht länger sein, feilschen um jeden Schreibtisch, jawohl, und sehen Sie, etwa Herr O. tritt ans Fenster und winkt dem Fräulein H. schräg gegenüber: kommen Sie mal zum Diktat. Herr U. schwenkt weißes Taschentuch: genehmigt. Der Füller sticht nach unten: eilt. Den Hut in der Hand ans Ohr: ich geh zur Post telefonieren. Wir brauchen zweitausend Häuser. Dann planen wir ein neues Haus: suchen Sie eins: wo wir planen können. *Wer hackt denn da im Korridor?* Längs den Türen runter ins Treppenhaus rauf in den Flur und vorbei und wo ist der Chef? Das Geräusch der italienischen Absätze. Wir nennen ihn Schlitzohr. Nun hackelt sie wieder hinter ihm her: in dieser Backsteinkultur wo soll ich ihn finden. *Ich hab* schräg schlägt die Sonne aufs Pflaster unten im Viertel. Hier sintert die Luft vom sauren Geruch vom Bier. Im Supermarkt wühlen die runden Madämchen. Müllkolonnen fallen ein. Camelia im Gulli *ihn gesehn.* Wohin denn, hier im Bezirk geh ich nicht suchen, gleich quatscht mir einer säuisch nach, der steht wohl bei den sozialistischen Bananen, der schnuppert wieder am rüden Leben, noch abends rieche ich davon, seh ich denen denn ähnlich, schwenker ich denn na so wie, um vier den Termin den hol ich nicht wieder, jetzt fehlt mir noch sein Wilhelm drunter, den Wisch wo hab ich den, jetzt bin ich aber bedient, jetzt ja jetzt geh ich erst ein Eis. *Aber da kommt doch* ja diese Gegend hat ihren gleichsam proletarischen Charme ich weiß gar nicht warum meine Mitarbeiter so schockiert sich zeigen im Dienst mögen wir dieses lebendige Klima spüren und wie unser Hein schrieb wird doch vielleicht nur in Straßen wie diesen gelebt nein ich möchte gar nicht in mein Büro zurück und gehen Sie mal diese Häuserzeile entlang mit den schlichten Gesichtern die Kinder ja sind ein rechter Segen und ich fürchte meine Damen suchen mich wieder und jetzt habe ich doch meine Akte vergessen am Büdchen lebe ich mittags nur von reinen Bananen nein ich muß zurück und Landwein noch und Ziegenkäse alles Gute weiterhin *und ging schon*

gleich davon in seinem grauen Winterkittel, der schlappte lose um ihn
rum, schlürte runter die Straße, schütter die listigen Haare im Staubwind, griemelte schräg in die soziale Sonne, hoch stak die Staude
aus der Tüte, mümmelte an seinem Pfund zu Mittag und plante ein
Hilfswerk mit Taktik, keine der käuflichen Amseln flötete ins Fuchs-
gesicht, blieb stehn und grinste wieder still, Wind schob den Schopf
an die Nase, schob nicht zurück, das ist der selige Bert der bläst uns
die wir ihn preisen die Haare in die Stirn, gammelte nun so lang bis
er vergaß in fremder Straße die Straße vom Büro, fragte so dann eine
Streife und die kippte die Mütze in die Augen mit Spott: ja denn
schon früh am Morgen? Denn da im Viertel *was ich sehe täglich hier so
läuft*, unterhalb der öffentlichen Hand, nicht feindlich dem Klerus
ein schwärendes Exempel aber, zur Sorge der städtischen Väter,
drum sperrten sie diesen Bezirk, zensierten alle seine Bienen, die
früh, die nachts, die ehrlich: komm mal mit, und gehst du mit, wohin, Gebüsch Hotel Gemäuer, so stehn da vielleicht viere, im krummen Mond, die Taschen zu, na los, du beißt nicht lang, spuck Zähne,
zack, du sollst dein Martinshorn hören, den stauben wir erst ab,
dann schmeißen wir beim Schmitz ein Faß, beim Paul, beim Rita
rutschen wir drüber und klingeln mal beim Pütz, nur so, da sitzt der
Schang noch, neppt sich durch den Winter, Mariiiina Marihina,
drück mir den Elvis dann gehen wir, das geht mal wieder rund, ich
wag mich allein nicht mehr runter, komm einen Kurzen, im Stehen
auf die Schnelle, Chicago und zwei Helle, knackst du mit den
Kapitän, warum nicht den blauen Franzosen, dann kannst du einen
stehen sehn, da aus dem Backstein dem Amt, was wollen die denn
hier, Frisürchen und Brille und guckt in die Röhre, was sind das für
Typen, die kennen wir bald, die bleiben nicht lang, Ehrenwort, das
können wir bald lesen, wetten, die hauen wieder ab. *Ja und wohin?*
Jeeh hören Sie auf, von dem Neubau reden die schon wieder wochen-
lang und von uns gibt doch keiner was drauf, bei diesem Hin und
Her seit ich hier bin, wir sitzen doch gut hier und ganz gewöhnlich
gemütlich, schön weg schön weit von der Zentrale, im Humus
gleichsam sagt der Chef und was sagen Sie und schauen Sie doch
draußen mal, wie zierlich kehrt der Rauch ein Dach.

REINHARD LETTAU
Ein Feldzug

Zögern, einer Sache nachdenken, ehe man zu einem Entschluß
kommt, das schätzte der General von Unkugen mehr als andere
militärische Gaben. Ungern sah er in seinem Stabe junge Leute, die
sich verwegen zeigten, indem sie immer schnelle Vorschläge zur
Hand hatten, ungern aber auch Herren, die als Früchte langen Wä-
gens Befunde vorlegten, die ihrerseits nicht einmal kürzeren Beden-

kens für wert gehalten werden konnten, kurzum: er liebte kluge Besinnung, mäßig schnelles, fruchtbares Denken. Bei Besprechungen sah man ihn über der Landkarte, die er immer genau kannte, mit allen Höhen und Erhöhungen, Wasserläuften und Seen, Häusern oder Ebenen, die sie anzeigte, – man sah ihn über der Landkarte stehen und seine Hand griff hier oder dorthin, legte sich über eine Ortschaft, tippte schnell gegen eine Waldung, fiel auf eine Kreuzung, näherte sich mit vorgestrecktem Zeigefinger einsehbaren Tälern oder erlosch gleichsam, die Innenfläche nach oben gekehrt, auf entlegenen Gebieten.

»Wer, außer mir, versteht etwas von Entscheidungen?« rief er. »Eine Sache in jede Richtung hin durchdenken, für die Folgen hellhörig sein, vorher oder zugleich auch schon gehandelt haben, etwas so anstellen, daß auch der Fehlschlag, das Übelste, das eintreten kann, noch willkommen ist, das bedeutet manchmal, gar nichts zu tun, die Hände in den Schoß legen, am Kamin sitzen, ins Feuer starren, dieweil sich woanders etwas abspielt.«

Die Herren des Stabes, die, am Morgen des vierten November zur Besprechung der Frontlage bestellt, von Unkugens Worte hörten, verhielten sich schweigend. Seit Wochen hatte der Chef keine Veränderung der Frontlinien zugelassen, auch dort nicht, wo Feindberührung nicht stattgefunden hatte. Aber auch der Gegner, Marschall Kalcavsky, schien es nicht auf ein Treffen abgesehen zu haben. Jedenfalls hatte er es bei Scharmützeln bewenden lassen, die deutlich nur den jetzigen Zustand sichern, nicht aber verändern sollten – örtliche Vorstöße, die »Ich bin noch hier!« zu sagen schienen und weiter nichts. Der Hauptmann Dottelein, ein begabter junger Mann, eröffnete die Konferenz durch Vorlesung des täglichen Lageberichts, der sich nur durch das Datum von den Tagesberichten der verflossenen Monate unterschied, obwohl, was Wortwahl und Syntax betraf, einige kühne Neuerungen – Dottelein war Stilist und polierte unentwegt – zu verzeichnen waren, die die Herren erstaunten. Es wurde gehört, daß auch neuerlich keine Änderung eingetreten sei. Lokal hatte Kalcavsky hier und dort Ärger bereitet, hatte sich im Norden einem Waldstück genähert, war jedoch, als er auf Widerspruch stieß, bereitwillig zurückgewichen. Dagegen hatte aber auf der eigenen Seite auch Nödelchen den Gegner beunruhigt, ohne indes auf Geländegewinnen, sofern sie auf der anderen Seite bestritten wurden, zu bestehen. Den Abschluß des Tagesberichtes bildeten interne Zahlenreihen, Statistiken und administrative Mitteilungen. Von Unkugen hörte sie nicht zu Ende. Er dankte Dottelein und wandte sich dann den Karten zu. Dort stand zum Vortrag Oberst de Guilloton, Inhaber eines Doktortitels der Mathematik und Liebhaber der Karten, bereit.

»Wann«, hob er an, während man ihm den bekannten gelben Zeigestock zureichte, »wann«, denn er liebte es, Fragen zu stellen, »wann fällt eine Entscheidung? Jetzt oder jetzt? Soll man, was einem jetzt zukommt, passieren lassen, dem Adjutanten zuflüstern, damit er es als Handlung, als Tatsache in die Welt einführe? Oder erst eine Minute später?«

»Wo«, die Herren rückten näher, »fällt eine Entscheidung?« Wollte man sie dort erzwingen, wo man gerade stehe, dann entschlage man sich damit der Möglichkeit, Bewegungen, die ja immer Raum umschrieben, darzustellen: man fechte im Sitzen. Stelle man sich aber einmal spaßeshalber eine aufgeräumte, geographischer Schlampereien entbehrende Landschaft vor – der Zeigestock rückte auf eine von der gegenwärtigen Front beschämend weit entfernte Stelle vor, etwa zweihundert Tagesmärsche weit entfernt –, stelle man sich also einen von Anhöhen, plötzlichen Ansiedlungen oder ähnlichen Entstellungen fast ganz entblößten Schauplatz vor, so würde es doch unter so klaren, geländelosen Verhältnissen niemandem einfallen, eine Entscheidung zwingend an dieser oder jener Stelle zu suchen. Zwar sei die Besinnung auf solche reinen, ordentlichen Raumverhältnisse luxuriös, aber sie erfrische den Geist und führe ihm neue Ideen zu.

De Guilloton folgte Ziervogel, ein Mann Nödelchens, und später Hatius, der den rechten Flügel vertrat, mit Deliberationen über die Kräftigung der gegenwärtigen Stellungen, die sie beide vorzüglich und empfehlenswert nannten. Als von Unkugen die Herren verabschiedete, hatte man allgemein den Eindruck, daß es zu einer Entscheidung über einen möglichen Strauß zur Stunde nicht kommen werde.

Im Verlaufe des zweiten Frühstücks, das Unkugen am anderen Morgen im Vereine mit de Guilloton und Dottelein einnahm, und das ganz von Auslassungen des ersteren über einen gewissen Hume, David, beherrscht wurde – Dottelein hatte, wie immer, ein Notizheft auf dem linken Knie gelagert, so daß er unter dem Tische, ohne die unverbindliche Stimmung der Mahlzeit zu stören, Einfälle des Chefs oder de Guilotons sogleich festhalten konnte –, im Verlaufe des zweiten Frühstücks kam es zu einem Feuerüberfall auf Hatius' Seite. De Guilloton, der verstummte, als die ersten Meldungen eintrafen, sah von Unkugen, rot vor Zorn, seinen Stuhl vom Tisch wegrücken und sich erheben. »Was soll das?« rief er und forderte Meldungen. Sie kamen und zeigten geringe Einbußen an. »Es ist durchsichtig«, rief von Unkugen, »Kalcavsky will glauben machen, er sei bei Nödelchen schwach, seine Linke jedoch sei stark. Wir begegnen ihm!«

Als noch am selben Tage auf Hatius' Flanke zum Angriff gegen Kalcavskys Linke geblasen, Nödelchens Truppe jedoch nach und nach zur Kräftigung des Angriffskeils gleichfalls auf Hatius' Seite gezogen wurde, da erwies es sich, daß der Gegner in der Tat auf seiner Linken getäuscht haben mußte. Hatius' Leute überrannten fast leere Stellungen, die nur durch geringe Kräfte besetzt waren und, wo sie nicht eilig geräumt wurden, sich willig ergaben. So behende wichen Kalcavskys Leute aus, daß man Mühe hatte, Berührung mit ihnen zu behalten und die Richtung des Vormarsches festzustellen. Als man nach Tagen zum Stillstand kam, da man nun auf der ganzen Linie endlich auf nachdrücklichen Widerstand stieß, zeigte es sich, daß auch Kalcavskys rechter Flügel, unter Leitung Carschs, seinerseits vorgestoßen war und die fast entleerten Stellungen Nödelchens, der ja Hatius' Attacke zu folgen angehalten war, eingenommen hatte. Man hatte einander also umgangen und stand sich nun auf verkehrten Seiten, nach wir vor unbeschädigt, gegenüber. Es laufe alles darauf hinaus, summierte, zum Vortrag gerufen, de Guilloton, daß man, wo ein Plan auf Täuschung aufgebaut sei, sich auch auf seine Durchschauung einrichten müsse. Wo dies beiderseitig geschehe, verpaßten sich, einem mathematischen Gesetze folgend, die Gegner, und ins Imaginäre gerate die Schlacht.

In den folgenden Wochen wurde dies immer einsichtiger. Setzte von Unkugen hier, wie immer zögernd, zum Angriff an, so begegnete ihm Kalcavsky dort deutlich und schnell. Bewegte von Unkugen seine Truppen in bedrohlicher Weise, so folgte bald drüben eine Maßnahme, die Kalcavsky in Desillusionierung drohender Einfälle nicht nur die Initiative zurückgewann, sondern vor allem auch, stieße Unkugen ernstlich zu, gleich beide Seiten im alten Gleichgewicht erhalten hätte.

In den Hauptstädten der streitenden Länder sah man diese Entwicklung der Dinge nicht gern. Immer trafen dort Meldungen von der Einnahme leerer Territorien ein, an unscheinbaren Stellen, nicht einmal in der Nähe von Oasen, war dem Feind still Widerpart gehalten worden. Die Frontbereiche weiteten sich zum Leidwesen der betroffenen Regierungen unter völliger Vernachlässigung des jeweiligen Heimatbodens der kriegführenden Heere, aber den Truppen ging es gut. Tauchten vor den Toren der Hauptstadt des einen Feldherrn plötzlich Truppen des anderen auf, so hieß das nicht, daß der Krieg verloren war, denn wer wußte, ob nicht eben das eigene Heer in der Hauptstadt des Feindes rastete? Unentwegt waren ja Truppen auf dem Marsch zu neuen, strategischen Plätzen, und manchmal änderten die Verhältnisse ihr Gesicht so schnell, daß man Einheiten Kalcavskys, auf dem Durchmarsch, willig unter den eigenen fand. Auf ähnliche Weise ging auch Ziervogel, Nödelchens ungelittener Mann, dem Rate Unkugens verloren. Hämisch versichert Dottelein, auf dessen Notizblock gerade nach diesem Vorfall eine reiche Ernte eingebracht ward, wie gern man im hiesigen Lager des lästigen Nörglers entrate.

Zu regelrechten Kreisbewegungen kam es in der Folge öfters. Einmal, als man auf beiden Seiten eine solche wiederum nicht hatte vermeiden können, standen Kalcavsky und Unkugen einander im Hauptquartier des letzteren unvermittelt gegenüber. Unkugen, der sich gleich zur Tür wandte, hörte Kalcavsky, dessen heitere Gesinnung bekannt war, de Guilloton zurufen, er möge die Karten, die er eben aufrolle, ruhig entrollen und auch den Zeigestock getrost hinterlassen, habe er doch in seinem Hauptquartier, das ihnen auf der anderen Frontseite zur Verfügung stehe, desgleichen getan. Dieses Angebot machte insofern Schule, als nun die beiden Armeen Geräte aller Art in ihren Stellungen zu hinterlassen begannen, und, oft gar baren Hauptes, einfach in die feindlichen Stellungen hinüberhuschten, wo sie vom einen zum anderen Male bald die Geräte des Gegners, bald die eigenen, vertrauteren Effekten, unversehrt und vollständig, an sich nahmen. Bald mit gelbem, bald mit schönem grünen Zeigestock, denn einen solchen fand er in Kalcavskys Quartier, richtete nun de Guilloton das Augenmerk der Herren, deren Zusammensetzung immer unregelmäßiger wurde, indem man eines Tages sogar Kalcavskys Adjutanten, Baron d'O, willkommen heißen konnte, weit über die gegenwärtigen Sappen hinweg in aufgeräumte, flache, ideale Räume.

Der absolute Feldzug, so auch d'O, komme nie über anfängliche, unverpflichtende Bataillen hinaus, weil beide Parteien bedenken müßten, wie eine Operation zu beginnen sei, die jede mögliche Erwiderung des anderen berücksichtige. Mußte man füglich sich nicht dem Verdacht hingeben, daß nach so vielen ausgesetzten Treffen ein Sieg zum Trotze richtigen Denkens hier wie dort lediglich peinlich berührt hätte? Wer wollte wissen, ob der etwa Überlegene nicht Verzicht auf die handgreifliche Demonstration des Sieges leisten würde?

Gab es in dieser Sache keine Gewißheit, so mußte immer mehr gefürchtet werden, daß ein allzu plötzlicher Frontwechsel beide Befehlshaber erneut, diesmal gewitzigter, auf einer einzigen Frontseite finden würde, denn dem vereinten Verstande der Partner konnte sich keiner gewachsen fühlen, und es stand zu erwarten, daß die glückliche Armee, der das unverhoffte Geschenk beider Häupter zuteil würde, obsiegen müßte. Um dieser Gefahr zu begegnen, wurden bald nur noch die Feldherren, nicht aber die Stellungen, ausgetauscht, denn auf einen wechselnden Austausch der Stellungen, das bekannte man resignierend, waren ja bisher alle Unternehmungen hinausgelaufen.

Man hatte die Herren gut im Blick, wenn sie zu bekannter Stunde sich aus ihren Gräben erhoben und den feindlichen Unterständen zuschritten, und gegen die Möglichkeit, daß sie in der Mitte zwischen den Linien unerlaubt kommunizieren – beide beherrschten ja die Zunge des Gegners und ließen sich stets ein Problem auch in der anderen Sprache vortragen, so sehr glaubten sie an die faktenbildende Kraft einer Originalsprache – oder sich sogar vereint nur einer Seite zuwenden würden, hatte man durch eine Anzahl von Regeln, die insgesamt den Führungswechsel zeremoniell ausweiteten, vorgebeugt. Wie jede Feierlichkeit, so machte auch diese durch die Farbigkeit und den Pomp, der sie auszeichnete, bald ihren wahren Anlaß vergessen. Desselben erinnerten sich nach Jahren selbst ältere

Rekruten nur noch mit Mühe. Von Neuankömmlingen nach dem Grunde befragt, der da etwa wöchentlich, manchmal, wenn der Applaus anhielt, da capo Rufe nicht ablassen wollten, auch mehrmals an einem Nachmittag die beiden alternden Feldherren dazu anregte, gemessenen Schrittes und unter den Klängen langsamer Märsche den feindlichen Schützenlinien zuzuschreiten und in ihnen zu verschwinden, gerieten sie oft in Verlegenheit. Jüngere, eben erst auf Kriegsfuß gestellte Offiziere, die frisch aus der Heimat kamen und gern in diese zurückgekehrt wären, unterbreiteten nach weiteren Jahren und unter heftigem Beifall den Vorschlag, die Zeremonie zu vereinfachen, und so geschah es. Nach Jahrzehnten, als man es müde geworden war, die nun ernstlich gealterten, gehbehinderten Haudegen ächzend übers Niemandsland zu schleppen – ein Oberleutnant und drei Feldwebel hatten dies besorgt –, kehrten die Streitenden zur Freude der Bevölkerung in die ihnen zukommenden Hauptstädte heim, während die greisen Befehlshaber, von Unkugen und Kalcavsky, auf schriftlichem Wege sich des Kommandos dann und wann wechselseitig enthoben, bis, zu gegebener Zeit, ein Dritter dieses Geschäft, diesmal für beide zugleich und für de Guilloton, Dottelein und d'O für alle Zukunft besorgte.

REINHARD BAUMGART
Sieben rote Fahnen

Rensch, sein Name war Rensch. Er wohnte zum Hinterhof hinaus, im sechsten Stock luftig hinter drei Fenstern und rostigem Kleinbalkon, er mit Frau und drei oder vier Kindern, alle ununterscheidbar blaß. Und eines abends, als er müde und ohne Laune von der Arbeit kam und fand die Wohnungstür verschlossen und niemand riegelte von innen auf, mußte er gleich etwas vermutet haben, fühlte sich aber zu schmächtig oder scheute die Kosten, jedenfalls lief er zwölf Treppen hinunter in den Hof und stieg lieber über Regenrinne, Gesimse und fremde Kleinbalkons bis vor seine Fenster, und in der Wohnung roch es tatsächlich nach städtischem Gas und seine Frau war am Küchentisch über ihren blassen Armen schon eingeschlafen. Sie hatte oft solche Zustände.

Der Mann also hieß Rensch und über Nacht wurde sein Name berühmt. Für die Zeitung stieg er am nächsten Morgen noch einmal über Regenrinne und Kleinbalkons die Fassade hoch. Jetzt schien er auf den Geschmack gekommen. Die freiwillige Feuerwehr bewarb sich um ihn, ebenso die Technische Nothilfe, doch er versagte sich, liebte offenbar nur das Klettern ohne Zwecke. Auf Ausflügen des sozialistischen Turnvereins bestieg er nach Genuß von genügend Freibier die aussichtsreichsten Eichen und sang von dort oben die Internationale gegen den Nachtwind und das Gelächter von unten.

Zweimal wurde er nur auf Verdacht hin verhaftet, zwei keß über Fassaden durchgeführte Einbrüche sollten ihm zugeschoben werden, und es gelang ihm kaum, sich zu verteidigen, seine Frau wollte ihm ein Alibi nicht geben, und er selbst sagte im wesentlichen nur immer wieder: Ich bin Sozialist – als ob ihn gerade das hätte entlasten können. Doch man erinnerte sich: er hatte auch der Frau eines Alt-Bürgermeisters den entflogenen Kanarienvogel vom Dach des städtischen Wasserturms geholt, das schien für ihn zu sprechen, und so wurde er nach jeweils zwei Tagen Haft wieder zurück in die Freiheit, in den sechsten Stock und an eine Drehbank bei Lohmann Co entlassen.

Der Mann hieß Rensch, auch mein Onkel kannte ihn einigermaßen. In einem windigen, sonnigen Frühjahr, im Grünen Baum von Saarawenze hatte Rensch sich mit Bier neben meinen Onkel Louis ans Klavier gesetzt. Rensch konnte nicht nur Klettern, sondern auch in vierhändigen Stücken den Baß leidlich und takttreu durchhalten. Die beiden fanden sich über Strauß, Künneke und Lincke, spielten aber kurz vor Polizeistunde, nur für sich im leeren Lokal sogar Liszt frei aus dem Gedächtnis. Es war Vatertag, und später verloren sie den Rückweg unter den Füßen. Mein Onkel schlief auf dem Waldboden ein, trotz Wind geschützt unter Kiefern, während Rensch noch reihenweise die Bäume ringsum bestieg und von oben auf die ärmlichen Lichter von Saarawenze sang. Natürlich die Internationale.

Rensch, wer sonst als Rensch, mußte meinem Onkel einfallen, als er an einem späteren Morgen das Fenster im überheizten Büro öffnete und über zwei Schornsteinen von Lohmann Co den Nebel reißen sah. Das war Herbst fünfunddreißig, ein schöner summender Herbst, durch dessen stille stehende Luft Tag und Nacht die Kastanien fielen. Nur die Drachen brachte das Wetter zur Verzweiflung, sie wollten nicht steigen. Baut lieber Flugzeuge, Jungens, sagte der Zeichenlehrer Turniczek, mit Frontantrieb, wir werden eine fliegende Nation. Im Rinnstein häuften sich die zäh geplatzten, dornigen Häute der Kastanien. Überlegt mal, fragte der Deutsch-, Turn- und Zeichenlehrer Turniczek, ob nicht auch aus Kastanien was Nützliches für das Volk gemacht werden kann, wie aus Stanniol, Altpapier, Knochen? Sorgt, rief er, für den Winter vor, denkt an das deutsche Wild!

Also, im Herbst, durchsichtig zogen sich in diesem September, Oktober die Straßen durchs Mittagslicht und aus dem Asphalt stieg schon gegen elf Wärme hoch in den Schatten der Kastanien. Doch morgens qualmte der Nebel nur langsam auf von der Erde. Nebel sah also auch mein Onkel Louis, als er sich aus überheiztem Büro über das Fensterbrett lehnte, die Sonne schwamm blind, als Qualle im Dunst. Der Onkel mochte die Sonne gern, schnupperte zu ihr hinauf in den milchigen Himmel und sah schon glücklich unter ihr Schwaden reißen, doch nicht, um die Sonne freizugeben, sondern für einen Augenblick nur zwei Schornsteinenden und über einem hing sie, schlapp wehend, in dünnem Rauch, eine Fahne, rot und nicht geschwärzt wie der Backstein der Schlote, offenbar nichts als rot, ohne weiteren Inhalt, kein Schwarz auf Weiß, kein Kreis und nicht die übliche Rune.

Rensch, wer sonst als er, mußte ihm dabei einfallen. Er schloß das Fenster, wartete nicht einmal ab, daß die Nebelschichten sich wieder schließen würden, und machte sich am Schreibtisch unter drei Haufen gestößelter Papiere zu tun. Trillerpfeifen, später genagelte Schuhe längs durch den Korridor und unten über den Hof störten ihn nicht. Erst gegen neun trat der Obmann auch bei ihm ein, schon ohne Zorn, und rieb sich nur noch den Schweiß aus dem Nacken. Dem Onkel gelang es tatsächlich zu staunen. Er fragte wie ahnungslos und erschrak pünktlich über die Antwort. Es sah so aus, als würde er zum erstenmal an diesem Morgen erschrecken, zum erstenmal auch das Fenster öffnen, um neben dem schwitzenden Obmann erst in einen Auflauf blauer Kittel unten im Werkhof, dann hinauf zum Ende des mittleren der drei Schornsteine zu blicken, betroffen. Die Fahne hatte jetzt Wind gefangen und sich entfaltet.

Kennen Sie Rensch? fragte der Obmann.

Kaum, sagte mein Onkel, so gut wie überhaupt nicht.

Der Obmann hustete in sein Schweißtuch, ließ aber den Onkel nicht aus den Augen.

Das ist der mit den Kletterkunststücken? fragte mein Onkel höflich.

Eben, sagte der Obmann und wies auf den Hof.

Denn Rensch, ausgerechnet Rensch, kam unten durch blaue Kittel und Schirmmützen, löste sich aus ihrem Auflauf, schwankte im Schiffergang auf den Weg zwischen zwei Werkhallen zu und verschwand hinter Wellblechwänden, kaum ernst zu nehmen mit dem Vogelkopf zwischen hängenden Schultern, und neben dem schwer atmenden Obmann zum Fenster hinausgelehnt sah der Onkel dann bläulich den Rensch die Eisenbügel am Schornstein nach oben steigen, langsam, vorsichtig, wie ein Käfer.

Freiwillig, sagte der Obmann.

Ach, sagte der Onkel, gerade der Rensch. Das freut mich. Sie wissen doch, fragte der Obmann, wo der früher dabei war?

Selbstredend, sagte der Onkel. Wie gesagt: das freut mich.

Jetzt war der Aufsteigende, längst nicht mehr blau, nur noch schwarz und zerbrechlich, Strichmännchen, oben frei gegen den bläßlichen Himmel zu sehen. Mit einer einzigen Handbewegung schlug er das widerspenstig aufwehende Tuch zusammen. Die Leute im Hof sahen zwischen stummen Rauchwolken nach oben.

Jawohl, sagte der Obmann und beobachtete unter blonden Wimpern den Onkel, sozusagen ein Sinnbild, was meinen Sie?

Der Onkel meinte nichts anderes.

Aber das wissen Sie doch, sagte der Obmann, daß der Rensch

schon vor einem halben Jahr bei uns eintreten wollte. Damals haben wir ihm zu verstehen gegeben: wir schätzen solche Eile nicht.

Der Onkel lachte. Andererseits, sagte er –

Andererseits, wollte er sagen, sprach manches doch für eine solche Eile, etwa die Straßen endlich leer von Arbeitslosen, einige verhaftet, die meisten aber mit Arbeit versorgt. Andererseits Fackelzüge und dreimal eingeschlagene Scheiben vor dem roten Stammlokal, das dritte Mal kam der Wirt nicht mehr dazu, sie neu zu verglasen, er hatte auf offener Straße, vor dem zerbrochenen Glas den unschuldigen Staat verflucht. Aber die Autobahn sollte schon kommenden Herbst von Norden die Stadt erreichen. Zeichen genug, und Rensch, der sie offenbar lesen konnte, hatte am Feierabend im Sonntagsanzug das Büro der Ortsgruppe betreten, vorsichtig, und vermochte weder die Blicke des dort aufgehängten Reichskanzlers zu erwidern, noch die des Ortsgruppenleiters. Die Schultern von Rensch, ohnehin abfallend, fielen während des kurzen Wortwechsels immer mutloser weg unter dem Sonntagsanzug. Er erkundigte sich zunächst nach nichts weiter als nach den Mitgliedsbeiträgen, ob die wöchentlich, monatlich oder im Vierteljahr zu entrichten wären. So schnell ließ der Ortsgruppenleiter sich aber nicht reinlegen. Er nannte das Geld eine Nebensache und sprach über die Gesinnung als Hauptsache. In einer Volksgemeinschaft, sagte er, zählen nur Taten. Denn der neue Staat läßt sich nicht mehr bestechen, außer durch Gehorsam. Und er entließ den Bittsteller, über dessen geschrumpftes Gesicht Falten wanderten wie Grimassen, mit einem Händedruck und auf ein halbes Jahr Bewährungsfrist, so daß dem Rensch nichts weiter übrigblieb, als seine Mütze in beiden Händen um und um zu wenden: er sah in ihr blaues Inneres, als wäre dort schwimmend etwas ganz Unglaubwürdiges zu entdecken, als läse er Zukunft aus dem speckigen Mützenrand, wobei er noch etwas sagen zu wollen schien und sagte doch nichts mehr, so daß sein stummer Rückweg zur Tür wie Flucht und nach schlechtem Gewissen aussah.

Da sehen Sie mal, soll der Ortsgruppenleiter sich geäußert haben, so ist das: kommen mit deutschem Gruß und gehen schon wieder hinterhältig. Dabei habe ich ihm sogar die Hand gegeben.

Rensch, derselbe, war heil den Schornstein herabgekommen, hatte sich aus dem Strichmännchen zurückverwandelt in einen Käfer, schließlich wieder die blaue Farbe seiner Jacke angenommen und kam breitbeinig und hager, wie gegen leichten Wellengang, zwischen Wellblech zurück auf den Hof. Von oben aus, neben dem Onkel am Fenster, winkte der Obmann ihm zu, der unten vor stumm paffenden Kollegen das Fahnentuch sorgfältig zusammenlegte.

Ich komm noch mal fragen, sagte der Obmann und ging, kam aber weder vormittags noch nachmittags wieder. Der Onkel fragte nicht nach.

Schöner summender Herbst, wie gesagt, so daß auch in die Nächte noch etwas von der stehengebliebenen Wärme der Tage zog und selbst mein Onkel Louis unter geöffnetem Fenster schlief, der sonst zu viel frische Luft, vor allem Zugluft scheute. Aber nicht Zugluft weckte ihn diese Nacht, sondern Besuch auf dem Fensterbrett. Jemand, der mit abfallenden Schultern ein Stück herbstlichen Himmels verdeckte, den einen Augenblick noch zu betrachten schien, dann, nachdem die Beine umständlich von außen nach innen über das Fensterbrett gezogen waren, seine gleich unkenntliche Vorderansicht bot, aus der es leise auf den schon im Schlaf beunruhigten Onkel einsprach, bis dessen Oberkörper endlich jäh aus dem Daunenbett aufstand.

Ich, Rensch! flüsterte dieser Schattenriß auf die erste Frage. Mensch, ich, der Rudi, sagte er ungeduldig und heiser, denn der Onkel fragte ins Dunkel wie in eine Welt, an die er sich beim besten Willen nicht mehr erinnern konnte. Das Licht der Nachttischlampe zeigte den Besuch schon deutlicher, das Gesicht beschattet von wehleidigen Falten. Er schien immer noch zu überlegen, ob er sich lieber nach vorn ins Zimmer oder hintenüber zurück in die Nacht fallen lassen sollte. Ohne allen Aufwand von Worten, nur blickend aus schmerzlich verdunkelten Augen spielte er an auf lauter gewesene Gemeinsamkeiten zwischen dem Onkel Louis und ihm, auf vierhändiges Spiel am Klavier, einen ganz bestimmten Ausflug zum Vatertag und anschließend Bier, Gesang und Schlaf auf und unter den Kiefern vor Saarawenze.

Na und? sagte der Onkel und nannte vorwurfsvoll die Uhrzeit: halb drei.

Ich muß schon bitten, Rensch, sagte er und richtet sich noch steiler, noch empörter auf im Daunenbett. Komm du meinetwegen morgen zu mir ins Büro.

Rensch aber schwieg. Ließ den Kopf hängen. Als ob ein Mensch einfach auf fremdem Fensterbrett einschlafen könnte! Mein Onkel ließ ihn nicht aus den Augen.

Pohl! sagte der Gast dann unbeweglich: Also wollen Sie mich doch verpfeifen? Ist doch eine menschliche Frage. Darauf will man schließlich vorbereitet sein.

Was heißt, sagte der Onkel, leidest wohl doch unter Mondschein. Dachte ich mir schon damals in Saarawenze. Haha.

Der Scherz verfing nicht. Rensch schüttelte nur wie betrübt den schattigen Kopf, hielt ihn dann wieder gesenkt, betete aber nicht, sondern sagte: Ich frage ja bloß, ob Sie mich verpfeifen wollen. Ist doch menschlich.

Peinlich. Der Onkel verstand so gut wie nichts, beugte sich aber doch nach den Pantoffeln auf dem Bettvorleger, hangelte den Morgenmantel von einer Stuhllehne. Und Rensch, der sich eingeladen sah, kam vom Fensterbrett herabgeglitten, fast erschrocken über den weichen Teppich unter den Sohlen, prüfte, vom einen aufs andere tretend, beide Beine und setzte sich dann ohne weitere Umstände an den mit Wachstuch überzogenen Tisch.

Heut mittag, sagte er, hat die Polente bloß meine Fingerabdrücke auf der Fahne gefunden. Mit drei Lupen, nichts als die. Er schien mit einemmal ganz heiter.

Logisch, sagte mein Onkel.

Nur immer meine zehn, sagte Rensch und legte sie anschaulich, alle zehn kurz und ledrig, nebeneinander auf das Wachstuch. Als er zum Waschtisch hinübersah, erkannte er sich dort mit allen zehn Fingern im ovalen Spiegel. Der Onkel, hinter Renschs tragischen Schultern, fragte versuchsweise noch einmal, warum er um diese Zeit und durchs Fenster besucht werde. Mir war schön mulmig, sagte Rensch, als ich Sie oben mit dem Obmann sah und haben sich zugeblinzelt. Oder etwa nicht? Gott sei Dank hab ich miese Augen.

Zwischen Schuhen im Kleiderschrank suchte der Onkel nach Branntwein. Das konnte sich noch hinziehen, nach seinen Erfahrungen. Erstens, so wollte er sagen, ich bin ein unpolitischer Mensch, ich will – Was denn, nicht etwa nur seine Ruhe, sowas Billiges nun wieder nicht, also was dann? Aber er sagte nichts, stellte nur Rensch ein Glas vor die zehn kurzen Finger und nahm selbst wegen des Abwaschs eine gebrauchte Tasse.

Dann fiel ihm etwas ein: Warum nur deine Fingerabdrücke?

Na? fragte er nach. Aber Rensch, das Gesicht noch immer zum Waschtisch und in den Spiegel gekehrt, sagte nur: Seien Sie ein Mensch.

Der Onkel schüttete nicht wenig Weinbrand vorbei am Rand der Tasse, kehrte mit einem Waschlappen zu Rensch zurück. Ich weiß nicht, wovon du überhaupt redest, sagte er.

Ich hab vier Kinder, sagte Rensch.

Er machte alles falsch, denn mein Onkel mochte nicht immer für die ihm kaum nützlichen Kinder fremder Leute einstehen, womöglich noch beschämt, weil er selbst keine in die Welt gesetzt hatte – nicht daß er wüßte.

Hier, sagte er angewidert, und Rensch bedankte sich für das aufgefüllte Glas. Es kostete ihn drei Schlucke.

Sie könnten, Herr Pohl, denen doch stecken, daß wir schon letzte Nacht hier einen genommen haben. Das wärs.

Wie denn, sagte mein Onkel, Lüge unter Eid, wofür denn das?

Na dann verpfeifen Sie mich eben.

Ganz logisch. Rensch hielt einen Zeigefinger neben die Nase. Er dachte nach und bekam das zweite Glas.

Ich verstehe nicht, sagte der Onkel, ich verstehe nicht, erst die vier Kinder und dann Meineid von fremden Leuten.

Fremd! sagte Rensch und trank höhnisch das zweite Glas auf den Grund. Jetzt zieht alles schiefe Gesichter, wenn ich bloß Nabend sage. Ihr machts euch bequem.

Aber bitte, sagte der Onkel, nur weil wir ein einziges Mal vierhändig –

Ach Sie! – was sollte man da erwarten. Schwamm drüber. Aber die Genossen, wo doch die Solidarität früher ihr Schlager war.

Wer bitte?

Genossen. Die von damals.

Also schließlich, nichts für ungut, eure Fahne ist das aber doch gewesen, und jetzt holst du die seelenruhig vom Schornstein. Mich hat es gefreut, aufrichtig, aber deine Kollegen, vielleicht hängen die noch ein bißchen, mußt du bedenken, und sind gekränkt. Naja, so sind Menschen, Prost.

Aber Rensch, auch nach einem dritten Glas noch immer höhnisch: So? sagte er. Aber als ich das Ding auf den Schlot hissen wollte, fanden sie es auch schon meschugge. Für mich rührt die Partei keinen Finger.

Wie denn, fragte der Onkel, Partei? Rauf und runter hast du sie, rauf auch?

Wer denn sonst? rief Rensch, aber der Onkel winkte ihn mit dem Waschlappen zur Ruhe.

Wer denn sonst? zischte Rensch durch vorgehaltene Hände. Ich bin rauf, für die Partei, und die bedeuten mir: mein Name ist Hase. So daß ich also zu Ihnen komme, vielleicht daß Sie sagen: Jawohl, er war gestern nacht hier. Schließlich, auf Ihr Wort werden die doch was geben.

Mein Onkel stellte sich sprachlos hinter drei heftige Schlucken. Genau besehen: der Mann hieß Rensch und war als Clown auf die Welt geraten, der richtete doch Schaden nur an aus Versehen, einer mit den Augen in der Luft, hörte auf inwendige Stimmen und stieg vielleicht von.den Stimmen befohlen singend auf Kiefern und Schornsteine hoch, auch mit der roten Fahne, kletterte einfach gern, warum nicht.

Was soll·ich sagen, sagte der Onkel, eine Dummheit, möchte ich sagen. Und deine Leute – ich meine: sind nicht mehr behilflich?

Die verkaufen mich doch für blöd, sagte Rensch, das vierte Glas in beiden Händen. Das paßt ihnen, war auch immer so. Sie müssen wissen, Pohl, schon früher, wenn ich nämlich ein wichtiges Buch auf der Versammlung empfohlen habe, damit die lernen, wie man was rausholt aus dem Klassenkampf, ich steh also auf für mich allein, melde mich nach der Satzung zu Wort, und dann fehlt mir im Moment nur eben der Titel im Kopf, da hieß es also: Schon gut, komm setz dich, wer spendiert ihm was, also die Resolution lautet – diese Tour. Und ich hab Beiträge gezahlt, seit neunzehn, monatlich.

Mein lieber Rensch, sagte der Onkel und maß vorsichtig kreuz und quer seinen Teppich aus mit Schritten: Die Dummheit ist geschehen, fassen wir das ins Auge. Am besten du gehst aufs Revier, sofort, ohne Besinnung, und stellst dich. Ganz einfach. Du hast sie raufgebracht, hast sie wieder runtergeholt, sozusagen ein Sinnbild und vor aller Augen.

Ich frage ja nur, sagte Rensch, ob Sie nicht sagen möchten, ich wäre gestern nacht bei Ihnen gesessen. Das wärs. Eine Geste.

Ich, fuhr ausschreitend der Onkel fort, ich, müßtest du sagen, habe es selbst wieder gutgemacht, mit diesen Händen – und streckte seine eigenen nach Rensch aus –: Unter Lebensgefahr. Mut überzeugt diese Leute. Das wäre Mut.

Aber Rensch tobte, bediente sich eigenhändig mit Weinbrand und tobte los: Erlauben Sie mal, zischte er mit Bläschen in beiden Mundwinkeln, mit mir nicht! Rauf und runter, das könnte Ihnen so passen, damit sich endgültig alle kaputt lachen über mich, wo die doch überhaupt nur auf meine Blamage warten und mich schon rübergeschickt haben auf die Ortsgruppe, damit ich mich einschreiben lasse in den Verein und mich sind sie los. Das nennen die Taktik. Mit mir nicht! Ich kann auch auf eigene Rechnung, hab schließlich noch was in petto.

Der Onkel sah die Finger des Redenden rings um das Weinbrandglas zittern.

Eine einzige Fahne, sagte er gutmütig, was soll das?

Na also, sagte Rensch, jetzt reden Sie doch wie ein Mensch. Eine einzige, das ist eben so gut wie keine. Aber –

Aber was?

Er hatte noch eine rote Fahne.

Wollen Sie sehen, ja? Und bemühte sich schon, sie unter dem blauen Hemd herauszuwürgen.

Nicht möglich, sagte der Onkel, sie haben sie dir wieder mitgegeben?

Sechs Stück hab ich noch zu Hause in der Matratze, sagte Rensch. Die lachen sich doch kaputt, die Genossen, wenn ich schon wieder –

Allerdings, rief der Onkel Louis, mit Recht!

Aber wenn ich dann immer wieder und noch sieben Stück hochbringe, jede Nacht eine, die ganze Woche lang. Stell dir vor.

Da saß der Kerl mit betrunkenem, leuchtendem Kopf schon wieder schräg auf dem Fensterbrett, schräg, weil bemüht, die Beine vor sich hoch zu bekommen und hinauszuschwenken in die Nacht. Der Onkel stand redend vor ihm, hütete sich aber, ihn anzurühren. Es hätte dem Rensch schon jetzt etwas zustoßen können, denn in der Eile schien er nicht mehr umständlich an Regenrinne und Spalier hinunter zu wollen, er bereitete sich mit plötzlich hoch, bis fast an die Ohren gezogenen Schultern auf einen Absprung vor. Der Onkel trat schnell zurück, rief aus dem Hintergrund aber noch mehrmals leise und faltete zerstreut vergeblich die Hände. Er hatte alles getan. Er konnte das Fenster schließen.

Trotzdem fiel ihm, als er das Zimmer überblickte, noch etwas Nützliches ein. Er kurbelte das Grammophon auf, hob eine Platte aus bunt bestickter Tasche und ließ einen Czardas in die Nadel laufen. Mit der Musik im Raum fühlte er sich weniger allein, das machte ihm neuen Mut. Sorgfältig trank er Renschs stehengelassenes Glas leer, wischte es dann mit dem linken Handrücken quer über den Tisch, fing es mit der Rechten knapp unter der Tischkante auf und warf es mitten ins Piano der Musik gegen die Wand. Ihn störte nicht einmal, daß die Splitter über sein Bettlaken rieselten. Ein Stuhl fiel ihm dann langsam, absichtlich aus der Hand hart neben den Teppich, er drehte noch einmal das Grammophon hoch und betrat jetzt von einer Polka begleitet den Korridor, wählte die Milchglastür zur Rechten und ließ zweimal den Lokus rauschen. Er hatte sich nicht umsonst bemüht. Vorgebeugt auf dem dunklen Korridor hörte er endlich die Bettstelle der Frau Kubitschke in allen Stahlfedern rasseln, und ihre Stimme stieg weinerlich und entsetzt über die letzten Takte der Polka. Sie hatte nach ihm gerufen. Mein Onkel dienerte in die Dunkelheit voraus, räusperte sich und legte höflich vor der Tür Frau Kubitschkes ein Geständnis ab. Ein Besuch, sagte er, wollen Sie bitte verzeihen. Ich habe einen Freund bei mir, ein heftiger Mensch. Ich werde jetzt einschreiten. Eine gute Nacht wünsche ich. Vorsichtig betrat er sein Zimmer, ließ das Grammophon verstummen und verstummte selbst, über seine Hände und die letzte Tasse mit Weinbrand gebeugt. Er war zufrieden. Wenigstens für diese Nacht hatte er Rensch ein Alibi besorgt.

Wenn er aber abstürzt, wenn ihm der Weinbrand die Füße von den Eisenbügeln zieht, denn dort oben wird es vermutlich kalt sein, dann findet er sich mit einem vagen, aufgedunsenen Kopf nicht mehr zurecht, wenn er also daneben tritt – mein Glück und alles in allem seins auch, verglichen mit dem, was ihm sonst blüht. So ein Glück, bringt ihn sogar zu Ehren unter den Genossen, ist ihm zu wünschen, wenn auch vier Gören – aber das konnte er sich auch selbst und vorher überlegen. Für wen ist denn dieses Heldentum überhaupt da, nur für die doch, denen es Eindruck macht. Verrückt, möchte man sagen, nur Verrückte handeln so eindeutig gegen ihren Vorteil. Wie der verrückte Kerl in den Kiefern schaukelte damals, mit Blick auf das nächtliche, kaum erleuchtete Saarawenze, und sang die Internationale, die war damals noch nicht verboten, aber dort oben und außerdem besoffen, war jedes Lied gleich gefährlich. Gefahr mag er wohl. Soll er doch mögen. Ich jedenfalls wünsche Glück, von ganzem Herzen Glück.

Während vor geschlossenem Fenster still die Kastanien in die Hecken fielen und die Sirenen der Feuerwehr sich bis zum Morgengrauen nicht vernehmen ließen.

Rensch, ja ich erinnere mich, Rensch war sein Name. Seine Frau war blaß, ebenso drei oder vier Kinder. Und sie neigte zu Zuständen und erhielt im Frühjahr ein Telegramm, danach war ihr Mann an Lungenentzündung gestorben, aber schon vor dem Telegramm vorsorglich beerdigt worden. Der Ort hieß Dachau, bei München, und die Bestattungskosten beliefen sich auf hundertundfünfzig pauschal. Mein Onkel Louis, gutmütig, spendierte die gute Hälfte unter der Hand und verbat sich auch jeden Dank.

PAUL SCHALLÜCK
Pro Ahn sechzig Pfennig

Da ich mit sechzehn Jahren ein etwas bleicher und nervöser Junge war, schickten mich meine Eltern in den Ferien regelmäßig aufs Land zu Onkel Pastor, einem Bruder meiner Mutter. Die Nähe dieses weißhaarigen, rechtschaffenen Mannes, der, ich weiß nicht seit wie vielen Jahren schon, das Pfarramt der Gemeinde Gummersdorf versah, hielt meine Mutter in jeder Beziehung für geeignet, meinen unreifen und zu Dummheiten aufgelegten Geist gediegen zu beeinflussen. Ihre Hoffnung baute sie vor allem auf die Strenge der Haushälterin meines Onkels, deren ganzes Wesen mir heute in einem kleinen, mit Nadeln gespickten Haarknötchen zusammengefaßt erscheinen will.

Anna, ich nannte sie Tante, obgleich wir außer von Adam und Eva her keinen verwandtschaftlichen Tropfen Blutes hatten, Tante Anna also bestimmte meinen Onkel, meinem Aufenthalt im Pfarrhaus dadurch geringe Ordnung und eine kleine Nützlichkeit zu verleihen, daß er mich beauftragte, die Anfragen verzogener Familien nach ihren Vorfahren zu beantworten.

Damals nämlich war jene Zeit ausgebrochen, in der man keineswegs im chinesischen Sinne der Verehrung, sondern lediglich zum Sauberkeitsbeweis der eigenen Blutmenge seinen Ahnen nachforschte und ihnen in neuer Hochachtung vor dem roten Saft gleichsam nachträglich auf die Finger sah. Manch einer mag damals in einer plötzlichen, mir jedoch unverständlichen Wandlung ein neuer Mensch geworden sein, wenn sich herausstellte, daß er seine Ahnenkette bis in die Zeiten Wallensteins oder gar noch weiter ins Vergangene hinein ohne Unterbrechung und in artbewußter Reinlichkeit zu verfolgen imstande war.

So war ich denn bei der Aufstellung einiger Stammbäume als ein sonderbarer Gärtner beteiligt, und für jeden Ahn, den ich in den muffigen Kirchenbüchern erjagte, erhielt ich von Onkel Pastor sechzig Pfennige; für Altvordere, die sich vor dem Dreißigjährigen Krieg nachweisen ließen, sogar eine Mark. Hat er sich eigentlich nie gefragt, welchen Versuchungen er mich damit aussetzte, welchen wunderlichen Anfechtungen? Tatsächlich bin ich ihnen denn auch einige Male erlegen, indem ich kaltblütig Geschlechterfolgen erfand, die nie die verwirrende Wonne dieses Erdenlebens genossen haben, mir aber in ihrer Unschuld zur Aufbesserung meines Taschengeldes verhalfen.

Allmählich gewann ich Vergnügen an meiner Tätigkeit, und ich hätte sie auch dann fortgeführt, wenn mir dafür kein finanzieller Gewinn zugeflossen wäre. Es machte mir nämlich Spaß, die eingegangenen Briefe zu studieren, bevor ich in die Jahrhunderte zurückblätterte. Die Briefköpfe und die Anreden untersuchte ich genau, die zwischen »Euer Hochwohlgeboren« und dem schlichten »Herr Pastor« variierten oder bisweilen überhaupt fehlten. Den Ton der Anfrage horchte ich ab, der ebenso wechselvoll war zwischen Bitte und Forderung. Ganz besonders prüfte ich die letzten Worte, den Schluß und Gruß. Von den Briefschlüssen machte ich einiges abhängig. Wenn ich einem frommen, christlichen »Vergelt's Gott«, oder »Der Himmel lohne es Ihnen« begegnete, und wenn auch der Ton des Schreibens dem Abschiedsgruß entsprach, dann gab ich mich gern zu den eben erwähnten und für jene Zeit erfreulichen Abänderungen des Stammbaumes her. Wenn aber schon die Anrede fehlte, wenn es den Formulierungen an Demut gebrach, und wenn dann noch unter der Bekundung einer germanischen Rasseüberheblichkeit das Kennwort all dieses Unsinns und vor dem Namen ein markantes und dummes und für die Zukunft des Volkes verhängnisvolles »Heil« zu lesen war, dann, man verzeihe mir, dann schloß ich die Tür meiner Dachkammer ab, damit ich in meinem Ärger und der daraus entspringenden Tätigkeit nicht gestört würde. In solchen Fällen schnitt ich die Wurzeln des Stammbaumes einfach ab, oder, je nach Stärke meiner Gemütswallung, einige Äste, unterbrach den Strom der roten Flüssigkeit, der durch die Jahrhunderte strömte, und ließ ganze Generationen im Dämmer des Ungeborenen verbleiben, so daß sich der Briefschreiber einer nur mäßig in der Zeit verwurzelten Familie erfreuen konnte. Ich leugne nicht, daß mich bei diesen Unternehmungen verdorbene Genugtuung beschlich, war ich doch imstande, vollständige Reihen von Altvordern ohne Blutvergießen – buchstäblich mit einem Federstrich – zu vernichten. Und als mich einmal der Brief eines Herrn Klaaps ganz besonders geärgert hatte, weil vom Briefkopf, der einem Gauleiterbüro entstammte, bis zur Unterschrift ein dummer Stolz nachhaltig zu spüren war und auf mich, der ich infolge meiner Erziehung das Gegenteil einer blauäugigen Gesinnung besaß, geradezu beleidigend wirkte, da befiel mich eine satanische Idee, ich kann es nicht anders sagen. Diesmal beschnitt ich die Wurzeln des Stammbaumes nicht, ich trieb sie vielmehr ungebührlich weit in die Vergangenheit hinein. Aber ich korrigierte die Vornamen, vom Ur-ur-urgroßvater an rückwärts, damit den so Gestraften durch Deportation dennoch kein wirkliches Unheil widerfahre. Ich verwandelte also in meiner Antwort an Herrn Klaaps »Siegfried« in »Salomon«, »Dagobert« in »Daniel«, »Arnold« in »Aron« und »Joseph« in »Josua«. Als mein Onkel den Brief unterschrieb, stand ich leicht zitternd neben ihm.

Um allen kommenden Schwierigkeiten zu begegnen – denn daß welche eintreten würden, ahnte ich wohl –, trug ich die Namen auch in den Kirchenbüchern nach. Das war keine leichte Arbeit, das darf man mir glauben. Die Bücher waren vergilbt, und die Schreiber hatten sich einer Schrift befleißigt, die im Vergleich mit unseren Schreibweisen, besonders mit meiner eigenen, von einem viel höher entwickelten Sinn für Ausgewogenheit und Schönheit zeugte. Ich übte mich tagelang, wohl eine Woche hindurch. Außerdem hatte ich eine Tinte zu mischen, wie sie damals benutzt wurde, und ich mußte die alte aufs sorgfältigste tilgen oder ausradieren. Die Übungsbogen verbrannte ich selbstverständlich, auch die Blätter der Generalprobe, die ich auf einem leeren, herausgerissenen Bogen eines Kirchenbuches ablegte. Dann endlich konnte ich klopfenden Herzens darangehen, das Geschlecht des Herrn Klaaps nach meinem Sinne zu nuancieren. Ich löschte die Tinte mit einem alten, von mir jedoch neu entdeckten Sandstreuverfahren, gilbte die Schriftzüge an einer Kerze, blies noch etwas Spinnenstaub darüber, den ich eigens vom Dachboden importiert hatte, und war zufrieden. Das schwere Werk war getan, und meinem geschulten Auge gab sich keine Nachlässigkeit preis.

Es dauerte dann auch nicht lange, bis ein zweiter Brief aus dem Gauleiterbüro eintraf, den mein Onkel stirnrunzelnd und der allgemeinen politischen Lage wegen furchtsam an mich weitergab. Der Briefschreiber, keineswegs der Gauleiter selbst, hatte sich von seiner Wut diktieren lassen: mit »unglaubwürdig« begann es, setzte sich fort mit »Familienehre«, »Rassen- und Blutbewußtsein«; er sprach von »Irrtum, wenn nicht gar Intrige und Neid auf die Möglichkeiten meiner politischen Karriere« und endete schließlich mit der Drohung, daß er, Herr Klaaps, in den nächsten Tagen »höchst persönlich« (als ob es unpersönlich vorstellbar gewesen wäre) vorfahren werde, da er in der Gegend ohnehin zu tun habe.

»Was sagst du dazu?« fragte mich mein Onkel. Ich sagte, daß er getrost kommen möge. Und wenn ihm die Stimme des Blutes keine Kunde von den seltsamen Vornamen seiner Altvorderen zu geben bereit sei, dann müsse er sich halt über die Bücher beugen und sich durch »Schwarz auf Weiß« überzeugen lassen. Trotz der wohlgesetzten Rede sah mein Onkel dem Besuch mit einiger Bangnis entgegen; ich übrigens auch, warum soll ich es verschweigen.

Es war gegen Abend. Ein Fahrer öffnete die Wagentür, und der ganz und gar braune Anzug über einem fetten Leibe, die blank gewichsten braunen Stiefel und das fleischfeste, rosige Gesicht sagten mir, daß es nur Herr Klaaps sein könne. Er wartete, bis der Fahrer auch einer Dame in reizvollem Sommerkleid beim Aussteigen geholfen hatte, dann marschierte er voraus auf das Pfarrhaus zu. Im Studierzimmer meines Onkels wiederholte er, was er in seinem Brief geschrieben hatte. Und als mein Onkel ihn unterbrach, um ihm zu sagen, daß ich allein verantwortlich sei für alles, was die Ahnen betraf, lächelte er erleichtert, vermutlich, weil er glaubte, mit mir besser fertig werden zu können. Ich ging auf seine Worte erst gar nicht ein; ich holte die Kirchenbücher, blätterte und blätterte, obgleich ich die Seiten genau wußte, und schlug endlich die betreffenden Ärgernisse vor den Augen unseres braunen Gastes auf. Er beugte sich darüber, las, las sehr lange, so lange, bis meine Stirn feucht zu werden begann, lehnte sich dann zurück und sagte schließlich: »Ich bin ruiniert!«

Diese Salomon und David und Josua seien noch im Grabe fähig, ihn aus dem Sattel zu heben; denn er habe einige Aussicht, Stellvertreter des stellvertretenden Gauleiters zu werden, aber mit einem Salomon oder Aron nagend an der Wurzel seines Stammbaumes sozusagen sei es so gut wie ausgeschlossen, daß man ihm fernerhin vertraue. Er drückte sich freilich in kürzeren Sätzen und gröberen Worten aus, in jener Art, die heute wohl – und ich sage mit Betonung: Gott sei Dank – in keinem unserer Ämter mehr zu hören ist. Herr Klaaps ärgerte sich nicht etwa, er war erschüttert. Und ohne Übergang fragte er Onkel Pastor und mich, ob wir denn keine Möglichkeit sähen, ihm diese Schande zu ersparen, die Vornamen zu unterschlagen etwa, ja, unterschlagen, sagte er.

»Sie erwarten von uns«, sagte ich, »daß wir die Kirchenbücher fälschen? Sie scheinen zu vergessen, Herr Gauleiter, in welch einem Hause Sie sich befinden!« Er wurde noch kleiner auf seinem Stuhl, und sein Gesicht verlor die rosige Frische. Er begann zu bitten, er rang schweren Atems um mein Mitleid. Er demütigte sich und flehte, und das reizend-blonde Mädchen, seine Sekretärin übrigens, ruckte auf dem Stuhl zurück und machte mit Zeichen, hart zu bleiben, nicht nachzugeben. Dem klugen, politisch weitsichtigen Zuspruch dieses Mädchens ist es zu verdanken, daß ich schließlich nicht doch noch weich wurde vor der bejammernswürdigen und ehrlich verzweifelten Gestalt, die sich einmal an meinen Onkel wandte, der nur die Schultern hob, dann wieder an mich. »Es tut mir leid, Herr Klaaps«, sagte ich. Und als er einsah, daß er nichts auszurichten vermöchte, stand er auf wie ein alter Mann, sagte mit leichter Verneigung und ehrlichem Gesicht: »Grüß Gott, Herr Pfarrer«, und ging hinaus.

In der darauffolgenden Nacht habe ich schlecht und nur wenig geschlafen.

ALEXANDER KLUGE
Ein Liebesversuch

Als das billigste Mittel, in den Lagern Massensterilisationen durchzuführen, erschien 1943 Röntgenbestrahlung. Zweifelhaft war, ob die so erzielte Unfruchtbarkeit nachhaltig war. Wir führten einen männlichen und einen weiblichen Gefangenen zu einem Versuch zusammen. Der dafür vorgesehene Raum war größer als die meisten anderen Zellen, er wurde mit Teppichen der Lagerleitung ausgelegt. Die Hoffnung, daß die Gefangenen in ihrer hochzeitlich ausgestatteten Zelle dem Versuch Genüge leisteten, erfüllte sich nicht.

Wußten sie von der erfolgten Sterilisation?

Das war nicht anzunehmen. Die beiden Gefangenen setzten sich in verschiedene Ecken des dielengedeckten und teppichbelegten Raumes. Es war durch das Bullauge, das der Beobachtung von außen diente, nicht zu erkennen, ob sie seit der Zusammenführung miteinander gesprochen hatten. Sie führten jedenfalls keine Gespräche. Diese Passivität war deshalb besonders unangenehm, weil hochgestellte Gäste sich zur Beobachtung des Versuchs angesagt hatten; um den Fortgang des Experiments zu beschleunigen, befahl der Standortarzt und Leiter des Versuchs, den beiden Gefangenen die Kleider fortzunehmen.

Schämten sich die Versuchspersonen?

Man kann nicht sagen, daß die Versuchspersonen sich schämten. Sie blieben im wesentlichen auch ohne ihre Kleidung in den bis dahin eingenommenen Positionen, sie schienen zu schlafen. Wir wollen sie ein bißchen aufwecken, sagte der Leiter des Versuchs. Es wurden Schallplatten herbeigeholt. Durch das Bullauge war zu sehen, daß beide Gefangenen auf die Musik zunächst reagierten. Wenig später verfielen sie aber wieder in ihren apathischen Zustand. Für den Versuch war es wichtig, daß die Versuchspersonen endlich mit dem Versuch begannen, da nur so mit Sicherheit festgestellt werden konnte, ob die unauffällig erzeugte Unfruchtbarkeit bei den behandelten Personen auch über längere Zeitabschnitte hin wirksam blieb. Die am Versuch beteiligten Mannschaften warteten in den Gängen des Schlosses, einige Meter von der Zellentür entfernt. Sie verhielten sich im wesentlichen ruhig. Sie hatten Weisung, sich nur flüsternd miteinander zu verständigen. Ein Beobachter verfolgte den Verlauf des Geschehens im Innenraum. So sollten die beiden Gefangenen in dem Glauben gewiegt werden, sie seien jetzt allein.

Trotzdem kam in der Zelle keine erotische Spannung auf. Fast glaubten die Verantwortlichen, man hätte einen kleineren Raum wählen sollen. Die Versuchspersonen selbst waren sorgfältig ausgesucht. Nach den Akten mußten die beiden Versuchspersonen erhebliches erotisches Interesse aneinander empfinden.

Woher wußte man das?

J., Tochter eines Braunschweiger Regierungsrates, Jahrgang 1915, also etwa 28 Jahre, mit arischem Ehemann, Abitur, Studium der Kunstgeschichte, galt in der niedersächsischen Kleinstadt G. als unzertrennlich von der männlichen Versuchsperson, einem gewissen P., Jahrgang 1900, ohne Beruf. Wegen P. gab die J. den rettenden Ehemann auf. Sie folgte ihrem Liebhaber nach Prag, später nach Paris. 1938 gelang es, den P. auf Reichsgebiet zu verhaften. Einige Tage später erschien auf der Suche nach P. die J. auf Reichsgebiet und wurde ebenfalls verhaftet. Im Gefängnis und später im Lager versuchten die beiden mehrfach zueinanderzukommen. Insofern unsere Enttäuschung: jetzt durften sie endlich, und jetzt wollten sie nicht.

Waren die Versuchspersonen nicht willig?

Grundsätzlich waren sie gehorsam. Ich möchte also sagen: willig.

Waren die Gefangenen gut ernährt?

Schon längere Zeit vor Beginn des Versuchs waren die in Aussicht genommenen Versuchspersonen besonders gut ernährt worden. Nun lagen sie bereits zwei Tage im gleichen Raum, ohne daß Annäherungsversuche festzustellen waren. Wir gaben ihnen Eiweißgallert aus Eiern zu trinken, die Gefangenen nahmen das Eiweiß gierig auf. Oberscharführer Wilhelm ließ die beiden aus Gartenschläuchen anspritzen, anschließend wurden sie wieder, frierend, in das Dielenzimmer geführt, aber auch das Wärmebedürfnis führte sie nicht zueinander.

Fürchteten sie die Freigeisterei, der sie sich ausgesetzt sahen? Glaubten sie, dies wäre eine Prüfung, bei der sie ihre Moralität zu erweisen hätten? Lag das Unglück des Lagers wie eine hohe Wand zwischen ihnen?

Wußten sie, daß im Falle einer Schwängerung beide Körper seziert und untersucht würden?

Daß die Versuchspersonen das wußten oder auch nur ahnten, ist unwahrscheinlich. Von der Lagerleitung wurden ihnen wiederholt positive Zusicherungen für den Überlebensfall gemacht. Ich glaube, sie wollten nicht. Zur Enttäuschung des eigens herangereisten Obergruppenführers A. Zerbst und seiner Begleitung ließ sich das Experiment nicht durchführen, da alle Mittel, auch die gewaltsamen, nicht zu einem positiven Versuchsausgang führten. Wir preßten ihre Leiber aneinander, hielten sie unter langsamer Erwärmung in Hautnähe aneinander, bestrichen sie mit Alkohol und gaben den Personen Alkohol, Rotwein mit Ei, auch Fleisch zu essen und Champus zu trinken, wir korrigierten die Beleuchtung, nichts davon führte jedoch zur Erregung.

Hat man denn alles versucht?

Ich kann garantieren, daß alles versucht worden ist. Wir hatten einen Oberscharführer unter uns, der etwas davon verstand. Er versuchte nach und nach alles, was sonst todsicher wirkt. Wir konnten schließlich nicht selbst hineingehen und unser Glück versuchen, weil das Rassenschande gewesen wäre. Nichts von den Mitteln, die versucht wurden, führte zur Erregung.

Wurden wir selbst erregt?

Jedenfalls eher als die beiden im Raum; wenigstens sah es so aus. Andererseits wäre uns das verboten gewesen. Infolgedessen glaube ich nicht, daß wir erregt waren. Vielleicht aufgeregt, da die Sache nicht klappte.

Will ich liebend Dir gehören,
kommst Du zu mir heute nacht?

Es gab keine Möglichkeit, die Versuchspersonen zu einer eindeutigen Reaktion zu gewinnen, und so wurde der Versuch ergebnislos abgebrochen. Später wurde er mit anderen Personen wieder aufgenommen.

Was geschah mit den Versuchspersonen?

Die widerspenstigen Versuchspersonen wurden erschossen.

Soll das besagen, daß an einem bestimmten Punkt des Unglücks Liebe nicht mehr zu bewerkstelligen ist?

FRIEDRICH DÜRRENMATT
Der Theaterdirektor

Der Mensch, dem die Stadt erliegen sollte, lebte schon unter uns, als wir ihn noch nicht beachteten. Wir bemerkten ihn erst, als er durch ein Betragen aufzufallen begann, das uns lächerlich schien, wie denn in jenen Zeiten über ihn viel gespottet worden ist: Doch hielt er die Leitung des Theaters schon inne, als wir auf ihn aufmerksam wurden. Wir lachten nicht über ihn, wie wir es bei Menschen zu tun pflegen, die uns durch Einfalt oder Witz ergötzen, sondern wie wir uns bisweilen über unanständige Dinge belustigen. Doch ist es schwierig anzuführen, was in den ersten Zeiten seines Auftretens zum Lachen reizte, um so mehr, als ihm später nicht nur mit knechtischer Hochachtung begegnet wurde – dies ist uns noch als ein Zeichen der Furcht verständlich gewesen –, sondern auch mit ehrlicher Bewunderung. Vor allem war seine Gestalt sonderbar. Er war von kleinem Wuchs. Sein Leib schien ohne Knochen, so daß von ihm etwas Schleimiges ausging. Er war ohne Haare, auch jene der Brauen fehlten. Er bewegte sich wie ein Seiltänzer, der das Gleichgewicht zu verlieren fürchtet, mit geräuschlosen Schritten, deren Schnelligkeit regellos wechselte. Seine Stimme war leise und stokkend. Wenn er mit einem Menschen in Berührung trat, richtete er seinen Blick stets auf tote Gegenstände. Doch ist es ungewiß, wann wir die Möglichkeit des Bösen in ihm zum ersten Male ahnten. Vielleicht geschah dies, als sich gewisse Veränderungen auf der Bühne bemerkbar machten, die ihm zuzuschreiben waren. Vielleicht, doch ist es zu bedenken, daß Veränderungen im Ästhetischen im allgemeinen noch nicht mit dem Bösen in Verbindung gebracht werden, wenn sie zum ersten Male unsere Aufmerksamkeit erregen: Wir dachten damals eigentlich mehr an eine Geschmacklosigkeit oder machten uns über seine vermutliche Dummheit lustig. Gewiß hatten diese ersten Aufführungen im Schauspielhaus unter seiner Regie noch nicht die Bedeutung jener, die in der Folge berühmt werden sollten, doch waren Ansätze vorhanden, die seinen Plan andeuteten. So war etwa ein Hang zum Maskenhaften eigentümlich, der schon in dieser frühen Zeit seine Bühne auszeichnete, auch war jenes Abstrakte des Aufbaus vorhanden, das später so hervorgehoben worden ist. Diese Merkmale drängten sich nicht auf, doch mehrten sich die Anzeichen, daß er eine bestimmte Absicht verfolgte, die wir spürten, aber nicht abschätzen konnten. Er mochte einer Spinne gleichen, die sich anschickt, ein riesenhaftes Netz zu bereiten: Wobei er aber scheinbar planlos verfuhr, und vielleicht war es gerade wieder diese Planlosigkeit, die uns verführte, über ihn zu lachen. Natürlich konnte es mir mit der Zeit nicht verborgen bleiben, daß er unmerklich in den Vordergrund strebte, nach seiner Wahl ins Parlament fiel dies jedem auf. Indem er das Theater mißbrauchte, setzte er an, die Menge an einem Ort zu verführen, wo niemand eine Gefahr vermutete. Doch wurde mir die Gefahr erst bewußt, als die Veränderungen auf der Bühne einen Grad erreicht hatten, der die geheime Absicht seines Handelns bloßlegte: Wie in einem Schachspiel erkannten wir den Zug, der uns vernichtete, erst, als er gespielt war, zu spät. Wir haben uns dann oft gefragt, was die Masse bewog, in sein Theater zu gehen. Wir mußten gestehen, daß diese Frage kaum zu beantworten war. Wir dachten an einen bösen Trieb, der die Menschen zwingt, ihre Mörder aufzusuchen, um sich ihnen auszuliefern, denn jene Veränderungen enthüllten, daß er die Freiheit zu untergraben bestrebt war, indem er deren Unmöglichkeit nachwies, so daß seine Kunst eine verwegene Attacke auf den Sinn der Menschheit war. Diese Absicht führte ihn dazu, jedes Zufällige auszuschalten und alles auf das peinlichste zu begründen, so daß die Vorgänge der Bühne unter einem ungeheuerlichen Zwange standen. Auch war es bemerkenswert, wie er mit der Sprache verfuhr, in welcher er die Elemente unterdrückte, in denen sich die einzelnen Dichter unterscheiden, so daß der natürliche Rhythmus verfälscht wurde, um den gleichmäßigen, entnervenden Takt stampfender Kolben zu erreichen. Die Schauspieler bewegten sich wie Marionetten, ohne daß die Macht im Hintergrund geblieben wäre, die ihr Handeln bestimmte, sondern sie vor allem war es, die sich als eine sinnlose Gewalt offenbarte, so daß wir in einen Maschinensaal zu blicken glaubten, wo eine Substanz erzeugt wurde, welche die Welt vernichten mußte. Hier soll auch erwähnt werden, wie er Licht und Schatten benutzte, die ihm nicht dienten, auf unendliche Räume hinzuweisen und so eine Verbindung mit der Welt des Glaubens herzustellen, sondern dazu, die Endlichkeit der Bühne aufzudecken, da merkwürdige, kubische Blöcke das Licht begrenzten und hemmten, wie er denn ein Meister der abstrakten Form gewesen ist; auch wurde durch geheime Vorrichtungen jeder Halbschatten vermieden, so daß sich das Geschehen in engen Kerkerräumen abzuspielen schien. Er verwandte nur Rot und Gelb in einem Feuer, welches das Auge verletzte. Am teuflischsten aber war, daß unmerklich jeder Vorgang einen anderen Sinn erhielt und sich die Gattungen ineinander zu vermischen begannen, indem eine Tragödie in eine Komödie verwandelt wurde, während sich ein Lustspiel zu einer Tragödie verfälschte. Auch hörten wir damals oft von Aufständen jener Unglücklichen, die gierig waren, ihr Los mit Gewalt zu verbessern, doch waren es immer noch wenige, die dem Gerücht Glauben schenkten, daß die treibende Kraft dieser Vorfälle bei ihm zu suchen wäre. In Wahrheit war es jedoch so, daß ihm von

Anfang an das Theater nur als Mittel diente, jene Macht zu erlangen, die sich später als eine rohe Herrschaft der schrecklichen Gewalt enthüllen sollte. Was uns in jener Zeit hinderte, diesen Vorgängen näher auf die Spur zu kommen, war der Umstand, daß sich die Sache der Schauspielerin für den Einsichtigen immer drohender zu gestalten begann. Ihr Schicksal war mit demjenigen der Stadt sonderbar verknüpft, und er versuchte sie zu vernichten. Als jedoch seine Absicht ihr gegenüber deutlich wurde, war seine Stellung in unserer Stadt so gefestigt, daß sich das grausame Geschick dieser Frau vollziehen konnte, ein Geschick, das allen verhängnisvoll werden sollte und das auch jene abzuwenden nicht Macht besaßen, die das Wesen seiner Verführung durchschaut hatten. Sie unterlag ihm, weil sie die Macht verachtete, die er verkörperte. Es kann nicht gesagt werden, daß sie berühmt gewesen wäre, bevor er die Theaterleitung übernahm, doch hielt sie im Theater eine Stellung inne, die zwar gering, aber doch unangefochten war, auch hatte sie es der allgemeinen Achtung zu verdanken, daß sie ihre Kunst ohne jene Zugeständnisse ausüben konnte, die andere, die mehr bezweckten und deren Stellung bedeutender war, der Öffentlichkeit darbringen mußten: Wie es denn auch bezeichnend ist, daß er sie durch diesen Umstand zu vernichten wußte, denn er verstand es, den Menschen zu Fall zu bringen, indem er seine Tugenden ausnützte. Die Schauspielerin hatte sich seinen Anordnungen nicht unterworfen. Sie schenkte den Veränderungen keine Beachtung, die sich auf dem Theater vollzogen, so daß sie sich immer deutlicher von den andern unterschied. Aber es war gerade diese Beobachtung, die mich mit Sorge erfüllte, denn es war auffällig, daß er keinen Schritt unternahm, sie zu zwingen, sich seinen Anordnungen zu unterziehen. Daß sie sich abhob, war sein Plan. Zwar soll er einmal eine Bemerkung über ihr Spiel gemacht haben, nachdem er kurz zuvor das Theater übernommen hatte; ich habe aber über diese Auseinandersetzung nie Sicheres erfahren können. Doch ließ er sie seitdem in Ruhe und unternahm nichts, sie aus dem Theater zu entfernen. Er stellte sie vielmehr immer deutlicher in den Vordergrund, so daß sie mit der Zeit die erste Stellung im Schauspielhaus einnahm, obschon sie dieser Aufgabe nicht gewachsen war. So war es dieses Verfahren, das uns mißtrauisch machte, denn es war doch so, daß ihre Kunst und seine Auffassung in dem Maße entgegengesetzt waren, daß eine Auseinandersetzung unvermeidlich schien, die um so gefährlicher sein mußte, je später sie erfolgte. Auch waren Anzeichen vorhanden, daß sich ihre Stellung entscheidend zu ändern begann. Wurde zuerst ihr Spiel von der Menge begeistert und mit einer Einmütigkeit gelobt, die gedankenlos gewesen war (sie galt als seine große Entdeckung), so begannen sich nun Stimmen zu regen, die darauf ausgingen, sie zu tadeln und ihr vorzuwerfen, sie sei seiner Regie nicht gewachsen und ferner, es zeuge von seiner seltenen Geduld (und Menschlichkeit), daß er sie noch immer in ihrer führenden Stellung belasse. Doch da besonders ihr Verharren in den Gesetzen der klassischen Schauspielkunst angegriffen wurde, nahmen sie wieder gerade jene in Schutz, welche die wahren Mängel ihrer Kunst erkannt hatten, ein unglücklicher Kampf, der sie leider bestärkte, nicht freiwillig vom Theater zu gehen – sie hätte sich vielleicht so noch retten können, wenn ihm auch unsere Stadt kaum mehr hätte zu entgehen vermögen. Doch trat erst dann die entscheidende Wendung ein, als sich die Tatsache abzuzeichnen begann, daß ihre Kunst bei der Menge eine sonderbare Wirkung auslöste, die für sie peinlich sein mußte und die darin bestand, daß man über sie im geheimen und dann auch während der Vorstellung zu lachen anfing; eine Wirkung, die er natürlich genau berechnet hatte und immer mehr auszubauen versuchte. Wir waren bestürzt und hilflos. Mit der grausamen Waffe des Unfreiwillig-Komischen hatten wir nicht gerechnet. Wenn sie auch weiterspielte, so war es doch gewiß, daß sie es bemerkte, wie ich denn auch vermute, daß sie eher als wir vom Unvermeidlichen ihres Untergangs wußte. Um diese Zeit wurde ein Werk vollendet, worüber in unserer Stadt schon lange gesprochen worden war, und das wir mit großer Spannung erwartet hatten. Es ist zwar so, daß sich mit diesem Bau schon viele auseinandergesetzt haben, doch muß ich hier erwähnen, bevor ich zu ihm Stellung nehme, daß es mir noch heute unverständlich wäre, wie er sich die Mittel zu diesem neuen Theater hätte verschaffen können, wenn sich nicht ein Verdacht gezeigt hätte, den ich nicht von der Hand zu weisen vermag. Wir haben aber damals dem Gerücht noch nicht Glauben schenken können, welches diesen Bau mit jenen gewissenlosen Kreisen unserer Stadt in Verbindung brachte, die seit jeher nur auf eine schrankenlose Vermehrung ihrer Reichtümer ausgingen und gegen die sich die Aufstände jener richteten, die er ebenfalls beeinflußte. Wie es nun auch sei, dieser Bau, der heute zerstört sein soll, kam einer Gotteslästerung gleich. Es hält jedoch schwer, über diesen Bau zu reden, der sich äußerlich als eine ungeheuerliche Mischung aller Stile und Formen darbot, ohne daß man ihm etwas Großartiges hätte absprechen können. Es war ein Gebäude, welches nicht das Lebendige offenbarte, das in der starren Materie zum Ausdruck zu kommen vermag, wenn die Kunst sie verwandelt, sondern das bewußt darauf ausging, das Tote hervorzuheben, das ohne Zeit und nur unbewegliche Schwere ist. All dies aber bot sich uns ohne Mäßigung nackt und schamlos dar, ohne jede Schönheit, mit Eisentüren, die oft über allem Maß riesenhaft, bald aber auch geduckt wie Gefängnistore waren. Der Bau schien durch ungefüge Zyklopenhände aufeinandergetürmt worden zu sein, in sinnlosen Marmorblöcken, an die sich schwere Säulen ohne Zweck lehnten, doch war dies nur scheinbar, denn alles an diesem Bau war auf bestimmte Wirkungen hin berechnet, die darauf ausgingen, den Menschen zu vergewaltigen und in den Bann einer reinen Willkür zu ziehen. So standen etwa im Gegensatz zu diesen rohen Massen und brutalen Proportionen einzelne Gegenstände, die handwerklich mit einer Exaktheit ausgearbeitet worden waren, daß sie, wie gerühmt wurde, bis auf einen Zehntausendstel-Millimeter stimmten. Erschreckender noch war das Innere mit dem Theatersaal. Er lehnte sich an das griechische Theater an, seine Form wurde jedoch sinnlos, weil sich über ihn eine seltsam geschwungene Decke spannte, so daß wir nicht zu einem Spiel zu schreiten schienen, als wir diesen Saal betraten, sondern wie zu einem Fest im Bauch der Erde. So kam es zur Katastrophe. Wir erwarteten damals das Spiel mit einer lautlosen Spannung. Wir saßen bleich aneinandergedrängt in immer weiteren Kreisen und starrten nach dem Vorhange, der die Bühne deckte, auf dem eine Kreuzigung als eine höhnische Farce dargestellt war: Auch dies nahm man nicht als Frevel, sondern als Kunst hin. Dann begann das Spiel. Es wurde später davon gesprochen, zuchtlose Mächte der Straße hätten diese Revolution gemacht, damals aber saßen jene unserer Stadt im Saale, die sich ihres Glanzes und ihrer Bildung am meisten gerühmt hatten und im Theaterdirektor den großen Künstler und Revolutionär der Bühne feierten, in seinem Zynismus Geist sahen und ahnungslos waren, wie bald der Bursche sich anschickte, aus dem Ästhetischen heraus, das sie an ihm bewunderten, in Bezirke zu brechen, die nicht mehr ästhetisch waren; wie ihm ja auch zur Eröffnung des neuen Hauses, bevor noch das Spiel begann, unter donnernden Hochrufen der festlichen Gesellschaft vom Staatspräsidenten der Shakespeare-Preis übergeben wurde. Welches Werk der Klassiker zur Einweihung gespielt wurde, ob es sich um Faust oder den Hamlet handelte, entsinne ich mich nicht mehr, doch war die Regie derart, wie der Vorhang mit der Kreuzigung sich nun hob, daß diese Frage gleichgültig wurde, bevor es möglich war, sie zu stellen: Mit einem Klassiker oder mit dem Werk eines anderen Dichters hatte dies nichts mehr zu tun, was sich jetzt vor unseren Augen ereignete, oft unterbrochen vom begeisterten Beifall der Regierung, der Gesellschaft und der Elite der Universität. Eine fürchterliche Gewalt verfuhr mit den Schauspielern wie ein Wirbelwind, der Häuser und Bäume übereinanderwirft, um sie dann liegen zu lassen. Die Stimmen klangen nicht menschlich, sondern so, wie vielleicht Schatten reden würden, dann aber auch plötzlich und ohne Übergang in einem Tonfall, der dem irren Trommeln wilder Stämme glich. Wir saßen nicht als Menschen, sondern als Götter in seinem Theater. Wir ergötzten uns an einer Tragödie, die in Wirklichkeit unsere eigene war. Dann aber erschien sie, und ich sah sie nie so unbeholfen wie in jenen Augenblicken, die ihrem Tod vorausgingen, doch auch nie so rein. Brach die Menge zuerst in ein Gelächter aus, als sie die Bühne betrat – so genau berechnet war ihr Auftritt, daß er wie eine obszöne Pointe wirken mußte –, so verwandelte sich dieses Gelächter bald in Wut. Sie erschien als Frevlerin, die sich anmaßte, einer Gewalt entgegenzutreten, die zwar alles zermalmt, aber auch jede Sünde entschuldigt und jede Verantwortung aufhebt, und ich begriff, daß dies der eigentliche Grund war, durch den die Menge verführt wurde, auf die Freiheit zu verzichten und sich dem Bösen zu ergeben, denn Schuld und Sühne gibt es nur in der Freiheit. Sie begann zu sprechen, und ihre Stimme war ihnen eine Lästerung jener grausamen Gesetze, an die der Mensch dann glaubt, wenn er sich zum Gott erheben will, indem er Gut und Böse aufhebt. Ich erkannte seine Absicht und wußte nun, daß er darauf ausgegangen war, ihren Untergang vor aller Augen mit der Zustimmung aller zu vollziehen. Sein Plan war vollkommen. Er hatte einen Abgrund geöffnet, in den sich die Menge stürzte, gierig nach Blut, um immer wieder neuen Mord zu verlangen, weil nur so der besinnungslose Taumel zu finden war, der allein befähigt, nicht in unendlicher Verzweiflung zu erstarren. Sie stand mitten unter den Menschen, die sich in Bestien verwandelten, als eine Verbrecherin. Ich sah, daß es schreckliche Momente gibt, in denen sich eine tödliche Umwälzung vollzieht, wo der Unschuldige den Menschen schuldig erscheinen muß. So war unsere Stadt bereit, jener Tat beizuwohnen, die einem wilden Triumph des Bösen gleichkam. Es senkte sich nämlich von der Decke der Bühne eine Vorrichtung herab. Es mochten leichte Metallstäbe sein und Drähte, an denen Klammern und Messer angebracht waren, sowie Stahlstangen mit seltsamen Gelenken, die auf eine eigentümliche Art miteinander verbunden waren, so daß die Vorrichtung einem ungeheuren und überirdischen Insekt zu gleichen schien, und zwar bemerkten wir sie erst, als sie das Weib erfaßt und in die Höhe gehoben hatte. Kaum war dies geschehen, brach die Menge in ein unermeßliches Beifallklatschen und Bravorufen aus. Als sich nun immer neue Klammern auf die Schauspielerin senkten und sie quer hielten, wälzten sich die Zuschauer vor Lachen. Als die Messer ihr Kleid aufzuschneiden begannen, so daß sie nackt hing, erhob sich aus den ineinandergekeilten Massen ein Rufen, das irgendwo entstanden sein mußte, das sich mit der Geschwindigkeit des Gedankens immer weiter fortpflanzte und sich ins Unendliche hob, immer wieder aufgehoben und weitergegeben, bis alles ein Schrei: Töte sie! war und unter dem Toben der Menge ihr Leib durch die Messer zerteilt wurde, derart, daß ihr Kopf mitten unter die Zuschauer fiel, die sich erhoben hatten, ihn faßten, von seinem Blut besudelt, worauf er wie ein Ball von einem zum andern flog. Und wie sich die Menschen aus dem Theater wälzten, sich stauend, einander niederstampfend, den Kopf vor sich hertreibend, durch die gewundenen Gassen in langen sich schwingenden Ketten, verließ ich die Stadt, in der schon die grellen Fahnen der Revolution flammten und sich die Menschen wie Tiere anfielen, umstellt von *seinem* Gesindel und wie der neue Tag heraufdämmerte, niedergezwängt von *seiner* Ordnung.

MAX FRISCH
Der andorranische Jude

In Andorra lebte ein junger Mann, den man für einen Juden hielt.
Zu erzählen wäre die vermeintliche Geschichte seiner Herkunft, sein
täglicher Umgang mit den Andorranern, die in ihm den Juden sehen:
das fertige Bildnis, das ihn überall erwartet. Beispielsweise ihr Mißtrauen gegenüber seinem Gemüt, das ein Jude, wie auch die Andorraner wissen, nicht haben kann. Er wird auf die Schärfe seines Intel-
lektes verwiesen, der sich eben dadurch schärft, notgedrungen. Oder
sein Verhältnis zum Geld, das in Andorra auch eine große Rolle
spielt: er wußte, er spürte, was alle wortlos dachten; er prüfte sich,
ob es wirklich so war, daß er stets an das Geld denke, er prüfte sich,
bis er entdeckte, daß es stimmte, es war so, in der Tat, er dachte stets
an das Geld. Er gestand es; er stand dazu, und die Andorraner blickten sich an, wortlos, fast ohne ein Zucken der Mundwinkel. Auch in
Dingen des Vaterlandes wußte er genau, was sie dachten; soooft er
das Wort in den Mund genommen, ließen sie es liegen wie eine
Münze, die in den Schmutz gefallen ist. Denn der Jude, auch das
wußten die Andorraner, hat Vaterländer, die er wählt, die er kauft,
aber nicht ein Vaterland wie wir, nicht ein zugeborenes, und wie
wohl er es meinte, wenn es um andorranische Belange ging, er redete
in ein Schweigen hinein, wie in Watte. Später begriff er, daß es ihm
offenbar an Takt fehlte, ja, man sagte es ihm einmal rundheraus, als
er, verzagt über ihr Verhalten, geradezu leidenschaftlich wurde. Das
Vaterland gehörte den andern, ein für allemal, und daß er es lieben
könnte, wurde von ihm nicht erwartet, im Gegenteil, seine beharr-
lichen Versuche und Werbungen öffneten nur eine Kluft des Ver-
dachtes; er buhle um eine Gunst, um einen Vorteil, um eine An-
biederung, die man als Mittel zum Zweck empfand auch dann, wenn
man selber keinen möglichen Zweck erkannte. So wiederum ging es,
bis er eines Tages entdeckte, mit seinem rastlosen und alles zerglie-
dernden Scharfsinn entdeckte, daß er das Vaterland wirklich nicht
liebte, schon das bloße Wort nicht, das jedesmal, wenn er es brauchte,
ins Peinliche führte. Offenbar hatten sie recht. Offenbar konnte er
überhaupt nicht lieben, nicht im andorranischen Sinn; er hatte die
Hitze der Leidenschaft, gewiß, dazu die Kälte seines Verstandes, und
diesen empfand man als eine immer bereite Geheimwaffe seiner
Rachsucht; es fehlte ihm das Gemüt, das Verbindende; es fehlte ihm,
und das war unverkennbar, die Wärme des Vertrauens. Der Umgang
mit ihm war anregend, ja, aber nicht angenehm, nicht gemütlich. Es
gelang ihm nicht, zu sein wie alle andern, und nachdem er es umsonst versucht hatte, nicht aufzufallen, trug er sein Anderssein sogar
mit einer Art von Trotz, von Stolz und lauernder Feindschaft dahinter, die er, da sie ihm selber nicht gemütlich war, hinwiederum
mit einer geschäftigen Höflichkeit überzuckerte; noch wenn er sich

verbeugte, war es eine Art von Vorwurf, als wäre die Umwelt daran schuld, daß er ein Jude ist –

Die meisten Andorraner taten ihm nichts.

Also auch nichts Gutes.

Auf der andern Seite gab es auch Andorraner eines freieren und fortschrittlichen Geistes, wie sie es nannten, eines Geistes, der sich der Menschlichkeit verpflichtet fühlte: sie achteten den Juden, wie sie betonten, gerade um seiner jüdischen Eigenschaften willen, Schärfe des Verstandes und so weiter. Sie standen zu ihm bis zu seinem Tode, der grausam gewesen ist, so grausam und ekelhaft, daß sich auch jene Andorraner entsetzten, die es nicht berührt hatte, daß schon das ganze Leben grausam war. Das heißt, sie beklagten ihn eigentlich nicht, oder ganz offen gesprochen: sie vermißten ihn nicht – sie empörten sich nur über jene, die ihn getötet hatten, und über die Art, wie das geschehen war, vor allem die Art.

Man redete lange davon.

Bis es sich eines Tages zeigt, was er selber nicht hat wissen können, der Verstorbene: daß er ein Findelkind gewesen, dessen Eltern man später entdeckt hat, ein Andorraner wie unsereiner –

Man redete nicht mehr davon.

Die Andorraner aber, sooft sie in den Spiegel blickten, sahen mit Entsetzen, daß sie selber die Züge des Judas tragen, jeder von ihnen.

GERHARD ZWERENZ
Das Land der zufriedenen Vögel

Ein modernes Märchen

Die Gegend, in der Gregor Simba wohnte, war anrüchig. Vor dem Krieg hatten hier die Damen des ältesten Gewerbes ihre Quartiere, die dunklen Spelunken standen dicht beieinander, und nach Einbruch der Nacht wagte sich die Polizei nur in geschlossener Formation hervor.

Im Krieg stürzten die Spelunken, bis auf wenige Ausnahmen, zusammen, die leichten Damen wurden eingezogen, und wo einst dichte Fülle und lebhaftes Feilschen herrschten, erstreckte sich nun eine unwirtliche Bombenkraterlandschaft.

Die Gegend wurde vorübergehend wieder berühmt durch eine Spukgeschichte. Man hörte Kindergeschrei, obwohl keine Kinder in der Nähe spielten; die Geräusche eines vorbeiratternden Eisenbahnzuges waren deutlich wahrnehmbar, obwohl die Bomben alle Geleise herausgerissen und zerknüllt hatten und deshalb gar kein Zug mehr fuhr; und schließlich ertönte in verschiedenen Abständen immer wieder ein unverwechselbarer Schiedsrichterpfiff, wiewohl es kein Sportstadion gab und auch nirgendwo jemand Ball spielte.

Die Behörde sah sich durch die umlaufenden Gerüchte genötigt,

einen Stamm unbestechlicher und wagemutiger Polizeibeamter aus-
zuschicken. In wochenlanger Kleinarbeit schälten die erfahrenen
Ordnungshüter den Kern der Wahrheit aus dem Wulst wilder Gerüchte. Wie sich zeigte, stammten die Eisenbahngeräusche von
einem Kolkraben, der lange Zeit von einem Weichensteller gefüttert
worden war und dabei die Zuggeräusche täuschend nachzuahmen
gelernt hatte. Das Kindergeschrei kam aus der Kehle einer Amsel,
die vor dem Kriege im Garten einer inzwischen zerstörten Schule
gelebt hatte. Den Schiedsrichterpfiff endlich flötete ein zahmer Star:
die Familie, die ihn aufzog, versammelte sich sportbegeistert bei
jedem Fußballspiel um den Fernsehapparat, und der intelligente
junge Star trat bald in Konkurrenz zu der Schiedsrichterpfeife.

Wenn somit die gespenstischen Geräusche ihre hinreichend irdische Erklärung gefunden hatten, weigerte sich doch ein bedeutender Teil der Einwohnerschaft, diese plausiblen Erklärungen überhaupt entgegenzunehmen. Die Gegend blieb weiterhin verrufen;
zum Nimbus des – allerdings vergangenen – horizontalen Gewerbes
kam noch der Kitzel des Gespenstischen.

Mitten in diesem seltsamen Viertel stand nun das einsame Gasthaus des Gregor Simba. Gregor selbst ließ sich freilich selten dort
sehen. Er maß einen Meter einundachtzig Zentimeter, wog gut zwei
Zentner und ging so leidenschaftlich gern ins Kino, daß er keine
Zeit fand, an der Theke zu stehen und Bier auszuschenken. Dies
überließ er seiner Mutter – sein Vater lebte nicht mehr –, und wahrscheinlich wäre von Gregor nichts weiter zu berichten, hätte er nicht
eines Tages das Theater entdeckt. Fortan verachtete er das Kino und
den Film und lebte dem Theater, wenn auch nur als Zuschauer.
Doch die Bretter bedeuteten alles für ihn, sie änderten sein Leben.
Gregor Simba nämlich wurde eines Tages plötzlich verhaftet, weil er
an der falschen Stelle geklatscht hatte. Die Behörde betrachtete das
als Umsturzversuch und verurteilte Gregor zu fünfundzwanzig Jahren. Man griff scharf durch. Selbst Gregors verstorbener Vater
wurde, weil er der Aufsichtspflicht gegenüber seinem Sohne nicht
nachgekommen sei, zum Tode verurteilt, und, als sich herausstellte,
daß er bereits verstorben, wenigstens nachträglich aus dem Sterbe-
register gelöscht. Gregor Simbas gutherzige Mutter kam, ein Versehen der Justiz, mit dem nackten Leben davon und wurde nur ent-
eignet. Sie bezog eine Dachkammer in dem bisher ihr gehörenden
Gebäude und verdingte sich bei dem verstaatlichten Gasthaus als
Reinemachefrau.

Der Staat, der Gregor zu fünfundzwanzig Jahren verurteilt hatte,
ließ Gnade vor Recht ergehen und gab Gregor nach vierzehneinhalb
Jahren die Freiheit zurück. Gregor maß zu dieser Zeit immer noch
einen Meter einundachtzig Zentimeter, hatte jedoch sein Gewicht
um einen guten Zentner eingeschränkt. Auch ansonst war ihm
einiges verlorengegangen; so hatte man ihm ein Auge ausgeschlagen,
die Lungen beiderseits mit Tuberkeln durchsetzt und verschiedene

Male die Rippen gebrochen. Daß Gregor vorzeitig entlassen werden konnte, verdankte er – außer der Milde des Staates – dem Umstand, daß sich sein Geist mit schöner Regelmäßigkeit an fünf Tagen der Woche verdunkelte; die Arbeitsleistung an den beiden verbliebenen Tagen wog die Haftkosten keineswegs auf. So entschloß man sich, unter Beigabe einiger warnender Folterungen, den Häftling Nr. 1562 895/Strich 4 vorzeitig zu entlassen.

Gregor zog in die Dachkammer seiner Mutter und begann ein normales Leben. Weil es ihm verboten war, die Straße zu betreten, blieb er im Zimmer. Jeden Nachmittag, pünktlich 16 Uhr zweiundvierzig Minuten, erschienen drei Herren des Wohlfahrtsausschusses, verabreichten ihm die zwölf Stockhiebe, die ihm zur ständigen Mahnung auf Lebenszeit zugemessen waren, und ließen auch die Loyalitätserklärung unterschreiben. An den fünf Tagen, da Gregor seines Geistes nicht mächtig war, wurde statt seiner die Mutter zu Prügel und Unterschriftsleistung zugelassen. Schwierigkeiten ergaben sich lediglich die erste Zeit bei der Frage, ob die Mutter auch die Hausaufgaben ihres Sohnes zu erledigen habe. Denn, wie sich erwies, war Gregor während seiner fünf Tage nicht fähig, das tägliche Pensum zu erledigen. Da aber die Mutter als Reinemachefrau in einem staatlichen Gasthaus arbeitete, brachte auch sie nicht die Zeit auf, Tag für Tag elftausendeinhundertundneunmal den Satz zu schreiben *Ich liebe unsere Regierung und bin immer bereit für sie.*

Schließlich erließ die Regierung einen Ukas, wonach Gregor Simba die Hausarbeit nur an den Tagen zu erledigen brauchte, da er bei Verstand war.

Gregor Simba lebte nun mit seiner Mutter in Eintracht und Frieden. Wegen guter Führung erhielt er nach sechzehn Jahren die Erlaubnis, während der beiden Tage, die er geistig normal war, an den behördlichen Schulungen teilzunehmen, die in den Räumen der staatlichen Gastwirtschaft stattfanden. So erhob sich Gregor an diesen Tagen frühzeitig und stieg die knarrenden Treppenstufen hinunter, wobei er in jedem Stockwerk seinen Reisepaß vorweisen mußte.

Weil Gregor nur mehr ein Auge besaß und auch ein wenig schwerhörig geschlagen worden war, kam er in den Genuß der Vergünstigung, bei der Schulung in den vordersten Reihen sitzen zu dürfen. So hörte und sah er besser und deutlicher, was vorgetragen und demonstriert wurde. Es bereitete ihm einige Freude einzusehen, wie auch andere Staatsbürger gewissen Anfechtungen unterliegen mochten und am Ende der Schulung ihre gesetzlichen Strafen erhielten, zum Beispiel ließ man Frauen, die behaupteten, die staatlich festgesetzten Preise seien zu hoch, ein wenig hungern, damit sie vernünftig würden.

Eines Abends, es war Sommer und die Vögel zwitscherten draußen in den Bäumen, mußte die Hälfte der anwesenden Schulungsteilnehmer festgenommen werden, so daß der Schlußapplaus ziemlich müde wirkte. Gregor Simba, dem dies mißfiel, stieg auf die Bühne und schrie in den Saal:

»Bürger, mit eurem heutigen Benehmen bin ich in keiner Weise einverstanden. Ich habe den Verdacht, es sind einige unter uns, die den Schlußbeifall absichtlich sabotierten!«

Am nächsten Tag blieb der Wohlfahrtsausschuß aus. Statt dessen erschien der Statthalter und nahm Gregor in die Partei auf. Gregor ward zunächst Polizist und verhaftete, da er die Dachkammer zur Anlage einer Kartei benötigte, seine Mutter. Er wurde befördert und immer rascher weiterbefördert, und da er die Stufenleiter der Staatsaristokratie zügig hinaufstolperte, genügte ihm bald ein einziger Tag, die anfallende Arbeit zu erledigen. Die fünf Tage, die er nicht ganz bei Troste war, verbrachte er in den Marathonsitzungen, wo es niemals auffiel, ob einer der Sitzungsteilnehmer wahnsinnig war oder nicht. Außerdem gab es Sitzungen, zum Beispiel, wenn es um die Staatssicherheit ging, da brauchte man nur ein unentwegt finsteres Gesicht zu ziehen, und schon trug die Bewachungszentrale ein Lob in das Ordnungsbuch ein.

So entsprach es durchaus dem normalen Lauf der Dinge, wenn Gregor in seinem sechzigsten Lebensjahr zum Minister ernannt wurde. Es waren, wie sich herausstellte, zwei Minister über Nacht liquidiert worden, drei an Herzinfarkt gestorben und einer spurlos verschwunden. Von den freien Ministerien zog Gregor das für Staatssicherheit und das Kultusministerium in die engere Wahl. Schließlich siegte seine alte Vorliebe für die Kunst und insbesondere für das Theater. Seine erste Amtshandlung als Kultusminister war eine Tat, die in der gesamten Welt großes Aufsehen erregte: Gregor Simba rief alle Schriftsteller des Landes zusammen und beauftragte sie, das *klassische nationale Theaterstück* zu schaffen. Um auch wirklich die besten Schriftsteller zu erfassen, hatte man sogar die Gefängnisse sondiert, weshalb zu den einhundertsechzehn im Schriftstellerverband erfaßten Autoren noch einmal zweitausenddreihundertsiebenundachtzig hinzukamen.

Der Kongreß wurde ein großes Ereignis. Gregor Simbas Rede währte vierunddreißig Stunden und wurde dauernd von rasendem Beifall unterbrochen und in ihre einzelnen Sätze zerlegt. Nach eindringlicher Diskussion bildeten die Schriftsteller vierköpfige Dichtungskollektive und gingen ans Werk. Der Jury, die aus Gregor Simba als Vorsitzendem und Beisitzer bestand, wurden eintausendunddrei Theaterstücke eingereicht. Gregor suchte das künstlerisch hochwertigste Stück heraus und ernannte es zum *klassischen nationalen Theaterstück*. Die vier Autoren erhielten den Unsterblichkeitspreis, jeder sieben Villen und eine Beurlaubung von der Parteimoral auf Lebenszeit. Die anderen Autoren, runde dreitausend Stück, erhielten eine Einladung zur staatlichen Neujahrsfeier, wo sie betrunken gemacht und danach abgeschafft wurden.

Es begann ein allgemeines und großes Lernen. Die Bürger bildeten Lernaktivs und überboten gegenseitig und freiwillig die Norm. Um die Begeisterung nicht absinken zu lassen, richtete Gregor von Zeit zu Zeit ein paar Dutzend schlechter Lerner hin. Als festgestellt werden mußte, daß Arbeit die Bürger beim Lernen hinderte, ließ Gregor Simba die Fabriken und Werkstätten des Landes schließen. Alle nichtkünstlerische Tätigkeit wurde strengstens verboten, das Land mit Strychninpaste überzogen (damit die Bauern nicht etwa, alter Gewohnheit folgend, es bestellten), und das gesamte Volk wandelte geschlossen auf den Pfaden großer Kunst. Hier muß eingefügt werden, daß der Terminus »gesamtes Volk« keinen Euphemismus darstellt, denn auch die in den Gefängnissen einsitzende Mehrheit des Volkes durfte sich am Rollenstudium zur Vorbereitung eines großen nationalen Massentheaters beteiligen. Nie noch wurde solch ein Elan gesehen. Die einundzwanzig Ministerien der Kulturpolizei arbeiteten in drei Schichten. Die vier Autoren des *klassischen nationalen Theaterstückes* erhielten nachträglich die Würde eines *Weltmeisterdichters* und übten die oberste Kontrollfunktion über die einundzwanzig Ministerien der Kulturpolizei aus. Ihr amtlicher Name war *Koordinationsrat der mit Kulturüberwachung beauftragten Funktionäre*. Als Abzeichen trugen sie eine Buntfotografie von Gregor Simbas Kopf an den Kragenspiegeln.

Zu einem bedauerlichen und dennoch für die weitere Entwicklung günstigen Zwischenfall kam es, als die sechzehn Ministerien der Politischen Geheimpolizei einen Aufstand versuchten. Weil es nicht anging, daß eine – wenn auch beträchtliche – Gruppe des Volkes ihre Interessen über die des ganzen Volkes stellte, ließ Gregor den Aufstand niederschlagen und die Politische Geheimpolizei liquidieren. Ihre Aufgaben hatten die Ministerien der bewaffneten Kulturpolizei sowieso längst mit erledigt.

Fortan zirkulierten in allen Staatsstellen die Befehle und Eingebungen Gregor Simbas. Er verfügte auch, mit der endlichen Uraufführung des *klassischen nationalen Theaterstücks* kehre die Menschheit in den wahren Zustand der Glückseligkeit zurück. Denn, so hieß es in den für die öffentliche Propaganda bestimmten Schriftstücken, die Kunst sei das eigentlich wahre Wesen des Menschen und Gregor Simba ihr erster Prophet. In den für die Kulturpolizei bestimmten Befehlen existierte noch eine zweite Lesart, weil man sich natürlich auch bestimmten massenpsychologischen Erwägungen nicht verschließen konnte. So hieß es da zum Beispiel, das *klassische nationale Theaterstück* sei deshalb höchste künstlerische Vollendung, weil es in der Personenzahl alle Bedürfnisse des Volkes ausdrücke. In der Tat kannte das Stück nur vier Rollen, den Führer, den Polizisten, den kleinen Mann und den bösen Feind. So konnte endlich die absolute Ordnung gegründet werden. Ein jeder Bürger erhielt seine Rolle zugewiesen, die er auswendig zu lernen und fortgesetzt zu spielen hatte, sonst drohte ihm die Todesstrafe. Man teilte das Land in kleine Quadrate auf und das Volk in Quartette ein. Manche

Familien sperrten sich dagegen und wollten beisammen bleiben, doch schließlich siegte die Vernunft, und die einzelnen Quartette begannen in ihren Quadraten das Stück zu spielen. Langte das Stück am Ende an, begannen sie unverzüglich von vorn, wie es von den Kulturbehörden vorgeschrieben war. So spielte das gesamte Volk den ganzen Tag über Theater, und abends, wenn das Klingelzeichen ertönte, sanken die Mimen todmüde zu Boden, um am frühen Morgen, durch das Klingelzeichen rechtzeitig geweckt, das Stück dort weiterzuführen, wo es am Abend abgebrochen worden war. Gregor Simba wies seine Kulturpolizei an, streng auf die Einhaltung aller künstlerischen Vorschriften zu achten, insbesondere war es untersagt, einen anderen Text als den in der Rolle vorgeschriebenen zu sprechen. Eine neue Kategorie des Landesverräters tauchte auf, der Extemporist, dem man eine umfassende Kampfansage widmete und der auf keinerlei Gnade hoffen durfte. Gemeinhin wurde er auch bereits bei den ersten Sabotageversuchen aufgespürt, denn die Kulturpolizisten rekrutierten sich aus den Schichten der gehobenen Intelligenz, sie kannten den Text jeder Rolle auswendig und vermochten bereits ein Räuspern an der falschen Stelle zu erkennen und auszumerzen.

Weil sich schließlich auf diese Weise die Staatsordnung festigte und die Bürger zu einem höheren Bewußtsein heranreiften, erweiterte Gregor die Gefängnismauern, so daß sie länger und länger wurden und schließlich nur noch an der Grenze des Reiches entlanggingen, was, da man von schlimmen Feinden umgeben war, nun wirklich unumgänglich schien. Da man dennoch gewisse Strafen benötigte, wurde die sogenannte »erweiterte Kulturarbeit« eingeführt: diese bestand darin, daß Gesetzesübertreter in Freiheit blieben und nur durch Entzug der nächtlichen Ruhestunden bestraft wurden; je nach Schwere der begangenen Verbrechen gab es die »erweiterte Kulturarbeit von einer Stunde« und, in schweren Fällen wie etwa bei Extemporieren, die »absolut erweiterte Kulturarbeit!« — Letztere verurteilte die Verbrecher zu ununterbrochenem Theaterspielen. Wenn dabei der Tod des betreffenden Mimen eintrat, hatte er es sich selbst zuzuschreiben, und zwar als Folge seiner Asozialität.

Im Laufe der Zeit begann das Volk sich an die neue Ordnung zu gewöhnen. Ein leises Wohlbehagen war nicht zu übersehen. Die früher aufrührerischen Geister gefielen sich in hingebungsvollem Spielen. Eine gewisse Liberalität bemächtigte sich sogar der ewigen Revolutionäre. Die Bürger gewöhnten sich derart an ihre Rollentexte, daß sie begannen, auch genau das zu empfinden, was die Rolle an Worten ihnen auszusprechen gebot. So fühlte sich der Führer als der Führer, der Polizist als Polizist, der kleine Mann als kleiner Mann. Das brachte große Vorteile mit sich: jeder Gedanke an etwas anderes nämlich ward von vornherein abgewiesen. Nicht einmal Hunger verspürten die passionierten Mimen, denn Gregor hatte klugerweise darauf geachtet, daß im Stück weder gegessen noch getrunken noch vom Essen oder Trinken gesprochen wurde. Die diesbezüglichen Worte, sowie sie auch nur eine leise Andeutung auf Nahrungsmittel enthielten, z. B. Korn oder Ochse oder Schankwirt, waren gestrichen worden. So vergingen die Jahre, und banale Dinge wie Hunger oder Durst gerieten immer mehr in Vergessenheit. Was noch keinem Staatsmann gelungen war, Gregor gelang es. Alles Unglück war nur eine Folge der falschen Politik gewesen. Nun man die richtige Politik eingeführt hatte, ordnete sich das Leben von selbst.

Leider machten sich bald ein paar bedenkliche Erscheinungen bemerkbar. Die ihre Rollen spielenden Bürger steigerten sich zu sehr und übertrieben die Echtheit ihres Spiels. Besonders jene Bürger, denen die Rolle der Feinde zugedacht worden war, verloren jedes Maß für den Unterschied zwischen Realität und Kunst. Aber auch die in den Rollen der Führer steckenden Bürger fielen bald aus der Rolle und gefährdeten die Sicherheit Gregors – er war längst Staatspräsident geworden – in nicht unbeträchtlichem Maße.

Es kam zu Zusammenrottungen, die einen Führer hetzten gegen die anderen, sie brachten sich gegenseitig um, vereinnahmten einfach die Polizisten und kleinen Männer der anderen Führer und richteten vielerlei Unheil an. Kleine und größere Trupps bildeten sich, die Feinde schlossen sich zusammen, verließen die ihnen angewiesenen Plätze und zogen brandschatzend und sabotierend durchs Land.

Gregor blieb nicht untätig. Er wies die Kulturpolizei an, schärfstens vorzugehen. Ein paar Minister wurden wegen Vernachlässigung der Aufsicht enthauptet, einige tausend Quartette mit Pech übergossen und öffentlich verbrannt; ein Ukas erlassen, wonach eine Revision der Rollen in Aussicht stehe. Außerdem versprach man den Führern mehr Macht, den Polizisten eine Pension und den einfachen Männern mehr Freiheit während der Schlafenszeit. Nachdem auf diese Weise wieder langsam die Ordnung ins Land zurückkehrte, ersann Gregor das zweifellos klügste aller von ihm erlassenen Gesetze. Es besagte, an den Wirren der letzten Zeit seien die in den Rollen der Feinde steckenden Bürger schuld, weil sie sich mit den außer Landes stehenden Feinden verbündet hätten. Das Gesetz verfügte, alle betreffenden Bürger abzuschaffen und im *klassischen nationalen Theaterstück* die Rolle des Feindes durch die Rolle eines Applaudierers zu ersetzen. So geschah es. Der Applaudierer erwies sich als eine dankbare Rolle. Er hatte kein einziges Wort zu sprechen, nur in Abständen von je fünf Minuten kräftig eine Minute lang in die Hände zu klatschen. Und jeden zehnten Tag mittags, genau um zwölf Uhr, hatte er eine Viertelstunde Sonderbeifall, der dem allgemeinen Staatswohl galt, zu leisten.

Die neue Maßnahme war äußerst wirkungsvoll.

Die Bürger erfaßte, bedingt durch den einsetzenden Beifall, ein ungeahnter Elan, sie schmetterten die Worte heraus und spielten einige Tage lang wirklich mit innerer Ergriffenheit. Leider ließ auch der so klug eingeplante Beifall mit der Zeit nach. Insbesondere unter den Applaudierenden mehrten sich die Fälle frechster Insubordination, die Bürger hielten einfach im Klatschen inne, standen plötzlich, oft noch mit vorgestreckten Händen, still wie die Ölgötzen. Ein Ingenieur aus dem Ausland, der als Mitglied einer Delegation das Land bereiste, riet, die Applaudierer durch Automaten zu ersetzen. Man könnte es so regeln, daß völlig automatisch in den bestimmten Zeitabständen eine Welle lauten Händeklatschens über das Land fahre.

Gregor beschloß, diesen Vorschlag während der nächsten fünf Tage, die er in geistiger Umnachtung zubringen würde, hinreichend zu überlegen. Allerdings gab es in diesem Zeitraum ein unvorhergesehenes Ereignis, das den Staatsmechanismus in beträchtliche Unordnung stürzte. Eine alte runzlige Frau erschien im Palast und behauptete, die Mutter des Diktators zu sein. Die Palastwachen hatten schon viel erlebt. Männer waren erschienen, die behaupteten, der Kaiser von China zu sein. Frauen hatte es gegeben, die sich als Maria Theresia oder Katharina die Große ausgaben. Stets wurden diese Überbleibsel vergangener Zeiten von der Kulturpolizei überführt.

Jetzt stellte sich der Fall anders dar. Bisher hatte sich niemand über die Herkunft des Diktators Gedanken gemacht. Er war einfach dagewesen. Nun jedoch, als plötzlich eine Frau erschien, die sich als leibhaftige Mutter des Allmächtigen ausgab, entstand im Nu eine Reihe äußerst komplizierter Fragen. Freilich hätte man die alte Frau liquidieren können. Was aber, wenn sie wirklich die Mutter Gregors war? Zudem wies sie einen zwar längst verfallenen, aber durchaus einmal gültig gewesenen Ausweis vor, in dem Simba als leibhaftiger Sohn der Frau Margarete Simba eingetragen stand. Man brachte die alte Frau in einem staatlichen Hotel unter und wartete die Tage, da der Diktator zurückgezogen lebte, unruhvoll ab. Übrigens hieß es dem Ausland gegenüber, der Diktator ziehe sich nur zurück, um in Ruhe und Einsamkeit über das größtmögliche Glück seines Volkes nachzudenken. Dem Inland gegenüber aber konnte man auf alle Umschreibungen verzichten, bestand doch, seit das Theaterspielen zur allgemeinen und absoluten Pflicht erhoben worden war, längst keine Öffentlichkeit mehr. Als Gregor erschien, führte man ihm die alte Frau vor. »Obwohl Mütterrollen in unseren Theatern nicht vorgesehen sind«, entschuldigte sich der zuständige Ressortleiter der Kulturpolizei, »halten wir es doch für angebracht, die Entscheidung Ihnen zu überlassen.«

»Wer bist du?« fragte Gregor die alte Frau.

»Deine Mutter!«

»Warum spielst du nicht die dir angewiesene Rolle?«

Keine Antwort. Die Stirn des Diktators verfinsterte sich. »Du hast gegen das allgemeine Gesetz verstoßen, darauf steht die Todesstrafe!«

Die Kulturpolizei schleppte die alte Frau fort.

An der Tür gelang es ihr, sich loszureißen. Sie schrie zu Gregor zurück:

»Mein Sohn, mein Sohn, ich habe Hunger!«

Ergrimmt über die Renitenz schlug die Kulturpolizei zu.

Die alte Frau starb noch vor der Tür Gregors.

»Was heißt es schon«, philosophierte er, »wenn so ein altes Weib Hunger hat? Millionen haben keinen Hunger mehr. Sie allein zählen!«

Es erwies sich aber, daß das Wort der alten Frau durch die offenstehende Tür hinaus ins Land gelangte. Dort sprang es mit riesigen Sätzen von Quadrat zu Quadrat und von Quartett zu Quartett. Obwohl in keinem Rollentext vorgesehen, fand es doch in jeder Rolle Eingang und eroberte nachts die flüsternden Lippen der Schläfer. Als der Aufruhr losbrach, versammelte Gregor seine getreue Kulturgarde um sich und befahl, die Pforten des Palastes zu schließen. Es gelang ihm, die ersten wütenden Angriffe der Volksschauspieler abzuwehren. Die Verluste auf beiden Seiten waren groß. Nach wenigen Tagen erlahmte die Wucht der Angreifer. Sie waren in den letzten Jahren, da sie Theater spielen mußten, kampfesuntüchtig geworden. Zudem lähmte der Hunger, nun er beim Namen genannt werden konnte, die ruhige Überlegung und schuf Zank und Zwietracht unter den Rebellen. Das Übermaß an Zorn über die lange eingehaltene Disziplin verkehrte sich in eine rigorose Ablehnung aller Disziplin.

Gregor andererseits, in langen Tagen des Wahnsinns gereift, war klug genug, gewisse Fehler seiner Staatsführung zuzugeben.

So erklärte er:

»Wenn unsere Kunst, die dem Volke von uns gebrachte höchste Würde, vom Volke nicht mehr genügend verstanden wird, so ist zweifellos daran nicht die Kunst, sondern das Volk schuld. Gleichwohl sind wir geneigt zuzugeben, daß in den Ausführungsbestimmungen zu einigen nebensächlichen Gesetzen, die die Kunst betrafen, auch von uns einige Unrichtigkeiten begangen wurden. So war es zwar richtig, die Rolle der Applaudierer in das *klassische nationale Theaterstück* einzuführen, aber man hätte die Rollen des Feindes nicht gänzlich abschaffen dürfen. Es muß sich für einen Herrscher nachteilig auswirken, wenn das Volk keine Feinde mehr sieht, gegen die zu kämpfen es angehalten werden kann. Feinde, schlimme Feinde, grimmige Feinde zu haben ist das erste Gesetz unserer Herrschaft. Und wir sollten nicht vergessen, dort, wo uns keine natürlichen Feinde erwachsen, ein paar künstliche entstehen zu lassen!«

Gereift um diese Weisheit, gab Gregor das Zeichen zum Gegenstoß. Die Kulturtruppen öffneten unter lautem Kampfgeschrei die Tore des Palastes und begannen, das Volk allerwärts zu vernichten. Einige wenige, denen es aus noch ungeklärten Gründen gelang zu überleben, wurden, auf Einspruch mißgünstiger auswärtiger Staaten, des Landes verwiesen.

Nachdem Gregor einen herrlichen Sieg errungen, nahm er am Triumphbogen die Parade der Kultursoldaten ab. An der Spitze, als Divisionskommandeure, marschierten die vier ruhmreichen Schriftsteller, die Autoren des *klassischen nationalen Theaterstücks*.

Tags darauf schickte Gregor staatliche Kommissionen aus, um Völker zu finden, die ihrer gesamten Anlage nach Gewähr dafür bieten mochten, den Anweisungen Gregors zu folgen. Leider befanden sich alle Völker in festen Händen. Gregor nahm das unwillig zur Kenntnis, fand jedoch während seiner nächsten fünf Wahnsinnstage eine glückliche Lösung.

Er erinnerte sich jener vergangenen Zeit, da ein Kolkrabe Eisenbahngeräusche von sich gab, eine Amsel Kinderstimmen imitierte und ein Star den Schiedsrichter spielte. So befahl er, sein menschenleeres Land mit Vögeln zu besiedeln.

Wer heute Gregor Simbas Land besucht, bekommt die Augen verbunden, damit er nicht die Geheimnisse, die dort das Leben lebenswert machen, erkenne und ausplaudere und somit den Feinden der Menschheit helfe. Die Ohren der Besucher vernehmen alle Geräusche einer reichen und unbeschwerten Geschäftigkeit. Eisenbahnzüge fahren, Kinder lärmen, Fußballer stürmen, von Beifall angefeuert; es muß ein wunderbares Leben sein, das die Bewohner des Landes führen. Und die Besucher, kehren sie zurück von ihrer Reise, erklären:

»Wir haben mit unseren eigenen Ohren gehört, wie das Leben dort im Lande der Verheißung pulsiert. Dort lebt ein glückliches Volk!«

WOLFGANG WEYRAUCH

Vorbereitungen zu einem Tyrannenmord

Mir träumte, ich ginge in Richtung Palast. Zum erstenmal hatte ich einen Plan. Da er bis in die winzigsten Einzelheiten ausgedacht war, war er gut, und da er gut war, mußte er erfolgreich sein. Zunächst, träumte ich, schlüge ich einen Haken. So kam ich vor die Stadt. Hier, in einem Wäldchen, zog ich mich um. Niemand sah mich. An Silvester treiben sich die Bewohner der Stadt ausschließlich in den Straßen herum. Ich zog mich wie der Tyrann an und schminkte mich, beim Schein einer Taschenlampe und vor einem Taschenspiegel, wie er. Alles ging sehr schnell; ich hatte es oft geübt. Nachdem ich meine Kleider, die Lampe und den Spiegel vergraben hatte, kehrte ich zur Stadt zurück. Ich tänzelte wie der Tyrann; ich konnte es gut. Ich glich ihm vollkommen. Ich zweifelte nicht daran, daß mich jeder Bewohner der Stadt für den Tyrannen halten würde. Fast glaubte ich, ich sei es. Ich kam in die Stadt. Niemand kümmerte sich um mich. Dies war der Beweis dafür, daß alle meinten: da tänzelt er selbst. In jeder Silvesternacht tänzelte der Tyrann durch die Straßen, allein, wie es schien, doch in Wirklichkeit standen überall die harmlos tuenden Wachen herum, die aufpassen mußten, daß ihm nichts geschähe. Ich fürchtete mich nicht davor, sie könnten argwöhnen, ein Doppelgänger sei unterwegs. Denn immer an Silvester tänzelte der Tyrann zum Beispiel im Osten der Stadt, und, plötzlich, war er im Westen. Wir Sklaven sollten wähnen, der Tyrann könnte zaubern. Dabei eilte er nur auf eine Weise, die ich noch nicht herausbekommen hatte, durch das System der unterirdischen Katakomben. Wahrscheinlich hatte er sich insgeheim eine Art privater Untergrundbahn bauen lassen. Ich begriff nicht, daß ich mir darüber noch nicht im klaren war. Aber dafür wußte ich etwas anderes. Ich, und zwar ich allein, kannte einen Pfad quer durch die Katakomben, bis zum äußersten und tiefsten Ende der Gänge und Sümpfe. Dieses Ende der Katakomben besteht aus einer Kammer. Die Kammer hat kein Fenster. Wohin sollte auch der hinsehen, der in der Kammer wäre? Aber die Kammer hat eine Tür. Wenn sie geschlossen ist, ist keine Luft mehr darin. Nein, ein bißchen ist noch darin, ein bißchen entsetzliche Luft aus den Mooren und Pfaden. Aber das verbraucht sich rasch, wenn sich jemand in der Kammer befindet und wenn die Tür geschlossen ist. Wer in der Kammer eingesperrt ist, erstickt. Nicht gleich, aber bald. Er erstickt so langsam, daß ihm noch alle Sünden einfallen können, und er erstickt so rasch, daß er bald jede Hoffnung aufgibt, gerettet zu werden. Die Kammer ist das Ende, und ich, ich bin der einzige Mensch, dem bekannt ist, daß der Pfad zur Kammer unter dem Tyrannenpalast anfängt.

Während ich so durch die Stadt tänzelte, träumte ich davon, was ich mit dem Tyrannen machen würde, wenn ich ihn gefangengenommen hätte. Ich würde ihn mit in die Tiefe nehmen. Ich würde ihn in der Tiefe lassen. Ich aber würde wieder ans Tageslicht kommen und zu Euch, die Ihr Euch ohne Euern Tyrannen fürchtet, folgendes sagen: laßt ihn, wo er ist, Ihr kommt ohne ihn aus, Ihr fahrt besser, wenn er nicht da ist. Wohin? würden einige von Euch meinen letzten Satz wörtlich beantworten, Narr, der Du bist, Du hoffst, uns unseren Tyrannen geraubt zu haben, warte nur, warte ein Jahr, warte ein paar Jahre, und ein neuer Tyrann wird da sein, er wird Dich verschlingen. Einige von Euch werden mich sogar ganz einfach angreifen. Aber ich werde wie aus heiligem Stein sein, und sie werden mir nichts anhaben können. Keiner von Euch wird mir danken, daß ich Euch befreit habe. Einige fragen aber auch nur: wo ist er? Entweder fragen sie aus Neugier, oder sie fragen aus Tücke, weil sie ihn von dort herausholen wollen, wohin ich ihn für immer verbannt habe, und ein paar fragen vielleicht auch nur, weil sie erfahren wollen, wie man Tyrannen unschädlich machen kann. Ihnen allen erwidere ich dies: ich nahm ihn in seinem Palast gefangen. Wie ich verfuhr, ist mein Geheimnis. Ich knebelte ihn. Ich band ihm die Arme, über dem Rücken verschränkt, zusammen. Die Beine ließ ich frei. Er mußte ja gehen. Er mußte zum letztenmal in seinem Leben gehen. Wenn er versuchen würde, sich zu wehren, würde ich ihn töten. Er hätte mir leid getan. Es würde ihm die Qual erspart haben, die er uns allen zugefügt hat. Aber ich war davon überzeugt, daß es nicht dazu käme. Er hatte Angst vor mir. Er war ein Tyrann. Tyrannen sind feige. Und fliehen konnte er nicht. In den Katakomben kann man nicht fliehen. Wer hier flieht, kommt um. Der Tyrann wollte nicht umkommen. Er rechnete sich seine Rettung aus. Ich rechnete mir nichts aus. Ich wußte, daß alles so sein würde, wie ich es mir vorgenommen hatte. Ich machte die Falltür, den Eingang zu den Katakomben, auf. Ich ließ ihn vorangehen. Ich folgte, eine Taschenlampe in der linken Hand. In der rechten Hand hielt ich einen Revolver. Ich machte die Falltür hinter uns zu. Wir stiegen hinab. Tief hinab. Dann wurde der Pfad eben. Bis zu meinem Ziel, der letzten und tiefsten Höhle der Katakomben, wechselte die Beschaffenheit des Pfads oft. Er fiel ab, er stieg an, doch im ganzen fiel er. Manchmal stieg er so steil in die Höhe, daß ich geglaubt hätte, wir kehrten zur Oberfläche der Erde zurück, wenn ich es nicht besser gewußt hätte. Manchmal fiel der Pfad auch so steil nach unten, daß wir ausrutschten und viele Meter hinabschlidderten. Zuweilen gerieten wir in Sackgassen. Entweder waren es wirklich Sackgassen, und ich hatte mich verlaufen. Aber ich fand mich wieder zurecht. Oder es waren keine Sackgassen. Dann verrückte ich einen Felsen, und der Pfad setzte sich fort. Wer in die Katakomben gerät und nicht weiß, daß ein Felsen den Pfad öffnet, stirbt. Denn hinter dem, der in eine solche Sackgasse eingedrungen ist und mit dem rettenden Felsen nicht Bescheid weiß, schließt sich der Pfad zusammen. Ich hatte es selbst einmal erlebt, kurz, nachdem ich die Falltür zu den Katakomben gefunden hatte und nun den verborgensten und unzugänglichsten Ort suchte, wohin ich den Tyrannen bringen könnte, wenn ich ihn gefunden hätte.

Damals tappte ich sozusagen blind durch die Katakomben. Ich wußte nicht, wer sich außer mir in der Tiefe befand. Ich durfte auf keinen Fall entdeckt oder sogar erkannt werden. Meine ersten Vorbereitungen zum Tyrannenmord durften nicht gleich vereitelt werden. Natürlich hatte ich auch damals eine Taschenlampe bei mir. Aber ich hatte mir vorgenommen, sie nur dann zu benutzen, wenn es nicht anders ging. So konnte ich also, falls jemand unten war, kaum gesehen werden. Allerdings konnte ich auch niemanden sehen, es sei denn, er stünde dicht vor mir. Und hören konnte man mich auch nicht, so, wie ich niemanden hören konnte. Alle Pfade im System der Katakomben waren voll Schlamm. Oft war er so tief, daß ich mich kaum herausziehen konnte. Ich zog mich heraus. Ich habe darüber nachgedacht, wie es mir wohl gelungen sein könnte; ich weiß es nicht. Ich versuchte, mich an den Wänden der Pfade hochzuziehen, die ihrerseits auch mit Schlamm verkrustet und im Durchmesser nirgendwo mehr als einen halben Meter voneinander entfernt waren. Ich konnte sie also sofort anfassen, wenn der Schlamm auf dem Pfad keinen Felsen, sondern das Grundwasser bedeckte. Aber da die Wände und auch Decke und Boden so nahe zusammen waren, konnte ich mich, wenn ich in die Tiefe sackte, kaum bewegen, um mich zu retten. Trotzdem rettete ich mich immer wieder. Das klingt vermutlich so, als wäre ich besonders geschickt oder sogar heldenhaft gewesen. Ich bin kein Held. Ich hatte Angst, nichts als Angst. Ich bin ein kleiner Mann. Ich würde mich schämen, wenn mich jemand einen Helden nennen würde. Ich tue nur das, was ich kann, und sogar noch weniger als das. Ich tue es, obgleich ich Angst habe. Wer könnte wohl auch keine Angst haben, wenn er sich in folgender Lage befindet: er tappt und tappt im Schlamm, hinter ihm ist es so schwarz wie in der Nacht, vor ihm ist es so schwarz wie in der Nacht, er watet im Schlamm, er versinkt im Schlamm, da, da meint er, etwas zu hören, er knipst seine Taschenlampe an, obgleich er weiß, daß er sie nicht anknipsen darf, er sieht, was er gehört hat, er sieht Ratten, lauter Ratten, er ist von Ratten umzingelt, die Ratten fürchten sich nicht vor ihm, sie haben noch nie einen Menschen gesehen, aber sie wittern, daß das Ding mitten unter ihnen etwas zu fressen ist, sie greifen ihn an, sie kauen schon an seinem Anzug, gleich sind sie durch den Stoff, gleich sind sie an der Haut, eigentlich müßte er, nein, ich, eigentlich müßte ich die Lampe ausknipsen, doch wie könnte ich das, da die Ratten über und unter und neben mir sind, da ich fast ersticke, weil Gas, schwefliges Gas, aus dem Schlamm dringt, da ich merke, daß ich im Kreis gestapft bin, daß ich also nichts erreicht habe, gar nichts, da ich fühle, daß die Decke des neuen Pfads, den ich gefunden habe, sich senkt, so daß ich kriechen muß, wie ein Salamander, dem Kopf und Schwanz abgeschnitten sind, denn er kann nicht mehr denken, und er kann nicht mehr weiter. Aber ich kam auch aus dieser Klemme, aus dieser und aus anderen.

Als ich jetzt, den Tyrannen vor mir, dem ich, links oder rechts, die Richtung angab, indem ich ihn mit dem Revolver gegen den linken oder rechten Ellenbogen stieß, zum soundsovielten Mal durch die Katakomben tappte oder kroch, gab es keine Klemmen mehr für mich. Leider gab es also auch für den Tyrannen keine Schwierigkeiten, die ihm ans Leben gingen oder wenigstens ans Leben zu gehen schienen, sondern nur Anstrengungen. Ich konnte ihn nur zur Langsamkeit zwingen, damit er den Schlamm, die Ratten und das Gas so heftig wie nur möglich spürte. Mehr konnte ich ihm im Augenblick nicht antun. Aber wir kämen ja zur äußersten und tiefsten Kammer. Wir kamen hin. Er blieb davor stehen. Ich drängte ihn hinein. Die Höhle war nur einen Meter hoch, zwei Meter lang und zwei Meter breit. Er legte sich platt auf den glitschigen Boden. Er sah zur glitschigen Decke hinauf. Ich band ihm auch noch die Beine zusammen. Ich kniete mich über ihn. Ich sah ihn an. Er sah mich an. Wir sagten kein Wort. So, dachte ich, nun bist Du dort, wo Du hingehörst, am Ende der Erde, jeden Atemzug, den Du noch machen kannst, näher am Tod, so, nun hast Du es so, wie Du es uns allen gemacht hast, aber besser ist es, wir machen es Dir so, als daß Du es uns so machst, denn Du bist nicht nur der Tyrann Soundso, sondern Du bist auch ein Stellvertreter aller anderen Tyrannen, auch der kleinsten. Ich gehe, Tyrann. Von jetzt an muß ich auf mich aufpassen, daß ich kein Tyrann werde. Ich gehe. Wir haben uns angesehen. Was Du gedacht hast, weiß ich nicht. Es interessiert mich nicht. Es interessiert niemanden mehr. Schon bist Du nicht mehr da. Ich stehe auf. Mein Blick in Deine erbarmungslosen Augen war zuerst eine Anklage, dann ein Verhör, schließlich das Urteil. Ich gehe zur Tür Deines Verliese. Ich weiß nicht, warum hier einmal eine Tür angebracht worden ist. Wahrscheinlich für Dich und Deinesgleichen. Deinesgleichen gibt es immer. Ich schließe die Tür ab. Ich werfe den Schlüssel in den Schlamm. Dann ist es still. Nein, es ist nicht still. Die Ratten kommen. Sie wollen Dich fressen. Doch sie können nicht an Dich heran. In Deiner Höhle ist auch nicht die winzigste Ritze. Nach ein paar Stunden wirst Du nicht mehr leben. Du wirst, ehe Du stirbst, nur noch die Ratten hören. Wie sie an Deiner steinernen Tür nagen. Wie sie zornig sind, daß sie den Stein nicht fressen können, damit sie Dich fressen. Wie sie aus Zorn den Pfad mit ihren Schwänzen schlagen. Wie sie aus Zorn mit den Zähnen knirschen. Du weißt, Tyrann, daß die Zähne der Ratten nicht zu Dir gelangen können. Obwohl Du es weißt, wirst Du Angst haben, daß sie vielleicht doch, vielleicht doch, und sie allein, und sonst nichts und niemand, zu Dir gelangen könnten. Bevor Du stirbst, Tyrann, bist Du verrückt geworden. Verrückt sein, Tyrann, ist das Schlimmste, was es gibt. Verrückte, die merken, daß sie verrückt sind, weinen manchmal. Du wirst nicht weinen. Tyrannen weinen nicht.

Aber, so träumte ich weiter, ich war ja erst auf dem Weg zu ihm und seinem Palast. Ich hatte mir etwas vorgestellt, was mir und dem Tyrannen noch bevorstand. Es war eine purpurne Nacht. Ich tänzelte auf den Park zu, der den Palast umgab. Das Parktor stand offen. Im Schilderhaus hielt ein Soldat Wache. Er salutierte. Er hielt mich für den Tyrannen. Ich ging in den Park hinein. Schon sah ich im Schimmer des purpurnen Monds den Palast. Aber noch staunte ich über die Figuren, zu denen die Büsche des Parks gestutzt waren. Doch ich durfte mir mein Erstaunen nicht anmerken lassen, da ich selbst befohlen hatte, daß die Büsche so beschnitten würden. Alle sahen gleich aus. Alle glichen mir selbst. Jeder Busch war ein Tyrann. Ich war ein Busch. Dann kam ich in das erste Zimmer. Fußboden, Decke und Wände waren mit purpurner Seide bespannt. Die Seide war zerschlissen, ja, sie hing in Fetzen herunter. Ich blieb darin hängen, machte mich aber wieder los. Das erste Zimmer war das erste Zimmer; sonst hatte es keine Funktion. Das zweite Zimmer setzte gewissermaßen das erste fort. So lagen alle Zimmer des Palasts in einer Geraden hintereinander. Das zweite Zimmer war das

Zimmer für die Verhöre. Es war vollkommen leer. Dafür hatte es ringsherum zwei Wände. Ich sah es, weil die innere Wand nicht ganz so hoch wie die äußere war. Überall in der inneren Wand waren Öffnungen. Ich erblickte die Öffnungen für die Köpfe, für die Hände und Füße der zu Verhörenden. Vermutlich wurden, wenn die Delinquenten in den Schraubstöcken steckten, die übrigens mit purpurnem Samt ausgeschlagen waren, ihre Köpfe, Hände und Füße mit denen verglichen, die in den Listen notiert waren. Im Zimmer für die Vorbereitung der Verhöre – das eigentliche Verhörzimmer war das dritte, das Blumenzimmer – hingen purpurne Schilder von der Decke herab. Darauf stand: hier finden Unterhaltungen statt, oder: seid höflich, oder: die Welt ist schön. Es war wie mit der zerschlissenen Seide im ersten Zimmer. Der Reichtum sollte ärmlich aussehen, die Verruchtheit sanftmütig. Auch die Blumen im Blumenzimmer waren purpurn. Ich zweifelte nicht daran, daß nicht nur die Blumen dufteten, wenn die Verhöre anders verliefen, als vorgesehen war. Als ich eine bestimmte Stelle im Blumenzimmer betrat, schaukelte der Fußboden. Ich wußte Bescheid. Wenn die Gäste des Tyrannen nicht so antworteten, wie er es erwartet hatte, drangen aus zahllosen winzigen Löchern in den Wänden giftige Schwaden, welche die Angeklagten und schon längst Verurteilten betäubten. Sie stürzten. Der Fußboden neigte sich, wurde abschüssig, und die Opfer rollten ins nächste Zimmer, um gefoltert zu werden. Tatsächlich war das benachbarte Zimmer das Folterzimmer. Es war mit Fenstern bespickt. Durch die Fenster waren herrliche Landschaften zu sehen. Längs der linken Fensterreihe breitete sich, natürlich, ein Teil des Parkes aus. Hinter der rechten Fensterreihe lag eine Insel. Sie lag mitten in einem Meer. Das Wasser kräuselte sich, ein Wind bewegte es. Auf der Insel wimmelte es von Menschen. Ich glaubte, im Traum zu träumen, weil es innerhalb unseres Lands, wie überall, kein Meer geben kann. Ich weiß nicht, warum ich es rief, aber ich rief es: ich bin unschuldig. Im gleichen Augenblick war das Meer mit der Insel verschwunden, und auch der Park war nicht mehr da. Gleichzeitig war es dunkel geworden. Jetzt erst fiel mir auf, daß das Folterzimmer hell gewesen war. Ich knipste meine Taschenlampe an. Ich sah, daß die Fenster noch vorhanden waren, aber hinter den Scheiben befand sich nur ein brüchiges Gemäuer. Ich bin schuldig, rief ich. Sofort wurde es wieder hell, und die Landschaften des Parks und der Insel im Meer erschienen. Ich bin unschuldig, rief ich. Es wurde dunkel, die Landschaften erloschen. Ich bin schuldig, rief ich, es wurde hell, die Landschaften kamen wieder. Sie waren auf die steinernen Flächen in den Fensterrahmen projiziert. Immer, wenn ich rief: unschuldig, roch ich etwas, und immer, wenn ich rief: schuldig, hörte der Geruch auf. Ich schnupperte. Ich wußte, wonach es roch. Es roch nach Schlangen. Ich rief noch einmal: unschuldig. Ich horchte. Ich hörte, wie die Schlangen zu kriechen anfingen. Ich hörte sie klappern. Also waren es Klapperschlangen. Ich knipste meine Taschenlampe an.

Ich sah keine Schlangen. Es waren keine da. Vermutlich hatte der Tyrann eine Geräusch- und Geruchmaschine einbauen lassen, die den Angeklagten Klapperschlangen vortäuschen sollte. Nach dem Folterzimmer kam das Zimmer zum Spielen mit Kindern. Überall war Spielzeug. Doch es lag nicht unordentlich herum, wie es sonst in Kinderzimmern zu sein pflegt, sondern war in Regalen gestapelt. Im ersten Regal waren nur Hampelmänner, im zweiten nur Stehaufmännchen, im dritten nur Puppen, im vierten nur Baukästen, im fünften nur Bilderbücher, im sechsten nur Ausschneidebogen, im siebten nur Autos zum Aufziehen. Alle Spielsachen in den Regalen waren wie Wäschestücke in den Spinden unseres Heers bis auf den Millimeter genau ausgerichtet. Die Hampelmänner waren der Tyrann, die Stehaufmännchen waren der Tyrann, die Puppen waren der Tyrann, in den Bilderbüchern und auf den Ausschneidebogen war der Tyrann abgebildet, die Chauffeure in den Autos waren der Tyrann, und wenn man die Baukästen zusammensetzte, ergaben die Steine oder Klötze den Palast des Tyrannen, durch dessen purpurne Finsternis ich in diesem Augenblick wanderte. Ich hörte nicht auf zu tänzeln. Ich wußte nicht, ob im Musikzimmer, im Bücherzimmer oder in der Gemäldegalerie, durch die ich nacheinander kam, hinter einer Musiktruhe, hinter einem Regal oder hinter einer Plastik ein Wächter hockte, der mir, falls er merkte, daß ich nicht der war, ich vorgab zu sein, ein Lasso um den Hals warf. Im Musikzimmer hingen sicher über hundert Apparate an den Wänden. Ich drehte an einem Knopf. Der Apparat spielte ›Weißt Du, wieviel Sternlein stehen?‹ Dann hörte er mitten in der Melodie auf, schnurrte weiter und fuhr mit dem Anfang des dritten Satzes der fünften Symphonie von Beethoven fort. Hierauf unterbrach er die Symphonie und spielte ein Stück aus dem Rosenkavalierwalzer von Richard Strauß. Schließlich hörte ich ›Les préludes‹ von Liszt. Ich drehte ab. Im Bücherzimmer standen vier Regale, die alle Wände füllten und bis zur Decke reichten. Ich zog ein Buch heraus. Es war ›Der Großinquisitor‹ von Dostojewskij. Ich zog ein zweites Buch heraus. Es war ›In Stahlgewittern‹ von Ernst Jünger. Das dritte Buch hieß ›Gleichheit und Freiheit‹ und war von Clemens Ostertag geschrieben. Als ich mir ein viertes Buch ansah, war es wieder ›Der Großinquisitor‹ von Dostojewskij. Das fünfte war abermals das Buch von Ernst Jünger. Das sechste war wieder der Ostertag. Diese drei Bücher wechselten sich ununterbrochen ab. In der Gemäldegalerie hing nur ein einziges Bild. Es war so lang und so hoch wie die Wand vom Bücherzimmer bis zum Ankleidezimmer. Auf dem Bild war links der Tyrann zu sehen, und rechts waren ein Mann, eine Frau und ein Kind. Die Frau streckte das Kind dem Tyrannen entgegen, der seinerseits die Hände nach dem Kind ausstreckte. Der Mann stand abseits. Seine Hacken drückten sich gegeneinander, seine Fußspitzen standen fast in einem rechten Winkel zueinander. Er sah in die Augen des Tyrannen. Ich entdeckte im Rahmen des Bilds mehrere Knöpfe.

Ich drückte einen Knopf hinein. Der Tyrann rollte in den Rahmen, nach links, und die Familie rollte auch in den Rahmen, nach rechts. Dann rollte der Tyrann wieder aus dem Rahmen heraus, und von der anderen Seite rollten viele Männer in das Bild. Sie bildeten eine Reihe. Sie waren Soldaten. Sie hatten die Augen rechts. Sie sahen den Tyrannen an. Der Tyrann sah die Soldaten an. Er hatte eine große Fahne in den Händen. Sie war purpurn. Auf den purpurnen Grund war eine goldene Lilie gestickt. Die Fahne flatterte über die Schultern des Tyrannen. Ich drückte einen andern Knopf. Tyrann und Soldaten rollten in die Rahmen, Tyrann und Soldaten rollten ins Gemälde zurück. Während der Tyrann wieder die Fahne trug, stürmten die Soldaten, Karabiner oder Maschinenpistolen in den Händen, gegen einen Feind, der außerhalb des Bilds war. Ihre Münder standen offen. Sie schienen zu singen. Ich drückte noch einmal. Tyrann und Soldaten rollten fort. Doch indes der Tyrann zurückkehrte, rollten von rechts nicht nur Männer aus dem Rahmen, auch Frauen und Kinder waren dabei. Sie lagerten auf einer großen Wiese und blickten zu dem Tyrannen empor. Der Tyrann, der einen Kranz aus purpurnen Lilien im Haar hatte, hielt, wie es schien, eine Rede. Er lächelte. Ein Mann auf der Wiese hatte ein Buch in der Hand, ein anderer hatte eine Kelle in der Hand, ein dritter trug einen Laib Brot, ein vierter eine Roggenähre, ein fünfter einen Hammer, ein sechster einen Äskulapstab. Die Frauen hatten purpurne Lilien in den Haaren und hielten Säuglinge im Schoß oder größere Kinder an den Händen.

Plötzlich merkte ich, daß das Gemälde undeutlich wurde. Ein Nebel hüllte es ein. Aber der Nebel kam nicht aus dem Bild, sondern aus dem Fußboden der Gemäldegalerie. Ich erschrak. Ich machte, daß ich weiterkam. Ich kam in das Ankleidezimmer. Auch hier war es neblig. Trotzdem sah ich, daß je sieben Uniformen, Fräcke, Straßenanzüge, Sportkombinationen, Wintermäntel, Sommermäntel, Hausmäntel, Bademäntel in den geöffneten Schränken hingen. Jede Uniform war gleich der anderen, jeder Frack gleich dem anderen, und so war es auch mit den übrigen Bekleidungsstücken. Ich zog einen der Fräcke an. Er paßte mir. So rasch ich konnte, tänzelte ich weiter. Denn der Nebel nahm immer mehr zu. Als ich in das Zimmer zum Photographieren kam, war der Nebel noch stärker. Aber er hinderte mich nicht daran, die Einrichtung des Photographierzimmers einigermaßen zu sehen. In der Mitte stand ein Photoapparat. Ich ging zu ihm hin und machte eine Aufnahme. Wovon? Von dem, was ich gerade im Objektiv sah, von den Aufnahmen des Tyrannen, die überall an den Wänden hingen. Doch als ich den feuchten Abzug betrachtete, sah ich etwas, was ich nicht photographiert hatte. Ich sah den Tyrannen selbst, nicht seine Aufnahmen an der Wand. Er schien zu leben. Es kam mir so vor, als knebele und fessele er mich. Ich machte eine andere Aufnahme. Wieder war der Tyrann auf dem Abzug. Aber diesmal schien er mich aufzufordern, mich selbst zu knebeln und zu fesseln. Ich machte eine dritte Aufnahme. Abermals war der Tyrann auf dem Abzug zu sehen. Mir schien, ich kröche den Pfad in den Katakomben entlang, und der Tyrann ginge hinter mir und gäbe mir mit einem Hieb seines Revolvers die jeweilige Richtung an, wie ich zu kriechen hätte. Doch dann bildete ich mir wieder ein, der Tyrann kriche auf dem Pfad, und ich lenkte ihn zu der äußersten und tiefsten Kammer. Hierauf träumte ich wiederum, ich sei sowohl der Kriechende als auch der Revolverschlagende und der Kriechende sei der Tyrann und der Revolverschlagende sei ebenfalls der Tyrann und der Kriechende sei ich selbst und auch der Revolverschlagende sei ich selbst. Da lief ich aus dem Photographierzimmer heraus. Ich fürchtete mich. Ich zitterte. Der Schweiß brach mir aus. Ich schwitzte so heftig, daß ich fast nichts mehr sah. Doch das lag auch daran, daß inzwischen der Nebel immer undurchlässiger geworden war. Fast ganz undurchlässig und purpurn. Ich tänzelte nicht mehr. Ich redete vor mich hin, ohne es zu wollen. Ich versuchte, damit aufzuhören. Aber es glückte mir nicht. Ich sagte immer wieder dasselbe Wort vor mich hin. Zunächst wußte ich nicht, was es für ein Wort war. Doch dann war mir so, als ob ich das Wort ›Polizei‹ sagte, dieses Wort und noch ein anderes Wort dahinter. Aber warum sollte ich das Wort ›Polizei‹ sagen? Und wenn ich es wirklich sagte, was sagte ich dahinter?

Als ich über die Schwelle zum nächsten Zimmer rannte, hörte ich mit einemmal ein paar Stimmen. Es waren Männerstimmen. Sie riefen etwas. Sie schienen mir etwas zuzurufen. Aber ich verstand nicht, was es bedeutete. Vermutlich hinderte mich der Nebel daran, der in dem neuen Zimmer stand, als sei er eine feste Masse, Schlamm, Stein oder ein Rattenberg. Er ließ mich auch nicht sehen, wer in dem neuen Zimmer war. Doch hörten die Männer nicht auf, mir etwas zuzurufen. Ich zweifelte nicht daran, daß sie mich meinten. Jetzt fing der Nebel an, sich zu bewegen. Hier wurde er vollkommen undurchsichtig, dort löste er sich auf. Schließlich war er nicht mehr da. Dafür hatte er an den Stellen, wo er sich so verfestigt hatte, Männer gebildet. Sie riefen. Sie riefen mir zu. Sie saßen an einem Kneipentisch. Sie spielten Karten. Sie hatten Filzpantoffeln an den Füßen. Sie hatten keine Jacken an, so daß ich ihre Hosenträger und Netzhemden sehen konnte. Jeder von ihnen war der Tyrann. Einer sah wie der andere aus. Sie sahen wie ich selbst aus. Ich sah wie sie alle aus. Ich war der Tyrann. Oder ein Tyrann. Sie riefen mir zu: komm her. Ich ging zu ihrem Tisch. Sie spielten Skat. Während drei von ihnen spielten, kiebitzten die drei anderen. Was soll ich? fragte ich. Mitspielen, antworteten sie. Wer seid Ihr? fragte ich. Ich, sagte der erste, bin der Tyrann. Und wer ist der zweite? fragte ich. Auch der Tyrann, antworteten sie. Und der dritte? fragte ich. Auch der Tyrann, antworteten sie. Und der vierte, fünfte, sechste? Alles Tyrannen. Und wo ist der Tyrann? fragte ich. Hier, antworteten sie.

Wo? fragte ich. Wir sind es, antworteten sie. Und was bin ich? fragte ich. Du bist auch der Tyrann, erwiderten sie. Ich setzte mich zu ihnen. Ein Spiel war zu Ende. Los, sagten sie, Du bist dran. Ich mischte die Karten, ich gab. Wir spielten. Ich bin der Tyrann für die Justiz, sagte einer von den Männern. Ich bin der Tyrann für die Erziehung, sagte der zweite von ihnen. Ich bin der Tyrann für Industrie und Handel, sagte der dritte. Ich bin der Tyrann für Politik, sagte der vierte. Ich bin der Tyrann für das Kriegswesen, sagte der fünfte. Ich bin der Tyrann für das Kirchenwesen, sagte der sechste. Und was bin ich? fragte ich. Du, erwiderten die sechs Männer, wir haben es Dir doch zugerufen. Und was? fragte ich abermals. Du bist der Tyrann für die Polizei, antworteten sie, der Polizeichef. Richtig, rief ich, wo ist mein Telephon? Es steht vor Dir, antworteten sie. Ja, da war es. Ich hob den Hörer ab. Ich wählte. Jawohl, sagte jemand am anderen Ende der Leitung. Der Tyrann, sagte ich, befindet sich in der letzten und tiefsten Kammer der Katakomben, Ihr müßt Euch eilen, sonst erstickt er, wartet, ich zeige Euch den Weg zu ihm, ich komme.

WALTER JENS
Die Eroberung Trojas

Als ich Penelope verließ, war ich ein Mann in den besten Jahren: das Leben lag vor mir und ich hatte noch viel zu erwarten. Zehn Jahre später, als wir Troja endlich erobert hatten, war ich müde und verbraucht; der Krieg hatte mir das Mark aus den Gliedern gesogen, ich war ausgebrannt und leer und hatte keinen Mut mehr, noch einmal zu beginnen. Ich zitterte bei der kleinsten Erregung, meine Bewegungen waren fahrig und kraftlos, und wenn ich allein war und mich niemand beobachtete, sprach ich zu mir wie zu einem Fremden, dessen verlorenes Glück ich beweinte. Das Lagerleben hatte mich erschöpft, der Hunger meinen Leib zernagt; Regen und Schnee hatten die Uniform zerfetzt, Tau und Nässe die Glieder steif werden lassen. Wie oft besaßen wir nicht einmal mehr ein Stück Brot und wie lange mußten wir warten, um einen einzigen Teller warme Suppe zu bekommen! Und dann die Kälte, der wir preisgegeben waren – diese eisigen Winter Asiens, in denen die Vögel erfroren und das Wild im Schnee verendete ...

Dennoch wäre alles – die Glut des Sommers und das Eis des Winters, das Ungeziefer und die Schreie der Verwundeten – zu ertragen gewesen, wenn mir wenigstens die Toten meinen Schlaf gelassen hätten.

Aber so sehr ich mich auch mühte, ich konnte sie nicht vergessen. Ihre Gesichter verfolgten mich noch, wenn ich schlief ... diese Kindergesichter mit blauen Augen und blondem Haar, das feucht und strähnig auf der Stirn lag: Puppenköpfe aus Pappe und Ton, graue Schädel und Masken mit grinsendem Mund.

Ich weiß, mein Prasidas, daß Du mir vorwerfen wirst, ich übertriebe und vergäße über dem eigenen Leid das Elend der anderen – litten sie nicht genau so wie ich? Trafen Hunger und Kälte allein den Odysseus und machten vor den Zelten der anderen halt?

Nein, Kind, auch die anderen litten; aber sie alle – Ajas und Menelaos, Agamemnon und Achill – glaubten wenigstens noch für eine gute Sache zu kämpfen; sie sprachen von Treubruch und Verrat, den es zu rächen gälte, und ermunterten sich zum Aushalten, um der Gerechtigkeit zum Sieg zu verhelfen. Mir aber war dergleichen Trost versagt; ich kannte die Sinnlosigkeit dieses Krieges, den der gemeine Mann verfluchte und den auch die Trojaner längst bereuten. Ich wußte aber auch, daß keine Partei von sich aus bereit war, dem Feind entgegenzukommen und einen Waffenstillstand in die Wege zu leiten.

Als daher auch das zehnte Jahr vorüberging und ein Ende des Krieges immer noch nicht abzusehen war, beschloß ich, den Frieden auf eigene Faust zu erzwingen. Zu diesem Zweck ließ ich ein großes Pferd aus Holz erbauen, in dessen Leib sich zehn Männer verbergen konnten – die einzigen, die in der Nähe Trojas auszuharren und darauf zu warten hatten, daß die Feinde ihre Mauern verließen und das Pferd in die Stadt hineinzogen. Alle anderen Griechen, so sah mein Plan vor, sollten inzwischen ihren Abzug vortäuschen, sich auf Tenedos, die benachbarte Insel, zurückziehen und erst wiederkehren, wenn ihnen entweder einer der zehn das vereinbarte Fackelzeichen gab oder mehr als vier Tage seit dem Aufbruch verstrichen waren.

Freilich stellte sich bald heraus, daß die Troer ihre Neugier zu bezähmen wußten und zunächst einmal nur ihrer Vorsicht vertrauten: jedenfalls warteten sie bis zum Abend des vierten Tages, ehe sie das Pferd durch das skäische Tor zogen und es auf dem Marktplatz, im Schatten des Rathauses, abstellten. So kam es, daß ich die Luke erst drei Stunden vor dem vereinbarten Sturm, in der neunten Abendstunde des vierten Tages, verlassen konnte.

Was dann geschah, Prasidas, weißt Du aus Deinen Büchern: zunächst war es tatsächlich meine Absicht gewesen, das Haupttor zu öffnen, meine Landsleute hereinzulassen und die überraschten Troer zu einer schnellen und unblutigen Übergabe zu zwingen. Aber als ich an diesem Abend durch die Straßen ging und die Menschen in ihren Häusern beobachtete, kamen mir plötzlich Bedenken: konnte ich mich dafür verbürgen, daß die Soldaten in der entscheidenden Stunde Zucht und Ordnung bewahrten, mußte man, nach so langer Zeit der Entbehrung, nicht vielmehr mit Willkür und Ausschreitung rechnen, ja, waren nicht Plünderung und Mord zu befürchten, so daß mein Plan sich allzu leicht ins Gegenteil verkehren würde?

Schweigend und nachdenklich, in der Maske eines alten Troers, ging ich durch die Stadt. Es war ein warmer Sommerabend, weich und mild ... ein Abend, wie es ihn hierzulande nicht gibt. Es hatte geregnet, und die Luft war würzig und frisch. Die Leute hatten ihre Fenster geöffnet, beugten sich heraus und plauderten mit den Nachbarn. Junge Paare flanierten auf dem breiten Korso und machten Pläne für die Zukunft. Manchmal traf mich auch ein Scherzwort, ein lustiger Zuruf oder ein ermunterndes »Heda, Alter, willst Du nicht 'raufkommen?«

Zehn Jahre lang hatten die Menschen in Troja Not und Entbehrung ertragen, aber nun, da die Griechen abgezogen und der Friede wiedergekehrt war, konnte man von alledem nichts mehr bemerken. Alte Frauen saßen auf Korbstühlen vor ihren Wohnungen und strickten; alte Männer hatten die Arme über der Brust verschränkt, blickten mit ruhiger Zuversicht in den Abendhimmel und tranken ein Glas Wein. An den Ecken standen junge Burschen mit Narben an den Händen und zerschossenen Gliedern – auch sie waren froh, daß alles vorbei war und sie noch einmal von vorn anfangen konnten.

Ich sah junge Mädchen, die sich im Schein einer Kerze ihr Sommerkleid nähten, und kleine Kinder, die drinnen im Haus mit den Perlen der Vorhänge spielten. Aber während ich sie noch anschaute und mich an ihren scherzhaften Rufen erfreute, sah ich sie in Gedanken schon mit roten Striemen am Hals im Rinnstein liegen; Blut floß über die Kleider der Mädchen; die jungen Burschen hatten sich zu früh gefreut und die zufriedenen Augen der Alten öffneten sich vor Angst und Entsetzen.

In dieser Sekunde wußte ich, daß ich handeln mußte. Zum erstenmal in meinem Leben hatte ich Gelegenheit, Menschen zu retten: wenn es mir gelang, die Troer zu warnen und die Frauen und Kinder vor dem Zugriff der Soldaten zu schützen, waren die Jahre der Not und Entbehrung nicht vergeblich gewesen.

Allein von mir hing es ab, von meinem Mut und meiner Entschlossenheit, ob diese Kinder starben oder nicht. Es war keine Minute mehr zu verlieren: noch wenige Stunden – dann würde der Angriff der Griechen beginnen. Eilig verließ ich die Hauptstraße, durchquerte das Tempelviertel, stürzte in eine dunkle, menschenleere Gasse und öffnete die Tür, die zum Haus des Laokoon führte.

Als ich eintrat, war der Priester gerade dabei, mit einem großen Haken aus schwärzlichem Kupfer die Scheite im Herd auseinanderzuzerren. Anfangs glaubte ich, er habe mich gar nicht bemerkt, so versunken schien er in seine Beschäftigung; aber nach einer Weile hob er den Kopf und deutete auf einen Stuhl in der Ecke.

»Setz Dich, Fremder. Aber bleib nicht zu lange; die Opfer stehen schlecht. Wenn Du klug bist, versuchst Du zu fliehen. Die Wachen am skäischen Tor sind bestechlich.«

Er sprach in kurzen, abgehackten Sätzen, ein wenig keuchend und mit großer Anstrengung. Als er geendet hatte, ging ich einen Schritt auf ihn zu und bat ihn, mich anzuhören und eine bedeutsame Nachricht entgegenzunehmen.

Ich sprach sehr ernst, Prasidas, und wählte absichtlich Worte, die gewichtig und feierlich klangen; aber zu meinem Erstaunen schien ihm gar nicht der Sinn meiner Rede, sondern allein der Tonfall am Herzen zu liegen.

»Ich kenne Deine Stimme, Fremder«, sagte er langsam und sicher, »es ist schon lange her, aber ich erinnere mich noch deutlich. War es in Griechenland, daß ich sie hörte? Bei einer Festgesandtschaft in Korinth? Oder ... warte einen Augenblick ... begegneten wir uns in Athen?«

Plötzlich schien er sich zu erinnern, sein Blick verklärte sich, er ergriff meine Hände und setzte sich an meiner Seite auf den Boden.

»Wie konnte ich das nur vergessen?« sagte er leise, »es war doch Dein Hochzeitstag, nicht wahr? Du knietest vor dem Tempel der Jungfrau Athene, ich stand nur wenige Schritte von Dir entfernt, ganz in der Nähe einer Statue aus parischem Marmor, die ich als Gastgeschenk der Troer für Athen an diesem Morgen geweiht hatte. Weißt Du noch, wie ich Dich auf das Bildnis aufmerksam machte?«

Obgleich er sehr leise sprach und ich mich tief zu ihm herabbeugen mußte, um seine Stimme zu hören, entging mir kein einziges Wort, und je länger er sprach, desto greifbarer, unverrückbar und fest, stand jener hochzeitliche Tag wieder vor mir. Ein erster Schimmer des Friedens, der ferne Glanz einer glücklichen Zeit berührte mich sanft, und die düsteren Bilder verblaßten. Ein einziges Lächeln, ein zarter Meißelschlag im Antlitz der Kore genügten, um die Schatten des Krieges zu bannen.

Von seinen Worten gefangen, eingesponnen ins Geflecht seiner Sätze, versunken in der Tiefe seiner Stimme: so, mein Kind, begann ich die Zeit zu vergessen – ein Schlafwandler zwischen Traum und Erwachen, ein Tänzer, den Hermes' goldener Stab an der Schläfe berührte.

An der Grenze von heller Bewußtheit und dämmerndem Schlaf sah ich noch einmal das Lächeln der Kore; sie hatte die Augen der Penelope und winkte mir, ihr zu folgen. Ich stand auf, schritt ihr entgegen, und schon als ich die ersten Schritte gegangen war, veränderte sich der Schauplatz: Tempel und Säulen versanken im Nebel, der Nebel wurde zum Meer – zur silbernen Fläche mit Wellen und Inseln, blauen Küsten und Schiffen, die einen Ankerplatz suchten. Eine Bucht tauchte auf, der Hafen von Ithaka, eine festlich geschmückte Reede, Uferstraßen mit Fahnen und Lampions, buntgekleidete Menschen und ein blumenumkränztes Podest. Penelope trug ein Kleid aus heller Seide, Telemach, an ihrer Seite, einen weißen Umhang. Beide schauten aufs Meer und beobachteten das Schiff, das langsam in den Hafen hineinglitt. Als es die Mole erreichte und die Matrosen die Ankertaue hinunterwarfen, durchbrach die Menge die Absperrung und stürzte dem Schiff entgegen. Aber während man das

Fallreep herunterließ und der bärtige sonnenverbrannte Mann an der Reling erschien, wurde es plötzlich sehr still; die Menge sank in die Knie, berittene Ordner bahnten sich ihren Weg und legten einen roten Teppich aus, der vom Schiff bis zur untersten Stufe des Podestes führte. In der gleichen Sekunde, als Penelope, von Telemach gefolgt, das Podium verließ, ging auch der Mann an der Reling zur Treppe und stieg langsam am schwarzen Leib seines Schiffes entlang auf den Teppich zu. Penelope kam ihm entgegen; sie hatte das Lächeln der Kore und winkte dem Mann, ihr zu folgen.

Ich sah, wie er nickte und noch einen Schritt auf sie zuging. Aber dann stockte er plötzlich, sank in die Knie, neigte den Kopf zur Erde und küßte den Boden.

In diesem Augenblick, Prasidas, als ich mich im Traum am Strand von Ithaka sah und meine Lippen die steinige Erde berührten, glaubte ich zum erstenmal wieder zu wissen, daß auch für mich die Stunde der Heimkehr kommen würde. Mord und Hunger hatten mich vergessen lassen, daß ja nicht überall Krieg war; daß man an anderen Orten in seinem Studierzimmer saß und, über ein Buch gebeugt, den Morgen erwartete . . .

Aber jetzt, da mir Laokoons Worte den Glanz der Hochzeitswochen in Athen – die Stunden an Penelopes Seite, abendliche Gespräche mit Ikarios, Ritte nach Eleusis und Kap Sunion –, wieder nahegebracht hatten, spürte ich noch einmal den Zauber des friedlichen Glücks, das mir an jenem Abend aufgegangen war, als Menelaos nach Ithaka kam.

Damals hatte ich tatenlos auf die Ankunft des schwarzbesegelten Schiffes gewartet; jetzt aber beschloß ich zu handeln und den Krieg mit einem einzigen Streich zu beenden.

Rückhaltlos vertraute ich mich Laokoon an, erzählte von meinem Kampf mit Helena, beklagte den Schwur, der mich gezwungen hatte, Menelaos zu helfen, beschwor die Greuel des Krieges, den Hunger und das erbärmliche Sterben, das Los der Krüppel und die Not der Waisen, erwähnte freimütig meinen Plan: dem allen mit Hilfe der List ein Ende zu machen, beschrieb Bedenken und Reue, die mich beim Anblick der vor ihren Häusern sitzenden Menschen erfaßt hatten, und schilderte meine Erlebnisse auf dem Gang durch die Stadt . . . kurz, ich begab mich ganz in Laokoons Hände und wartete darauf, daß er, der blinde, mit den Geheimnissen des Dunkels vertraute Seher, einen Ausweg wüßte.

Ja, Prasidas, ich war bereit, den Sieg der Griechen zu vereiteln; was zählte ein Triumph, wenn es um Kinderträume ging! Von Mitleid bezwungen, zögerte ich keine Sekunde, Ruhm und Ehre des Eroberers für das Leben der mir anvertrauten Menschen, die Wünsche der Frauen, den Schlaf der Kinder und die Erinnerungen der alten Leute preiszugeben. Mochte ich in Agamemnons Augen ein Verräter sein, mochten ehrgeizige Patrioten mein Handeln verdammen – ich wußte, daß man mich nicht liebte. Es hätte nicht der Warnung des Laokoon bedurft: ich hatte meine Gegner längst durchschaut und ahnte, daß sie auf den Zeitpunkt warteten, da ich mir eine Blöße gab und sie mich gemeinsam angreifen konnten.

Nein, ich hatte keinen Grund, die Konsequenzen meiner Tat zu unterschätzen; ich kannte die Methoden der Gerichte zu genau, um nicht zu wissen, daß man mich steinigen würde ... die Menge liebt es nun einmal, zögernde Vorsicht mit Schwäche und Angst zu verwechseln; warum also sollte sie nicht zuschlagen, wenn sie den Klugen auf den Spuren des Verrats ertappte?

Dennoch, so ernst die Lage auch war: noch lag es in meiner Hand, die Katastrophe abzuwenden und nicht nur die Troer zu retten, sondern auch den eigenen Kopf aus der Schlinge zu ziehen. Wenn ich bedachtsam blieb und Überlegenheit und Ruhe nicht verlor, konnte alles noch ein gutes Ende finden.

Zunächst einmal mußte Laokoon unverzüglich zu Priamos gehen und ihn von meiner Ankunft in der Stadt verständigen; später galt es, die Überraschung der Troer zu nutzen und, gegen Zusicherung freien Geleits, sich der Versammlung der Fürsten zu zeigen. Bei kluger Beachtung der allgemeinen Verwirrung – der Feind im Herzen der Stadt! – durfte es nicht schwer sein, die Troer von der Existenz eines geheimen Ganges zu überzeugen, ihnen Angst und Schrecken einzujagen und sie schließlich so weit zu bringen, daß der Gedanke an ein großes unterirdisches System von Schächten, in denen sich die Griechen auf den Angriff vorbereiteten, ihnen nicht mehr als Lug und Phantasiegespinst erschien. Glaubten sie erst einmal an einen unmittelbar bevorstehenden Sturm, dann, so rechnete ich, würden sie auch die griechischen Forderungen annehmen, Helena ausliefern und eine angemessene Buße bezahlen; und sobald das geschehen war, konnte ich im Schutze des Dunkels gefahrlos ins griechische Lager hinübergehen, von Verrat und Entdeckung sprechen, unglückliche Zufälle vortäuschen und vor allem meinen alten Gastfreund Laokoon erwähnen, dessen Söhne mich – verwünschtes Mißgeschick! – auf meinem Pirschgang erkannt hätten. Je düsterer ich die Lage schilderte, je schwärzer ich das Verhängnis ausmalte, desto nachdrücklicher konnte ich dann auf eigene Verdienste verweisen.

Kein Zweifel, die Geschichte mit den unterirdischen Gängen würde nicht nur Gelächter über die genasführten Troer – nicht nur Bewunderung und ehrfürchtiges Staunen erregen, sondern auch aufkeimende Bedenken schnell zum Schweigen bringen. Am Ende, so war mit Sicherheit zu erwarten, würden alle froh sein und mich mit Dank und Lob überschütten, weil ich in hoffnungsloser Lage kühle Überlegenheit bewahrt, die griechischen Forderungen durchgesetzt und den langersehnten Frieden herbeigeführt hatte! Wie zufrieden konnte ich dann nach Troja zurückkehren, meine Gefährten heimlich aus dem Pferdeleib befreien – Angst und Erschrecken mochten sie für jüngst aus den Schächten entstiegene Griechen halten! – und

Trojas Fürsten und Völker von unserem Einverständnis und der Bereitschaft zum Frieden unterrichten.

Wahrlich, ein wohldurchdachter Plan, mein Prasidas, ein Kalkul von höchster Simplizität und eine Rechenaufgabe von so bezwingender Logik, daß sogar Laokoon seine Bewunderung nicht verbergen konnte: so und nicht anders, meinte er lächelnd, könne nicht allein Griechen und Troern, sondern auch ihm, meinem Gastfreund, geholfen werden, der mich nicht ein zweitesmal verlieren möchte. Freilich sei keine Zeit mehr zu vergeuden, und da er noch einmal zum Strand hinunter müsse, wo seine beiden Söhne ihn bereits beim Opfer erwarteten, wolle er sich unverzüglich auf den Weg machen: zunächst zum Meer und gleich darauf zu Priamos in den Palast. Eine Begleitung sei nicht notwendig: er kenne den Weg und wünsche nicht, daß ich mich in Gefahr begäbe.

Mit diesen Worten erhob er sich, umarmte mich und versprach, noch in der gleichen Stunde zurückzusein; »Du mußt müde sein, Odysseus ... ruhe Dich aus und genieße den Frieden meines Hauses.«

Er verbeugte sich lächelnd und nickte mir zu. Die Tür fiel ins Schloß, ich hörte seine Schritte auf der Straße verhallen.

Was dann kam, weißt du wieder, Prasidas: als er den Strand erreichte und gerade dabei war, dem Poseidon nahe am Wasser ein geschlachtetes Rind zu opfern, stieg eine graue Schlange aus dem Meer – der Geruch des geronnenen Blutes oder die in einer kupfernen Schale bewahrten Eingeweide mochten sie angelockt haben. Laokoon, in Gebete und fromme Gedanken versunken, spürte die Nähe des Ungeheuers nicht; er betete – dessen bin ich gewiß – um das Gelingen unseres Plans, und als die Schlange seinen Leib berührte, als er sich wehren wollte und die Söhne schreiend um Hilfe rief, war es zu spät. Von den Polypenarmen erdrosselt, mit blauen Gesichtern, gequollenen Adern und aufgedunsenen Gliedern – so fand ich alle drei erstickt am Strand.

Mein armer Freund, ich kam zu spät: zu spät, um Dich zu retten, zu spät, um meine Tat zu tun. Schweigend mußte ich zusehen, wie man den Leib der Schlange mit großen Messern zerschnitt, die Toten von ihren Fesseln befreite und die mit einem Scharlachtuch bedeckten Leichen auf einen hölzernen Karren hob.

Trauernd verharrte ich in stummem Gebet, und erst als die schwarzgekleideten Frauen, troische Klageweiber, sich dem Wagen näherten, und, in einem Halbkreis aufgestellt, die Toten mit schrillen Schreien beweinten, entfernte ich mich und ging langsam in die Stadt zurück.

Der Gesang wurde schwächer, in Troja war es still. Die Menschen schliefen, und nur aus einem Wirtshaus kam eine leise, beinahe zärtliche Musik. Später irrten kleine Trupps durch die Straßen; ihre Rufe brachen sich an den Mauern, hallten lange nach und wurden irgendwo in der Höhe von riesigen Tüchern erstickt.

Die Nacht war klar und sehr kalt. Der Mond hatte einen kleinen, rosafarbenen Hof und die Sterne leuchteten hell. Es war elf Uhr abends: in einer Stunde sollte der griechische Angriff beginnen. Ich fühlte mich elend und müde; mein Plan war gescheitert und mir blieb nichts anderes übrig, als die Gefährten zu wecken und meinen Landsleuten das verabredete Zeichen zu geben.

Als ich die Stadt beinahe ganz durchquert hatte und mich wieder in der Nähe des Rathauses befand – der mächtige Schatten des Pferdes war im Mondlicht deutlich erkennbar –, kam mir abermals eine Gruppe von Nachtschwärmern entgegen: Männer und Frauen, die sich untergehakt hatten und, eine wogende Kette, die Straße versperrten. Als sie mich bemerkten, stürzten sie lärmend auf mich zu, umringten mich und drohten mir lachend an, mich nur gegen Zahlung eines angemessenen Lösegelds wieder freizulassen: offenbar hatten sie ihr Geld vertrunken und versuchten nun, halb scherzhaft und halb ernst, wenigstens ein paar Pfennige aus mir herauszupressen.

Ein wenig verärgert, daß ich abermals Zeit verlor, gab ich ihnen einige Münzen: griechisches Geld, wie sie zu ihrer Überraschung bemerkten ... die erbeutete Habe eines Gefallenen?

Ich schüttelte lächelnd den Kopf, und da sie mich, ein wenig ernüchtert, nun doch etwas genauer betrachteten – einer hielt mir sogar eine kleine Laterne vor das Gesicht – beschloß ich, alles auf eine Karte zu setzen und ihnen die Wahrheit zu sagen.

»Ich bin Odysseus, Freunde, der Sohn des Laertes. Ithaka ist meine Heimat, eine Insel im griechischen Westen.«

Welch ein Gelächter, Prasidas, als ich geendet hatte! Was für ein Jubel, welche Begeisterung brach aus! Männer umarmten mich, Frauen tätschelten meine Wangen, nannten mich zärtlich »Possenreißer« und »Schalksnarr« ... und am Ende hoben mich alle auf ihre Schultern, trugen mich im Triumph durch die Gassen und brachten mich zu einem Wirtshaus, wo sie sich lärmend Einlaß verschafften und mich mit den Worten »er ist Odysseus aus Ithaka, ein reicher Mann. Wir wollen heute sein Geld vertrinken« Mal für Mal hochleben ließen.

Wen die Götter verderben wollen, Kind, in dessen Augen träufeln sie Pech; sie schlagen sein Herz mit Blindheit und verdüstern den Geist mit dem Dunkel der Nacht. Doch wo ist der Mensch, der verspürte, wenn ihn die Hände des Gottes betasten? Wo der Sterbliche, der nicht noch hoffte, wenn seine Füße bereits die glühenden Kohlen berühren?

Fluch über Euch, unselige Schwärmer; keiner hat diese Nacht überlebt! Und Fluch auch über Euch, unglückliche Wächter am Königspalast! Auch Ihr kanntet meinen Namen – ich schrie ihn Euch zu. Aber als ich Euch bat, mir zu helfen und den König zu wecken, lachtet Ihr mich aus und einer spie mir sogar ins Gesicht.

Ihr hattet noch zehn Minuten Zeit, aber statt sie zu nützen, packtet Ihr mich und hieltet mir den Speer vor die Brust. Und als ich alles verriet und, wenige Minuten vor zwölf, die Geschichte des hölzernen Pferdes erzählte, glaubtet Ihr, ich wäre betrunken, fesseltet mich und führtet mich mit Schlägen ins Verlies hinunter. Dort warft Ihr mich in eine Ecke und drohtet mir für den nächsten Morgen die Strafe des Schnellrichters an.

Aber als der Morgen graute und meine Landsleute mich endlich befreiten, hing der Richter längst an einem Baum. Ein alter Grieche zeigte ihn mir: warum habe er sich auch gewehrt, sagte er achselzuckend, als die Soldaten seine Frau umarmen wollten? –

Es war ein Bild des Schreckens, Prasidas. Die Stadt brannte noch immer. Plündernde Trupps durchkämmten die Häuser – drei Tage lang durften sie tun, was sie wollten; auf der Straße lagen Kinder mit offenem Mund, die Bälle, Klötze und Puppen noch im Arm; aus halb zertrümmerten Häusern drangen die Schreie der Verwundeten; eine heisere Stimme verlangte nach Wasser; Frauen liefen mit irrem Blick durch die Stadt und riefen Worte, die niemand verstand: die Namen ihrer toten Kinder vielleicht oder Flüche, die den Siegern galten; Greise saßen im Rinnstein und bettelten um ein kleines Stück Brot.

Aber schlimmer noch als die Schreckensvisionen der brennenden Stadt war die Befriedigung, die man im griechischen Lager über ein solches Ende empfand. Wahrlich, Prasidas, wir waren klägliche Sieger! Statt daß wir uns um die Verwundeten kümmerten, feierten wir prunkvolle Feste; statt uns der Geschändeten anzunehmen und wenigstens den Alten und Krüppeln einen Teller Suppe auszuteilen, verpraßten wir die Beute mit Flötenspielern und Huren. Während die Troer hungerten, gossen wir den Wein auf die Straße – ein Gelage folgte dem anderen, die Siegesfeiern jagten sich, und die Trunkenheit der Liebesmähler ließ das Elend der Besiegten nur zu schnell vergessen.

Niemand gedachte jetzt noch der Leiden des Krieges. Die Toten waren begraben und die Lebenden verlangten ihr Recht. Noch wenige Wochen . . . dann würde man in die Heimat zurückkehren, sich zu Hause einrichten und dort wieder anfangen, wo man vor zwölf Jahren aufgehört hatte.

Alles schien wieder beim alten zu sein; sogar Helena war zurückgekehrt und hatte sich mit Menelaos versöhnt . . . eine alte Frau mit blond gefärbtem Haar und einer Puderschicht auf dem Gesicht, die die Falten und Krähenfüße nur noch unterstrich. Aber wer erinnerte sich jetzt schon daran, daß man vor langer Zeit um dieser Frau willen in den Krieg gezogen war?

Vielleicht war ich der einzige, der manchmal davon sprach. Man hörte es nicht gern, aber da ich nun einmal ein Held war und allein meiner List Triumph und Sieg zu verdanken waren, ließ man mich gewähren und duldete sogar, daß ich noch eine Zeitlang in Troja blieb und unter dem Vorwand, die Eintreibung der Sühnezahlungen zu überwachen, wenigstens den schlimmsten Mißständen abhalf.

Ich wohnte im Palast des Königs, Prasidas. Früher hatten die Dichter von »Priamos' goldenem Haus« gesprochen; jetzt erinnerte nur noch eine rauchgeschwärzte Fassade an den vergangenen Glanz. Das Dach war halb zusammengestürzt, die Fenster glichen erblindeten Augen; Unkraut wuchs auf Treppen und Fluren und in den Marmorbecken der Teiche wucherten Schilfrohr und riesige Farne.

Im Innern des Hauses zeugten gewaltsam geöffnete Schränke, durchwühlte Kommoden und zerschlagene Vitrinen von der Plünderung durch trunkene Soldaten. Nur ein kleiner Seitentrakt, der Prinzenflügel, wie die Troer ihn nannten, war halbwegs verschont geblieben. Hier hatte ich mir eine kleine, nicht unbehagliche Wohnung und einen Königssaal von angenehmen Ausmaßen herrichten lassen – beide Räume ganz in der Nähe des bescheidenen Gemachs, in dem Priamos, einstmals König von Troja, seinen Lebensabend verbrachte.

Nicht ohne Rührung, Prasidas: mit Gefühlen feierlicher Trauer spreche ich den Namen des Mannes aus, der einmal vierzehn Söhne besaß und nun, einsam und kinderlos, die Stunde seines Todes erwartete.

Damals, als der altmodische, von zwei ausgemergelten Kleppern gezogene Wagen vor meinem Lager hielt und Priamos in angemessener Entfernung vor mir niederkniete, um den Sohn seines Gastfreunds Laertes zu sich zu bitten – er sei sehr allein und fürchte sich vor den Schrecken des Winters –, damals, Prasidas, wollte ich, von Scham und Reue bewegt, seinen Wunsch mit höflichen Worten zurückweisen. Aber als er dann in mich drang und das elende Los seines Alters beschrieb, seine Einsamkeit und das Dunkel der leeren Palasts, als er weinte und mir die Arme flehend entgegenhob, ergriff ich seine Hand und versprach, so schnell wie möglich zu ihm zu kommen.

Auf einen Stock gestützt, empfing er mich noch am gleichen Abend am Tor, ein Sklave entfachte die Fackel, ein zweiter öffnete die Tür ... dann waren wir allein, und unsere Wanderung begann.

Priamos ging voran, ich folgte ihm schweigend. Wir gingen über Mörtel und Schutt, durchquerten endlose Flure, schritten durch Hallen und Säle, verweilten in Zimmern und Nebengelassen, tasteten uns durch Korridore und halb verfallene Gänge, erklommen Treppenhäuser auf zerbrochenen Stufen, durchmaßen ungeheure Fluchten, stiegen über Gerümpel, zertrümmerte Schränke und umgestürzte Tische, die uns den Weg versperrten, verweilten im Keller und durchsuchten die Abstellkammern des Speichers, mußten immer wieder Umwege machen, verliefen uns, gingen im Kreise und fanden uns, nach langen Irrwegen, am Ausgangspunkt wieder ... es war eine Wanderung, die bis in den hellen Morgen hinein dauerte, bis zum Aufgang der Sonne, bis zur Rückkehr in den Prinzenflügel, den wir, gegen vier Uhr früh, verwirrt und erschöpft, mehr schlafend als wachend, endlich erreichten.

Dieser Gang, mein Prasidas, dieser Marsch durch ein Museum des Schreckens, war ein Passionsweg von riesigem Ausmaß.

Da war das Zimmer, in dem Hektor von Andromache Abschied nahm; an den Wänden, von Messern durchbohrt, hingen noch Bilder: Soldaten hatten sie als Zielscheibe benutzt.

Da war der Raum, in dem Priamos' Jüngster, der sechzehnjährige Deiphobos, sich mit Helm und Panzer gewappnet hatte, um heimlich, dem Befehl des Vaters zum Trotz, mit seinen Brüdern in die Schlacht zu ziehen. Seine Laute lehnte noch in der Ecke; die Hefte lagen verstreut auf dem Boden.

Da war das Gelaß der Andromache: nur ein zierliches Tischchen mit abgeschlagenen Beinen und entleerten Laden erinnerte an das Gemach der Fürstin.

Da war, geschändet und von fiebrigen Händen durchwühlt, die unermeßliche Halle, Paris' und Helenas Haus: Kissen und Decken waren zerfetzt, der Kopf der Aphrodite, zu Häupten des Bettes, von einem Axthieb zerspalten. Der Mund der Göttin klaffte mit offener Wunde, die Nase war auseinandergebrochen, der Riß zwischen den Augen hatte den Liebreiz verstümmelt, das Lächeln war zur Grimasse des Fauns, die Anmut zum zynischen Grinsen des Satyrn geworden.

Und da war schließlich, ein kleines muschelförmiges Oval, Helenas Frauengemach, der einzig unzerstörte Raum im ganzen Haus. Silberne Spiegel standen in Nischen aus rötlichem Holz, Schemel und Stühle waren unversehrt, kein Riß hatte das Polster zerschlitzt, keine Hand die Schalen, Fläschchen und Tiegel aus ihrer Ordnung gebracht. Fast schien es, als ruhe das Bild der Königin noch immer auf dem weißen Kristall. Hatte man innegehalten? War man, geblendet und verzückt, zurückgeschreckt? Hatte der Schimmer der Schönheit, der Widerschein leuchtenden Glanzes, die Trunkenen jählings ernüchtert und ihre Schritte gehemmt? Waren sie, vom Licht der Jugend geblendet, niedergesunken und ehrfürchtig weitergezogen?

»Ein Wunder«, sagte Priamos leise, »es ist ein Wunder, mein Freund. Auch wir wollen die Schwelle nicht überschreiten. Die Göttin könnte uns zürnen.« Schweigend hob er den Stab ins Leere hinein, beschrieb einen Halbkreis und deutete lächelnd auf die drei großen Spiegel, die den glühenden Ball der erhobenen Fackel in ein Herz aus rotem Gold verwandelten. »Wer diesen Raum betritt, ist verzaubert. Wir alle waren von ihrer Schönheit berauscht: Paris und Andromache, Hekabe und Hektor . . . und auch ich, mein Freund.«

»Ich habe sie sehr geliebt«, sagte er ruhig, »mehr als meine eigenen Kinder, und ich weiß, daß die Götter mir deswegen zürnen: hätten sie mir sonst meine Frau und all meine Söhne genommen? – Und dennoch liebe ich sie auch heute noch, denn es ist ein großes Glück für einen Sterblichen, wenigstens einmal, ein einziges Mal in seinem Leben, dem Vollkommenen selbst begegnet zu sein.

Helena, weißt Du, (ich kann ihren Namen nicht oft genug nennen) war nicht nur – wie viele – sehr schön; sie war auch nicht schöner als andere, bewundernswert und rein: sie war die Schönheit selbst, der Spiegel, nicht sein Widerschein; sie war die Sonne, nicht das Licht.«

»Aber sie war nur ein Mensch«, sagte er traurig, »und so sehr sie sich auch zu wehren suchte und nach Pudern und Salben, Räuschen und Giften verlangte: die Stunde des Alterns war unausweichlich.« Er hob seine Stimme: »Du siehst die Sonne von Wolken verdunkelt – bald wird sie wieder scheinen; die Sterne verblassen, um am Abend hell zu erstrahlen; der Mond wird schmal und rundet sich neu; die Menschen aber kennen weder Dauer noch Halt, sie wissen nicht um Wiederkunft, Rückkehr ist ihnen versagt: der Schatten der Falte zerstört die Schönheit für immer, das Zögern des alternden Kriegers begräbt seinen Ruhm, und das erste Zeichen von Angst vertreibt den Athleten aus der Arena. Ach, es ist besser, die Kampfbahn zur rechten Zeit zu verlassen.«

Er zuckte müde mit den Achseln. »Aber was sollte sie tun? Um ihrer Schönheit willen waren die Troer ins Feld gezogen; für eine alte Frau hätte niemand gekämpft. Was blieb ihr deshalb anderes übrig, als die Natur an jedem Tag neu zu überlisten? – Am Ende freilich halfen weder Puder noch Schminke; sie wurde sehr einsam, verschloß sich in ihrem Zimmer und zeigte sich auch bei hohen Festen dem Volk nur von fern auf dem Balkon. Schließlich fuhr sie in einem verhängten Wagen ins griechische Lager: die Troer hätten sie sonst mit Steinen beworfen. – Arme Helena, nur noch die Spiegel bewahren das Bild ihrer Jugend.« –

War es schon in dieser ersten Nacht, daß Priamos mir in feierlicher, zu Bild und Gleichnis erhobener Rede seine Geschichte erzählte? Oder erst später? Ich weiß es nicht mehr. In meinem Alter, Prasidas, verliert das Gedächtnis an Kraft, gestern und früher sind ein und dasselbe, jüngst Verflossenes reicht in die Kindheit zurück.

Ein Jahr und mehr kam ich beinahe jeden Tag zu ihm: anfangs, um mir erzählen zu lassen – Geschichten, wie sie bunter kein Dichter erfände! –, später, als seine Kräfte zusehends schwanden und er das Bett nicht mehr verlassen konnte, um auch von mir und meinem Leben zu berichten. Das Leid, das uns beide verband, und das Wissen um Vergänglichkeit und schnelles Altern ließen uns nichts voreinander verbergen, und so dauerte es nicht lange, bis Penelope und Telemach auch Priamos' Vertraute wurden.

Aber so gern er mit seinen Gedanken in Ithaka weilte – am meisten bewegten ihn doch die Neuigkeiten aus Troja: Gespräche am Markt und Klatschgeschichten vom Hafen, die Märchen der Schiffer und Gerüchte, die die Stadt durcheilten.

Lächelnd, nicht ohne Verständnis für das verzeihliche, auch im Alter noch wache Laster der Neugier, gab ich ihm freundlich Bescheid. Da ich beim Einzug der Kriegsschuld Toleranz und Milde walten ließ, hatte sich das anfangs so feindliche Verhalten der Troer langsam in Vertrauen und Achtung verwandelt; ich hatte teil am Leben der Stadt und konnte Priamos von mancher Heimlichkeit berichten, die er anders nie erfahren hätte.

Als er im Winter darauf heftig erkrankte und die Ärzte ihm nicht mehr viel Hoffnung ließen, blieb ich, auch über das mir selbst gesetzte Jahr hinaus, an seiner Seite, pflegte ihn, so gut ich es vermochte, und erzählte ihm Märchen und Fabeln – Sagen, die später durch das Unverständnis eines Sklaven (oder war es der Leibarzt?) als meine eigenen Abenteuer ausgegeben wurden und schon bald in aller Munde waren: Geschichten von Ungeheuern und Vampyren, einäugigen Riesen und mißgestalteten Zwergen, aber auch von Felsen, die wie Vögel zu singen vermögen.

Später, als Priamos' Geist sich zu verwirren begann – er träumte viel und redete irre –, las ich ihm aus einem alten Märchenbuch vor. Wie glücklich war ich, endlich wieder lesen zu dürfen! Erst jetzt, mein Kind, begann ich langsam den Krieg zu vergessen: der Geist braucht, um sich entfalten zu können, nun einmal die Muße des Friedens und die Abgeschiedenheit beschaulicher Stille.

Bis zuletzt erfreute sich Priamos an den alten Geschichten – bis hin zu jener dunklen Nacht im März, in der er friedlich und kampflos verstarb. Wenige Tage darauf begruben wir ihn an der Seite der Söhne, und als die Trauerwoche vorbei war und das Leben wieder seinen gewohnten Gang ging, kam auch für mich die Stunde des Abschieds heran.

Ein Ehrenzug geleitete mich zum Kai, Kinder bestreuten das Fallreep mit Blumen, und als ich an Bord ging und die Matrosen salutierten, gab es viele, die um mich weinten.

In meinem Herzen aber war Frieden und ich fühlte mich glücklich und beinahe froh. Der Eroberer Trojas schied als ein Freund der Stadt.

In der hellen Frühe eines sommerlichen Tags verschwamm die Ebene der Troas in dunstigem Schleier. Vor uns lag offenes Meer, das Schiff nahm Kurs auf Ithaka. Freudig bewegt spendete ich Apollon ein Lamm, erflehte den himmlischen Segen und bat um Schutz und Geleit auf der langen Reise nach Hause.

ALFRED ANDERSCH

Grausiges Erlebnis eines venezianischen Ofensetzers

Giuseppe Rossi, der Ofensetzer und Kaminspezialist, war hereingekommen, gestern abend, in Ugos Bar, und hatte einen Grappa bestellt. Alle, die zu Ugos Bar gehörten, mochten Giuseppe gern, obwohl er etwas unheimlich aussah mit seinem bleichen mageren Gesicht und den schwarzen Rissen darin. Giuseppe hatte keine Falten im Gesicht, sondern Risse. Er sah aus wie einer, der viel mit Eisen arbeitet, vor allem aber sah er aus wie das Innere eines Kamins, wie eine dieser Höhlen, die bleich und verwischt sind und in deren Spalten und Mauerfugen sich der Ruß absetzt. Giuseppe kannte viele von diesen geheimen Gängen in Venedigs Häusern.

»Seit wann trinkst du denn Schnaps?« hatte Ugo ihn gefragt. »Kenn ich ja gar nicht an dir!«

Alle sahen, wie Giuseppe sich schüttelte, nachdem er einen Schluck von dem Grappa getrunken hatte.

»Mein ganzes Abendessen hab' ich heute wieder ausgekotzt«, sagte er.

»Geh zum Doktor!« hatte Fabio gemeint, »wenn du was am Magen hast.« Man kann es Giuseppe Rossi nicht ansehen, ob er krank ist, hatte er überlegt; er sieht so bleich aus wie immer.

»Ich war für heute nachmittag zu den Salesianern in San Alvise bestellt«, sagte Giuseppe, anstatt Fabios Aufforderung zu beantworten.

»Hat das was mit deinem Unwohlsein zu tun?« fragte Ugo.

»An der Pforte erwartete mich einer, der war so groß wie du«, sagte Giuseppe, zu Ugo gewendet. »Aber er sah ganz anders aus. Er sah aus wie der liebe Gott persönlich.«

»Einen lieben Gott gibt's nicht«, sagte Ugo gekränkt und beinahe wütend. Seine weiße Goliathschürze bewegte sich heftig, aber seine Pranken spülten die Gläser so zart wie immer. »Den hat's noch nie gegeben. Und wenn's ihn gibt, dann möchte ich nicht so aussehen wie der.«

»Nachher hab' ich gemerkt, daß er der Prior ist«, erzählte Giuseppe. »Er führte mich ins Refektorium und sagte mir, der Kamin zöge seit ein paar Wochen nicht mehr richtig, der Rauch drücke in den Saal. Als wir im Refektorium standen, kam der Kater herein«, fügte er hinzu.

»Ein Kater?« fragte Fabio, verwundert, weil Giuseppe Rossi eine so alltägliche Sache so betont vorbrachte.

»Ein gelbes Riesenvieh«, antwortete Giuseppe. »Ich kann diese gelbe Sorte Katzen nicht leiden.«

»Weil sie keine Weiber haben, die Schwarzen, haben die Katzen«, sagte Ugo.

»Er strich erst um den Prior herum. Die Salesianer tragen diese glatten schwarzen Kutten. Es sind eigentlich keine Kutten, es sind

Soutanen.« Nachdenklich sagte er: »Die Salesianer sind sehr gelehrte Patres. Der Prior sah aus wie ein sehr gelehrter Herr.«

»Ich denke, er sah aus wie der liebe Gott, den es gar nicht gibt?« warf Ugo spöttisch dazwischen.

»Ja, wie der liebe Gott und wie ein sehr gelehrter Herr. Er sah nicht aus wie . . .«, Fabio bemerkte, daß Giuseppe einen Moment zögerte, ». . . wie Petrus.«

»Aha«, sagte Ugo, »und davon ist dir also schlecht geworden?«

»Aber nein«, sagte Giuseppe. »Kannst du nicht warten?« Er war mit seinen Gedanken so sehr bei seiner Geschichte, daß er die Verachtung in Ugos Stimme überhaupt nicht bemerkte. »Der Kater«, berichtete er, »strich einmal mit seinem ekelhaften Gelb um die Soutane des Priors herum und dann stellte er sich vor den Kamin und schrie mit seiner widerwärtigen Stimme den Kamin an. Natürlich habe ich zu diesem Zeitpunkt gar nicht darauf geachtet, es fiel mir erst nachher auf. Ich sah mir den Kamin an, es war kein richtiger, ganz offener Kamin mehr, sondern sie hatten einen dieser eisernen Ventilationskästen eingebaut und ihn nach oben dicht gemacht, bis auf eine Klappe über dem Feuerrost, der Kamin mußte also ziehen. Ich fragte den Prior, wie lange sie den Kasten schon drin hätten, und er sagte ›Drei Jahre‹, und da sagte ich, dann wären wahrscheinlich nur die Rohre und die Öffnung, die durch die Mauer nach außen führe, hinter dem Kasten, verschmutzt. Er sagte, das habe er sich auch gedacht. Ich fragte ihn, was hinter der Mauer sei, und er antwortete ›Der Rione‹, und die Öffnung sei mindestens drei Meter über dem Wasser in der Wand, man käme von außen nicht dran. Ich sagte, wenn das so sei, dann müsse ich den ganzen Kasten herausnehmen. Ich solle nur das machen, was ich für richtig halte, sagte er, aber ich solle mich beeilen, sie könnten kaum noch essen im Refektorium vor Qualm. Und während der ganzen Zeit, in der wir uns unterhielten, schrie das gelbe Vieh von Zeit zu Zeit vor dem Kamin herum. Wenn nicht dieser vornehme Pater Prior dabei gewesen wäre, hätte ich ihm einen Tritt gegeben.«

Alle, die gerade in Ugos Bar waren, hörten jetzt Giuseppe zu. Der Ofensetzer trank den Grappa aus und schüttelte sich wieder. Ohne ein Wort zu sagen, schob Ugo ihm ein Glas Rotwein hin.

»Ich untersuchte den Kasten. Bei solchen Kästen sollte nur die Basis mit dem Feuerrost einzementiert sein und der Kasten soll darauf gesetzt und gut eingepaßt werden, so daß man ihn jederzeit abnehmen kann. Aber die meisten machen es falsch und schmieren auch um die untere Fuge des Kastens Zement. Stümper!« Er schwieg einen Augenblick erbittert, ehe er fortfuhr: »Ich fing also an, den Zementkranz unten wegzuschlagen. Der Prior war hinausgegangen, aber ein paar Mönche waren hereingekommen und sahen mir bei der Arbeit zu, weshalb ich den Kater nicht hinausjagen konnte, der sich ein paarmal wie ein Verrückter benahm und den glatten Eisenkasten hinauf wollte. Er war so groß wie ein Hund . . .«

». . . und so fett wie ein Schwein«, unterbrach ihn Ugo. »Er war sicher so fett wie alle diese fetten, kastrierten Kloster-Kater.«

»Nein«, sagte Giuseppe, »er war überhaupt nicht fett. Er war auch bestimmt nicht kastriert. Alles an ihm war Muskeln und er war so groß wie ein mittlerer Hund, und auf einmal bekam ich Angst vor ihm. Ich mußte ihn auf einmal ansehen, und als ich sein Gesicht sah und seine Muskeln, da sah ich, daß ich ihn nicht hätte verjagen können. In diesem Augenblick bemerkte ich, daß wieder der Pater Prior neben mir stand, obwohl ich nur seine Füße sehen konnte, denn ich kniete unter dem Kamin-Balken, und ich hörte, wie er sagte: ›Was hat das Tier nur?‹ ›Vielleicht wittert es Mäuse‹, hörte ich einen von den Mönchen sagen. Ich mußte grinsen, da unten, in meinem Kamin, und ich wollte schon etwas sagen, aber der Prior nahm es mir ab. ›Unsinn‹, sagte er, ›wenn eine Katze Mäuse wittert, verhält sie sich ganz still.‹ Ich dachte, das ist nicht nur ein gelehrter Herr, sondern ein Mann, der wirklich etwas weiß. Man kann sehr gelehrt sein und doch nicht wissen, wie eine Katze sich benimmt, wenn sie ein Mäuseloch findet.«

»Mach weiter!« sagte Ugo. »Wir wissen schon, daß er der liebe Gott persönlich war.«

»Ich hatte den Zementkranz bald losgeschlagen und richtete mich auf, um den Kasten heraus zu heben, aber das war gar nicht so einfach, er war schwer und das Eisen war eingerostet, und ich brauchte eine ganze Weile, bis ich ihn richtig gelockert hatte. Während der ganzen Zeit stand dieses gelbe Vieh neben mir, ich sage, es stand, es saß nicht, wie eine normale Katze, die auf etwas wartet, sondern es stand auf gestreckten Beinen, und ich sah, daß es die Krallen herausgestreckt hatte. Ich bat einen der Mönche, mir zu helfen, den Kasten wegzurücken, und während wir ihn anfaßten und begannen, ihn zur Seite zu schieben, mußte ich nun doch dem Kater einen Tritt geben, weil er nicht von meinen Füßen wegging. Er flog ein paar Meter in den Saal hinein, richtete sich fauchend wieder auf und sah mich an, als wolle er sich auf mich stürzen.« Giuseppe Rossi unterbrach sich. »Ich glaube, ich sollte doch nicht weiter erzählen«, sagte er. »Es ist zu unappetitlich.«

»Wir sind hier alle sehr zart besaitet«, sagte Ugo und blickte auf die Männer, die vor dem Bar-Tisch standen. »Und vor allem haben wir es sehr gern, wenn einer mitten in einer Geschichte aufhört.«

»Nun bring' schon die Leiche hinter deinem Kamin heraus!« sagte Fabio. »Wir sind darauf gefaßt.«

»Keine Leiche«, sagte Giuseppe. »Wir hatten also gerade den Kasten weggerückt, der Mönch und ich, da sah ich schon, daß die Luftöffnung nach draußen ganz verstopft war. Der Kamin konnte nicht mehr ziehen, so verstopft war sie. Mit Stroh und allerhand Dreck. Und ich merkte, daß sich etwas darin bewegte. Zuerst konnte ich nichts erkennen, weil der Luftschacht ganz dunkel war und von all dem Zeug, das sich darin befand, aber dann sah ich etwas Spitzes, Helles, was sich bewegte. Eine Rattenschnauze.«

Er griff nach dem Weinglas, aber er trank nicht daraus, sondern setzte es nach einer Weile wieder auf die Zinkplatte des Tisches.

»Ich zog mich ein wenig zurück«, fuhr er fort, »und war gerade dabei, dem Prior zu sagen, was ich bemerkte hatte, als der Kater auch schon heran war. Er schoß wie eine Kugel auf die jetzt freigelegte hintere Wand des Kamins zu, und ich dachte, er wäre mit einem Satz im Luftschacht drin, aber stattdessen bremste er ganz plötzlich ab und duckte sich unter dem Loch auf den Boden, er lag mit dem Bauch auf dem Boden, hatte seine Vorderpfoten ausgestreckt und den Kopf nach oben gerichtet, während sein Schwanz ganz gerade von ihm abstand. Er war völlig unbeweglich, und ich glaube, die Mönche und der Prior und ich, wir alle waren genau so erstarrt, denn im Eingang des Schachts war eine Ratte erschienen . . . eine Ratte, sage ich . . .«

Der Ofensetzer starrte auf die Wand hinter Ugo, und Fabio hätte sich nicht gewundert, wenn in seinen Pupillen das Doppelbildnis der Ratte, die er gesehen hatte, erschienen wäre.

»In meinem Beruf hat man häufig mit Ratten zu tun«, sagte Giuseppe. »In meinem Beruf und in einer Stadt wie der unseren. Aber ihr dürft mir glauben, wenn ich sage, daß ich so ein Trumm von einer Ratte noch nie gesehen habe. Sie stand da oben, im Eingang ihres Lochs, und sie füllte das Loch völlig aus. Wie sie jemals hinter dem Ofen herausgekommen ist, – denn sie muß ja nachts herausgekommen sein –, ist mir völlig schleierhaft. Na, jedenfalls sie stand da oben, ihr Fell war nicht grau, sondern weiß, ein schmutziges, scheußliches Weiß, und der gelbe Kater stand unter ihr und stieß ein Knurren aus. Aber während ich nicht den Kopf wegdrehen konnte, sagte der Pater Prior zu einem der Mönche ›Pater Bruno, holen Sie eine Schaufel!‹ Und er fügte hinzu ›Schließen Sie die Türe, wenn Sie hinausgehen und wenn Sie wieder hereinkommen!‹ Ich muß schon sagen, der Mann hatte die Ruhe weg.«

»Dann ging alles sehr schnell, und ich kann euch sagen, die schwarzen Soutanen der Mönche tanzten nur so an den weißen Wänden des Refektoriums entlang, als die Ratte herunter kam. Ich bin auch gesprungen, und nur der Pater Prior ist ganz ruhig stehengeblieben und sah sich die Sache an. Die Ratte machte zuerst einen Fluchtversuch, aber der Kater hatte natürlich ganz schnell seine Krallen in ihrem Rücken, und da entschloß sie sich und griff ihn an. Sie hatte einfach keine andere Wahl. Jetzt, wo sie im Saal war, konnte man sehen, wie groß sie war. Sie war natürlich nicht so groß wie der Kater, aber für eine Ratte war sie enorm groß. Sie war ein Ungeheuer, sie war ein schmutziges weißes Ungeheuer, fett und rasend, und der Kater war ein Ungetüm, ein gelbes, widerwärtiges, muskulöses Ungetüm. Habt ihr schon mal gesehen, wie eine Ratte eine Katze angreift?«

Niemand gab ihm eine Antwort. Ugo hatte mit seinem ewigen Gläserspülen aufgehört, und alle sahen angeekelt auf das bleiche Gesicht des Ofensetzers.

»Sie kommen von unten«, sagte er. »Diese da drehte sich um und wühlte sich mit ein paar Bewegungen unter den Kater und verbiß sich in seinen Hals. Der Kater raste wie ein Irrsinniger ein paarmal durch den Saal, aber er bekam die Ratte nicht von seinem Hals weg, und zuerst schoß das Blut aus seinem Hals wie eine kleine Fontäne hoch, aber dann sickerte es nur noch, und er konnte nichts anderes tun als die Kopfhaut und die Rückenhaut der Ratte mit seinen Krallen und seinen Zähnen aufreißen. Das Katzenblut und das Rattenblut versauten den ganzen Saal. Ein paar von den Mönchen schrien geradezu vor Entsetzen.«

»Mach's kurz!«, sagte einer von Ugos Gästen, und ein anderer: »So genau wollten wir's nicht wissen.«

»Ich hab' euch ja gewarnt«, erwiderte Giuseppe. »Ich bin auch schon fertig. Nur von dem Prior muß ich noch etwas erzählen. Als wir es beinahe nicht mehr ausgehalten hätten, hörten wir Schritte auf dem Gang, und der Pater Bruno kam mit der Schaufel herein. Er blieb erschrocken stehen, als er sah, was vorging, aber der Pater Prior war mit ein paar Schritten bei ihm und nahm ihm die Schaufel aus der Hand. Ich hatte gedacht, er wolle die Schaufel, um die Ratte damit totzuschlagen, aber er tat etwas ganz anderes. Er schob die Schaufel unter die beiden Tiere, die jetzt in der Mitte des Saales miteinander kämpften, sie kämpften nun schon langsamer, ineinander vergraben, die Schaufel war zu klein, um die beiden verrückten Riesenviecher zu fassen, aber sie ließen nicht voneinander ab, und so hingen sie rechts und links von der Schaufel herunter, das eine ekelhaft gelb und das andere dreckig weiß und beide von Blut überströmt, und der Prior schrie uns plötzlich an ›Steht doch nicht herum! Öffnet ein Fenster!‹ und ich riß eines der großen Fenster im Refektorium auf und der Prior trug die Schaufel zum Fenster und kippte die Tiere hinaus. Wir hörten das Klatschen, mit dem sie unten auf das Wasser des Kanals aufschlugen. Keiner schaute hinaus, nur der Prior, und dann drehte er sich wieder zu uns um, gab dem Pater Bruno die Schaufel zurück und sagte ›Waschen Sie das Blut ab!‹ und zu den anderen sagte er ›Holt Eimer und Besen, damit wir das Refektorium schnell wieder sauber kriegen!‹ und zu mir sagte er ›Glauben Sie, daß Sie den Kamin heute abend in Ordnung haben?‹, und ich sagte ›ja‹ und fing gleich mit der Arbeit an, aber eine Weile später mußte ich hinaus auf die Toilette, weil es mir hoch kam.«

»Salute«, sagte Ugo, »ich gebe eine Runde Grappa aus. Wer will keinen?« Niemand sagte nein, und Ugo stellte die Gläser auf den Tisch.

»Das ist ein Mann, der Prior«, sagte Giuseppe, »er ist nicht nur gelehrt, er weiß auch wirklich etwas, und nicht nur das: er tut auch etwas. Er war der einzige von uns, der sich die Sache ansah und im voraus wußte, was zu tun war, und etwas tat.«

»Kurz und gut – ein Mann wie der liebe Gott. Du brauchst es nicht noch einmal zu betonen«, sagte Ugo.

»Ihr werdet es komisch finden«, sagte Giuseppe Rossi, der Ofensetzer, »als er so ruhig im Saal stand, mit gekreuzten Armen, während die Viecher herumtobten und wir von einer Ecke in die andere sprangen, da dachte ich einen Moment lang: das ist kein Mensch.«

Spät in der Nacht ging Fabio mit Giuseppe nach Hause. Rossi wohnte in der Nähe von San Samuele, so daß sie ein Stück weit den gleichen Weg hatten. Als sie sich verabschiedeten vor der Türe, hinter der sich seine Werkstatt befand, sagte der Ofensetzer unvermittelt: »Er ist aber doch ein Mensch.«

»Du meinst den Prior?« fragte Fabio. Ohne eine Antwort abzuwarten, fügte er hinzu: »Sicherlich ist er ein Mensch.«

»Er äußerte etwas Seltsames«, sagte Giuseppe. »Als ich ging, gab er mir die Hand und fragte ›Geht's Ihnen wieder besser?‹ und als ich nickte, sagte er bedauernd ›Diese unvernünftigen Tiere!‹ Und dann fragte er mich ›Finden Sie nicht, daß Gott den Tieren etwas mehr Vernunft hätte verleihen können?‹.«

Fabio stieß einen Laut der Verwunderung aus.

»Nicht wahr, das ist doch eine merkwürdige Frage?« sagte Giuseppe.

»Für einen Mönch ist sie ungewöhnlich«, stimmte Fabio zu.

»Und dabei sieht er aus wie ein wirklich frommer Mann«, sagte Giuseppe. »Ich wußte nicht, was ich ihm antworten sollte, und er hat auch, glaube ich, keine Antwort erwartet. Aber ich frage mich jetzt, Fabio, ob man fromm sein kann, richtig fromm, und doch nicht alles für richtig zu halten braucht, was Gott tut.«

Die Nacht war, wie die Nächte in Venedig sind: still. Still, aber nicht tot. Fabio hörte das Wasser des Canalazzo an den Landesteg von San Samuele klatschen.

»Ich weiß es nicht«, antwortete er.

WIELAND SCHMIED
Bei den Sirenen

Er soll, so wird uns berichtet, nachdem er in nebliger Frühe über den Okeanosstrom gesegelt war, zur Insel der Sirenen gekommen sein. Es war ihm geweissagt worden von der Zauberin, daß er ihrem Gesang erliegen würde, wie alle Seefahrer vor ihm bis auf einen diesem Gesang erlegen waren. Doch könnte er sich und seinen Gefährten die Ohren mit Wachs verschließen und so, wenn nicht der Insel, so doch dem Gesang und der mit ihm verbundenen Gefahr ausweichen.

Kirke, sagte er, ich muß diesen Gesang hören; denn wie könnte ich meine Fahrt um das Salz der Gefahr betrügen. Welchen Geschmack hätte sie ohne das Salz?

Du wirst dem Gesang erliegen, mein törichter Freund, und ihn dann bis zu deinem Tode hören.

Kirke, was kann ich tun, um zu widerstehen?

Sieh, lächelte sie, du, der listenreiche, fragst eine Frau, wie du den Sirenen widerstehen könntest. Und eine Frau muß dir den Weg sagen: wenn du die Stimmen der Sirenen vernehmen willst, mußt du dich von deinen Gefährten an den Mastbaum binden lassen. Sie werden, wenn du ihnen das Gehör verschließt, wie ich's dir geraten, den Lockungen taub sein. Du allein wirst den Gesang hören können So kannst du den Sirenen begegnen, ohne ihnen waffenlos ausgeliefert zu sein. Deine Fesseln werden dich schützen und dich heilen Leibes aus der Gefahr ausgehen lassen.

So sprach die Zauberin. Wir wissen nicht, wie er ihre Worte verstand. Auf jeden Fall müssen sie ihm, da er wie alle Sterblichen das Zukünftige am Maß des bereits Erfahrenen maß, eine falsche Vorstellung von der Art des Gesangs gegeben haben, den er zu hören begehrte. Denn es scheint, als ob er ursprünglich geglaubt habe, daß die Maßnahmen, zu denen Kirke geraten hatte, ihn zwar den Geschmack der Gefahr würden spüren lassen, ohne daß er von diesem Geschmack berauscht und ergriffen werden könnte.

Er ließ die Seile vom Ufer lösen. Die Genossen der Fahrt traten mit ihm froh in das schwarze Schiff, setzten sich auf die Bänke und nahmen die Ruder. Kirke sandte dem blaugeschnäbelten Schiff segelschwellenden Wind; und nichts schien ihrer Heimfahrt im Wege zu sein als die Worte des Sehers, der gesagt hatte, er werde erst spät, unglücklich und ohne Gefährten heimkommen nach Vathy.

Der Wind war gut. So fuhren sie jenem Ort entgegen, den zu erreichen ihnen bestimmt war.

Abends, so wird uns berichtet, oder wenn ein Schiffer auf schwarzem Schiff sich näherte, ging von der Insel der Sirenen Gesang aus. Dieser Gesang ergriff das Meer, daß es ganz ruhig wurde. Und er ergriff die Schiffer, daß sie, ohne zu überlegen, hinruderten oder hinschwammen an den tödlichen Strand, an dem ihnen keine Kirschen mehr blühten. Jeder, der die Sirenen berührte, mußte auf der Stelle sterben. Das war der Fluch, der ihnen anhaftet, seit sie die geselligen Musen zu einem Wettstreit herausgefordert hatten und ihnen unterlegen waren. Dies allerdings ist eine Sage und sicher erfunden. Glaubwürdig scheint uns, daß Zeus seinen Lieblingen zuliebe, den Musen, von Anfang an die Sirenen verflucht und auf eine abgelegene Insel verbannt hat, die sie nicht verlassen durften.

Hatte der Tod aller Seefahrer, die den Sirenen erlegen waren, sie nicht betroffen, ja, hatten sie diese als natürlichen Tribut ihrer Langeweile genommen, so schien die Gewinnung des listenreichen Okeanosseglers ihnen wichtiger als die irgendeines Menschen. Er war es, nach dem sie immer verlangt hatten. Für sein Ohr war ihr Gesang seit je bestimmt. Wenn ihnen der Liebling der Götter zufiel, löschten sie die Schmach der Verbannung aus. Es war nicht ihr Wille, daß jeder, der die Insel betrat, dem Tode verfiel, um manch einen schönen Schiffer und seine Männlichkeit war es ihnen leid gewesen. Der Tod Odysseus' aber würde sich nicht nur gegen sie wenden, sondern vor allem gegen die Götter. Starb Odysseus an der Küste der Sirenen, so hatte Zeus mit seinem Fluch sich selbst getroffen.

Nur war den Sirenen nicht nur bekannt geworden, daß Odysseus zu ihrer Insel kommen, sondern auch, daß er nicht an ihrem Strande sterben sollte. Sie wußten also, daß er ihnen nicht wie die Schiffer bisher unvorbereitet begegnen würde, sondern daß er sich mit einer List gewappnet hatte. So sannen sie nach, wie sie ihn trotzdem betören und an ihren Strand ziehen könnten. Da sie die List, auf die Odysseus verfallen war, nicht kannten, heckten sie folgenden Plan aus: Sie würden genau wie sonst ihr Lied beginnen und solange singen, bis sie die List des Odysseus durchschaut hatten. Dann würden sie plötzlich zu singen aufhören und sich anscheinend geschlagen geben. Dadurch würden Odysseus und seine Leute glauben, sie hätten ihren Versuch aufgegeben, und sich vor ihren Lockungen sicher fühlen. Fühlten sie sich aber einmal sicher, würden sie auch auf ihre List, worin immer sie bestand, verzichten. Dann war es für sie, die Sirenen, an der Zeit, ihren Gesang aufs Neue zu beginnen und den nun wehrlosen Odysseus und seine Leute doch noch, entgegen der ihnen zuteil gewordenen Weissagung, zu gewinnen und stranden zu lassen.

Mit diesem Plan erwarteten die Sirenen die entscheidende Stunde.

Odysseus rief, als sich sein Schiff den Gewässern der Sirenen näherte, seine Männer und sagte ihnen, was bevorstand und wie sie sich zu verhalten hätten. Auf keinen Fall dürften sie ihn, den sie einmal gefesselt hatten, so sehr er ihnen auch Zeichen zu geben versuchen sollte und sich in seinen Fesseln winde, losbinden, denn dann würde er und würden sie alle dem zauberischen Gesang verfallen: und das dürften sie unter keinen Umständen. Sobald sie Anzeichen bemerkten, daß er vor der Zeit, ehe sie aus dem Zauberkreis entronnen waren, sich zu befreien wünsche, müßten sie herbeieilen und ihn mit vorbereiteten Stricken fester an den Mast schnüren.

Das Meer lag grau und blau und unberührt. Kein Wind wollte sich mehr erheben. Sie mußten die Segel mit dem aus Ochsenleder geflochtenen Segeltau einziehen und die Ruder nehmen. Odysseus schnitt mit dem Schwert kleine Wachsstücke aus den Honigscheiben. In seinen Händen wurden sie zu weichen nachgiebigen Kugeln, mit denen er, von einem zum andern gehend, jedem der Gefährten die Ohren verklebte. Dann, als er dies getan, winkte er, man möge ihn an den Mast binden. Die Gefährten banden ihn aufrecht an den Mast. Sie umschlangen ihm Hände und Füße fest mit den Seilen und setzten sich wieder an die Ruder.

Aus den Fluten tauchte, rascher, als sie's erwartet, die Insel auf, wie ein Stein, der sein Haupt erhebt. Das erste, was Odysseus hörte, war ein Geräusch, wie wenn Wasser an Wasser schlägt. Dann aber hörte er die Stimmen der Sirenen.

Als die Sirenen das Schiff kommen sahen und sahen, daß Odysseus an den Mast gebunden war, während seine Männer (was sie zuerst nicht verstanden, da sie nicht wußten, daß den Ruderern Wachs die Ohren verschloß) gleichmäßig ruderten, begannen sie zu singen.

»Uns ist alles bekannt, was ihr Argeier und Troer in der Troas geduldet«, sangen sie, und davon, daß sie wüßten, was die Griechen an Strapazen und Schmerzen ausgestanden hatten. Hier, auf ihrer Insel, winke ihnen nun Genesung und Lust nach allen Kämpfen und Fahrten, hier würden sie glücklich werden.

Aber keiner der Männer gab ein Zeichen von sich, daß er sie verstanden, ja, daß er sie überhaupt gehört hatte. Da merkten sie, daß ihr Lied zu tauben Ohren ging, in die es nicht eindringen konnte. Nur ein einziger hatte sie gehört und war ergriffen worden: Odysseus, der an den Mastbaum gefesselt stand und verzweifelt seinen Kopf hin und her wendete. Sie erkannten, daß nun ihr Plan zu schweigen, sinnlos geworden war: denn wenn sie auch aufgehört hätten zu singen, so würde es doch keiner der Männer bemerken außer Odysseus. Und der wieder konnte es keinem der anderen sagen.

So waren die Sirenen dem listenreichen Seefahrer unterlegen, und es war gleichgültig geworden, ob sie weitersangen oder ob sie es bleiben ließen. Wie sie den kühnen Mann aber stehen und ihn, wenn nicht von ihren Worten erfaßt, so doch von ihrer Melodie ganz und gar verzaubert, sehnsüchtig nach der Insel blicken sahen, konnten sie nicht anders, als zu singen. Obwohl ihr Gesang nun machtlos war und das Schiff des Odysseus ihren Gewässern rasch für immer entschwand, sangen sie schöner als je.

Vielleicht war es, daß sie Mitleid hatten mit dem gefesselten Odysseus. Sie sahen, daß auch er nur ein sterblicher Mensch war, der ihnen erliegen mußte, erkannten, daß er nicht anders war als die anderen Schiffer, denen ihr Gesang zum Untergang geworden war. Er war gefesselt und konnte sie nicht um ihren Sieg betrügen. Denn wie hätte man sagen können, daß ein Mann, der vor ihnen wehr- und willenlos war, sie besiegt hatte? Waren die Fesseln nicht ein Einbekenntnis seiner Furcht, ja, seiner Niederlage?

Vielleicht war es auch einfach so, daß die Sirenen gar nicht anders konnten, als den einmal begonnenen Gesang zu vollenden. Daß sie ihm selbst verfallen waren? Daß sie alles konnten, nur nicht schweigen, wenn ein Schiffer da war, der sie zu hören vermochte?

Was auch immer der Grund ihres Gesanges war: sie sangen auch dann noch, als es offenbar war, daß sie nicht mehr hofften, Odysseus auf ihre Insel zu ziehen.

Gerade das aber machte es ihm unmöglich, wie ein Dieb den Gesang als Beute davonzutragen. Als er gewahr wurde, daß die Sirenen noch sangen, als sie nichts mehr für sich erwarteten, ja den Gesang noch steigerten, um ihm, wie er es auslegen mußte, einen vollkommenen Sieg zu schenken, rief er seinen Männern, sie möchten ihn auf der Stelle losbinden.

Die aber hörten ihn nicht. Er sprach zu tauben Ohren. Sie glaubten, daß die verzweifelten Anstrengungen, die er machte, sich zu befreien, jene waren, von denen er gesprochen hatte, und fürchteten, daß er nun den Gesang nicht länger ertrüge. Und sie standen auf und banden ihn fester.

So wurde das Mißverständnis seiner Gefährten, das zugleich ein Verstehen der Lage war (denn wieweit galt das, was er in diesen außerordentlichen Augenblicken empfand, überhaupt?), sein Schicksal. Es fesselte ihn in tragischer Weise an seine Schwäche, die zu überwinden ein einziger unwiederholbarer Augenblick ihm die Hand reichte.

Er begriff, daß er diesen ihm geschenkten Gesang nur dann hätte überwinden können, wenn er frei unter dem Mastbaum gestanden wäre. Wenn er den Sirenen, die das Schiff umflogen, ins Auge geblickt und sie angelächelt hätte – und trotz allem nicht ins Wasser gesprungen wäre, um zu ihrer Insel zu schwimmen. Dann hätte er den Gesang ausgehalten.

So aber ist er ihm verfallen.

Er fühlte, daß er dem Gesang nicht gewachsen war und daß der Preis, den er für ihn zu zahlen hatte, konnte er nicht sein Tod sein, um ein Mehrfaches höher sein mußte als dieser: daß er in seinem Leben bestand, das er irrtümlich bewahren zu können geglaubt hatte.

Die Sirenen hatten gewußt, daß es nicht das gleiche wäre, ob ihnen Odysseus verfiele oder irgendein dahergewehter Segler. Aber sie irrten, wenn sie glaubten, daß der ihnen nur auf die gleiche Art verfallen könnte wie alle andern: durch den Tod an ihren Klippen oder an ihren Brüsten.

Ein Irrfahrer kann nicht schiffbrüchig werden auf den Klippen vor einer Insel, wenn seine Zeit noch nicht abgelaufen ist in der Sanduhr der Götter. Aber er kann, auch wenn sein Schiff ihn weiterträgt, dennoch für immer an diese Insel gebunden bleiben.

Es war ein Irrtum zu glauben, Odysseus sei den Stimmen der Sirenen nicht verfallen. Er ist ihrem Gesang schon verfallen – als einziger unter allen Seefahrern – bevor er ihn gehört. Er ist ihm in dem Augenblick verfallen, als er sich an den Mastbaum fesseln ließ. Da er ihn als Geschenk nehmen mußte, hat er ihn mit einem Preis bezahlt, der nur von wenigen Sterblichen gefordert wird: mit dem gelebten Leben.

Bist du noch da, Odysseus, fragte ihn Perimedes, der seinen Gefährten seltsam verzückt sah, erstarrt zu einem Mastbaum, so, als sei er schon nicht mehr da und dies nur noch die Haut eines alten Mannes, zusammengehalten von ein paar Seilen.

Der gab kein Zeichen. Der rührte sich nicht. Der hörte ihn nicht. Der war taub für das Wort seines Freundes. Er stand unverändert am Mast und starrte hinüber – dies war die Grenze dessen, was ihm das Leben zu erreichen gegönnt hatte, war Grenze hüben und drüben. Da stand er, ein alternder Mann, hin- und hergeworfen von allerlei Winden, Strömungen und Trieben, Unbill des Schicksals, schon jetzt allein auf seiner Fahrt, Ithaka und Penelope waren vage geworden, ein Traum, der nicht mehr galt. Da stand er, seinen Gefährten entwachsen, und spürte, wie der Gesang gewaltiger wurde durch sein Hören, wie er ihn steigerte und wie er unsterblich wurde in seinem Gehör, um ihn endlich nicht mit dem Tode, sondern mit jeder Sekunde zu bezahlen, die ihm zu leben blieb.

Zu einem solchen Mann kann man nicht sprechen.

Als die Insel ihren Blicken versunken war, nahmen die Männer das Wachs aus den Ohren und lösten Odysseus vom Maste. Ihnen war der verführerische Gesang verschlossen geblieben. Trotzdem darf ihr weiteres Schicksal nicht glücklich genannt werden. Schon erwarteten Skylla und Charybdis ihr Opfer.

HANS DAIBER
Argumente für Lazarus

Lazarus stank wirklich, wie seine Schwester es gesagt hatte. Es war tatsächlich schon der vierte Tag nach seinem Tode. Lazarus hatte bei jeder Bewegung das Gefühl, er müsse bersten. Dennoch kam er heraus, als er gerufen wurde. Er konnte offenbar nicht anders. Die Bandagen hielten ihn zusammen. Martha starrte entsetzt auf seine gallertartige Nasenspitze. Er machte nur kleine Schritte, weil er so fest umwickelt war. Auch die Arme steckten in dem Verband des Todes.

Lazarus sah den Rufer an, mit seinen erloschenen Augen. Sein teigiges Gesicht war ohne Energie, Gärung pulste unter der ledrigen Haut. Die Backen hingen wie Säckchen herab. Zwischen ihnen öffnete sich ein Loch. »Nein«, rülpste das Loch. Dieses Nein schien aus dem Bauche aufgestoßen zu sein. Es war schwer zu verstehen, aber nur allzu verständlich. Noch andere Laute platzten hervor, formten sich zu Wörtern, zu Sätzen. Der Hautsack gewann Ausdruck. »Nein, Du kommst zu spät. Ich bin langsam gestorben, gliedweise, tagelang. Ich habe den Ekel vor mir in den Augen meiner Frau gesehen, die zusammengepreßten Lippen meiner Tochter. Und trotzdem hätte ich noch gern weitergelebt. Aber Du hast mich zu Ende krepieren lassen. Ich mußte Deine Macht zu Ende fühlen. Ich habe es ertragen. Es war hart, aber ich wußte es nicht anders. Ich habe es geduldet. Nun sehe ich aber, warum Du mich auf so furchtbare Weise verrecken ließest: damit die Erweckung um so effektvoller wäre. Es war eine Schaustellung für Dich, deren zweiter Akt nun kommt. Wer weiß, welchen Exitus der dritte bringen soll. Aber ich spiele nicht mehr mit. Mein Leben lang hatte ich Dich in Ehren gehalten. Aber das war ein Irrtum. Du hast es nicht gut mit mir gemeint. Ich will kein Objekt mehr für Deine Demonstrationen sein.«

Das alles gurgelte aus einem unbeweglichen Körper hervor, der wie eine weiße Säule in der scharfen Sonne stand, umsummt von Aasfliegen. Martha war längst fortgerannt. Der Erwecker stand vor ihm, in gelassener Attitude, Standbein und Spielbein, die Arme verschränkt. Es war, als verstehe er nicht recht oder wundere sich, was dieser Lebenskandidat eigentlich zu vermelden habe. Lazarus schien sich durch diese abwartende Haltung ermutigt oder gar herausgefordert zu fühlen – sofern er überhaupt etwas fühlen konnte. Jedenfalls mühte er sich, seinen Standpunkt zu präzisieren.

»Ich habe gelebt wie ein Maulesel, schlechter als ein Maulesel, denn ich hatte das Bewußtsein meiner selbst. Ich wußte, daß Hitze und Staub nicht alle treffen, daß nicht alle arbeiten müssen und nicht alle von Seuchen zernagt sind. Ich nahm es hin. Eine Handvoll Datteln, ein paar Oliven, ein Mundvoll Wasser – und ich war zufrieden. Du weißt es, denn täglich hast Du Dein Licht geschickt, zur Kontrolle. Du beobachtest uns. Bist Du mißtrauisch, fürchtest Du, daß wir eines Tages Deinen Himmel stürmen? Wir werden es tun, verlaß Dich drauf. Meinen Bruder Ikarus hast Du vernichtet, meinen Sohn in der Rakete hast Du getötet, aber mein Enkel wird in Deinem Himmel herumfliegen, wenn Du alt und schwach geworden bist, kreuz und quer wird er die Sphären durchdröhnen und die Engel werden von Dir abfallen wie Herbstlaub.«

Der Stumme stand ruhig und blickte den Rebellen an. Die großen Worte standen in groteskem Mißverhältnis zu der erbärmlichen Gestalt, aber niemand war da, der den nötigen Humor gehabt hätte, dies zu beachten. Lazarus richtete seinen blinden Blick mit aller Energie auf den Partner und tatsächlich begannen die trüben Linsen, sich zu schärfen. Er konnte eine Figur zwischen den heißen Steinen erkennen, eine Figur, die verstohlen gähnte. Diese Verstohlenheit brachte ihn noch mehr auf als die Tatsache des Gähnens, denn er wußte natürlich, daß dem anderen alles schon bekannt war, was immer er auch sagen mochte. Er brüllte darum so laut und so artikuliert wie möglich: »Und auch das ist wieder eine Finte, Du provozierst mich, ich soll mich belasten, damit Du mich bestrafen kannst. Du bist rachsüchtig! Den Gott der Liebe läßt Du Dich nennen! Gerade für die Liebe läßt Du Dich feiern, die Du auserschen hast, uns endgültig zu vernichten! Sie läßt die Zahl der Menschen wachsen und damit die Summe der Lobpreisungen. Aber wenn wir des Mordens müde sind und es womöglich ganz bleibenlassen, in dem Glauben, es mißfalle Dir, dann werden wir wie die Karnickel überhandnehmen und uns gegenseitig auffressen müssen. Das wird ein göttliches Finale, vor dem uns nur die Bombe retten wird, die Du uns geschenkt hat, damit wir uns in unserer Angst um so enger an Dich ketten. O, Du bist schlau! Weil Du in großen Zeiträumen rechnest, die wir kaum überdenken können, bleibst Du der Ankläger, der Strenge, aber Gerechte, zumal da Du uns zwischendurch mit kleinen Taschenspielereien in staunenden Schrecken versetzt. Und dazu soll ich Dir jetzt dienen! Doch Du hast den Bogen überspannt. Ich rufe alle Rebellen zu Hilfe, die vergangenen, die Du zwar vernichtet, aber nicht besiegt hast, die gegenwärtigen und künftigen, die Du zwar vernichten, aber nicht besiegen wirst, ich schreie Dir entgegen, ein verwesendes Stück Fleisch schreit: Nein, nein, nein!«

Der schweigende Zuhörer zeigte so etwas wie leichte Ungeduld. Lazarus hoffte auf eine Entgegnung, aber er entdeckte nur den Anflug eines müden Lächelns im Gesicht seines Gegenübers. Eine Eidechse huschte durch den Sand. Sie lief im Zickzack und verharrte bei jeder Richtungsänderung, züngelnd und spähend. Sie näherte sich dem bebenden Ankläger, dessen Augen zu ihr abirrten. Als er den Blick wieder hob, war der Erwecker verschwunden.

In diesem Augenblick trafen die Freunde und Verwandten ein, Martha hatte sie geholt. Sie näherten sich scheu und schweigend. Als sie Lazarus allein stehen sahen und bemerkten, daß seine Augen geöffnet waren, fragten sie ihn, ob er sie erkenne. Er nickte. Da priesen sie den Erwecker und trugen den Erweckten laut betend heim. In ihren Armen erholte er sich sichtlich. Es war, als teile sich ihm Kraft mit aus dem Überfluß ihres Lebens. Sie lösten die Totenbinden von ihm, wuschen und salbten ihn. Alle waren sie um ihn bemüht, die sich sonst um ihn nicht gekümmert hatten; sie brachten Kleidung, Nahrung, Geld, wollten rasch möglichst viel Nächstenliebe in das bevorzugte Objekt investieren. Man kleidete den Helden des Tages in purpurne Gewänder, kostbarere als er jemals besessen hatte, und veranstaltete ein Festmahl. Lazarus saß an der Spitze der Tafel. Der süßliche Leichengeruch hatte sich fast verflüchtigt. Das fahle Gesicht war ein wenig ins Bräunliche gedunkelt, die verschwommenen Gesichtszüge strafften sich. Nur die Nägel blieben blau. Die Augen hielt er niedergeschlagen, er beteiligte sich nicht an den Gesprächen. Man wußte nicht einmal, ob er zuhörte. Er trank wenig und aß nichts. Ein vorwitziger Vetter wollte wissen, wie es denn gewesen sei. Betroffen schwieg die Tafelrunde. Lazarus erwiderte nichts. Es wurde ungemütlich. Nachdem der erste Freudenrausch verflogen und die Sensation verpufft war, wirkte die Anwesenheit des Erweckten lähmend. Hatte man diese Ungeselligkeit um ihn verdient? Ein Gast nach dem anderen empfahl sich unter einem Vorwand. Auch seine Familie war beklommen. Man richtete ihm das Nachtlager und ließ ihn allein.

In der Morgendämmerung fand Martha ihn hinter dem Haus. Er hatte sich erhängt, an der hundertjährigen Olive.

HANS ERICH NOSSACK
Das Mal

Ungefähr in der siebenten Woche nach unserm Aufbruch sahen wir
in der Ferne etwas, was einem Mal glich, das sich jemand aufgerichtet hat. Wir stutzten. Auch die Hunde nahmen es wahr und witterten
danach hin. Es stand mitten in der Einförmigkeit der endlosen
Schnee-Ebene, durch die wir schon tagelang gezogen waren. Zufällig war die Sicht verhältnismäßig klar, obwohl die Sonne nicht
schien. Das Mal warf deshalb auch kaum einen Schatten, soweit sich
das aus der Entfernung beurteilen ließ. Aber kein Schneesturm wie
sonst. Überhaupt hatte der Wind in den letzten Stunden merklich
nachgelassen.

»Also doch«, murmelte Blaise, mehr für sich als für mich, der
neben ihm stand; denn es war im allgemeinen nicht seine Art, sofort
eine Meinung zu äußern. Ich begriff, was er damit sagen wollte.
Man hatte uns erzählt, daß vor uns bereits andere den Versuch gemacht hätten und daß sie niemals zurückgekommen wären. Genaues
wußte natürlich niemand, wenn man nachfragte. Wir hielten es für
ein Märchen, um uns von dem Unternehmen abzuschrecken. Solche
Märchen bilden sich ja immer, wenn etwas als unmöglich gilt. Und
wenn sie nun einfach deshalb nicht zurückgekehrt sind, weil sie was
Besseres entdeckt haben? hatte ich damals einem Biedermann ent-
gegnet. Das war sehr töricht von mir gewesen; denn damit erweckte
ich den Eindruck, als ob es uns um etwas Besseres ginge. Aber in
jener Zeit, bevor wir den Entschluß endgültig faßten, war ich sehr
reizbar.

»Also los! Gucken wir uns den Schneemann mal an«, rief Patrick
schließlich. Er schnalzte mit der Zunge, und die Schlittenhunde legten sich ins Geschirr.

Wir brauchten eine gute Stunde, bis wir hinkamen. Die Entfernung läßt sich schwer einschätzen, wenn sonst nichts da ist. Dann
allerdings erkannten wir sofort, daß es tatsächlich ein eingeschneiter
Mann war. Wir ließen alles stehen und liegen und klopften ihm den
Schnee von Kopf und Schultern. Die Hunde kratzten unten herum,
gaben es aber schneller auf als wir. Offenbar hatte der Mann keinerlei
Geruch mehr an sich. Die Hände hatte er in den Taschen seiner
Jacke. Seiner Haltung und seinem Aussehen nach hätte er ebensogut
einer von uns sein können, was jedoch nichts besagt. Wer bis hierher
kommen will, muß mit dem Klima rechnen. In hundert Jahren wird
man sich auch nicht viel anders kleiden können wie dieser Mann oder
wie wir.

Am meisten überraschte es uns, daß er stand. Keiner von uns
hätte es je für möglich gehalten, daß man stehend erfrieren könne.
Wir hatten ohne weiteres angenommen, man fiele vorher um oder
man legte sich aus Müdigkeit hin. Besonders davor wurde ja ge-

warnt. Und nun, siehe da, dieser Mann stand aufrecht auf seinen Beinen, ohne sich auch nur an irgendwas anzulehnen. Denn woran hätte er sich auch anlehnen sollen? Wir wagten nicht einmal ihn umzulegen, aus Furcht, ihn dabei mitten durchzubrechen. Gewiß, die Möglichkeit, daß wir selber erfrieren würden, hatten wir in Rechnung gestellt, aber dies war denn doch ziemlich befremdend.

Ich gab mir Mühe, sein Gesicht von der Maske aus verharschtem Schnee zu befreien, die an seiner Mütze, seinen Augenbrauen und Bartstoppeln festgewachsen war, ähnlich wie das bei uns zuweilen vorkam. Die anderen sahen mir zu und warteten; die Arbeit konnte nur einer machen, und so überließen sie es mir. Ich mußte sehr vorsichtig sein, um nichts dabei zu verderben. Ich klopfte ihm ganz sanft das Gesicht mit meinem Handschuh ab. Seine Augen waren geschlossen und die Augäpfel so hart wie Marmeln. »Kein Wunder«, sagte ich; »er hatte keine Schneebrille, darum hat er die Augen zugekniffen.« Aber auch so ließ es sich schließlich nicht länger verheimlichen, daß der Mann lächelte. Nicht jetzt erst und über uns – welch ein Unsinn! –, sondern schon seit damals. Und auch nicht etwa, daß er die Zähne fletschte, wie es Tote zu tun pflegen. Das ist kein Lächeln. Dieser aber lächelte wirklich mit den Winkeln seiner Augen und den schmalen, farblosen Lippen. Kaum merklich; man glaubte zuerst, sich zu täuschen, doch wenn man wieder hinblickte, war es deutlich genug. Wie jemand, der einen schönen Gedanken hat, ganz für sich allein, und weiß es selber nicht, daß er dabei lächelt. Im Gegenteil wenn jemand zusieht, lächelt man nicht so. Die Leute fragen dann, und es ist peinlich, weil man ihnen keine Antwort zu geben vermag. Aber dieser Mann war erfroren, und deshalb sahen wir es.

Ich weiß nicht, was die anderen dachten. Doch warum sollen sie etwas anderes gedacht haben als ich? Es ist wohl am besten damit ausgedrückt, wenn ich sage: Wir kamen uns plötzlich ein wenig sinnlos vor. Und das ist schlimm. Es ist sehr viel schlimmer, als nur einfach erschrocken zu sein. Wie auf Verabredung benahmen wir uns leiser als sonst. Zum Beispiel würde es doch eigentlich Patricks Art entsprochen haben, den Mann auf die Schulter zu hauen und laut zu begrüßen. »Hallo, alter Junge, da haben wir dich erwischt. Du hast gut lachen.« Oder so ähnlich. Doch nichts dergleichen geschah. Und zwar nicht aus Achtung vor dem Toten (oder vor dem Tode, wie sie das früher nannten). Wir haben genügend Tote in unserm Leben gesehen und sind es gewohnt. Meiner Meinung nach lag es einzig und allein an dem Lächeln. Es zwang uns, behutsam zu sein. Es darf auch nicht außerachtgelassen werden, daß wir überaus anstrengende Wochen hinter uns hatten und daß uns nicht zum Lächeln zumute war. Obwohl natürlich häufig Witze gerissen wurden, wie es sich gehört.

An diesem Tage zogen wir nicht weiter. Es war erst gerade Mittag, und normalerweise hätten wir es uns noch nicht erlaubt, schon

Rast zu machen. Doch es bedurfte gar keines Beschlusses, es ergab sich wie von selbst. Wir ließen den Mann stehen, so wie er war, und schlugen hundert Meter davon entfernt das Lager auf. Genauso wie immer. Jeder von uns hatte seine bestimmten Handgriffe, damit es schnell ginge und keine Zeit mit Nachdenken vergeudet wurde. Das Zelt wurde aufgerichtet und der Spirituskocher in Gang gebracht. Die Hunde bekamen ihren Trockenfisch, und nachdem jeder seinen Anteil unter Knurren verschlungen hatte, rollten sie sich im Schnee auf. Sie nutzen ja jede freie Minute, um zu schlafen, die Schnauze zwischen den Hinterbeinen. Inzwischen war es dann auch für uns so weit. Die Dosen mit Bohnen und Speck waren heiß geworden. Wie üblich kriegten wir unsre Lebertranpillen zugeteilt und hockten uns ins Zelt, um zu essen. Dabei nahmen wir uns immer viel Zeit; es ruht sich besser aus. Gesprochen wurde niemals viel dabei. Es war also nichts Ungewöhnliches. Erst als die Rumflasche umging und jeder seinen Schluck nahm, zögerte einer, ich weiß nicht mehr wer, als ob er es für höflicher hielt, dem Mann da draußen zuzutrinken. »Es würde ihm auch ganz gut tun«, sagte er. Es war uns unangenehm, daß er dort stand und lächelte, während wir im Zelt hockten und uns an Suppe und Rum gütlich taten. Doch niemand ging darauf ein. Was sollten wir auch dagegen machen? Schließlich war es nicht unsre Schuld. Er hätte ja zu Haus bleiben können.

Nach dem Essen, und nachdem wir Geschirr und Besteck im Schnee gesäubert und wieder zusammengepackt hatten, krochen die drei anderen in ihre Schlafsäcke, als wenn nichts wäre. Blaise nahm seine Instrumente, die er den ganzen Weg mitgeschleppt hatte, um jeden Tag die Temperatur und Luftfeuchtigkeit nachzumessen und den geographischen Ort auszurechnen. Und was weiß ich sonst noch alles. Ich verstand nicht viel davon, aber ich pflegte ihm dabei zu helfen, indem ich die Zahlen, die er mir aufgab, in ein Heft mit Rubriken eintrug. Und so war es auch heute.

Blaise nahm es mit diesen Zahlen sehr wichtig. Ich hatte ihn oft deswegen geneckt. Was geht uns der geographische Ort an, hatte ich gesagt. Im Grunde interessiert uns das doch gar nicht. Und selbst wenn wir annehmen, daß dies Heft einem zu Gesicht kommt, was doch keineswegs unsere Absicht ist – was passiert dann? Die Leute werden die Zahlen in ihr Lexikon eintragen und stolz sein, daß sie einen Schritt weitergekommen sind. Aber nur die Wissenschaft. Niemand sonst kommt mit diesen Zahlen auch nur einen halben Schritt weiter, denn im Ernstfall weiß keiner was damit anzufangen. Und so hatte ich mich auch über die Vitamintabletten lustig gemacht. Sie sterilisieren uns nur gegen die Wirklichkeit, hatte ich gesagt. Doch Blaise ließ sich nicht dadurch beirren. Er meinte, man habe sich jeder zeitgemäßen Erfindung zu bedienen, auch wenn man von ihrem nur relativen Nutzen überzeugt sei. Die, die wir Wilde nennen, argumentierte er, haben auch ihre Mittelchen, die es ihnen ermöglichen, unmenschliche Strapazen zu überstehen. Ich konnte mich jedoch nie ganz des Eindrucks erwehren, daß Blaise es nur darum so gewissenhaft mit seinen Zahlen nahm, weil ihm das einen Halt verschaffte. Während ich der Meinung war, daß wir rascher vorankommen würden, wenn wir gar nicht mehr nach rückwärts dächten. Blaise nannte das eine umgekehrte Romantik.

Das alles war jedoch oft genug gesagt worden – es gehörte schon beinahe zur Verdauung –, und diesmal sagte ich nichts. Ich bin überzeugt, daß ihm das auffiel, doch auch er sagte nichts. »Es klart immer mehr auf«, stellte er fest, als wir mit den Zahlen fertig waren. Und in der Tat, das konnte man auch ohne Instrumente sehen. Von dem erfrorenen Mann nahmen wir keinerlei Notiz. Wir schlenderten dann zu den Vorratssäcken zurück, die wir immer ums Zelt legten, um ihm mehr Festigkeit zu geben. Außerdem konnten wir es so rechtzeitig merken, wenn die Hunde darüber hergefallen wären. Man mußte immer damit rechnen, daß es sie überkam. Blaise stieß ein paarmal mit dem Fuß gegen die Säcke, und ich ahmte ihn nach. Alles ohne ein Wort. Dann krochen wir ins Zelt und rauchten eine Zigarette. Das war eine zusätzliche Zigarette; denn wir hatten nicht viel, zwei Stück pro Mann und Tag. Zu Anfang war ein wenig damit gewüstet worden. Wir glaubten, daß die anderen schliefen, aber das war nicht der Fall. Oder sie wachten vom Tabakgeruch auf. Denn plötzlich fragte einer aus seinem Schlafsack heraus: »Na, und was wollen wir nun mit dem Kerl anfangen?« Die Stimme klang zornig; der Mann räusperte sich wiederholt, als er das gesagt hatte. Und es war klar, daß auch die anderen zuhörten. Es ließ sich also doch nicht umgehen, darüber zu reden.

Blaise antwortete nicht gleich. Es war eine ganze Weile sehr still im Zelt. Niemand drängte ihn, es eilte ja auch nicht. »Wir werden ihn morgen fotografieren«, sagte er endlich.

»Und dann?« fragte es aus dem Schlafsack.

»Wir können ja versuchen, das Eis unter seinen Füßen loszuhacken, und ihn dann hinlegen. Für ihn bleibt es sich gleich, ob er steht oder liegt. Es wäre nur der Ordnung wegen. Machen wir uns nichts vor.« Und nach einer Pause fügte er hinzu: »Der Mann ist nicht so wichtig.«

»Was denn?« fragte die beharrliche Stimme.

»Und wenn wir ihn nicht getroffen hätten?« rief Blaise. Er verlor die Geduld, lenkte aber sofort ein. Es war auch eine dumme Antwort; denn wir hatten ihn ja getroffen. »Wichtig ist nur«, bemühte er sich so ruhig und sachlich wie sonst zu sprechen, »daß wir hier in unserm Zelt sitzen und mit unserm gesunden Menschenverstand überlegen, wie weit wir es gebracht haben.«

»Ein komischer Anlaß dazu, ein erfrorener Mann.« Diesmal war es Patrick, der sich äußerte. Es sollte höhnisch klingen.

»Gerade weil er erfroren ist und wir noch nicht. Ich mache ihm ja keinen Vorwurf daraus, es ist seine Sache. Immerhin, wir haben den Beweis erbracht, daß man bis zu diesem Punkt kommen kann, ohne zu erfrieren. Das ist nicht viel, aber wir haben ja auch nicht viel erwartet. Nach allem, was man uns beigebracht hat, müßten wir schon längst erfroren sein.«

»Aber wie kommt er hierher?« fragte einer.

»Und wie kommen wir hierher? Wenn man uns in zehn oder hundert Jahren hier findet, wird man genauso dumm fragen. Per Schlitten oder zu Fuß, ganz einfach. Wahrscheinlich zu Fuß. Der Mann ist kein Vorbild. Vielleicht bildete er sich das ein, und da ihn niemand für voll nahm, lief er hierher. Eine billige Tour, aber uns kann er nicht täuschen. Auch seine Pose nicht. Das alles sind Sentimentalitäten. Wenn wir damit arbeiten wollen, hätten wir lieber zu Hause bleiben sollen. Dort gibt es genügend Abnehmer dafür.«

Wenn ich an dem Gespräch teilgenommen hätte, würde ich unbedingt das Lächeln erwähnt haben, denn es schien mir das Wichtigste zu sein. Aber da die anderen nicht darauf kamen, ließ auch ich es und hörte lieber zu.

»Könnte man ihn nicht auftauen?« fragte einer.

»Wir brauchen unser bißchen Hartspiritus für uns selbst.«

»Ich habe mal eine Geschichte von einer Frau in Eis gelesen«, sagte Patrick. »In einem Eisblock aus der Eiszeit. Als man ihn auftaute, weil man die Frau haben wollte, zerfloß sie zu Schleim.«

»Doch möglicherweise hat er ein Papier mit Aufzeichnungen in der Tasche«, meinte der andere.

»Und was sollten wir damit anfangen?« fragte Blaise.

»Es könnte uns einige Aufklärung verschaffen.«

»Von dem armen Eiszapfen?«

»Oder sein Name und warum und wieso. Vielleicht steht er noch gar nicht so lange da. Wir könnten dann über ihn Auskunft geben.«

»Wem bitte?« fragte Patrick.

»Irgendwelchen Angehörigen. Einer Braut oder so.«

»Die Schätzchen sind klüger als du«, höhnte Patrick. »Sie fackeln nicht lange und suchen sich was anderes, wenn man nicht heimkommt. Und recht haben sie. Wohin kämen wir sonst.«

Alle lachten und sprachen von da an über die Weiber, wie es so geht. Blaise und ich krochen in unsre Schlafsäcke. Allmählich hörten die anderen auf, weil sie müde waren, und es wurde still im Zelt.

Auch draußen war es sehr still. Ich wartete wohl mehrere Stunden, bis ich dachte, daß es Nacht wäre. Dann schob ich die Kappe vom Ohr und horchte. Sie schienen alle zu schlafen. Auch in der Gegend, wo Blaise lag, regte sich nichts. Vorsichtig kroch ich aus dem Schlafsack, wozu ich viel Zeit brauchte, da wir wegen der Enge und auch wegen der Wärme fast aufeinander lagen. Doch es gelang mir, ohne daß einer aufwachte. Als ich die Zeltbahn, die den Eingang verschloß, aufhob, ließ ich sie erschrocken wieder fallen. So hell war es draußen vom Mondlicht. Das hatte ich nicht bedacht. Aber niemand schien es bemerkt zu haben, und so schlüpfte ich rasch hinaus.

Zum Glück nahmen auch die Hunde keinen Anstoß daran. Ich stand mich gut mit ihnen.

Es war völlig windstill. Wir hatten sieben Wochen lang ununterbrochen gegen den Sturm ankämpfen müssen; bald war er stärker, bald schwächer, doch immer war Getöse und Brausen. Um so überraschender war diese Stille. Ganz unvorstellbar. Ich hätte beinahe das Gleichgewicht verloren, da ich mich gewohnheitsmäßig vornüber legte. Am Himmel stand ein Dreiviertelmond, ohne sich zu bewegen. Als ob er allen Wind und alle Wolken aufgeschlürft habe und verdaue nun.

Ich ging zu dem Mann hin und setzte mich ihm gegenüber in den Schnee. Ich wollte mich ganz allein an seinem Lächeln erfreuen, das war die Absicht. Jetzt warf er einen deutlichen Schatten. Die Eiskristalle in seinem Bart glitzerten. Er lächelte immer noch, es war sogar besser zu erkennen als bei Tage. Sein Gesicht war wie eine Landschaft, die mir sehr bekannt vorkam. Busch und Tal und alles, wie es sein soll. Jeden Augenblick konnten die Nachtigallen darin singen oder ein Kauz wehklagen. Ich grübelte nach, wo es gewesen war. Denn dann hätte ich auch ohne ein Papier sagen können, woher der Mann stammte. Trotzdem hatte Blaise recht, das ist ganz unwichtig. Für unsereinen ist die Herkunft nicht wichtig. Sie hindert nur am Vorankommen. Dieser Mann blickte auch nicht nach rückwärts. Er lächelte nach dort, wohin wir weiterziehen wollten.

Vielleicht sieht er etwas, dachte ich und stand auf. Zum Beispiel kann es ja möglich sein, daß irgendwo in der Ferne noch mehr solche wie er dastehen. In gewissen Abständen wie Telegraphenmasten; eine ganze Kette, nach der man sich richten kann. Doch ich sah nichts als die nackte, endlose Schneefläche.

Ich stellte mir vor, ich stände da hinten ein paar hundert Meilen weiter. Natürlich auch erfroren, doch immerhin. Und ich versuchte zu lächeln, doch es gelang mir nicht. Ich dachte und dachte, immer schneller ging es; denn das Denken wollte ich auf keinen Fall aufgeben, das war das letzte – und dabei wußte ich schon, daß gar nichts mehr da war, um es nachzudenken. Ich schwitzte sogar unter den Achseln, trotz der Kälte. Am liebsten hätte ich aufgeschrien, es wäre sicher eine große Erleichterung gewesen.

Als ich mich umdrehte, um dem Kerl das infame Lächeln zu zerschlagen – denn sonst war nichts zur Hand, um es zu zerschlagen –, hätte ich beinahe Blaise getroffen, der hinter mir stand. Der Schlag ging vorbei. Ich taumelte, und er fing mich auf.

»Laß mich los«, schrie ich wütend.

»Ich halte dich ja gar nicht. Wie käme ich dazu!« sagte er und gab mich frei. »Vielleicht würde ich mich sogar von dir schlagen lassen, ohne mich zu wehren. Um der tierischen Wärme willen, die dabei entsteht. Aber wie lange reicht das? Alle unsere Handlungen hier sind nichts als Flucht in eine Aktivität, deren Objekt wir erst produzieren müssen, ohne daran zu glauben. Das ist die Wirkung der auszehrenden Widerstandslosigkeit dieser Welt um uns. Wir haben eine Erfahrung über uns gemacht, und das war ja auch unsre Absicht.«

»Besser, du redest nicht so viel«, sagte ich.

»Natürlich wäre es besser, aber wofür hältst du mich. Ich bin doch nicht wie der da mit seinem Lächeln. Nein, zerschlag ihn nicht. Er kann auch nichts dafür. Außerdem würde es mir die Fotografie verderben, die ich von ihm machen will. Er scheint mir aus dem Material zu sein, aus dem von jeher Götter gemacht wurden. Und dafür ist immer Bedarf. Wir werden den Leuten das Bild zeigen und sagen: Wir haben einen erfrorenen Gott entdeckt. Er ist von euch gegangen, weil ihr nicht genug an ihn geglaubt habt. Doch er ist euch nicht böse; denn seht, er lächelt. Durch euern Unglauben habt ihr ihm die Gelegenheit geboten, ein Gott zu werden. – Nein, den letzten Satz wollen wir lieber fortlassen. Ein schöner Mythos, nicht wahr. Wahrhaftig, Grund genug, um zu lächeln. Nur nicht für uns, mein eisiger Liebling. Denn der Trost, mit dem ein Gott sich tröstet, reicht nicht für uns aus. Weil nämlich die Wollust, die dir das Gefühl, dich für andere geopfert zu haben, bereitet, nicht aufkommt gegen die Wollust, die uns hierhergeführt hat: Endlich einmal versuchen, sich für sich selbst aufzuopfern – bis zum letzten Rest.«

»Sei doch still. Ich weiß alles vorher, was du sagen willst«, bat ich ihn, um ihn davon abzubringen.

»Um so besser. Das erspart uns Tiraden, die der da doch nicht versteht. Zur Sache! Wir haben noch für knapp zwei Wochen Proviant. Bis zum nächsten Depot zurück brauchen wir zwei Wochen, wenn nichts schief geht. Doch voraussichtlich werden wir die Rationen kürzen müssen. Du bist gegen die Anlage des Depots gewesen, das ist wahr. Aber mitnehmen hätten wir das Zeug auch nicht können; wir wären dann nicht einmal bis hierher gelangt. Selbstverständlich können wir mit dem, was wir haben, auch noch zwei oder sogar drei Wochen weiterziehen. Glaubst du, daß es noch Sinn hat?«

»Es gibt keine Heimkehr«, sagte ich.

»Antworte nicht so rasch. Ich kann das, was ich sagen will, nicht zweimal sagen. Was wir gestern dachten, stimmt nicht mehr. Es ist weniger dieser Mann, der mich stutzig macht, als die absolute Stille, in die wir geraten sind. Eine ganz neue Situation. Es ist überhaupt kein Widerstand mehr da, das ist entsetzlich. Hörst du? Ich sage: entsetzlich. Die Nüchternheit gebietet mir, das zuzugeben. Es wird auch das gewesen sein, was den Burschen da zur Strecke gebracht hat. Allerdings wird er vorher die Nerven verloren haben. Nun, das kann jedem passieren. Er wird von seinen Leuten weggelaufen sein ... Warum bist du eigentlich nicht weggelaufen? Als du aus dem Zelt krochst, nahm ich bestimmt an, daß du es wolltest. Und ich habe dir doch Zeit genug gelassen dazu, du Idiot. Dann wäre alles einfacher gewesen. Schon gut. Vermutlich sind es die geschmähten Vitaminpillen gewesen, die dich daran gehindert haben.

Die Chance ist sowieso verpaßt. Für uns beide. Wie dem auch sei, wir müssen eine Entscheidung treffen. Die anderen werden tun, was wir beschließen; sonst würden sie nicht schlafen. Sie werden nur zu gern umkehren. Sie reden schon viel von Frauen, das ist ein sicheres Zeichen. Doch ich halte sie für anständig genug, aus Kameradschaft auch mit uns weiterzuziehen, um gemeinsam mit uns zu erfrieren. Wir alle fünf. Lohnt sich das noch, nachdem uns dieser Bursche da zuvorgekommen ist? Das braucht man doch nicht zweimal zu machen. Zu fünfen wird auch nicht mehr daraus.«

»Das andere ist unmöglich«, sagte ich.

»Was? Heimkehr?«

»Ja.«

»Eine große Neuigkeit«, höhnte Blaise. »Als ob wir das nicht vorher gewußt hätten. Als ob wir nicht deshalb die Laichplätze der großen Gefühle verließen, von denen die Oberfläche so verschleimt war, daß man keine klare Sicht mehr hatte. Heimkehr, ein Aphrodisiakum. Zu den Altären zurückkriechen. Und zu den Mädchen ins Bett. Wer spricht denn von Heimkehr? Ich spreche von Scheitern. – Was meinst du, ob unser Schneemann wohl ein Papier in der Tasche hat? Ich traue ihm nicht recht. Er sieht ganz nach einem aus, der es sich nicht eingestehen will, daß er gescheitert ist. Und solche Leute pflegen die Welt mit ihrer kleinen Vergangenheit zu belasten. Stammt nicht alles, was geredet und geschrieben wird, von Gescheiterten? Ich brauche ja nur mich zu nehmen. Aber lassen wir ihn. Indem wir ihn zu erklären versuchen, erklären wir nur uns selbst. Auch seine aufrechte Pose ist nichts Neues. Als ob wir das nicht schon hundertmal geübt hätten, nachts in unserm Zimmer, wenn nichts mehr war, was uns ablenken konnte. Während sich ringsum die Nachbarn am Dunst ihres eigenen Leibes wärmten. Genug! Was bleibt uns denn anderes übrig? Die Nerven verlieren? Das mag zu seiner Zeit gut gewesen sein; man zog Erkenntnisse daraus, und wenn man Glück hatte, wurde man ein Heiliger. Doch es entspricht leider nicht mehr der Entwicklung unseres Gehirns. Es wäre Pfuscherei. Darum habe ich mich entschlossen zu scheitern. Alles andere ist so möglich, daß es mir verdächtig geworden ist, und so bleibt mir nur noch das Allerunmöglichste: Zurückzugehen bis zu dem Punkt, wo ich das Leben eines Gescheiterten zu führen in der Lage bin, ohne andere darunter leiden zu lassen. Meinetwegen bis zu den Altären und Mädchen. Wenn sie mich nötig haben, um ihre Existenz zu bejahen, weshalb denn nicht? Sie wollen ja nur das von uns, was sie brauchen können, und das können wir leicht geben. Aber werde ich das können? Denn davon hängt es ab, ob wir eines Tages reif werden, diese schöne Stille zu genießen. Doch mir ist so erbärmlich kalt zumute, daß ich Angst habe, alles zu erfrieren, was ich künftig berühre.«

»Komm«, sagte ich und half ihm aus dem Schnee auf. Und dann sagte ich ihm noch, daß ich wohl seinetwegen vorhin nicht weggelaufen wäre. Doch ich glaube, er hat es nicht gehört, weil ich natürlich nur leise sprach.

»Weißt du«, fing er wieder an, »unser Freund lächelt vielleicht gar nicht. Es ist vielleicht nur ein Muskelreflex, und wir meinen es nur. Es kann aber auch sein, daß er sich irgendein Eiapopeia vorsingen wollte – Spieglein, Spieglein an der Wand! oder so etwas –, um sich selbst zu hören, und dabei kam ihm eine Schneeflocke auf die Zunge. Ach, wie gern hätte ich das Mal um ein paar Meter weiter hinausgerückt.« Der Mond stand jetzt hinter dem Erfrorenen und schien auf Blaises Gesicht.

»Was soll das«, rief ich, weil ich erschrak; denn ich sah, wie er alberne Grimassen schnitt.

»Ich versuchte mir sein Lächeln abzugucken«, sagte er. »Beim Fotografieren kommt es vielleicht nicht deutlich heraus. Und möglicherweise kann man es mal brauchen, um irgendein armes Wesen damit glücklich zu machen.«

Ich hakte ihn unter. Wir waren so eingepackt in Wolle, Leder und Fell, daß wir wie zwei mit Lumpen vollgestopfte Puppen anzufühlen waren. Von einem warmen Leib, der darin steckte, merkte man nichts. Aber unsre Bewegungen waren die gleichen. So gingen wir zum Zelt zurück. Morgen werden wir den Wind im Rücken haben, dachte ich, und Blaise dachte sicher dasselbe. Wozu sollten wir noch sprechen?

Dies habe ich sehr viel später aufgeschrieben, so gut ich konnte.

WOLFGANG MAIER
Adam, wie geht's?

Adam arbeitet im Garten der Anstalt. Cornelius zählte zwölf Figuren im Garten, immer der gleiche Körperbau, runde Hornköpfe, runde weiche harte Hände, an denen die Fingernägel eigentümlich massiv und rund sind. Schwierig ist es für Adam, sagt der Aufseher, das Werkzeug zu bestellen, er behält die Namen nicht. Sonst ist er ruhig. Er entwickelt religiöse Gefühle, irgendwann wird er sich aufhängen, vielleicht gelingt es ihm, niemand wird wissen, ob es ein Anfall von Verzweiflung oder von Glück war. Cornelius hält sich nicht lange auf. Er steht im Garten bei Adam, der hoch von oben aus einem massigen Körper an ihm vorbeischaut und das Wort sucht, das seine Krankheit bezeichnet. Er findet es nicht. Ich kann jetzt die Bibel nicht mehr lesen, ich behalte die Buchstaben nicht, er kann die Buchstaben in einem Wort nicht mehr überschauen, ohne die ersten oder die letzten oder die in der Mitte wieder vergessen zu haben. – Cornelius betrachtete ein Schild, das an der Haltestelle an einen Baum geschlagen war. Er versuchte, Adams Kopf zu begreifen. Er spürte plötzlich die Verzweiflung in seinem Kopf, ein Hindernis zu atmen im Kopf, eine Störung der Herzmuskulatur im Kopf, eine Blutstille, eine böse Stauung, er drehte sich vom Schild weg, er wollte es nicht darauf ankommen lassen, nur mühselig zu buchstabieren, daß der Zug bis hierher vorfahren soll. Er betrachtete die Kastanien. Er sah die Heilanstalt. Sie zieht über eine bebaute Anhöhe hinweg. Über die Straße hinweg, in die Ebene – Felder, dazwischen Baumgruppen, schlanke dünne Bäume vor den Tongruben der Anstalt. Wenn schönes Wetter ist, benötigt Adam das Gedächnis nicht. Er schafft, lupft den Hut, wenn um zwölf die Glocken läuten, hat es immer getan, auf jedem Friedhof, bei jedem Glockenschlag, vor Gottes großem Pferd, das den Leichenwagen zieht, die Mütze, den Hut. Er arbeitet gern im Garten. Man läßt den Kopf Zeit dort. Dort hört man die Glocken deutlicher. Die Hände über dem Spaten gefaltet zum Ausruhen, merkt niemand, daß man ein Gebet schickt, ein Gebet, dessen Buchstaben einzeln zum Himmel fliegen, einzelne Vögel, keine Schwärme im Verband, keine Syntax, keine Punkte, Ausrufe, Fragen, – Fragen zu stellen, fällt ihm am schwersten, Ausrufe sind leichter, Ausrufe genügen, oben wird man den Bestand an Vokalen und Konsonanten schön ordnen, mit Zeichen versehen, die Sätze auf eine Tafel schreiben und sich freuen. In der Bahn auf der Plattform hatte er Zeit, sich zu erinnern. Zuerst fiel ihm der Name des Ortes nicht ein, wo er aussteigen wollte. Die Sprache, die er im Wagen hörte, kitzelte ihn im Ohr. Wo wird es hingehen, man kam an einem Friedhof vorbei auf der Höhe zwischen Weinbergen; die Bahn fährt auf ein totes Gleis, wartet – der Zug nach oben. Er sah die Gesichter, die gleichen runden hornigen und roten Köpfe. Sah den Leichenschuppen, immer wieder Kastanien und zusammengekochte Kirschen an Steinbrüchen, die Sonne war nicht zu sehen, sie war da, sie schiebt eine Dunstglocke vor sich her, heiße und kühle Zwischenräume wie die Quellflächen in einem mittelwarmen See. Die Luft, Geruch, wo sie standen, schwarze Köpfe schnappen auf, der Leichenschuppen ist baufällig, überhängendes Dach, darunter Karren, Geräte zum Besprengen des Weges, Adam, wie geht es? Cornelius schaut den Himmel an, die Dunstglocke ohne Lücke, will es Abend werden oder ist es, was man mitten unter Tag Abendwerden nennt, die Ausläufer vom Odenwald oder sonst einem Wald, kleine Schilder, auf denen die Buchstaben sich am Schwanz zerren, die Würmer vom Friedhof, dazwischen das hitzige Gestammel von stummen Leuten, schwarze Tücher, sie fahren zum Spital, wirst du diese Fahrt bald wiederholen, deinem Freund in die Arme fallen, mit ihm angeln gehen in den Tongruben, wenn ihr übern Zaun kommt und Gottes großes Pferd den Weg nicht versperrt? Adam, behalte den Kopf oben. Faltige blecherne Augen, erinnerst du dich? Cornelius fühlt sich abtreiben, hartnäckig schwitzendes Schaffnergesicht, das zu Hause einen Acker bestellt, es verwischt, was in deinem Kopf sich breit macht, ist Gottes großer Vogel mit einer riesigen offenen Leber, treiben die Nußbäume vorbei, Grashänge, Nußbäume, deren

Blätter scharf in die Sonne klatschen – mein Vater stand am Wasser und sagte *da*. Das war früher. Aufgeregte starre Bombenlandschaft, überall zersplitterter Frühling, Adam flog aus der Schule, nichts konnte er unterscheiden, später war es in der Glasfabrik, und der Vater stand am Wasser, Holzpantinen und nackter Bauch, er deutete nach dem Schuppen der Badeanstalt, wo der Karren stand. – Sie sollten ihn zum Friedhof schieben. Ein Kreuz war herausgewirbelt aus den laschen Fundamenten, es wird sich in einem Baum verkrochen haben, nicht weit von dem fett glänzenden Loch, das früher das Grab der Mutter war. Sie trotteten und von weitem sahen sie die schräg gelegten Bäume mit riesigen Wurzelbollen, die herausgedreht Schätze freigelegt hatten. Sie sahen von weitem in Fetzen herabhängende Friedhofsmauer, sie lief nicht weit am Grab der Mutter vorbei. Cornelius führte seinen Freund nicht zum Grab. Sie sahen das Grab oder das Bombenloch vorher durch die aufgerissene Schlucht der Friedhofsmauer hindurch, und später sahen sie es noch einmal, als sie einbogen zum Geräteschuppen. Und von hier aus konnten sie durch eine geradlinig gehauene Schneise hindurch den Engel sehen. Er stand unbeschädigt, erhöht; er stieß mit dem rechten Arm über angelegte Schwingen hinweg nach oben, er trug in der erhobenen Hand eine Palme oder ein Messer; er schaute fast senkrecht nach oben, wo fortwährend der Himmel geöffnet war, ein Loch im Himmel, Adam war es so? ein Loch in einer senkrecht erleuchteten Wolke, die rötliche Strahlen um den Engel warf, der selbst schwarz war. Und aus dem Wolkenriß schaute fortwährend Gottes großes Pferd. Ein Vogel herab auf den Engel mit offensichtlich angebrochenen Schwingen, das Monument eines Schotterfabrikanten, es schlug ihnen das Herz, als sie es sahen. Adam stolperte über einen Blecheimer, erschrak. Es schien ihnen, als sei der rechte Arm des Engels unnatürlich verdreht, verkrampft und drohend nach oben mit einem palmenähnlichen Messer in der Hand. Der Vogel rührte sich nicht aus seinem Loch. Er schaute aufmerksam mit unnatürlich geröteten Augen auf die Spitze des Engels und schien zu warten. Adam sagte etwas. Cornelius konnte nicht antworten. Er hielt seine Mütze mit dem Mund fest, um sich mit zwei Händen und einem Kamm zu kämmen, er war erregt, die Kopfhaut juckte. Als man sie fragte, antworteten sie nicht. In der Nähe lagen Haufen abgewirtschafteter Pflanzen. Der sie ansprach, trug eine Blume hinter dem Ohr. Der Karren in Ruhestellung, aber Cornelius griff zu und hielt sich fest, während er die Augen verdrehte, hin auf ein grünes Jackett, das neben ihm stand und sehr faltig war. Er griff nach etwas und vergaß es. Das Kreuz der Mutter, das auf der Stirn der Mutter gestanden hatte, war an eine Schuppenwand gelehnt. Es war kaum verletzt. Etwas war vom Weiß des Emailschildes abgesplittert, es trug ein großes leeres metallenes Auge. Ein faltiges Auge auf einer glatten oder kaum sichtbar zerdellten metallenen Wölbung, das Auge und schaute auf einen Punkt des Himmels. Cornelius tritt von der Seite an das Kreuz heran und sieht an seiner Brust den Blick des Kreuzes vorbeistoßen auf eine Stelle des Himmels, im faltigen Auge selbst sieht er ein Loch im Himmel mit einem roten zerfaserten Rand, im Loch in den Augen des Kreuzes einen dunklen und schweren Körper mit roten Augen und einem langsam atmenden aufgerissenen Schnabel. – Abend. Der Weg hat Zeit verbraucht. Sie schoben den Karren. Auf ihm, über die holzverkleideten Seiten gelegt, das Kreuz, das Auge des Kreuzes und in ihm gespiegelt ein Loch im Himmel, ein rotes geschwollenes feuchtes faltiges Auge und in ihm gespiegelt ein kompakter schwarzer Gegenstand, ein Tier, das sich langsam einzieht. Die Sonne fällt, und das rote Loch verschiebt sich unmerklich, etwas scheint sich einzunisten, die Sonne fällt, und zwischen der zerstörten Friedhofsmauer und einem erhöhten Ackerrand wird etwas dunkler und bewegt sich. Von weitem ein großes gerundetes Bild, in dessen unterem Rand zwei Gestalten sich bewegen. Es schiebt eine Gestalt ein Fahrzeug vorwärts, während die andere an den Balken eines Holzkreuzes sich festzuhalten scheint, nicht schiebt, sondern zieht. Als Waagrechte durchschneidet fast die Hälfte des Bildes ein Ackerrand. Parallel zu ihm, tiefer, die Mauer eines Friedhofes, nur ein Ausschnitt von dem Teil, wo sie in einem rechten Winkel endet. Deutlich die Feldsteine, breite Platten, alles aufeinandergeschichtet und zwischen diesen beiden Linien bewegt sich der Karren. An ihn geheftet bewegen sich zwei Gestalten, die eine, die schiebt, etwas hinter der anderen, die zieht. Unverkennbar sind ihre Mützen, dunkle Mützen unter einem geröteten, aber schon dunklen Himmel. Unter dem Abendhimmel sind Vögel aufgescheucht, Dohlen, die paarweise fliegen und einmal näher an die beiden Gestalten herankommen, dann wieder die Luft über dem Friedhof durchstreifen. Dort ist über die Mauer hinweg eine einzelne hohe Gestalt zu erkennen. Sie hält die rechte Hand ziemlich aufrecht, einen palmenähnlichen Gegenstand in der Hand, aufrecht, recht hoch, so hoch. Über dem Messer atmendes Gewölk, ein Vogel. Unter schwachsinnig gerötetem Himmel Dohlen in Bewegung, paarweise. Sie umkreisen immer zur Hälfte eine aufrecht stehende Gestalt, dann nehmen sie den Weg zurück – durch die Luft. So schweifen sie nie zu Ende gedrehte Spiralen, Spiralen ohne Ende. Adam, war es so? Adam, wie geht es? Man hat die Löcher zugeworfen. Die Knochen poliert, aufeinandergestapelt, ein Bibelwort an den Himmel geschickt, vernäht das Zwerchfell des Himmels, aus dem der Mastdarm drängt, Gottes großer Vogel, ein Pferd, wie es der Gärtner benutzt, um den Mist herauszufahren, unruhig scheut es durch das Anstaltstor, Pfleger mit den gleichen runden Köpfen, in der Nachtschicht werden ihre Augen irr und grob, runde weiche harte Hände, runde massive Fingernägel und am Morgen steht ihr zu zwölft aufrecht im Garten, im Himmel aufrecht – Monumente ... Die Anstalt stellt die Totengräber und die Träger. Es sind nur wenige Kilometer vom baufälligen Leichenschuppen bis zur Anstalt. Die Glocken der Anstalt läuten mehrere Male am Tag. Adam lupft seinen Hut. Er denkt sich nicht viel dabei. Aber seine sprunghafte Seele trauert tief. Seine mystische Seele, die den Haarschopf hoch in den Himmel hält, deren Schultern, Bauch, Leisten und oben der Nacken quer und tief auf der Furche knien, die Adam gräbt. Manchmal wird er in einem faltigen blechernen Auge Gottes Roß den Mist fahren sehen. Die Landschaft ist so rund wie ihre Köpfe. Wenn der Wagen oben auf der Welle fährt, ist es nicht weit vom Loch, vom schwer atmenden Vogel, der seine Krallen zum Schnabel führt, als fordere er zum Schweigen auf. Er sperrt den Schnabel, und Adam fühlt den kalten und feuchten Riß. Ich denke, er fühlt es, als stünden seine hornigen Sohlen in Wasser, eingematscht in den Tongrund, als ginge es durch das Wasser hindurch dem Vogel in den Rücken. Der Kaplan wird das Abendgebet anstimmen. Adam redet nicht mit. Aber er sieht andächtig jeden Abend den Vogel über dem Dach, noch hinter der Sonne oder über der Sonne, der Vogel sitzt auf einem Lichtbalken in einem langsam sich zuziehenden Loch – der Abend, wenn ich in diesen Hinterhof hineinkrieche, in dem sich Vögel angesiedelt haben, die ich nicht kenne.

CHRISTA REINIG
Drei Schiffe

Der tag verfinsterte sich unter der sonne. Die sonne regnete auf uns herab. Wir vergingen vor durst und entsetzen. Aus der ferne blendete uns ein haus. Wir wendeten den blick nicht davon obwohl unsere augen blutig rot wurden. Das haus wurde kleiner und ferner. Aber wir hofften auf dieses haus und als wir es aufgegeben hatten, standen wir vor dem tor. Wir traten ein und verlangten zu trinken. Der wirt fragte uns was wir wollten. Wir antworteten ihm und er fragte wiederum. Da merkten wir daß aus unseren kehlen keine menschliche sprache mehr kam. Wir machten zeichen und er brachte zu trinken. Wir tranken, da wurde das dach über uns glühend. Wir tranken umso mehr und unsere hemden klebten fest an unserer triefenden haut. Es wurde nacht. Wir legten uns nieder. Unsere hemden wurden eiskalt und steif wie ein brett und das salz fraß sich in unser aufgeplatztes fleisch. Wir krümmten uns und manchmal schrie einer aus dem schlaf. Morgens eilten wir weiter und bliesen in unsere finger. Wir stiegen in einen sumpf und verloren einander. Die tornister auf unseren rücken drückten uns nieder. Mücken stiegen in schwaden auf und verfolgten uns. Wir wälzten uns in den schlamm ein. Eine böschung hob sich aus dem sumpf. Wir klammerten uns an das gesträuch und die dornen zerrissen unsere hände. Wir zogen uns aus dem sumpf. Einige fielen in die dornen. Sie riefen uns an daß wir sie töten sollten. Aber wir verließen sie und stiegen ins gebirge. Die steine machten das fleisch unserer füße rot. Doch als wir aufs eis traten wurde es schwarz und löste sich von den knochen. Wir rissen gestrüpp aus dem boden und zündeten es an. Wir steckten unsere füße ins feuer. Der wind löschte das feuer und schnitt uns narben ins gesicht. Wir zogen die füße aus der asche und stiegen hinab ans meer. Wir nahmen ein tuch vor die lippen und leckten das salzwasser. Wir nahmen steine in den mund und ich sah einen der wurde wahnsinnig und biß sich die adern auf. Dann sahen wir das schiff. Wir weinten und umarmten uns und das schiff nahm uns auf.

Wir bekamen zu essen soviel wir schlingen konnten aber wasser nur eine handvoll. Es lief uns durch die finger. Wir mußten in den schiffsraum hinab. Wir horchten auf den lärm der kanonen und auf das geschrei über uns. Wir lagen lange im dunkeln. Wir taten nichts und beschimpften einander. Der wahnsinnige tobte. Wir schlugen ihn und banden ihn fest. Er riß sich los. Wir tasteten durch den raum und suchten ihn überall vergebens. Da schliefen wir nicht mehr. Wir riefen einander beim namen und lauschten. Wir fanden ihn nicht. Wir wurden krank vom essen und beschmutzten den raum. Wir schrien und trommelten gegen die luke. Wir wurden ins freie gelassen. Das licht betäubte uns. Der kapitän und die matrosen jagten uns über das deck. Wir arbeiteten bis wir umfielen. Wir lagen nachts und rollten mit der bewegung des schiffes. Unsere hände hielten uns nicht mehr fest.

Einmal sagte ich ein schlimmes wort. Ich sagte: Gott wird uns wohl retten. Alle lachten über diesen witz und sagten ihn weiter. Die matrosen kamen und lachten. Der kapitän kam heran. Er lachte nicht. Er ließ mich in die kajüte rufen und befragte mich. Er hörte mich an und ich ging erleichtert fort. Am anderen morgen wurde ich früh geweckt. Zwei matrosen zeigten einen befehl des kapitäns und peitschten mich aus, bis ich mich nicht mehr rührte.

Nach langer zeit, als man mir die alten verbände vom rücken riß, sagte ich: Ich glaube nicht daß gott diese welt verantworten kann. Ich ging an die arbeit. Eines tages wurde ich zur kajüte gerufen. Du sollst belobt werden weil du klug und tüchtig bist, sagte der matrose. Ich versteckte mich. Man zog mich aus meinem versteck. Der kapitän sagte: Du bist einer der unseren. Du sollst die piratenflagge auf deine schultern nehmen und sollst sie auf den großmast setzen. Das ist eine ehrenvolle aufgabe, vergiß das nicht. Ich faßte in die seile und stieg auf. Die strickleiter schwankte unter meinen füßen. Ich sah auf die sprosse vor mir und achtete auf nichts anderes. Aber ich wußte daß leere um mich war und daß vor dem nichts ein dünnes seil gespannt war, das meine aufgerissenen hände jeden augenblick zweimal losließen. Die flagge auf meinen schultern wurde unendlich schwer. Ich kehrte um und brachte sie zurück. Der kapitän schlug mir die peitsche um die beine. Die flagge wurde mir von den schultern gerissen und ich wurde mit peitschenhieben hinaufgejagt. Die matrosen johlten mir nach. Wenn meine gelenke schlapp wurden, biß ich die zähne in das seil. Ich hob den kopf und öffnete die augen. Da zitterte ich. Ich hatte noch einen einzigen atemzug mut. Damit ließ ich das seil los, lief die raa entlang und ließ mich ins meer fallen.

Ich lag im wasser und schwamm. Nach tag und nacht erhob sich vor mir das bild eines schiffes. Ich glaubte an dieses bild. Ich bäumte mich auf und warf die arme hoch. Ich wurde gesichtet und aus dem wasser gezogen. Als ich ausgeschlafen hatte, lud mich der kapitän ein. Er hatte vor sich auf dem tisch seinen dreispitz liegen. An seinem blauen rock waren tressen und goldene knöpfe. Bei seinen leuten hieß er der barbar. Ich durfte wein mit ihm trinken und er sagte: Es ist gut, wenn man weiß wen man vor sich hat. Nicht jedermann ist jedermanns freund. Die welt ist böse. Ich antwortete: Es geschieht viel unrecht aber alles was geschieht muß von allen menschen verantwortet werden. Er sagte: Der mensch ist schwach, das werden Sie noch erfahren. Er reichte mir die hand und lud mich zum abendgottesdienst ein. Er predigte und seine matrosen weinten. Etliche wurden aufgerufen und belobt. Der barbar gab mir die bibel daß ich darin lesen sollte. Ich schlug sie auf und las: Siehe ich bin bei euch alle tage bis an der welt ende.

Das schiff kam aus afrika und hatte wilde tiere geladen. Zuweilen brüllten sie aus dem schiffsraum und warfen ihre leiber an die wände. Man hörte ihre ketten klirren. Einmal kam ein matrose und meldete: Es sind wohl an die zehn stück tot. Der kapitän schwoll an. Die augen traten ihm aus dem kopf. Sie sind erstickt, stammelte der matrose. Da brüllte der barbar: führt sie an deck. Es soll mir kein Stück mehr krepieren. Die matrosen bewaffneten sich mit peitschen und knüppeln. Die offiziere luden ihre pistolen. Ich nahm mir eine eisenstange. Ich war blaß und aufgeregt und erwartete die bestien. Die luke wurde aufgerissen. Es war ganz still. Dann klirrte eine kette und ein kopf erschien. Ein mensch kroch an deck. Er hatte einen eisenring um den hals. Als er sich aufrichten wollte, stürzte er aufs deck, denn er war mit ketten an zwei andere gefesselt die ihn wieder hinabzogen. Einer nach dem anderen kam heraus. Ihre ketten verwirrten sich und sie taumelten übereinander. Sie wurden in einer langen reihe über das deck geführt. Zwischen sich schleiften sie die toten die noch im halsring eingeschlossen waren. Ich spürte, wie meine lippen kalt wurden. Der kapitän wollte daß ich in die kajüte ginge. Nein, hörte ich mich sagen. Die neger kamen langsam zur besinnung. Einer bückte sich und hob ein eisenstück auf das herumlag. Die matrosen peitschten den dieb und trafen auch die anderen. Die neger zerrten auseinander. Dann wandten sie sich alle zur mitte und schlossen uns mit ihren ketten ein. Die offiziere knallten ihre pistolen in die luft. Daß ihr sie nicht tötet, schrie der barbar. Die neger würgten die matrosen und die matrosen schlugen ihnen die köpfe ein. Ich tat wie die matrosen. Plötzlich wurde es ruhig. Die neger hörten zu toben auf. Sie standen stumpfsinnig umher oder hockten sich nieder. Die toten wurden aus den halsringen geschlossen und die lebenden in die luke getrieben. Das deck wurde geräumt für den gottesdienst.

Ich verließ das schiff. Wir setzten boote aus und holten trinkwasser von einer insel. Ich lief in den wald. Sie riefen und suchten lange nach mir. Dann war ich allein. Ich hatte ein beil mitgenommen. Ich begann zu bauen. Am tage rauschten die wälder über mir und nachts stieg ich endlos über strickleitern und schlug auf die neger ein. Ich fürchtete mich. Ich träumte von fußspuren die ich verfolgte und von verlassenen feuerstellen aus denen ich weiße menschenknochen stöberte. Ich fiel aus diesem traum wie aus einer wirklichkeit. Ich erwachte und suchte die fußspuren. Ich schlich ihnen nach. Ich schlich meinen eigenen fußspuren nach bis sie mich abends zurückführten zu meiner hütte. Ich warf mich hin und schlief. Im schlaf lachte ich laut auf und erwachte. Ich nahm mein beil und stieg auf den höchsten baum der insel. Ich band mein hemd am wipfel fest und schlug niedersteigend ast für ast ab. Dann wartete ich. Jeden tag schlug ich eine kerbe in den pfosten meiner hütte. Ein schiff sichtete den mast mit der hemdflagge und holte mich an bord.

Die matrosen ruderten gemächlich zum schiff. Es war ein seltsames schiff. An den rahen hingen lange schwarze säcke. Aus der ferne gesehen schaukelten sie wie aufgeknüpfte meuterer. Ich kletterte an bord. Wo ist der kapitän? fragte ich die matrosen. Hier gibt es keinen kapitän antworteten sie. Ich blickte zu den rahen hinauf. Es fiel mir ein daß meine ruderer nicht einen kanister trinkwasser von der insel geholt hatten. Die kajüte war vollgestopft von menschen. Alle leute hausten in der kajüte. Ein riesiger säufer bot mir zu trinken und klopfte mir auf den rücken. Ein paar bücherregale trennten einen verschlag ab. Die bücher, schmutzig und zerlesen, fielen aus den regalen und ein kleiner dürrer mann bückte sich und stellte sie immer wieder ins regal zurück. Seine haare hingen ihm über die schultern. Er richtete sich auf. Er war geschminkt wie eine hure. Ein alter teppich war über einige seekisten geworfen. Das war der diwan. Ein mann der am steuer gestanden hatte, kam herab und legte sich auf den diwan. Es müßten wohl drei mann nach oben zum segel setzen, sagte er. Nach einer weile fragte er mich: Kommst du mit nach oben? Ich bin kein seemann antwortete ich. Das interessiert hier niemand wer du bist sagte das geschminkte hurenmensch und gab mir zu rauchen. Einer knipste an seinem feuerzeug. Ich werde in deiner seele lesen sagte die hure: Was bedeutet das daß du mir feuer geben willst und dein feuerzeug geht nicht an? Sie lachten alle aber keiner wagte mehr ihr feuer zu geben. Sie sprach über Buddha über den tod und über zotige dinge. Gefällt es dir hier? fragte sie mich. Ich blätterte in einem buch. Plötzlich sprang ich auf und stieg in den laderaum. Die ratten liefen mir über die füße und fürchteten sich nicht. Ich hob das licht und leuchtete in die wasserkanister. Sie waren fast leer. Das wasser stank faulig. Ich nahm ein fäßchen rum auf meine schultern und brachte es hinauf. Die leute johlten und der säufer küßte mich. Sie soffen und kotzten und waren elend bis in ihre sauflieder. Die hure soff niemals. Sie sagte daß leben und tod ein und dasselbe seien. Die leute zankten sich untereinander. Der säufer wollte an land zu den weibern und die hure wollte daß wir übers meer fahren bis wir verfault sind. Sie verabredeten beide einen messerkampf. Die leute schrien nach blut und schlossen wetten ab. Am anderen tag stand der säufer nicht auf. Er fieberte und erbrach sich. Ich weiß woher deine seekrankheit kommt rief die hure und warf ein messer dicht an seinem kopf vorbei. Alle verspotteten den säufer. Am abend verließen alle leute die kajüte. Allein die hure blieb und legte dem säufer tücher auf die stirn. Morgens war er tot. Sie wagten nicht ihn anzufassen. Die hure schleifte ihn an deck und warf ihn über bord. Am selben tag wurden zwei andere krank. Die leute versteckten sich voreinander. Ich lag auf der kommandobrücke und schlief einige nächte mit dem beil in der hand.

Mitten am tag wurde es kalt und die sonne verschwand vom himmel. Ich erhob mich. Ich stieg über einen toten. Er richtete sich auf und langte nach mir. Ich fand niemand. Nur die hure lag auf dem diwan und rauchte. Wir müssen reffen sagte sie. Sterben müssen wir sagte ich. Ich ging zur treppe und sie folgte mir. Sie setzte sich auf eine stufe und hielt mich fest. Ihre hände wurden schlapp. Hilf mir doch sagte sie zähneklappernd. Wie wollen wir verantworten was wir getan haben? Ich kann es nicht sagte ich, ich kann nicht einmal mich selbst verantworten. Ich sprang hinaus und schlug die tür über ihrem kopf zu. Ich band das steuer fest. Einer der gehängten war vom wind herabgeworfen worden. Unvermutet hing er dicht über mir. Ich erschrak ihn so nahe zu sehen. Ich wollte sie alle herunterholen. Ich nahm das messer und kletterte hoch. Der wind schleuderte mich umher. Der regen schlug mir eiskalt ins gesicht. Ich dampfte. Plötzlich konnte ich keinen schritt mehr tun. Ich dachte: bis hierher habe ich die flagge getragen. Ich brüllte: Gott rette mich. Ich stieg von leiter zu leiter und schnitt die segel ab. Ich kam herunter und schnürte mich mit dem gürtel fest an den mast. Das meer rollte über das schiff hinweg.

Als ich erwachte, war ich nicht mehr allein. Ich sah einen mann der sagte: mach dich los. Ich löste den gürtel vom mast. Er sagte: spring. Ich sprang vom schiff und kam auf den grund. Ich watete an land. Der fremde ging vor mir her. Sein rücken war narbenzerfetzt wie mein eigener rücken. Ich schaute darauf als stünde ich abgewendet vor einem spiegel und blickte mir über die schulter. Ich lief ihm nach. Ich wollte sein gesicht sehen. Als ich ihn eingeholt hatte, verschwand er. Ich fiel nieder und rief den namen gottes an. Als ich mich erhob war alles schwerer als zuvor. Der tag verfinsterte sich unter der sonne. Die sonne regnete herab. Vielleicht war mir alles bekannt. Ich ging über die dünen hinweg und kam in die wüste.

ARNO SCHMIDT
Resümee

Resümieren: »Wir wissen also durch Autopsie, daß ganz Mittel-
europa menschenleer ist –« Sie nickte. »Auch in den angrenzenden
Gebieten können keine nennenswerten Gruppen mehr sitzen,
sonst wären sie in den verflossenen Jahren ja längst wieder ein-
gesickert.« Auch das schien logisch. »Haben Sie in der Zeit jemals
ein Flugzeug gesehen?« Personne. »Rußland und die USA haben
sich gegenseitig vollständig fertiggemacht: also wird auch da
nicht mehr viel los sein.« (Jetzt schlugen wir schon die Weltkarte
im Andree auf).

»*Was bleibt eigentlich*« sagte sie tiefsinnig, und ich nickte anerken-
nend: genau zur Sache! »Meiner Ansicht nach«, erklärte ich kalt,
»wird die Lage folgende sein: Asien, Europa (Asiopa besser) –;
ebenso Nordamerika –« ich wischte mit der Hand über die blaue
und gelbe Nordhalbkugel, und sie kniff zustimmend die Lippen
ein. »Südafrika hats auch erwischt; ebenso die Industriezentren
Australiens und Südamerikas.« »Meine Theorie ist: daß, getrennt
durch sehr große Räume, hier und da noch ein paar Einzel-
individuen nomadisieren. – Vielleicht sind auf den Südzipfeln der
Kontinente –« (ich verfiel unwillkürlich in oft gedachtes Formal-
haftes) – »noch kleine Gemeinden übrig. – Die Einzelnen werden,
des rauhen Lebens und der Wildkrankheiten ungewohnt, wahrscheinlich rasch aussterben.« Sie atmete schwermütig und behaglich: bei Lampenlicht klangs wie ein Buch. »Von den erwähnten Kleinstgruppen aus kann sich ja eventuell eine Wiederbevöl-
kerung der Erde anbahnen; aber das dauert – na – hoffentlich
tausend Jahre.« »Und es ist gut so!« schloß ich herausfordernd.
Begründung?: »Lisa!!«: »Rufen Sie sich doch das Bild der Menschheit
zurück! Kultur!?: ein Kulturträger war jeder Tausendste; ein
Kulturerzeuger jeder Hunderttausendste!: Moralität?: Hahah!?:
Sehe jeder in sein Gewissen und sage, er sei nicht längst hängens-
reif!« Sie nickte, sofort überzeugt. »Boxen, Fußball, Toto: da
rannten die Beine! – In Waffen ganz groß!« – »Was waren die
Ideale eines Jungen: Rennfahrer, General, Sprinterweltmeister.
Eines Mädchens: Filmstar, Mode›schöpferin‹. Der Männer: Ha-
remsbesitzer und Direktor. Der Frau: Auto, Elektroküche, der
Titel ›gnädige Frau‹. Der Greise: Staatsmann –« Die Luft ging
mir aus.

»*Setzen wir den Fall*« hob ich wieder die Rede des alten Kalenders an,
»es gäbe – in welchem Planeten Sie wollen – eine Art von Geschöpfen, die mit einer so schlechten Anlage in die Welt kämen,
daß unter Tausenden kaum Eines, und auch dies nicht anders als
durch die sorgfältigste und mühsamste Kultur, unter einem Zusammenstoß der günstigsten Umstände, wovon auch nicht einer

fehlen dürfte, zu einem bemerkenswerten Grade von Wert zu bringen wäre: was würden wir von der ganzen Art halten?!!«

»*Die menschliche Gattung* ist von der Natur mit allem versehen, was zum Wahrnehmen, Beobachten, Vergleichen und Unterscheiden der Dinge nötig ist. Sie hat zu diesen Verrichtungen nicht nur das Gegenwärtige unmittelbar vor sich liegen und kann, um weise zu werden, nicht nur ihre eigenen Erfahrungen nützen: auch die Erfahrungen aller vorhergehenden Zeiten und die Bemerkungen einer Anzahl von scharfsinnigen Menschen, die, wenigstens sehr oft, richtig gesehen haben, liegen zu ihrem Gebrauch offen. Durch diese Erfahrungen und Bemerkungen ist schon längst ausgemacht, nach welchen Naturgesetzen der Mensch – in welcher Art von Gesellschaft und Verfassung er sich befinde – leben und handeln muß, um in seiner Art glücklich zu sein. Durch sie ist alles, was für die ganze Gattung zu allen Zeiten und unter allen Umständen nützlich oder schädlich ist, unwidersprechlich dargetan; die Regeln, deren Anwendung uns vor Irrtümern und Trugschlüssen sicherstellen können, sind gefunden; wir können mit befriedigender Gewißheit wissen, was schön und häßlich, recht oder unrecht, gut oder böse ist, warum es so ist und inwieweit es so ist; es ist keine Art von Torheit, Laster und Bosheit zu erdenken, deren Ungereimtheit oder Schädlichkeit nicht schon längst so scharf als irgend ein Lehrsatz im Euklides bewiesen wäre: Und dennoch! Dessen allen unerachtet, drehen sich die Menschen seit etlichen tausend Jahren immer in dem nämlichen Zirkel von Torheiten, Irrtümern und Mißbräuchen herum, werden weder durch fremde noch eigene Erfahrung klüger, kurz, werden, wenns hoch in einem Individuum kommt, witziger, scharfsinniger, gelehrter, aber nie weiser.

»*Die Menschen nämlich* raisonieren gewöhnlich nicht nach den Gesetzen der Vernunft. Im Gegenteil: ihre angeborene und allgemeine Art zu vernünfteln ist diese: von einzelnen Fällen aufs Allgemeine zu schließen, aus flüchtig oder nur von einer Seite wahrgenommenen Begebenheiten irrige Folgerungen herzuleiten, und alle Augenblicke Worte mit Begriffen und Begriffe mit Sachen zu verwechseln. Die allermeisten – das ist nach dem billigsten Überschlag 999 unter 1000 – urteilen in den meisten und wichtigsten Vorfallenheiten ihres Lebens nach den ersten sinnlichen Eindrücken, Vorurteilen, Leidenschaften, Grillen, Phantasien, Launen, zufälliger Verknüpfung der Worte und Vorstellungen in ihrem Gehirne, anscheinenden Ähnlichkeiten und geheimen Eingebungen der Parteilichkeit für sich selbst, um deretwillen sie alle Augenblicke ihren eigenen Esel für ein Pferd, und eines anderen Mannes Pferd für einen Esel ansehen. Unter den besagten 999 sind wenigstens 900, die zu all diesem nicht einmal ihre eigenen Organe brauchen, sondern aus unbegreiflicher Trägheit lieber durch fremde Augen falsch sehen, mit fremden Ohren übel hören, durch fremden Unverstand sich zu Narren machen lassen, als dies wenigstens lieber auf eigene Faust tun wollen. Gar nicht von einem beträchtlichen Teil dieser 900 zu reden, die sich angewöhnt haben, von tausend wichtigen Dingen in einem wichtigen Tone zu sprechen, ohne überhaupt zu wissen, was sie sagen, und ohne sich einen Augenblick zu bekümmern, ob sie Sinn oder Unsinn sagen.«

»*Eine Maschine*, ein bloßes Werkzeug, das sich von fremden Händen brauchen und mißbrauchen lassen muß; ein Bund Stroh, das alle Augenblicke durch einen einzigen Funken in Flammen geraten kann; eine Flaumfeder, die sich von jedem Lüftchen nach einer anderen Richtung treiben läßt – sind wohl, seit die Welt steht, nie für Bilder, wodurch sich die Tätigkeit eines vernünftigen Wesens bezeichnen ließe, angesehen worden: wohl aber hat man sich ihrer von jeher bedient, um die Art und Weise auszudrücken, wie die Menschen, besonders wenn sie in großen Massen zusammengedrängt sind, sich zu bewegen und zu handeln pflegen. Nicht nur sind gewöhnlicher Weise Begier und Abscheu, Furcht und Hoffnung – von Sinnlichkeit und Einbildung in Bewegung gesetzt – die Triebräder aller der täglichen Handlungen, die nicht das Werk einer bloß instinktmäßigen Gewohnheit sind: sondern in den meisten und angelegensten Fällen – gerade da, wo es um Glück oder Unglück des ganzen Lebens, Wohlstand oder Elend ganzer Völker: und am allermeisten, wo es um das Beste des ganzen menschlichen Geschlechts zu tun ist – sind es fremde Leidenschaften oder Vorurteile, ist es der Druck oder Stoß weniger einzelner Hände, die geläufige Zunge eines einzigen Schwätzers, das wilde Feuer eines einzigen Schwärmers, der geheuchelte Eifer eines einzigen falschen Propheten, der Zuruf eines einzigen Verwegenen, der sich an die Spitze stellt – was Tausende und Hunderttausende in Bewegung setzt, wovon sie weder die Richtigkeit noch die Folgen sehen: mit welchem Rechte kann eine so unvernünftige Gattung von Geschöpfen . . .« (erst mal Luft holen).

Also: »Die Grimassenmacher, Quacksalber, Gaukler, Taschenspieler, Kuppler, Beutelschneider und Klopffechter teilten sich in die Welt; – die Schöpse reckten ihre dummen Köpfe hin und ließen sich scheren; – die Narren schnitten Kapriolen und Burzelbäume dazu. Und die Klugen, wenn sie konnten, gingen hin und wurden Einsiedler: die Weltgeschichte ist nuce, in usum Delphini.«

»*Schuld daran?*« – »Ist freilich der Primo Motore des Ganzen, der Schöpfer, den ich den Leviathan genannt, und langweilig bewiesen habe.« Sie hatte während meiner schönen Rede – wahrscheinlich in einem Übermaß von Konzentration – die Augen geschlossen und öffnete sie erst jetzt wieder, als das Mühlrad zu poltern aufhörte. »Na ja«, sagte sie langsam: »Und Zahnschmerzen hab ich auch etwas.« »Da müssen Sie sofort die heilige Apollonia anrufen«, wußte ich Rat, bekam aber nur einen bösen Blick: »Ihrem Kolbenschlag zu verdanken!« murmelte sie (mit vornehm elliptischer Wendung).

Betten machen: Sie schlief auf der Riesencouch (Einsdreißig breit!), und: »Ich leg mich in die Küche«, stellte ich beklommen fest. »Hm-M.« machte sie, nicht ohne Wohlwollen: das versprach ein Roman zu werden, mit allem avec. »Gute Nacht« sagte sie lieblich und zuvorkommend (und nestelte versonnen am Ausschnitt); – »Gute Nacht. – – Lisa!« setzte ich blitzschnell hinzu, hörte noch ihr anerkennendes Schnurren und den Riegelklapp und lauschte abwesend den leisen unbekümmerten Geräuschen im Nebenan: Zauberei! Heute früh –: ach was!: noch heute nachmittag –! Plötzlich kam die große Welle Zärtlichkeit und Glück: ich hob den Kopf und lachte hell in die umsauste Kammer; ich sprang zur Tür, stemmte die Handflächen dagegen und rief – ach, irgend etwas Sinnloses: »Tuts noch weh?!« »Nein: gar nicht mehr!« kam es so rasch und strahlend, und ein prächtiges kleines Lachen folgte, daß alles gut war. – »Gute Nacht: Lisa!« »Gú-té-Nácht!« sang es fröhlich und müde vom Bett her, die Federung klang fein und äolsharfig, zauberflötig, paganinisch, music at night, bis ich endlich die Hände abnahm und zärtlich das Holz betrachtete.

Nochmals draußen (nach dem Kessel sehen; ob die Glut nicht etwa noch Schaden macht).

Dann am Fensterladen (mit der freien Rechten den Wind abwehren: daß er einen Augenblick ruhig ist –): Atmet drinnen, und regelmäßig.

Achtzehn Grad schon! (Und erst 5 Uhr 30!). Draußen war das bunte Seidentuch hochstraff über die Kiefernwipfel gespannt, blau und hellgelb und rosa. Im Kessel war das Wasser noch ein bißchen lau von gestern; ich rasierte mich à la maître und legte zum braunen nackten Oberkörper nur die langen grauen Verführerhosen an, 30 cm Schlag, und den breiten schwarzen Gürtel mit der piratengroßen Messingschnalle (darunter ein Paar seegrüne Turnhöschen: denn heute würde es ja heiß werden).

Mit kleinen Fäusten hämmerte es an die Türfüllung:
»Kann ich mich waschen?
    Wie spät ist es?
    Sind Sie schon lange wach?«
Ich gab gewissenhaft jede gewünschte Auskunft, stellte auch das gefüllte Aluminiumwännchen auf den Hocker in der Küche und floh dann ein bißchen den Weg auf und ab: cibiat ischtinem: es waren doch keine größeren Flächen zu waschen (aber komplizertere fiel mir ein, fiel mir ein; und am besten: Tee, Biskuits mit Marmelade und Erdnußbutter: wir werden sie orientalisch verweichlichen, entnerven!)

Rauhfelliger Wind schrotete hinten im Gebüsch, während hier das grüne Moos durch ihre hellgelben Zehen und Finger quoll, die schwebten darin und biegsamten.

»*Das brauchen wir ja jetzt alles doppelt*«, sagte ich strahlend und rieb die Wannenhöhlung trocken, hingekniet vor ihr, im Arm das schimmernde Rund, wie den Schild des Hephaistos. »Wieso –« fragte sie eisig: »Woher wissen Sie denn, daß ich bleibe?!« Und mein Herz gerann, daß die Finger am Blechrand erstarrten; ich senkte den großen Kopf und atmete still: richtig!: Wer sagte mir, daß Diana blieb. (Eins Null für Lisa).

»*Was essen wir heute?*« Sie streckte träumerisch ein Bein in die frische blaue Luft; schnippte mit den Zehen (sic!); versunken: »Ja, wenn ich wünschen könnte – –«. Seufzende Stille, mädchenträumerische: »Makkaroni« murmelte die liebenswürdige Schwärmerin: »– Makkaroni mit Käse; dazu grüne Erbsen. Einen Mordsbraten; Tomatenmarksoße. – Und zwei Spiegeleier drauf!« schloß sie wild erwachend, und ihr Blick umfaßte mich weit und voll transzendenter Bitterkeit. »NU«, sagte ich munter: »Makkaroni, Käse, .. mm, ... m: also außer den Eiern wär alles da: kommen Sie nur.« »Iss wahr?« fragte sie mißtrauisch, schon im Schwung des Aufstehens (und ich mußte gleich Feuer machen und als Belegstücke die betreffenden Büchsen öffnen).

12 Uhr! Da standen wir mit den dampfenden Schüsseln in der Hand, und sie zischte wie eine Natter: »Der Waffenstillstand läuft ab! Mein Gewehr! – Und Munition!« Ich setzte das leckere Rund hastig auf den Tisch, lief und gabs ihr: »Wo ist das Schloß?!« hetzte sie giftig. »Ja – ischa Waffenstillstand«, sagte ich patzig: »Das hab ich noch von gestern!« Sie atmete unruhig: der Bratenduft! »Verlängern wir ihn!« schlug ich vor; trat vor sie hin, ganz dicht: so viel Männlichkeit und Bratenduft! Ich wurde ernst; ich sagte: »Lisa –« (heiser): »für hundert Jahre, ja?« Sie nickte mit dem Kopf nach der Seite: »Gut –« hauchte sie mit seltsamem Lächeln: »also zunächst für hundert Jahre.« Und dann zogen wir im Triumph mit dem Tablett hinaus, hockten im Rasen und hantierten mit spitzen und runden Instrumenten, erfunden von den Verschollenen. (Anschließend wollte sie sich noch ein bißchen hinlegen: »Eine Stunde noch«, bat sie beschwichtigend und legte mir die Hand über die Schulter. »Schön« sagte ich bockig: »ich werde bis 3600 zählen« und die Hand blieb zur Belohnung noch drei Sekunden länger, und Fingerspitzen prüften meine Haut. Du).

Das Gewitter stand über Stellichte mit schweren geschmiedeten Wolken (Luft wie heißes graues Glas). Alle Vögel versteckt; nur drüben kreischte maschinen das Häherpaar.

Sie kam aus dem Haus, nur in briefs und schmalstem Büstenband und kauerte sich stumm auf die graue Decke, dicht am Rand, zum Nadelboden; den mageren Rücken zu mir, Knie am Kinn, riemenschmale Arme um die Schienbeine gewunden. Hinter dem grünen Geschnitz der Kiefernborten rumpelte landsknechtisch die eiserne Trommel; Staubwind atmete zitternd auf; dann sank wieder die schwarze Hitze, daß unsere Häute schauderten und schrumpften. Zuerst glühte es noch grün seitlich im Wald, und das verworrene Feld vor uns war staubig und giftgelb; dann schloß sich die ganze Kuppel, und der ungeschickte Janitschar wirbelte polternd näher. Meine weiße Wilde; der Wind fuhr ihr ins Haar, und ich murmelte eifersüchtig: er soll das lassen! Der rosagestreifte Ball antwortete nicht; nur die Rippenspangen bogen sich deutlicher, als sie einmal tief durchatmete.

(Tiefste Dämmer): der blasse dünntrainierte Leib erwürgte mich fast. Regen zog heulend hoch und vorbei. Hände kannten keine Pause; Glieder winkelten puppig in der verwachsenen Nacht; manchmal sah ich teilnahmslos in geschäftiges Reisegewölk, reisewinde, reisewild:

Station Grauhelle: Wir halfen uns zum offenen Haus, trugen uns in hölzernen Händen übern Gang. Wir. Uns. Gang.

Immer noch Nacht: »Geh in Deinen Mantel!« befahl ich unerbittlich; ihr umgehängter Mantel lehnte seltsam schräg und kaffeebraun um sie in der Luft. »Ich bin Dir zwar herzlich gut . . .« sagte sie noch kunstvoll drohend (war aber doch tief gerührt ob der Fürsorge); ihr Gesicht ging stürmisch unter dem meinigen auf; wir küßten uns Feuer aus den Gliedern; sie nahm mein Ohr in den Mund und flüsterte Gesetzloses, bis wir es taten. Dann in die wärmliche Nacht; aber:

»*Hörmal: Dein Kopftuch!*« sagte ich energisch: »das grenzt ja an Piraterie –« (und sie kicherte wohlig) – »fehlt bloß noch n Brotmesser zwischen n Zähnen« (wohlgefällig mißbilligend), »ne Rumflasche in der Hand, und nackter Oberkörper.« Sie nickte nachdrücklich und völlig überzeugt: »Das könnte Dir so passen«, murmelte sie hinter spitzen doppelten Zähnen: »na, mal sehn: nachher vielleicht –« (Und schlenderte in meinen linken Arm). »Ich bin ne richtige Zigeunersche.« Und ich nickte besorgt, kummervoll: truetrue.

So I'm for drinking honestly and dying in my boots. Like an old bold mate of Lisa Weber. Also: Bibe Gallas! (»Bibe Piccolomini« entgegnete sie unerschütterlich; gelernt ist gelernt).

»*Ein Oetker-Kochbuch will ich haben*« (Varium et mutabile semper femina) »Was meinst Du, was ich uns da kochen kann!« »Na dann« zustimmte ich resigniert und schwerfällig, und sie lachte auf und kam sofort nahe: »Wir müssen ja schließlich auch mal essen«, sagte sie behaglich, und: »heute brauchst Du endlich nicht mehr in der Küche zu schlafen – gestern war ich so kaputt –« vertraute sie mir noch reuig an. (Georginen: die sind adrett und ohne Falsch; auch Logarithmen. Da werd ich sie also in den nächsten Tagen in alles einweihen).

»*Ob es den Leuten nicht unheimlich dabei war? . . .*« (im Gewölbe der spreizenden Kiefer gelagert) erzählte sie nachdenklich: »– wenn sie so diese Zukunftsromane erfanden?« (Sie las eins aus ihrem

Rucksack: Jens, Angeklagte; die Tagesarbeit war getan: wieder zwei Fuhren Verpflegung geholt; ich hatte noch methodisch eine Stunde gesägt und gehackt: der Winter bleibt uns nicht erspart). »Nicht etwa wegen der Majestät ihrer Gedankengänge« kam sie meinen präzisierenden Fragen zuvor, »sondern so: wenn einer Ende Juni 2070 meinetwegen n schönen Abend sein läßt . . .« und sie schüttelte tiefsinnig verstummend den Kopf. »Nu« sagte ich behutsam: »feststehen tuts wohl heute schon, was dann für Wetter ist . . .« aber sie tat schon, hermelinen und geschmeidig, Lisa aus dem Busch, ihre zwei Sätze, und kniete über meiner Brust: »Was willst Du damit sagen. Du Philister?!« (So schnell zog sie also, wie instinktiv, sämtliche Folgerungen; auch hinsichtlich ihres Verehrers). Sie hatte eine Hand an meiner Kehle, während die andere suchte: »Das nimmst Du zurück. Solchen Unsinn!« zürnte sie, freiheitlich entrüstet, aber ich stellte die Brauen schräg und schüttelte bedauernd den Kopf.

CHRISTOPH MECKEL
Weltende

Die Legenden berichten von einem Mann, der eines Tages erscheinen und dank seiner zauberfähigen Augen die Erde leerblicken wird. Es heißt, daß seine Blicke über die Fähigkeit verfügen werden, die erblickten Dinge von ihren Stellen zu lösen und unversehrt hinter seinen Pupillen und Lidern anzusiedeln. Dieser Mann, vermutet man, wird zuletzt, vom vielen, lückenlosen Betrachten müde, den ganzen Erdball hinter seinen Augen versammelt haben und das verlagerte Leben wird in seinem Kopfe weitergehen mit Ebbe und Flut, Jahrmärkten und Mondaufgängen. Als es selbst oder als seine eigene Erinnerung? Als Zerrbild oder verworrenes Echo –?

Desgleichen wird der Mann alle Laute, Sprachen und Musik zu Ende und in sich hineinhören und alle Gerüche aufatmen, so daß zum Schluß nichts anderes mehr übrig bleiben wird als er selbst, Hülle und Tresor der unverwüstlichen Welt, die nie sterben können wird.

Eisenbahnen und Vogelzüge, deren Weg hinter seinen Augen vorüberführt, werden durch seine Pupillen und Lidspalten Ausschau nach ihren Wurzeln und ursprünglichen Wegen, nach etwaigen Spuren und Schattenresten halten, aber so wenig, so befremdend gar nichts sehen wie eine Ameise durch ein Bullauge der Arche Noah gesehen haben mochte. Wenn dann dieser Mann, im Falle er sich vereinsamt vorkommt, den Versuch wagt, etwas zur Gesellschaft neben sich zu stellen, etwa ein Haus, einen Hund oder eine Fläche Blumen, so werden seine unerbittlich verzehrenden Blicke dem Anblick zuvorkommen und das Gewünschte zurückbehalten, ohne daß es sich außerhalb seines Kopfes befunden hätte.

Seine Augen, sagt man, werden zu großen Schaufenstern werden, in denen kleine Stücke Welt ihr wunderliches Überleben feiern mit Kartenhäusern und zerbrochenen Himmeln, Feierabenden und Tanzpalästen, aber keiner wird sich je auftreiben lassen, der es hinter den Lidern also fortbestehen sähe, denn er würde sofort von einem jener Blicke ergriffen, fände, wenn auch widerstrebend, Eingang und Untergang durch die Augen dieses Mannes und Zugehörigkeit zu Birnbäumen und Glockenspielen unter dessen Schläfe.

HERMANN KASACK
Das unbekannte Ziel

Die stählerne Rakete war von der Bodenmannschaft abgefeuert worden und sogleich den Blicken entschwunden. Nur matte Tupfen schwärzlichen Rauchs, die sich im Blau des Himmels abzeichneten, deuteten die Richtung der steilen Kurve an, in der die Bahn verlief. Die Granate durchschnitt die Luft, einem unbekannten Ziel entgegen. Sie sollte ungemessene Fernen überwinden und an irgendeinem Ort des Erdballs einschlagen. Vielleicht galt das leere Nichts als Ziel, ein Steppengelände oder eine Insel im Meer; vielleicht war eine große Stadt gemeint, deren Menschen in diesem Augenblick noch nichts von dem mit unheimlicher Kraft dahinsausenden Meteor ahnten.

Wie ein Silberfisch anzuschauen, flog ich durch die Regionen des Äthers, schon in einer höheren Sphäre als der, in welcher Wolken die Hülle der Erde bilden. In einer Tiefe, die nicht auszuloten war, rauschten unter mir die Gefilde des Raums. Das Stahlgehäuse, das mich umschloß, trug mich in gefrorenen Sekunden durch die Zeit. Vielmehr – die Zeit begann stillzustehen und hinter mir wie ein Luftkanal zurückzubleiben, während ich zum Augenblick der Zukunft wurde, der sich zur Gegenwart entfalten müßte, sobald das Geschoß auf Erden niederging. Ich blieb Gefangener des Fluges, Gefangener des sausenden Geschehens. War meine Existenz der Wurf Gottes, so würde der Aufprall, dem ich unaufhaltsam wie dem Tode entgegenflog, das Opfer meines Lebens bedeuten, ein Selbstgericht im läuternden Feuer, von dem die Weisen und Dichter seit altersher wissen. Galt ich aber den Dämonen als Gefäß, dann müßte mit der Explosion das Unheil aus der Büchse der Pandora, wie es die neuen Giftingenieure zusammenbrauen, vernichtend sich über alle Welt ergießen. Der Ausgang schien ungewiß; aber das Wagnis, das eigene Ich in ein überpersönliches Selbst zu verwandeln, bestätigte das Dasein.

Noch teilte sich mir der gläserne Zustand eines immerwährenden Steigens mit. Bald aber spürte ich, wie meine Fahrt den Zenit des Fluges überschritt. Statt in die Sonnen des Universums und ihre

Sternwelten zu tauchen, bog sich der stählerne Leib der person-gewordenen Rakete im schrägen Winkel raumwärts nach unten, ins Irdische. Ich fühlte den Fall in den Horizont. Schon ahnte ich die flächige Haut des Erdleibs, schon unterschied ich Umrisse von Land und Meer. Schwache Wülste markierten sich, wuchsen dem Auge allmählich zu Gebirgsketten empor. Im gleißenden Licht wurde Gletscherschnee erkennbar, die unberührte Einsamkeit der Erde. Weiter und, wie ich spürte, immer stärker sinkend, sah ich die prallen Adern der Flüsse hervortreten, das blaue Gerinnsel der Seen. Schon teilten durch Spinnweblinien der Verkehrsstraßen die Flächen sich auf: Kleckse von dunklem Wald, von hellen Wiesen, von buntem Ackerland, verstreute Stadtklumpen.

Ich hatte das Gefühl, als ob sich das Gefälle linderte und in ein verhaltenes Schweben überging. Ich nahm Einzelheiten der sorgsam gehegten Bezirke wahr, in denen sich irdisches Schaffen zeigt, ich glaubte, Siedlungen, Rebhügel, bestellte Felder, Obstgärten zu er-kennen. Denn immer müht sich der Mensch um ein wirksames Da-sein. Sein Platz ist die geordnete Natur. Auch die Wohngebiete gliederten sich dem Blick durch Straßenzüge in deutliche Häuser-blocks auf, Brücken und Türme zeichneten sich in der Landschaft ab, kriechende Schatten von Schienenzügen, die ich schnell über-holte, glitten unter mir hin.

Ich wußte nicht, über welchem Land ich mich befand, nicht ein-mal den Erdteil hätte ich anzugeben vermocht. Ich wußte nur, daß es ein Stück besiedelter Welt war, in das ich mit unaufhaltsamer Ge-walt niedergelenkt wurde. Sekundennah lag vor mir die Silhouette einer großen Stadt. Im schürfenden Sturzflug sah ich das Hundert-tausendwesen Mensch mit abwehrenden Armen in die Richtung des Himmels starren, aus der mein Silberfisch näher kam, und plötzlich erkannte ich in dem Wohngefüge meinen eigenen Heimatort. In eins verschmolzen waren Schütze und Geschoß, Wurf und Ziel. Bote und Botschaft. Meiner kaum noch mächtig, sah ich unmittelbar hin-ter der großen Stadt jene Anhöhe, von der ich weggeschleudert worden war. Wie denn: hatte ich den Erdball umkreist? War ich auf dem höchsten Punkt der Lebensfahrt in der Stratosphäre nach Gesetzen, die den geleugneten Wesen der Engel eigentümlich sind, unmerklich umgelenkt worden, und kehrte wie ein Bumerang an den Ausgangspunkt zurück?

Bevor ich landend aufschlug, bemerkte ich nicht unweit am Feld-rand noch die Bodenmannschaft, die sich auf dem Heimweg befand. So konnte nicht viel Zeit seit dem Aufstieg vergangen sein. Die Leute wandten sich jäh um und warfen sich zu Boden. Im gleichen Pulsschlag berührte ich die Erde, die trichterförmig auseinander-barst. Aus mir oder statt meiner – wer wollte das entscheiden – ent-faltete sich eine ungeheure Lichtsäule.

Aus dem Pilzschirm des Rauchs steigt ein Phönix steil in die Höhe und fliegt in den kristallinischen Weltraum, der die Erde umgibt.

Er schießt dahin wie ein Pfeil, von dem niemand sagen kann, ob ihn die Bogensehne eines Gottes oder eines Dämons entlassen hat. Er durchschneidet die Luft, einem unbekannten Ziel entgegen, unbeirrbar und unermüdlich, ohne Illusion, aber im Glauben an die Aufgabe, und die Aufgabe ist der Flug. Einmal, das wird der Auftrag sein, trifft der schwirrende Pfeil mitten in das Herz des Menschen.

Warum ich mich in eine Nachtigall verwandelt habe

Ich habe mich aus Überzeugung in eine Nachtigall verwandelt. Da weder die Beweggründe noch der Entschluß zu einer derartigen Tat in den Bereich des Alltäglichen gehören, denke ich, daß die Geschichte dieser Metamorphose erzählenswert ist.

Mein Vater war Zoologe und verbrachte sein Leben damit, ein mehrbändiges – in Fachkreisen gerühmtes – Werk über Lurche zu schreiben, da er die Literatur auf diesem Gebiet für unzulänglich, teilweise fehlerhaft hielt. Mich hat, vielleicht zu Unrecht, diese Arbeit niemals wirklich interessiert, obgleich es bei uns zu Hause viele Frösche und Molche gab, deren Lebensart und Entwicklung ein Studium gerechtfertigt hätten.

Meine Mutter war vor ihrer Heirat Schauspielerin gewesen und hatte ihren Höhepunkt mit der Darstellung der Ophelia am Landestheater in Zwickau erreicht, diesen Höhepunkt aber niemals überschritten. Dieser Tatsache habe ich es wohl zu verdanken, daß ich Laertes genannt wurde, ein zwar wohlklingender, aber ein wenig weithergeholter Name. Dennoch war ich ihr dankbar, daß sie mich nicht Polonius oder Güldenstern genannt hat, obwohl es jetzt natürlich gleichgültig ist.

Als ich fünf Jahre wurde, schenkten mir meine Eltern einen Zauberkasten. Ich lernte also gewissermaßen zaubern – wenn auch in kindlich-begrenztem Maße –, bevor ich lesen und schreiben gelernt hatte. Mit den in diesem Kasten enthaltenen Pulvern und Instrumenten konnte man farbloses Wasser in rotes und wieder zurück in farbloses Wasser verwandeln, oder man konnte ein hölzernes Ei durch einfaches Umstülpen enthalben, bei welchem Prozeß die andere Hälfte spurlos verschwand; man konnte ein Tuch durch einen Ring ziehen, wobei das Tuch die Farbe wechselte, kurz, es war nichts in dem Kasten enthalten, was, wie es bei den meisten Spielzeugen der Fall ist, eine Miniatur der Wirklichkeit dargestellt hätte, ja, die Hersteller dieser Phantasiewerkzeuge schienen es darauf angelegt zu haben, den erzieherischen Sinn in keiner Weise zu berücksichtigen und das erwachende Gefühl für das Nützliche zu unterdrücken. Diese Tatsache hat einen entscheidenden Einfluß auf meine spätere Entwicklung ausgeübt, denn das Vergnügen an der Verwandlung eines nutzlosen Gegenstandes in einen anderen nutzlosen Gegenstand hat mich gelehrt, das Glück auf dem Wege der wunschlosen Erkenntnis zu suchen. Gefunden habe ich dieses Glück allerdings vor meiner Verwandlung nicht.

Zunächst jedoch wurde mein Ehrgeiz angestachelt. Bald genügte mir mein Zauberkasten nicht mehr, denn ich konnte inzwischen lesen und las auf dem Deckel die entwürdigende Aufschrift »Der kleine Zauberkünstler«.

Ich erinnere mich noch des Nachmittags, als ich zu meinem Vater ins Arbeitszimmer kam und ihn bat, er möge mir Zauberunterricht erteilen lassen. Er war versunken in die Welt der Lurche und sah mich abwesend an. Ich trug meine Bitte vor; er willigte sofort ein. Ich kann mich des Eindrucks nicht erwehren, daß er dachte, es handle sich um Klavierunterricht, was auch daraus hervorgeht, daß er mich einige Zeit danach fragte, ob ich schon Czerny-Etuden spiele. Ich bejahte diese Frage, denn ich war sicher, daß ich meine Behauptung nicht zu beweisen haben würde.

Ich nahm also Zauberunterricht bei einem Künstler, der auf mehreren Varietébühnen unserer Stadt auftrat und übrigens auch, wie ich seinen Reden entnahm, Erfolge in London und Paris zu verzeichnen hatte, und war nach einigen Jahren – ich besuchte inzwischen die höhere Schule – so weit, daß ich Kaninchen aus einem Zylinderhut hervorzaubern konnte. Ich gedenke meiner ersten Vorstellung, die ich im Eltern- und Verwandtenkreise gab, mit Vergnügen. Meine Eltern waren stolz auf meine Fähigkeit, die ich mir sozusagen am Rande erworben hatte und die ich in Zukunft wohl an Stelle von Hausmusik neben meinem zukünftigen Beruf – von dem sie keine bestimmte Vorstellung hatten – ausüben würde. Aber ich hatte andere Pläne.

Meinem Lehrmeister war ich entwachsen und experimentierte von nun ab für mich selbst. Über diese Tätigkeit aber vernachlässigte ich meine allgemeine Bildung nicht. Ich las viel und verkehrte auch mit Schulfreunden, deren Werdegang ich beobachtete. Einer zum Beispiel, dem man in seiner Jugend eine elektrische Eisenbahn geschenkt hatte, bereitete sich auf die Laufbahn eines Bahnbeamten vor, ein anderer, der mit Bleisoldaten gespielt hatte, ergriff die Offizierskarriere. So wurde durch frühe Beeinflussung der allgemeine Nachschub geregelt, und ein jeder ergriff seinen Beruf, oder vielmehr der Beruf ergriff ihn. Aber ich gedachte, mein Leben nach anderen Gesichtspunkten einzurichten.

Hier möchte ich einfügen, daß ich bei den Entscheidungen, die ich im Lauf der nächsten Jahre traf, nicht etwa von dem Gedanken geleitet wurde, in den Augen anderer als exzentrisch oder gar als ein Original zu gelten. Es war vielmehr die wachsende Erkenntnis, daß man nicht schlechthin im bürgerlichen Sinne einen Beruf ergreifen könne, ohne dabei seinen Mitmenschen auf irgendeine Weise ins Gehege zu kommen. Deshalb erschien mir auch die Beamtenlaufbahn als besonders unmoralisch. Aber selbst andere, als menschenfreundlicher geltende Berufe verwarf ich. In diesem Lichte schien mir selbst die Tätigkeit eines Arztes, der durch seinen Eingriff Menschen das Leben retten konnte, zweifelhaft, denn es mochte sich bei dem Geretteten um einen ausgemachten Schurken handeln, dessen Ableben von Hunderten von unterdrückten Kreaturen sehnlichst herbeigewünscht wurde.

Zugleich mit dieser Erkenntnis kam ich noch zu einer andern, nämlich der, daß die Tatsachen nur von dem augenblicklichen Stand der Dinge abgelesen werden können, es also müßig sei, aus ihnen irgendwelche Schlüsse ziehen oder Erfahrungen sammeln zu wollen. Ich beschloß daher, mein Leben untätig zu verbringen und über nichts nachzudenken. Ich schaffte mir zwei Schildkröten an, legte mich auf einen Liegestuhl und beobachtete die Vögel über mir und die Schildkröten unter mir. – Das Zaubern hatte ich aufgegeben, denn es hatte Vollkommenheit erreicht. Ich fühlte, daß ich in der Lage sei, Menschen in Tiere zu verwandeln. Von dieser Fähigkeit machte ich keinen Gebrauch, denn ich glaubte, einen derartigen Eingriff in das Leben eines anderen nicht rechtfertigen zu können.

In diese Zeit nun fällt das erste Auftreten meines Wunsches, ein Vogel zu sein. Zuerst wollte ich mir diesen Wunsch nicht recht eingestehen, denn er bedeutete gewissermaßen eine Niederlage: es war mir also noch nicht gelungen, mich wunschlos an der reinen Existenz der Vögel zu erfreuen; mein Gefühl wurde von der Sehnsucht getrübt. Trotzdem war ich schwach genug, mit dem Gedanken an die Verwirklichung zu spielen, ja, ich war sogar stolz, in der Lage zu sein, meinem Wunsch willfahren zu können, wenn und sobald es mir beliebe; es bedürfte lediglich noch einer Probe meiner Kunst.

Diese Gelegenheit bot sich bald. Eines Nachmittags – ich lag im Garten und beobachtete meine Schildkröten – besuchte mich mein Freund, Dr. Werhahn. Er war Zeitungsredakteur. (Man hatte ihm in seiner Jugend eine Druckmaschine geschenkt.) Er legte sich auf den Liegestuhl neben mich und fing an zu klagen, zuerst über die Bösartigkeit des Zeitungslesers und dann über die Unzulänglichkeit des heutigen Journalismus. Ich sagte nichts, denn Leute lassen sich beim Klagen nicht gern unterbrechen. Schließlich kam er zum Ende, indem er sagte: »Ich habe es satt«, und als eine von meinen Schildkröten unter seinem Liegestuhl hervorkroch, sagte er noch: »Ich wollte, ich wäre eine Schildkröte«. Dies waren seine letzten Worte, denn ich nahm meinen Zauberstab und verwandelte ihn. Mit Dr. Werhahns journalistischer Karriere war es damit vorbei, sein Leben aber ist durch diese Verwandlung wahrscheinlich verlängert worden, denn Schildkröten werden sehr alt. Für mich aber war es ein Erfolg. Zudem hatte ich jetzt drei Schildkröten. (Um jeglichem Verdacht vorzubeugen, möchte ich hiermit versichern, daß ich die anderen beiden Tiere als solche gekauft hatte.)

Vor meiner eigenen Verwandlung habe ich meine Kunst noch einmal angewandt. An diese Gelegenheit denke ich nicht ohne eine gewisse Unruhe, denn ich bin mir nicht ganz im klaren, ob ich damals zu Recht gehandelt habe.

Eines Nachmittags im Juni – ich hatte den Tag auf dem Lande verbracht – saß ich im Garten eines Gasthofes unter einer Linde und trank ein Glas Apfelmost. Ich freute mich des Alleinseins. Aber bald betrat eine Schar von fünf jungen Mädchen den Garten, die sich an den Tisch neben dem meinen setzten. Die Mädchen sahen frisch und nett aus, aber ich war über die Störung ungehalten und wurde noch ungehaltener, als sie zu singen begannen, wobei eine von ihnen den Gesang auf der Mandoline begleitete. Zuerst sangen sie »Muß i denn, muß i denn zum Städtele hinaus«, und dann:

> Wenn ich ein Vöglein wär
> Und auch zwei Flügel hätt',
> Flög ich zu dir.

Dieses Lied habe ich immer als ziemlich dumm empfunden, zumal da die zwei Flügel ohnehin der natürliche Zubehör eines Vogels sind. Aber hier war es der darin geäußerte Wunsch, ein solcher zu sein, der mich dazu antrieb, dem Gesang ein Ende zu machen und die Sängerinnen in einen Schwarm von Spatzen zu verwandeln. Ich ging zu ihrem Tisch und schwang meinen Zauberstab, was für einen Moment so ausgesehen haben mag, als wolle ich dieses Quintett dirigieren, aber nicht lang, denn fünf Spatzen erhoben sich und flogen kreischend davon. Nur fünf halbleere Biergläser, ein paar angegessene Butterbrote und die heruntergefallene Mandoline – ein Stilleben, das mich ein wenig bestürzte – zeugten davon, daß hier noch vor wenigen Sekunden volles, junges Leben im Gange gewesen war.

Angesichts dieser Verwüstung überkam mich ein leichtes Gefühl der Reue, denn ich dachte, daß die Sehnsucht, ein Vogel zu sein, vielleicht mit dem Singen des Liedes doch nicht unmittelbar und eindeutig ausgedrückt sei, und daß außerdem die Wendung: »Wenn ich ein Vöglein wär« eben doch nicht unbedingt den Wunsch, ein solches zu sein, bedeutete, obwohl es natürlich die Tendenz des Liedes ist (soweit man bei einem solchen Lied von einer Tendenz reden kann). Ich hatte das Gefühl, als habe ich im Affekt gehandelt, unter dem Einfluß meiner – übrigens gewiß berechtigten – Unlust. Das empfand ich als meiner nicht würdig, und deshalb beschloß ich, auch mit meiner eigenen Verwandlung nun nicht mehr länger zu zögern. Ich möchte betonen, daß es nicht die Angst vor den Konsequenzen meiner Tat, etwa einer gerichtlichen Verfolgung war, die mich bewog, endlich andere Gestalt anzunehmen. (Wie leicht hätte ich schließlich bei meiner Verhaftung die Kriminalbeamten in Zwergpinscher oder ähnliches verwandeln können!) Es war vielmehr die Gewißheit, daß ich aus technischen Gründen nie zu der ungestörten Ruhe kommen würde, die ich zum reinen, vom Willen nicht getrübten Genuß der Dinge benötigte. Irgendwo würde immer ein Hund bellen, ein Kind schreien oder ein junges Mädchen singen.

Die Wahl der Gestalt einer Nachtigall war nicht willkürlich. Ich wollte ein Vogel sein, weil mich der Gedanke, von einem Baumwipfel zum anderen fliegen zu können, sehr lockte. Dazu wollte ich singen können, denn ich liebte Musik. Den Gedanken, daß ich selbst nun derjenige sein könne, der in das Leben eines andern eingreift, indem er ihn im Schlafe stört, habe ich natürlich erwogen.

Aber nun, da ich selbst kein Mensch mehr bin, liegen mir der Menschen Gedankengänge und Interessen fern. Meine Ethik ist die Ethik einer Nachtigall.

Im September vorigen Jahres begab ich mich in mein Schlafzimmer, öffnete das Fenster weit, verzauberte mich und flog davon. Ich habe es nicht bereut.

Jetzt ist es Mai. Es ist Abend und es dämmert. Bald wird es dunkel sein. Dann fange ich an zu singen oder, wie die Menschen es nennen, zu schlagen.

ROR WOLF

Entdeckung hinter dem Haus

Hinter meinem Haus habe ich jetzt einen Teich entdeckt. Ich erinnere mich nicht, ihn früher dort gesehen zu haben, gestern aber, bei einem Abendspaziergang, stand ich plötzlich vor ihm. Ich sprang, nachdem ich in die Hose gefahren, in die Schuhe getreten, in die Jacke geschlüpft war, mit einem Satz aus der Tür und sah ihn liegen. Ich hatte die Hintertreppe genommen, die Tür aufgestoßen, da lag er, mit seinen schönen weit ausschwingenden Rundungen, vom Mondlicht beschienen. Ich hörte in diesem Moment das Anschlagen der Wellen und das Geschrei der Möven, die über ihn hinstrichen, das Quaken der Frösche, die am Ufer im Röhricht saßen, das Schmatzen der Fische, die über den Wasserspiegel hinaussprangen und zurückfielen. Mit einem Sprung aus der Tür stand ich vor ihm und dachte, wobei ich den Geruch von Teichrosen und Schilfgras einsog und den Hut, den ich bei meinen Spaziergängen nicht vergesse, abnahm, gewiß, es ist kein großer Teich, einen solchen würde ich auch See nennen, ich kann mich rühmen, gute Beziehungen zu den Begriffen zu haben, aber er hat doch, wenigstens für meine Vorstellungen, überraschende Ausmaße, und ich wundere mich, daß ihn außer mir niemand bemerkt zu haben scheint. Meine Nachbarn reden nicht davon, sie gehen herum mit ihren alltäglichen Gesichtern, die Rechte um den Hosenträger gekrallt, kauen ihre Sonnenblumenkerne und führen, nach dem Ausspucken, die üblichen Gespräche von den Ereignissen in der Nachbarstadt, ohne dem Naheliegenden Beachtung zu schenken.

Ich bin sicher, wenn sie in ihren Überziehern vor meinem Haus auf und ab laufen, ihre Stöcke schwenken und mit ihnen auf die in der Ferne auftauchenden Gegenstände, die schließlich als Radfahrer und Fußgänger herankommen, deuten, wollen sie mich täuschen, und in Wirklichkeit deuten sie auf mein Fenster, hinter dem ich stehe, beschreiben eine schwarze, vom Mond beschienene Nacht, kratzen mit ihren Stöcken in einem einzigen Schwung die Form des Teiches auf den Erdboden und machen vor, wie ich im Sprung über die Hintertreppe aus der Tür herauskomme, legen dann ihre Stöcke, deren Eisenspitzen in der Sonne blitzen, auf die Schultern und gehen mit schaukelnden Körpern weiter, und noch bei ihrem Verschwinden in der Ferne sehe ich die Darstellung meines Sprungs aus der Hintertür.

Mit ihren Stöcken verwunden sie mich nach und nach am ganzen Körper. Es mag sein, wenn ich alles in Betracht ziehe, was mich schützen könnte, wozu nicht einmal ein Nachdenken nötig wäre, denn dieser Gedanke ist mir als ein alter Gedanke immer im Kopf, wenn ich also die Hände vor das Gesicht hielte und den dicken sibirischen Pelz anlegte, böte sich kaum eine Möglichkeit, mich zu treffen, es sei denn zwischen den Fingern, in die Sehschlitze für meine Augen. Aber den Pelz hält meine Frau unter Verschluß und die Hände, geschwächt wie sie sind, hebe ich mit aller Anstrengung kaum bis zur Brust, geschweige denn zum Kopf.

Darum biege ich, wenn meine Nachbarn kommen, sie kommen hüpfend, mit geschwenkten Stöcken, um die Ecke, verschwinde mit wehenden Rockschößen hinter meinem Haus, tauche hinein in die Hintertür und komme von dort mit einem einzigen Sprung über die Treppe durch die Tür über den Vorplatz ins Zimmer und hinein ins Bett.

So liege ich nachts in meinem Bett, das Zimmer ist schwarz, von einer gewissen hölzernen Hohlheit, und schlafe oder schlafe nicht, sondern wache, oder auch nicht das, sondern gehe hin und her, höre das Schnarchen meiner Frau, das aus ihrer Kammer dringt, und beginne mich zu erinnern. Ich trat aus dem Haus in den Garten, der Wind wehte und bewegte die Oberfläche des Wassers, in der sich der Mond spiegelte, und nahm meinen Hut ab in dieser Nacht. Das waren meine Gedanken, und ich erinnere mich weiter, nun, nachdem ich den Teich gesehen habe, bilde ich mir ein, daß ich lange schon in stillen Nächten das Klatschen der Wellen gegen die Mauern meines Hauses habe schlagen hören, das leise schmatzende Anschlagen des Wassers und der Gesang von Wasservögeln kam zusammen mit dem schweren Ächzen meiner Frau und ihrem harten Herumwälzen im Bett in mein Zimmer, zusammen mit den kreischenden Schreien, die sie im Schlaf ausstößt. Und dabei fällt mir ein, daß meine Frau, die man sich mit gerötetem Gesicht, weichen herabhängenden Brüsten und einer turm- oder helmartigen Frisur vorzustellen hat, seit Tagen nicht im Haus gewesen ist, die Küche war leer, so oft ich meinen Kopf in sie hineinsteckte, die Töpfe standen umgekippt im Ausguß, die Teller noch mit Speiseresten überkrustet, von fettigen Häuten, die Schüsseln, die Teller aufgetürmt, mit dem eingetrockneten Schmalz, die Tassen mit Kaffeesatz, der Abfluß von Rückständen verstopft. Ich erinnere mich, wie ich in die Küche trat, am Ausguß stand, um den Wasserhahn zu schließen, dessen Plätschern und Tropfen mich aus dem Bett getrieben hatte, ich rief in diesem Augenblick, ich trat zurück vom Ausguß, nach meiner Frau und ging, als ich keine Antwort erhielt, wieder zurück ins Bett, ich dachte mir nichts dabei, wo bist du, bist du da, rief ich, sie antwortete nicht, sie ist nicht da, dachte ich, wohin mag sie gegangen sein. Das waren meine Gedanken, und noch einmal rief ich, wo bist du, sie blieb verschwunden, in diesem Moment, ich sah das Bett mit der zurückgeklappten Decke, noch warm von meinem Körper, dachte ich mir nichts dabei, aber nun, wo ich darauf zurückkomme, wo alle Bilder wieder auftauchen, die leere Küche, der leere Gang, die aufstehende Tür, glaube ich, daß sie hinter meinem Haus, im Teich, auf den sie nicht vorbereitet war, als sie mit ihrem birnenförmigen Gesicht Blumen oder, wahrscheinlicher, Birnen oder, wahrscheinlicher, Küchenkräuter holen ging, mit weit aufgehaltener Schürze, ertrunken ist.

Das werde ich meinen Nachbarn sagen, sie müssen mir suchen helfen. Ich hole meine Stange, dafür bin ich eingerichtet, denn im Grunde rechne ich mit allem. Sie lehnt im Keller, hinter den Kartoffeln, ganz vom Schwamm überzogen. Lange hast du auf deine Aufgabe warten müssen, denke ich, nicht jeden Tag ertrinkt jemand hinter meinem Haus, und hier handelt es sich schließlich, wenn ich meine Gedanken zusammenfasse und aus ihnen die Schlüsse ziehe, um meine Frau.

Die Nachbarn sitzen im Kretscham. Ich höre ihr stoßendes Gelächter aufsteigen und das knallende Zurückstellen der Bierkrüge nach dem Trinken, ich liebe ihre Zusammenkünfte nicht, eher schon meine Frau, sie setzt sich an ihren Tisch, trinkt aus ihren Krügen, beißt von ihren Würsten ab und am Ende, alles ist ausgetrunken, alles abgegessen, hängt sie sich bei ihnen ein und schaukelnd treten sie den Weg zu meinem Haus an, verschließen die Kammertür hinter sich und ich höre darauf das Schütteln und Knarren der Bettstelle.

Von dieser Seite besehen, kann ich eigentlich zufrieden sein, daß sie ertrunken ist. Ja, ich bin es auch. In meinem Haus ist es jetzt ruhig. Eine schöne Stille. Ich liege im Bett und überdenke meine Verhältnisse. Es geht mir nicht schlecht, ich klage nicht, im Grunde darf ich dem Schicksal nicht undankbar sein, ich habe ein Haus, einen Garten um das Haus, der nach rechts ansteigt, sich erhebt und in der Ferne verschwindet, ich habe den Birnbaum, der in diesem Birnenjahr im Hintergrund knarrt, den Schuppen mit dem Hackklotz, dem Grabscheit, der Harke, und nun habe ich auch einen Teich hinter dem Haus. Vom Hinterzimmer aus betrachtet ist er von länglicher, ovaler Form, und ich, ein Spaziergänger, ein Bummler, ein In-die-Luft-Gucker, selbst hier am Fenster noch, wo ich nun stehe, ich denke mich in dieser Jahreszeit im Hemd, könnte meinen gelben Gartenhut auf dem Kopf haben, die grüne Schürze um den Leib gebunden, auf meinen leichten luftigen Gartenschuhen tänzelnd über den knirschenden Kiesweg springen. An einem solchen Tag, nehmen wir an, an dem ich die Tür zum Schuppen öffne und die Harke ergreife, wird man mich sehen können, in meinem nach rechts ansteigenden Garten, die Harke geschultert vor Sonnenuntergang, bei meinem luftspringenden Gehen, so müßte es sein, halb in der Vorstellung, halb in der Wirklichkeit hüpfend, an einem solchen Tag, im Sommer, so wie ich ihn mir vom Hinterzimmer aus vorstelle, am Abend, bleiben die Geräusche meiner Nachbarn, das Klatschen der Karten, das Zuklappen ihrer Tabaksbüchsen, in der Ferne, und ich höre stattdessen das Zwitschern der Vögel, das Glucksen des Wassers im Teich, unter dessen unbewegter Oberfläche die Fische ruhig in der Abendsonne entlangziehen.

Aber in diesem Teich, im Dunkeln des Wassers, auf seinem Grund liegt ja meine Frau. Mit ihrem schweren aufgeschwemmten Körper, ihrer aufgehaltenen Schürze, ihrem birnenförmigen Gesicht, zwischen den gleitenden flatternden Schlingpflanzen, mit dem aufgeklappten Mund, den Stichlingen, dem Mund und der Mundhöhle, der Zunge, den Lippen, den Stichlingen, festgebissen, mit peitschenden Schwänzen, zappelnd, mit ihrem birnen- oder tropfenförmigen Gesicht, den Stichlingen, schwärmend, dem aufgetriebenen Bauch, aufgeschwollenen Bauch, den schwarz auf den Schenkeln platzenden Strumpfbändern, den Binsen, den Rohrkolben, dem Schilfrohr, mit dem Hervorschießen der Fische, der aufgeknöpften Bluse, dem Aufwühlen des Grundschlamms, den Karpfen, den Barschen, den Hechten, in günstigen Lagen von zwei Metern Länge und einem Gewicht von fünfunddreißig Kilogramm, dem aufgeklappten Mund, dem Eingraben der Zähne, dem aufgedunsenen glitschigen Körper, dem Zuklappen des Mundes, dem aufsteigenden Blut, dem Wedeln, Wehen der Wasserpflanzen, den einschlagenden Zähnen, dem sich aufbauschenden Rock und, an der Oberfläche treibend, der Schürze, voller ausgerupfter Küchenkräuter.

Wenn ich meine Frau jetzt, in diesem Zustand, mit dieser Stange, herausfische, wenn ich sie in mein Boot ziehe, sie den Nachbarn zeige, die am Ufer stehen, dann werden sie glauben, ich hätte sie in den Teich gestoßen, mit einem Stein um den Hals, in der untergehenden Sonne, bei einem Abendspaziergang. Einer von ihnen erinnert sich dann an den Schrei, den er gehört hat. Ein anderer an das Klatschen, das ein großer Gegenstand, ins Wasser geworfen, erzeugt. Ein Dritter schließlich an mein Gelächter bei ihrem Untergehen. So viel ich mich erinnere, sagt der eine, war es so, und er beschreibt, unterstützt von der Erinnerung des Zweiten und von den Zwischenrufen des Dritten einen Vorgang in der Nacht, mich in dieser Nacht, den Körper meiner Frau, das Klatschen, das Aufspritzen des Wassers, den hinabsinkenden Körper und, von den Zwischenrufen des Dritten angeregt, diesen gleichen Vorgang noch einmal undsofort, immer mit den gleichen Personen, den gleichen Handlungen, nachts, im Mondlicht, am Teich, hinter meinem Haus. Nein, ich suche sie nicht, es ist besser, sie bleibt, wo sie ist, denn ist sie nicht in der Küche, so wird sie schon in der Kammer sein, und ist sie nicht dort, so ist sie an einer anderen Stelle, und es gefällt ihr, sie spannt ihren Schirm auf, nippt an ihrer Schokolade, legt ihr Korsett ab, nein, ich, in meinen Pantoffeln im Hinterzimmer, auf das Fensterbrett gestützt, im Schlafrock, ich werde sie nicht suchen, denn wo sie ist, da soll sie bleiben, an einem Tisch, auf Reisen, auf einer Promenade, die Militärmusik spielt, in der Eisenbahn und dort im Abteil für Raucher, mit einem Begleiter, schaukelnd im Takt der Räder.

Die Stange kommt wieder in die Ecke, in den Keller, hinter die Kartoffeln. Was, denke ich, während ich das Hinterfenster schließe, ist nun zu tun, ich meine, das ist einfach, diesen Teich, obwohl ich ihn gern sehe, mit seiner bewegungslosen Oberfläche, ich schütte ihn zu, ich lasse ihn verschwinden, in einer langen Nacht wie dieser ist es leicht, ich schütte ihn zu. Mit Erde von meinen Blumenbeeten, Erde von meinem Komposthaufen, mit meinen Einkellerkartoffeln, hinein mit den Kartoffeln, meinem Hausbrand, dazu den Hausbrand, mit dem Eingemachten, dem Gelee, dem Backobst, alles dazu, den Kleidern meiner Frau, dem Stück Streuselkuchen, vom Morgen übriggeblieben, dem Kanapee und den Gardinen aus dem Wohnzimmer und den Serviettenringen und dem Besuchssessel, dem Kronleuchter, dem Glas Hering in Tomatensauce, dem Gartenschlauch, dem Opernglas, dem Geschirr aus dem Ausguß, dem Photo aus der Jugendzeit mit Albin und dem Bleistiftspitzer in Form eines kleinen Globusses, zwölf stellungslosen Glatzköpfen und meiner Hutklemme, nein, meiner Hutklemme nicht, dem Buch »Rautenkranz«, dem Buch »Beerenobst«, dem Buch »Birnenernte« und anderen Büchern über die Tätigkeit im Garten.

So. Der Teich ist zu. Meine Nachbarn, was wollt ihr noch, nun kann euch nichts stören, nichts, ihr könnt euch nichts denken, nichts vorstellen, nichts. Ich werde mich fortmachen, über Land, es hält mich nichts mehr, die Gelegenheit ist gekommen, mein Haus ist leer, mein Garten, dieser nach rechts sich erhebende Garten, abgegrast der Garten, mein Teich, zugeschüttet der Teich, ich kann gehen.

Durch das Hinterfenster fällt das Licht der aufsteigenden Sonne, ich streife die Handschuhe über meine Hände, es ist Zeit, denke ich, knöpfe meine Gamaschen zu, den Nachbarn, denke ich, kommen die Gedanken beim Sitzen, rücke den Knoten meiner Krawatte zurecht, und sie vermuten vielleicht, ich hätte den Teich zugeschüttet, um die Leiche meiner Frau zu verbergen, stülpe den Hut über meinen blanken, von der Morgensonne erwärmten Schädel, dann wäre, denke ich, alles umsonst gewesen, ziehe den Rock, wo ist der Rock, den schwarzen Rock über, schiebe etwas Wegzehrung in die Tasche, es ist wahr, denke ich, ich muß mich beeilen, nehme den Schirm von der Wand, falls es regnet, ich werde nicht gern naß, ich liebe das Wasser nicht, schon der bloße Gedanke an Wasser, an einen Tümpel, einen Teich, einen noch so kleinen, macht mir Unbehagen, ich habe, denke ich, wirklich keine Zeit mehr zu verlieren, eile die Treppe hinunter, stehe schon auf der Straße, fort, denke ich, das ist jetzt das Nötigste, klopfe mir die Taschen noch einmal nach Vergessenem ab, und, aha, denke ich, meine Fahrkarte, ich vergaß sie, aber ich brauche sie noch, also wieder zurück und hinauf, ich nehme die Beine in die Hand, erreiche den Schrank, unter dessen Wäsche sie liegen muß. Beim Tasten zwischen den gestärkten, frischduftenden Laken werfe ich einen letzten Blick aus dem Fenster, es ist am Morgen, ein schöner Tag, drüben verlassen die Nachbarn den Kretscham. Sie tragen lange Stöcke, bewegen sich schwankend mit drohend geschüttelten Stöcken auf mein Haus zu, der erste, ein Weinvertreter, steht schon im Garten, an seinem Bart hängt noch der Bierschaum, den Stock hat er erhoben, als sähe er mich, aber er kann mich nicht sehen, denn ich ducke mich, drücke mich in die Ecke, suche mit feuchten zitternden Fingern die Karte, das Tropfen des Wasserhahns kommt aus der Küche. Da ist sie.

Du, Nachbar, ruft der Vertreter, wir kommen jetzt, um deine Frau zu suchen. Wo ist sie denn, wo ist denn deine Frau. Die Ohren presse ich mir zu, stürze zum Hinterausgang, die Treppe hinunter, mehr gefallen als gelaufen, atemlos im Sprung aus der Tür, durch den Garten sehe ich schon den Teich, zugeschüttet der Teich, denke ich, ich kann denken, ich laufe, ich möchte es beschreiben können, hinter mir höre ich ihr Keuchen, das Stampfen ihrer Schritte, an den Baum, schreit der Vertreter, dessen Name übrigens Lehmann ist, an den Baum, und schwenkt seinen Stock, ja, ich sehe den Baum, mit den dicken gelben Birnen, er ist hoch und stark, denn ich habe ihn viele Jahre begossen und geradegebunden und ausgeschnitten, ihn gepflegt und gespritzt, und ich habe einen weißen Ring um den Stamm gezogen, habe die Vögel verscheucht, die Wühlmäuse erschlagen, und während ich laufe, denke ich an das Klatschen des Grabscheits, an das Quieken der kleinen grauen Körper, das Hochheben und Ansetzen des Obstpflückers, an das Kreischen meiner Frau, mit der aufgehaltenen Schürze, mit Birnen, breitbeinig in der Abendsonne, das sind meine Gedanken, während ich laufe, am Schuppen vorbei, mit dem Hackklotz, dem Grabscheit, der Harke, und weiter, am Baum vorbei und immer weiter mit diesen Gedanken, mein Haus schrumpft zusammen und verschwindet im Hintergrund, und ich laufe und laufe weiter und weiter.

HERMANN LENZ
Frau im Dornbusch

Ein kalter Tag mit funkelndem Himmel. Hinter der Tür hatte die Steintreppe löcherige Stufen, aus denen ein Stück ausgebrochen war; sie machte eine Kehre. In die Ecke des kopfhohen Steinschachts wurden trockene Blätter hereingeweht; die Wände waren rauh. Efeuranken, ein dunkles Gehänge mit schlangenbraunen Ruten zeigte dreizackige Zwergenhände. Grüner Schimmel, ein Belag aus Moos, hatte die Wände verfärbt und schien sich ständig auszubreiten oder zu verringern, zusammenzuziehen und zu langen Fransen zu erstarren, je nachdem das Licht sich änderte; denn das Licht war hier das Wichtigste. Ohne das Licht wäre nichts gewesen; die Leute vergaßen immer das Licht und daß es alles hervorlockte, was es gab. Denn die Geschichte spielt in einer Zeit, da alle Menschen verhängt waren, schwarz verhängt. In unserer Zeit spielt sie, jetzt. Passen Sie auf, wie verhängt die Menschen waren, auch die jungen; aber vielleicht werden Sie das gar nicht merken.

Hinter der Treppe mit den löcherigen Stufen, die in einen Vorgarten führte, stand ein hoher, dichter und kahler, ein schwarzer Dornbusch in rotbraunem Erdreich festgewachsen. Schlehengebüsch, werden Sie sagen, ach, das kennt man doch. Ja, ein Schlehenbusch, aber ohne Schlehen; die waren alle abgefallen, denn jetzt herrschte grämlicher November.

Im Schlehenbusch lag eine Frau. Wenn sie sich bewegte, stachen ihr Dornen ins Kleid, rissen Fetzen heraus und kratzten sie. Unter ihrem linken Auge stak im Backenfleisch ein schwarzer Dorn, den sie nicht zu spüren schien; sie hätte ihn doch sonst herausgezogen; aber vielleicht konnte sie sich nicht mehr rühren? Einen Schuh hatte sie verloren, und ihre Zehen unterm dünnen Strumpf waren bläulich rot. Ich sollte einen Brief in dem Etagenhaus abgeben bei einem gewissen Doktor Bitter, Frauenarzt.

»Soll ich jemand rufen? Soll ich Ihnen helfen? Kommen Sie allein nicht mehr aus dem Dornbusch heraus?«

Sie sah mich glasigen Blicks an und sagte: »Nicht fragen . . . Sie dürfen mir nicht helfen; es nützte nichts, wenn Sie versuchten, mich herauszuholen. Wenn Sie gingen, fiele ich sofort wieder hinein.«

»Von selbst?«

»Jawohl.«

Ich verstand sie nicht, aber wer versteht schon einen andern, und wenn eine Frau im Dornbusch liegen will, ist's schwierig, sie davon abzubringen. Also ging ich in das Etagenhaus hinein, suchte den Doktor Bitter, fand auch die Glastür im ersten Stock, wo das kahle Treppenhaus auffallend üppig verändert war und nach dem ersten Podest auf halber Höhe statt des wackligen Geländers eine armdicke Samtkordel hatte, die von Messingringen gehalten wurde und sich als dunkelrote Guirlande an der mit Marmor verkleideten Wand hinaufwand. Die Stufen waren mit Läufern belegt, an der Glastür nahm mir ein Mädchen, das lila Lidschatten und halblanges schwarzes Haar hatte, meinen Brief ab.

Ich ging weg und fand im Schlehenbusch immer noch die Frau; an ihr war nichts verändert, sie lag auf dem Rücken, und unter ihrem linken Auge steckte der lange schwarze Dorn im Fleisch. Vielleicht, daß die Backe praller als zuvor geschwollen war.

»Bitte, stillsein. Sonst geschieht etwas. Tun Sie, bitte, so, als wäre ich nicht da«, flüsterte sie. Aber das konnte ich nicht, es mußte doch etwas geschehen. Freilich, reden nützte nichts; also irgendwo ein Buschmesser, eine Gartenschere oder wenigstens ein Beil holen, um den Dornbusch umzuhauen und sie herauszuziehen. Und mir fiel ein, im Vorplatz hinter der Glastür des Doktor Bitter über einer Barockkommode zwei gekreuzte japanische Schwerter gesehen zu haben; eines davon hätte genügt, um die Frau zu befreien, aber vielleicht half mir mit dem anderen das Mädchen, das meinen Brief für Doktor Bitter in Empfang genommen hatte. Eine hübsche Person, schlank, schmal, in engen Nietenhosen ... erinnerte ich mich und dachte, Nietenhosen seien die richtige Arbeitskleidung für ein solches Geschäft.

»Überlegen Sie sich nichts. Gehen Sie weg. Los ... schnell«, sagte sie und bekam weite Augen, als sähe sie etwas Bedrohliches. Dann machte sie die Augen zu und ließ den Kopf halboffenen Munds noch tiefer zurückfallen. Ihr Haar, blond mit rötlichem Hauch, auffallend seidiges, glänzendes Haar, war mit dürren Blättern vermischt, erdschmutzig und verwirrt.

Hinter mir hörte ich Schritte, jemand pfiff durch die Finger, und eine Mädchenstimme lachte. Ein großer, breitschulteriger Bursch kam aus dem Haus gelaufen und zog das hübsche Mädchen hinter sich her. Als sie mich sahen, wurden beide still und kamen langsam auf mich zu. Der Bursche hatte ein bleiches Gesicht und stellte sich neben mich. Dann fragte er, die Hände in den Taschen und den Kopf vorstreckend: »Sagen Sie, was wollen Sie eigentlich hier? Aber am besten ist, Sie sagen nichts und gehen still nach Hause.«

»Aber man kann doch die Frau nicht hier liegenlassen.«

»Das müssen wir besser wissen; schließlich sind wir ihre Kinder.« Der Bursch zog einen Revolver aus der Hosentasche, eine große und blanke Waffe, und begann die Trommel zu drehen, daß es leise knackte. Ich sah, daß keine Patronen darin steckten, und sagte: »Sapperlot, ein Smith and Wesson! Woher haben Sie ihn denn?«

»Aus der Altstadt. Sie interessieren sich auch für Pistolen?«

Jetzt wußte ich, daß er mich ›angenommen‹ hatte. Weil ich Bescheid wußte über Revolver und Pistolen, nahm er mich, den Älteren, ernster als zuvor. Aber ich kannte nur einen Smith and Wesson-Revolver, den wir in der Schule hatten abzeichnen müssen, erinnerte mich, im Frankreichfeldzug eine neue belgische Pistole für eine alte Reithose mit Lederbesatz umgetauscht zu haben, wußte notdürftig über die Pistole null acht Bescheid und sah eine Mauserpistole meines Vaters vor mir, als sich der Bursch zur Seite drehte und in den Dornbusch spuckte.

»Wundern Sie sich nicht darüber«, sagte die Frau. »Es ist richtig, daß er das tut. Ich bin schuld daran, daß er im Examen durchgefallen ist und Autoschlosser lernen muß. Auch daß er bis vor kurzem Bettnässer gewesen ist, daran bin ich ebenfalls schuld. Ich habe meinen Kindern nicht die nötige Nestwärme geschenkt. Ich bin eine unfähige, eine launische und nervöse Mutter. Ich habe darauf gedrungen, daß ich von meinem Mann geschieden worden bin, und er sagt deshalb immer: ›*Deine* Scheidung hat mich zuviel Geld gekostet.‹ Mein Mann hat recht. Deshalb liege ich im Dornbusch.«

»Heute abend gehe ich wieder mit Erich fort«, sagte der Bursche und wandte sich mir zu: »Dieser Erich ist nämlich mein Freund. Manchmal bleibt er nachts bei mir. Das quält sie arg«, sagte er und zuckte mit der Schulter zur Frau im Dornbusch. »Aber jetzt kann sie nichts mehr machen. Übrigens: mein Vater gibt mir immer recht, wenn ich ihm erzähle, daß sich die Mama so aufregt. Ach, Sie wissen nicht, was die schon alles angestellt hat, alles wegen mir und Elfi ... Einmal ist sie gar zur Polizei gelaufen, aber das ist nicht das Schlimmste. Wenn sie allein zu Hause sitzt und sich betrinkt, weil wir ihr weggelaufen sind, das ist schon ärger. Was glauben Sie, wie die dann herumtelephoniert und lallend mit ihren Freunden und Freundinnen schwätzt, jammernd lallt sie, mein Herr, stellen Sie sich das bloß vor! Aber sie liebt doch ihre Kinder.«

»Wenn Ihnen das Spaß macht, wenn Sie sich darüber amüsieren, dann lassen Sie sie doch wieder heraus. Als eine, die im Dornbusch liegt, kann sie Ihnen doch wenig Gründe zum Gaudium vermitteln, oder?«

»Sie haben eine Ahnung! Was glauben Sie, was dessentwegen schon alles passiert ist! Es genügt schon, wenn der Briefträger kommt und sagt: ›Aber, Kinder, jetzt seid doch vernünftig und laßt eure Mutter wieder in die Wohnung!‹ Wissen Sie, der Mann hat einen harten Dienst, seine Tasche zieht ihm die Schulter schief, und trotzdem bringt er Mitgefühl ins Haus! Also, ehrlich gesagt, für mich und Elfi ist das komischer, als wenn uns der Herr Pfarrer ins Gewissen redet. Der macht's doch bloß aus beruflicher Routine, der ist nicht engagiert, und insgeheim hab ich ihn im Verdacht, daß er froh ist, wenn er einen Grund hat, seine Amtswürde auszuspielen. Und das ist, weiß Gott, kein gewöhnlicher Grund. So immer zu alten Jungfern gehen, Betstunden halten oder sich überlegen müssen, ob er einen Selbstmörder beerdigen soll, das ist alltäglich; das langweilt den doch längst. Aber so etwas wie hier ... Das ist eine Aufgabe! Da kann er einen tiefen Blick tun in die grausame jugendliche Seele. Und dieser Blick eröffnet sich doch einem Pfarrer nicht an jedem Tag!«

Der Bursch redete sich in ein seltsames Feuer hinein, er war überzeugt, recht zu haben, und schien sich dabei weder etwas Zynisches noch etwas Grausames zu denken. Und die Frau sagte: »Ja, mein Sohn hat recht. Sie müssen zugeben, daß er im Recht ist. Sehen Sie, ich war eine pflichtvergessene Frau. Oh, Sie können es sich nicht vorstellen, wie sehr ich meinen Kindern geschadet habe durch allzu große Liebe. Ich ließ ihnen alles durchgehen. Und wenn ich beispielsweise meinem Sohn verbot, sein Dolchmesser gegen die Zimmertür zu werfen, daß es dort stecken blieb, lächelte mein Mann und sagte: Mach nur weiter ... So strafte mich mein Mann, der genau wußte, daß es ein Vergehen von mir war, dem Buben zu verbieten, daß – Aber ich brauche wohl kein Beispiel mehr zu nennen, um Ihnen zu beweisen, wie berechtigt, wie zutiefst in Ordnung es ist, wenn ich hier liege. Also, lassen Sie mich liegen, gehen Sie nach Hause. Sie haben Ihren Beschwerdebrief bei Dr. Bitter abgegeben, aber das ändert nichts an meiner Lage. Wie Sie wissen, bedauerte ich's nur, wenn an ihr etwas anders würde.«

Ich sah mich um. Das Mädchen mit den bläulichen Lidschatten pflückte eine Rose von einem Busch, eine späte Rose; jetzt im November eine Seltenheit. Aber was mich am meisten verwunderte, war dies: das Mädchen brauchte weder eine Schere, um die Rose vom Zweig zu trennen, noch riß es sie mühsam ab, denn Rosen haben zähe Stengel; sie knipste sie mühelos mit ihren langen, an den Rändern wohl geschärften Fingernägeln von der Ranke ab und gab sie mir. »Weil Sie einsichtsvoll sind, weil Sie uns verstehen und Achtung haben vor dem selbstgewählten Martyrium unserer Mutter, das wir nicht stören dürfen«, sagte sie, stellte den Fuß auf den Randstein der zerfallenden Rosenbeete und ließ überm Knie ein Stück Oberschenkel sehen, denn jetzt trug sie einen Rock, der an der Seite tief geschlitzt war.

Ich roch an der Rose, aber sie hatte kaum noch Duft. Dann ging ich fort und dachte, daß die Frau im Dornbusch glücklich sei; denn auch ich war schwarz verhängt.

Zu Hause füllte ich Wasser in eine Vase und stellte die Rose hinein. Da war es keine Rose, sondern ein Knochen.

MARTIN WALSER
Fingerübungen eines Mörders

Ich werde mein bestes Gesicht tragen, das mit dem Tränenschleier, wenn ich zur Beerdigung des Oberbürgermeisters gehe. Die Schmerzen, die er ausstehen muß, bis ich ihn mit meinen ungeübten Händen umgebracht haben werde, der Zustand, in dem man ihn auffinden wird, halb erwürgt und halb erstochen (wahrscheinlich muß mir ohnehin noch ein Herzschlag zuhilfe kommen), seine Versprechungen, die er hat nicht mehr erfüllen können, das alles wird ihm eine Teilnahme sichern, deren er bei späterem Ableben keinesfalls hätte sicher sein können. Die zwei Herrn von der Polizei werden mich wahrscheinlich erst nach der Beerdigung um meine Handgelenke bitten, am Friedhofsportal, Nordausgang. Sollten sie sich auch dann noch nicht schlüssig geworden sein, muß ich rasch verreisen. Ich kenne doch meine Nerven.

Aber warum, wird man fragen, warum muß es überhaupt sein? Und wenn es sein muß, warum soll gerade der Oberbürgermeister daran glauben? Das eben will ich erklären, schon um den Staatsanwalt zu ärgern, den die Klarheit meines Geständnisses zum bloßen Vorleser degradieren wird. Dem Richter und seinen Helfern will ich mich durch Wahrheitsliebe empfehlen, vielleicht sogar durch Reue. Ich verlange da allerdings ein bißchen viel von mir, wenn ich mir ein Reuebekenntnis abringe, schon bevor mein Messer das Streifenmuster der Jacke des Oberbürgermeisters erreicht hat. Hoffentlich ist der Stoff nicht zu solide. Ich habe extra den Sommer abgewartet. Andererseits könnte man in dieser Jahreszeit, auch wenn man nicht zum Schwitzen neigt, bei einer solch ungewohnten Anstrengung feuchte Hände bekommen, das Messer stößt zu und rutscht dir nach hinten aus der Hand, der Oberbürgermeister lacht dich aus, entsetzliche Vorstellung das. Mit bloßen Händen weiterzumachen, seinen nicht eben mageren und wahrscheinlich nie ganz trockenen Hals in einen halbwegs wirksamen Griff zu bekommen, das könnte, wenn auch nicht meine Entschlossenheit, so doch meine Kraft übersteigen. Ich will die Überlegungen nicht zu weit treiben, schließlich können mir mancherlei Umstände zuhilfe kommen. Für die muß ich mich offenhalten. Für den Briefbeschwerer, das Tintenfaß, den goldenen Schlüssel, der vielleicht an der Wand hängt und einen guten Hammer abgäbe. Wenn ich mich nur nicht durch pedantisches Planen ganz verderbe, dann wird schon etwas Spontanes möglich sein. Das soll nicht heißen, verehrte Richter, daß dieser unvorhersehbare Gegenstand, den ich meinem Opfer gegen die Schläfe klopfen werde, später den Beweis erbringen soll, meine Tat sei nicht vorsätzlich gewesen. Sie sollen wissen, daß ich bei der Ausführung meines Vorsatzes alles Zufällige schon eingeplant hatte.

Eines aber muß zu meiner Verteidigung gesagt werden: der OB selbst zwingt mich, ihn umzubringen, denn er läßt mir, seit er mich unter seinen Bürgern entdeckt hat, fast täglich mitteilen, daß er mich für einen Mörder hält. Ich unterschätze nicht seine Menschenkenntnis. Vielleicht hat er recht. Aber ich bitte Sie, rundum soviele Mörder, und wie selten passiert schon ein Mord. Von mir aber verlangt er sozusagen Konsequenz, ich soll mich bekennen. Er haßt mich. Schön, ich esse im Gasthaus, bin Abonnent, das erklärt aber doch noch nicht alles. Sehen Sie: im Mittagsgeläut schaukelt die Stadt, schaukelt der Suppe zu, und in der Suppe schwimmen, um Wiederwahl bittend, die Augen des Oberbürgermeisters. Dann lächle ich. Das gebe ich zu. Andererseits verstehe ich ihn. Ich kann mir vorstellen, wie er unter dem Undank der Bevölkerung leidet. Ich selbst liege nachts manchmal wach und fühle den Schmerz der CDU. Hat nicht unser OB allen Häusern wieder Dächer aufgesetzt, und wenn er nun an den Häusern vorbeigeht, nicht ein einziges Haus zieht sein Dach, um ihm zu danken! Ich begreife, wie ihm das wehtut. Trotzdem schickt er täglich Statisten, die mich zwingen sollen, den Mord zu begehen, bevor er sich zur Wiederwahl stellt. Er will mich aus dem Weg räumen. Sechzehnjährige Mädchen schickt er mir ins

Haus, mindestens zwei, drei müssen sich immer im halbdunklen Treppenhaus aufhalten. Sobald ich erscheine, müssen sie sich aneinanderdrängen, knistern, kichern, Beine verrenken und ihre Hälse abbiegen, daß Hautflächen entstehen, die mir die Hände aus den Hosentaschen reißen sollen. Manchmal, wenn ich mich weigere, das Zimmer zu verlassen, treibt er einfach bunte, seidige Mädchenherden so lange an meinem Fenster vorbei, bis ich aufspringe. Sogar seine eigene Tochter schickt er auf die Straße, befiehlt ihr, nahe an mir vorbeizugehen und mich mit einem Kaninchenblick anzuschauen, ums Messer bittend, sozusagen. Meine übermenschliche Selbstbeherrschung würde jeden anderen rühren, oder gar versöhnen, den OB aber reizt sie zu immer neuen Herausforderungen. Links von mir mußte jetzt ein altes Fräulein einziehen. Wahrscheinlich eine seiner pensionierten Sekretärinnen. Ausgesucht aus allen pensionierten Sekretärinnen. Sie hat eine Stimme, die Gänsehäute hervorbringt. Sie bekommt vom OB aus irgendeinem Sonderfonds soviel Geld, daß sie alle anderen pensionierten Angestellten der Stadt jeden Tag einladen und bis tief in die Nacht hinein bewirten kann. Alle zusammen haben den Auftrag, sich bis zu ihrem letzten Atemzug darüber zu streiten, wer zwischen 1921 und 23 in A zwo, B vier, A fünf und K drei arbeitete. Seit vier Jahren streiten sie nun darüber. Wer mir weismachen will, sie täten das ohne Auftrag, der hat einfach noch nie in einem Zimmer gewohnt, in dem er zuhören mußte, wie sechs, acht städtische Pensionäre sich über die Bürobesatzungen der Jahre 1921 bis 23 streiten. Sicher hat der eine oder andere dieser Pensionäre schon vorgeschlagen, man solle jetzt doch einfach einmal aufs Rathaus gehen und im Personalbüro die Akten nachschlagen, aber das verhindert das alte Fräulein, denn sie ist wahrscheinlich als einzige eingeweiht, zum Teil wenigstens. Ein politischer Gegner, der nebenan wohne, müsse zermürbt werden, so oder so ähnlich wird man es ihr erklärt haben. Daß sie aber das Opfer ist, das mich zum Mörder machen soll, das hat man ihr sicher verschwiegen. Und ich hasse sie inzwischen schon so sehr, daß ich es nicht mehr über mich bringe, sie aufzuklären. Ich darf ihr nicht mehr begegnen, ich muß es zugeben, ich bin so weit, meine Hände könnten sich vergessen. Ihr nicht mehr zu begegnen, ist nicht einfach. Sie hört mich kommen und gehen, wenn ihre Kollegen und Kolleginnen auch noch so laut streiten. Das beweist: an dem Streit liegt ihr nichts. Sie entfacht ihn auftragsgemäß, dann schärft sie ihre Ohren, um mich kommen oder gehen zu hören, rennt heraus und richtet lächerliche Fragen an mich. Zum Beispiel, wie spät es sei. Trotzdem, in Strümpfen schaffe ich es, unbemerkt an ihrer Tür vorbeizukommen. Was aber soll ich gegen den Invaliden tun, den der OB rechts neben meinem Zimmer einquartiert hat? Den hat eine Sprengladung verunstaltet. Nur äußerlich. Seine Überzeugung, seine Lust zum Singen, und zwar mit mir zusammen, seine Freude an einem guten Schluck, wenn er ihn mit mir zusammen trinken kann, das alles ist unversehrt lebendig. Dabei vertritt er nicht einmal die politischen Ansichten des Oberbürgermeisters, so schlau ist das arrangiert. Er ist Liberaler. Ehemaliger Arbeiter zwar, aber Konkurrenz muß sein, sagt er, wer kann der kann, ruft er und wackelt stürmisch mit dem leeren Rockärmel. Jeder muß sich wehren, der Bessere bleibt übrig.

Natürlich, er sei jetzt ein Krüppel, nur noch ein Bein, nur noch ein Arm, nur noch ein halbes Gesicht, er sei erledigt, das sei ganz klar; er sehe auch ein, daß es so sein müsse; nirgends könne er länger als ein halbes Jahr wohnen, dann setzten ihn die Leute vor die Tür, in ein Heim lasse er sich nicht sperren, ein freier Mensch, immer noch ein freier Mensch, so krakeelt er, bis er völlig betrunken ist und ich beginnen kann, ihn hinüberzutransportieren. Den hat sich der OB wirklich gut ausgesucht. Na ja, kein Kunststück für ihn, er läßt sich die Akten des Wohnungsamtes geben, den schlimmsten aller Untermieter, den jongliert er dann in meine Nähe.

Jeder, der meine traurigen Erfahrungen kennt, wird denken, ich sei ein Kommunist. Wen sonst könnte der OB so schrecklich verfolgen. Oder ich wisse vielleicht etwas aus der Vergangenheit des OB. Nein, ich weiß nichts, ich bin auch kein Kommunist. Es wäre mir unangenehm, würden die armen Kommunisten jetzt auch noch mit meiner Tat belastet.

Haßt mich der Oberbürgermeister vielleicht, weil ich ihn nicht gewählt habe?

Nein, so leicht darf man es sich nicht machen. Leute, die ihn nicht wählen, verachtet er, er bedauert sie sogar, sie tun ihm leid, weil sie nicht einsehen, was für ein guter Oberbürgermeister er ist. Mich haßt er aber, und er haßt mich, weil ich ihn für einen schlechten Klavierspieler halte, das ist es. Ich sagte schon, daß ich im Gasthaus esse, Abonnent bin. Da habe ich mich dann und wann schon hinreißen lassen, meine Meinung über das Klavierspiel unseres Oberbürgermeisters zu äußern. Meine Mitabonnenten, die Tag für Tag das gleiche Essen vorgesetzt bekommen wie ich, die vielleicht noch mehr vom Leben erwarten als ich, obwohl sie sicher nicht mehr zu erwarten haben als ich, sie lassen keine Gelegenheit aus, das Klavierspiel des Oberbürgermeisters zu loben. Sie verstehen offensichtlich mehr von Musik und Klavierspiel. Sie nehmen mir meine Kritik besonders übel, weil ich zugebe, daß mir das Gehör für diese Art von Klavierspiel fehle. Jeder dieser Abonnenten, das hat mein Mißtrauen geweckt, scheint eine andere Musik zu hören, wenn der Oberbürgermeister spielt. Der Schlesier schluchzt schlesisch, wenn er davon spricht, der kleine Friseur will in dieser Musik etwas hören, was ihn über Kamm und Schere hinausträgt, und der, der vom Reisebüro zu uns an den Tisch kommt, sieht die Zukunft so beruhigend klar vor sich wie ein Tessin-Plakat, wenn er eines der Konzerte des Oberbürgermeisters besucht. Schon daß der Oberbürgermeister soviel Konzerte gibt, rechnen sie ihm hoch an. Und wie oft, wenn man ins Rathaus komme oder auch nur vorbeigehe, halle aus den Räumen des OB seine unverwechselbare Klaviermusik. Eigentlich sei das Klavier gar kein Klavier mehr, der OB mache aus dem einen Instrument ein ganzes Orchester.

Ich dagegen sage: ich höre nichts. Ich höre dann und wann den OB, das schon. Ich besuche Versammlungen, öffentliche Gemeinderatssitzungen, selten zwar, aber seit ich mich verfolgt weiß, immer häufiger, ich kenne den OB, soweit man einen OB kennen kann, kenne sogar einige Gesichter seines persönlichen Referenten, aber was ich bis jetzt vom OB hörte, war noch nie Musik.

Sie sind aber schon auf eine gemeingefährliche Art unmusikalisch, heißt es dann.

Nun gut, sage ich, lassen wir das.

Heute bereue ich es, daß ich je mein offensichtlich mangelhaftes Gehör eingestanden habe. Dem OB wurde das natürlich zugetragen, und er weiß seitdem, daß da ein Mensch in der Stadt lebt, der das Klavierspiel des Oberbürgermeisters auf eine radikale Weise anficht, ja der sogar frechweg behauptet, der OB spiele überhaupt nicht Klavier. Auch ich begreife, daß der OB nicht mehr ruhig atmen kann, solange ich frei herumlaufe. Also muß er mich zum Mörder machen, denn das ist das einfachste. Zum Stehlen kann man einen, der sein Auskommen hat, viel schwerer verleiten. Der OB kennt die Menschen.

Sosehr ich aber den OB begreife, so kann ich ihm doch nicht den Gefallen tun, die Opfer zu schlachten, die er mir vorwirft. Wenn er mich schon mit so unentrinnbarer Schläue und Konsequenz in einen Mord hineintreiben will, und das will er, und er kann es sogar, wie ich allmählich einsehe, dann will ich mich mit meinem Mord doch zugleich an dem rächen, der ihn mir aufzwingt, und das ist er selbst, der OB.

Das also, meine verehrten Richter, ist die Erklärung für den Mord, der Ihnen sonst vielleicht rätselhaft vorkommen könnte. Sollte ich allerdings, wenn ich zum ersten Mal in das Arbeitszimmer meines Oberbürgermeisters eintreten werde, wirklich Klaviermusik hören, so werde ich mich sofort unter irgendeinem Vorwand entfernen. Sollte dagegen in diesem Arbeitszimmer lediglich der OB sein und keine Musik weit und breit, dann werde ich alle hilfreichen Umstände spontan benützen und seufzend den Mord begehen, den man von mir verlangt. Ich kann jetzt nicht länger warten, spätestens in vier Wochen wird er wieder dickere Jacken tragen und weiß Gott wieviel Schichten Unterwäsche. Andererseits hätte ich an einem kühlen Oktobertag das Messer besser im Griff. Das will überlegt und miteinander verglichen sein. Ich werde alles noch einmal überlegen und miteinander vergleichen.

GÜNTER GRASS
Meine grüne Wiese

Meine Wiese ist nicht groß. Vom Stuhl aus gesehen steigt sie etwas nach links, mischt sich dort mit den Schatten einiger Nußbäume. Der Stuhl, mein Stuhl ist gewöhnlicher Art. Kaum würde er den Ansprüchen eines Liebhabers moderner Möbel genügen. Er ist zu unbequem, zwingt zum Denken, seine ganze unruhige Vierbeinigkeit erinnert an einen Hengst und mahnt zum Aufbruch. Dennoch sitze ich einen Teil des Tages auf diesem Stuhl und überwache meine Wiese.

In Spanien sah ich einen Platz. Auch er, wie meine Wiese, stieg vom Stuhl gesehen etwas nach links. Nicht weit von meiner Pension ergab sich dieser Platz, eigentlich lag er zwischen dem Hafen und der Pension. Ich saß dort oft. Es waren sicher nicht die Farben, an der Hafenmauer lagen, dicht vor dem Himmel, drei Kohlenberge, die mich veranlaßten, hier Platz zu nehmen. Vielleicht war es die Lotterieverkäuferin, ihre Stimme hatte einige leidvolle Schwingungen, die sich von dem Platz deutlich abhoben. Vielleicht saß ich aber auch dort, weil der Stuhl von jener gewöhnlichen Art war, wie ich sie bei mir zu Hause beherberge. Wenn ich nun sage, es war sehr heiß dort, muß ich wohl noch berichten, um genau auszudrücken, wie heiß es war, daß ich in Denia mittags einen Mann gesehn hatte, der mit einem gewöhnlichen Luftgewehr nach der Sonne schoß. So heiß war es also, und ich mußte oft an meine Wiese denken und an meinen Freund, der manchmal gegen Abend kam, mir riet, weil er meine Not kannte: »Laß doch einen hübschen kleinen Springbrunnen graben, dann hast du alles, was du willst, und brauchst nicht mehr zu grübeln.« So riet der Freund mir und meinte es sicher gut. Nein, ich wollte den Springbrunnen nicht, ganz gewiß nicht. Wie lange und vergeblich wartete ich nun schon, wartete, daß das Grün einmal nachgeben würde, zum Fluten käme, daß sich ein Fisch, nur ein einziger, vielleicht ein Goldfisch zwischen den Gänseblümchen bewegen würde. Mein Freund riet mir damals, eine Reise zu machen, ich widersprach, da ich mich schlecht andernorts wohlfühle, er jedoch ließ nicht locker, brachte mir Prospekte und Reiseführer, sagte, hier sei es billig, dort seien die Leute freundlich. Am Ende willigte ich in die Spanienreise ein, eigentlich nur weil ein bestimmter Prospekt recht hübsch war und einen bunten Fisch zeigte.

Ich habe vor mehr als sechs Jahren meine Studien unterbrochen, habe mich auf meine Wiese gesetzt, habe gewartet. Nichts zeigte sich außer gelbschnäbligen Amseln. In Spanien habe ich nicht warten müssen, nicht lange warten müssen. An jedem Nachmittag auf dem Platz, angesichts der Kohlenberge vor dem Himmel, liefen die Boote pochend in den Hafen ein. Kaum hatte die Hitze den letzten Motor verschluckt, klommen Krabben und Langusten, auch Taschenkrebse und vielarmiges schlüpfriges Fleisch über die Mauer, über die Steine. Hinter sich nasse Spuren, fielen sie über den Platz her, lärmten dort mit ihrem Werkzeug, verbogen die Lichtmaste, auch meinen Blick, der immerhin einige Zeit versucht hatte, diesem schrecklichen Zuwachs aufrecht zu begegnen. Nun, dachte ich, das ist eben Spanien, und wollte der Geschichte nicht weiter angehören. Meine Wiese, dachte ich, am Sonntag spielen sie Fußball in der Nachbarschaft, deutlich höre ich diesen trockenen Ton, wenn Ball und Schuh sich berühren. Diese merkwürdigen Schuhe. Die jungen Leute kaufen sie sich, sie sind sicher recht teuer, pflegen sie aufmerksam und fast mit Liebe. Solcher Art Schuhe sollte man in Spanien tragen. Ich hätte solche Schuhe in Spanien tragen sollen. Über den Platz wäre ich dann gegangen, mitten hindurch durch Krabben und Langusten, hätte vieles verhindern können. Ich habe gehört, in die Spitzen dieser besonderen Schuhe seien Stahlkappen eingearbeitet. Es wäre eine Wonne gewesen, über den Platz zu gehen, durch die Krabben hindurch, im sicheren Glauben an diese Art Schuhe. Über meine Wiese laufe ich barfuß. In Spanien trug ich leichte Sandalen und eine Hose, in Barcelona gekauft. Aus dünnem Stoff war sie, Stoff, der sich angenehm faßte, aber leicht knitterte.

»Mein Gott, jetzt geht das Kind über den Platz!« So rief ich damals. »Pepita, Pepita!« Welch ein leichtgezeichnetes Kind. Es drehte sich vorsichtig um, winkte mir freundlich, wir kannten uns von den Mahlzeiten in der Pension her, bückte sich dann, hob eines dieser scherenbehafteten Tiere und sprach dann, eigentlich nur zu mir, in etwas belehrendem Ton: »Siehst du, das ist Jesus Christus, der sein Blut für uns gab.« Dann öffnete das Kind sein weißes Kleid und führte das schrecklich bewaffnete Tier an seine noch sehr kleine Brust. »Pepita«, rief ich, »deine Eltern werden fortan im Kummer leben müssen.« Vergeblich, sofort färbte der Stoff, Pepitas Kleid sich rot und immer dunkler, das Kind lächelte etwas altklug und verging vor meinen verlegenen Augen. Ich ging in die Kirche und versuchte Andacht zu finden. Es war schwer. Draußen ereignete sich der Abend, im benachbarten Cinema Sol lärmte ein Mickymaus-Film über die Leinwand. Am Ende betete ich: »Herr, wenn du willst, daß ich heimkehre, gib, daß ein Fisch über meiner Wiese ist.« Zur Nachtzeit, nachdem ich das zweite Filmprogramm abgewartet hatte, seufzte ich immer noch: »Pepita, Pepita, deine armen Eltern.« Keinen besseren Rat wußte ich mir, als ein Papier zu nehmen und eines Kindes Tod um Weniges zu verklären.

> Am Hafen liegen Kohlen,
> die sind schwarz, nur schwarz.
> Pepita, zieh dein weißes Kleid an.
> Dein Fleisch ist neu.
> Rufe die Fliegen nicht
> und die Finger,

die nach den Zeitungen tasten.
Sinnlos ist deine Zunge.
Pepita, Pepita, was heißt Pepita.
Am Hafen liegen Kohlen,
am Himmel verlöschen die Fische
und ihre Gräten, Gitarren, Pepita.
Oder der Tod, ein Tourist
setzt sich und nimmt die Sonnenbrille ab.
Pepita, ruft er, komm her,
bringe die Zeitung,
wir wollen Kreuzworträtsel lösen, – Pepita.

Am Hafen liegt Salz,
weiß und verblendet.
Pepita, zieh dein schwarzes Kleid an.

Nun, da ich wieder auf meinem Stuhl am Rand meiner Wiese sitze, lesen sich diese Zeilen gut. Ich erinnere mich, daß ein Freund einmal zu mir in einer begeisterten Stunde sagte: »Daß du einen Bleistift nehmen kannst, um einen Kreis auf ein Papier zu zeichnen, dann weiterhin noch sagen kannst, siehst du, das ist die Sonne, beweist, daß der Mensch gottähnlich ist.« Genau so ist es mit diesem Blatt und lese ich, Pepita, Pepita, so sinnlos dieser Name ist, hat er dennoch alles Blut auf seiner Seite. Doch meine Wiese ist grün. Das Grün steigt etwas nach links, ermüdet mich. Nichts ist an ihr, was meinen Blick verweilen ließe, gleich einem Punkt, der das Ende eines wichtigen Satzes bedeutet.

Seitdem ich die Arie gehört habe, denke ich mir eine Diagonale über die Wiese. Es war am selben Ort, angesichts der Kohlen. Ich hatte mir etwas Kühles, Weißbläuliches bestellt, was dennoch keine Milch war. Der Mann ging über den Platz, mitten durch die Sonne und sagte, nicht einmal laut: »Mein Herr, ich singe jetzt die Arie von der Diagonale und bitte Sie um einige Aufmerksamkeit.« Dieses gesagt, stellte er den rechten Fuß vor, hob all seinen Glanz in die Brust, noch höher und sang dann. Wenn ich jetzt an der Wiese sitze und den Stuhl ermüde, erinnere ich mich des Kehrreimes, der ungefähr lautete:

Ein Hund bellt, die Peitsche knallt,
ich schlug das Buch und alle Türen zu,
o schwarze Diagonale.

Er sang diesen Vers wie ein Tenor. Doch was sagt der Tenor? Wäre es nicht deutlicher so beschrieben: Sein Ton, die Reihe seiner Töne fiel auf den Platz, es waren die wertvollen Schuppen eines Fisches. Ich stand auf, wollte sammeln und in meine Börse tun, wie man es in bestimmten Gegenden am Silvesterabend mit den Schuppen des Karpfens tut, doch die Sonne strafte mich, der Kellner kam, ich hatte ihm nicht geklatscht, und sagte: »Mein Herr?« So saß ich wieder. Als der Tenor endete, wartete er meinen hastigen Applaus ab, nahm sodann sein rechtes Bein zurück und ließ vernehmen: »Mein Herr, Sie hörten die Arie von der Diagonale, welche man auch den Weg der drei Caballeros nennt.« Schon bei den ersten Worten trat er zurück, drei Burschen mit gemacht ernsten Gesichtern, die Arme verschränkt, in weißen Hemden, überquerten den Platz, langsam, mit geübtem Schritt, diagonal über den Platz, dorthin, wo die Aufbauten des Baggers über der Hafenmauer rosteten. Ein Kommando ließ sich aus der Richtung der Fischhalle los, eine Salve aus sorgfältig ausgerichteten Gewehren schlug über den Platz und streckte die drei Caballeros nieder. Das also ist es, was man in Spanien unter einer Diagonale versteht, und die Tenöre wissen Arien zu singen, die solcherart Diagonale beschreiben. Wenn ich Tenor oder Tenöre sage, meine ich eine Reihe von Tönen, die auf den Platz fallen, kostbare Fischschuppen, ich wollte sie sammeln, doch der Kellner rief: »Mein Herr?« ich sank in den Stuhl zurück, hörte das Ende der Arie, die kurze Erklärung des Tenors, sah drei Caballeros, hörte die Salve, sah ihren Hemden zu, wie sie dunkel wurden und schwer, dachte an Pepita, als ihr Blut zum Kleid wurde, und versuchte all dieses Rot gegen das Grün meiner Wiese zu tauschen.

Nein, es ist mir nicht gelungen. Noch heute glaube ich, daß, wer sich auch immer entschließen mag, nach Spanien zu reisen, vorher wissen muß, daß man dortzulande Hemden und Kleider öffentlich färbt, daß man der Arie von der Diagonale nicht entgehen kann. »Herr, wenn du willst, daß ich heimkehre«, so betete ich damals, nachdem ich gezahlt hatte und gegangen war, »Herr, gib, daß über meiner Wiese ein Fisch ist, dem mein Auge nachschwimmt, bis es Anteil hat an seiner Kühle.«

Als ich vor einigen Tagen auf meinem Stuhl einschlief, ich hatte in einem Roman gelesen, dessen Seiten oben ankündigen, was unten schon wieder die Treppen sucht, seine Richtung nennt und Handlung treibt, erwachte ich etwas lahm und verbogen an jenem unmäßigen Gelächter, welches mein Freund oft in meiner Gegenwart übt. Er stand da, gab mir seine gewohnten Ratschläge, wies auf den Roman. »Er ist schlecht«, sagte ich, »ohne Geduld, sooft sich Gelegenheit gibt im Detail zu leben, beschreibt der Held der Geschichte eine große Bewegung und beschließt, eine Reise zu machen.« »Nun«, sagte mein Freund, »auch du bist damals verreist und hast dich zerstreut. Du solltest auch weiterhin einiges tun, versuch es doch mit dem Brunnen oder heiraten solltest du. Nimm eine junge Frau, das ist der beste Fisch.« So sprach er und lachte übermäßig. Nein, ich will keinen Brunnen und heiraten? Wenn ich bedenke, jeden Abend stünde sie da in weißem Kleid vor mir, der ich um Pepita weiß, und warten würde ich, daß auch sie sich etwas an die Brust setzt, was ihr das Kleid färbt. Sicher würde sie nichts an sich drücken als die ungeduldigen, unerzogenen Hände, welche auch ich nicht erziehen kann. Auch hier müßte ich dann vergeblich warten unsere Ehe würde kinderlos bleiben, die Wiese unbedacht und dem Gärtner ausgeliefert. Geduld will ich haben, all meine Gebete nur auf den Fisch richten, heiraten kann ich dann wohl immer noch.

Geduld bewies Alfonso Callos. Eines Samstags, zuvor oft angekündigt, begann, was dortzulande ein Volksfest ist. In der üblichen Kleidung eines Toreros betrat er, soweit ich das als Tourist beurteilen kann, in allerbester Haltung den Platz. Dann, nach einigem Vorspiel, unendlich langsam kam die Schnecke. Ich glaube, sie war etwa zwei Meter fünfzig hoch und an sieben Meter lang. Doch diese Maße sollen nichts weiter besagen, als mein Unvermögen, diese nackte, durchaus geschlossene Prozession zu beschreiben. Wie er immer noch in gezeichneter Haltung sie nun erwartete und mit ihm die Zuschauer und unter den Zuschauern ich, hörte ich ein Boot in den Hafen einlaufen, konnte mir jedoch keinen Namen davon machen, da es schon nach fünf Uhr war und alle Fischer mit mir hier standen und gleich mir ihren Augen verfallen schienen. Sie glitt auf ihn zu, eine feuchte, klebrige Spur hinter sich, er ließ sie vorbei, entging ihren Fühlern, so schrieb es die Regel dieses Kampfes vor, dann stieß er zu, – es kam kein Blut. »Blut, Blut, wo ist Blut?« so schrie es aus den Zuschauern, aus mir. Abermals kam die Schnecke, wiederum stieß er, und abermals versagte das Blut. Alfonso Callos hatte Geduld. Hätte auch ich diese Geduld, könnte auch ich so warten, der Fisch käme. Ich habe es doch so einfach, keine Frau die neben mir am Bett steht, keine Kinder an meinen Beinen, keine Zuschauer, niemand der da schreit: »Blut, wo ist Blut!« Oder: »Wo ist der Fisch?« An meiner Wiese warten keine Zuschauer. Zwar spielen in der Nachbarschaft die Burschen Fußball, doch mein Fisch ist nicht ihr Fisch. In Spanien mangelt es nicht an Zuschauern. Dennoch behaupte ich heute, daß Alfonso Callos nicht die Geduld verlor. Nein, die Zuschauer zwangen ihn zu jener Gefälligkeit. Er wollte ihnen etwas bieten, verstand ihre Langeweile, obwohl er selbst, verliebt in seinen Beruf, keinerlei Zeichen von Müdigkeit oder Ungeduld zeigte. So kam es ganz selbstverständlich, kam auf Wunsch. Wieder war die Schnecke vorbei, wieder hatte sie wie ein blinder Schwamm den Stich aufgenommen, das Publikum stand zum Teil auf den Stühlen und zeigte sich temperamentvoll. Da drehte der Torero, machte seine geübte Bewegung und versah seinen kostbar gekleideten Leib mit einem scharfen Werkzeug. Nun kam das Blut, er stand, nahm jedoch nach einiger Zeit eine bequemere Haltung ein, um länger deutlich machen zu können, wie gefällig er sich erwiesen hatte. Das Publikum saß dankbar und schweigsam um den Platz.

Später, auf meiner Wiese habe ich nachdenken dürfen. Immer wieder, und ohne sich zu beeilen, glitt die Schnecke durch meine Gedanken. Aber warum hielt er das Tuch hin? Ein Tuch, dessen Farbe anderen Ortes die fünfjährigen Stiere reizt. Wußte er nicht, daß die Schnecke blind war, daß keine Farbe die drängen konnte, ihren einfachen Leib zu beeilen. Ich habe diese Frage jetzt aufgegeben. Bei einem Autorennen, mein Freund war schuld, daß ich es sah, fiel es mir auf, wie wenig wir von der Schnelligkeit der Schnecke verstehen. Unsere Augen wissen es nicht, können diesen glatten Leib, der durch die Zeit rast, nicht begreifen, so fallen wir zurück und immer wieder überrundet uns die Schnecke. Fast möchte ich sagen, doch ohne als Prophet zu gelten, die Schnecke hält ihre Fühler in ein kommendes Jahrhundert. Es wird dieses eine vorsichtige Zeit sein, ein Zurücknehmen aller Beschuldigungen, ein Jahrhundert ohne jene äußerste Farbe, in die Pepita sich kleidete.

Oft meine ich, ich hätte einiges gelernt, die Schnecke hätte mich dem Fisch etwas näher gebracht. Dann jedoch, angesichts meiner gleichmütigen Wiese, fallen mir traurige Verse ein, denen ich nur mit Mühe eine allgemeine Richtung geben kann. Ähnlich dem Beginn des Schulgedichtes Archibald Douglas: »Ich habe es getragen sieben Jahre . . .« begann ein Poem jener Zeit:

> Ich habe sieben Jahre auf eine Schnecke gewartet,
> nun hab ich vergessen, wie eine Schnecke aussieht.
> Als etwas kam, nackt und empfindlich,
> suchte ich einen treffenden Namen.
> Ich sagte Gefühl, Geduld, sagte Glück,
> doch es glitt tonlos vorbei.

HERMANN PETER PIWITT
Feierabend

Also weiter, sagte jemand. Ich erkannte an der Stimme, daß es eine Frau war, und zwar eine verheiratete, ich schloß es aus der Art, wie sie sich mir nichts dir nichts an mich heranmachte; haben sie einen erst einmal unter der Haube, dann verlieren sie jede Scheu, schon springen sie mit einem um wie mit geschlechtslosen Wesen.

Ich bezog ihre Aufforderung zunächst einmal auf mich. Du kannst deine Aufmerksamkeit später immer noch rückgängig machen, sagte ich mir. Heute halte ich es für den entscheidenden Fehler. Laß dich nicht mit anderen Leuten ein, hatte der alte Rasha gesagt, man hat das wenigste mit ihnen gemein, die Art wie sie tot sind, vielleicht, aber man gerät in Teufels Küche, sobald man sie für voll nimmt. Andererseits lag es nahe, daß sie mich wirklich gemeint hatte, insofern man nämlich im näheren Umkreis nur kleines Getier, Holzwürmer, Läuse, Fliegen hätte vermuten können.

Ich verstand ihre Aufforderung so, wie es naheliegt, nämlich, daß ich irgendeine Tätigkeit wieder aufnehmen sollte, der ich schon vorher nachgegangen sein mußte, obwohl ich mich nicht an sie erinnere, auch wissen wir von der Lage, in der ich mich befand, als die Aufforderung an mich erging, zuwenig, als daß es sinnvoll wäre, jetzt schon auf das einzugehen, was dieser Lage voraufgegangen war, beziehungsweise folgte. Aufzeichnungen, die ich später darüber machte, lassen sich auf Beschreibungen ein:

Demnach, gesetzt man kann ihnen trauen, sitze ich in einem Sessel mit breiter Rückenlehne, wenigstens weiß ich insofern von dieser, als ich nicht ins Leere falle, wenn ich mich zurücklehne. Es ist ein Schaukelstuhl, was mich etwas nervös macht, weil er gerade immer in dem Moment die Waage hält, wenn er nach menschlichem Ermessen schon umgefallen sein müßte. Der Plüschüberzug ist verschlissen, man kann mit den Fingern hineinfahren, bis sich die Faust in einem Gedärm von Seegras, Scheren, Brotresten verfängt; Bauklötzer, die ich hervorhole, deuten auf die Nähe von Kindern hin. Ich belasse es dabei. Auf dem Kopf liegt endlich eine Zeitung ausgebreitet, woraus ich schließe, daß ich schon eine ganze Weile geschlafen haben muß, da das Datum ziemlich zurückliegt.

Laß dich nicht in Schlaf versetzen, sagte Onkel Rasha. Schließlich erwähnen spätere Aufzeichnungen – und damit hätten wir endlich den Beleg – eine Frau, die irgendwo mir gegenüber stehen, sitzen oder liegen muß, in diesem Moment machen allerdings nur zwei Dinge ihre Anwesenheit glaubhaft, ihre Stimme und ihr Geruch, soweit ich sie unter der Zeitung unterscheiden kann.

Ich mache mir keine Gedanken, wie sie dahingekommen sein mag, ich bin kein Philosoph, wer mich kennt, weiß, daß ich, Baldus, mich nicht mit unnützen Dingen aufhalte, Drumherum-Reden widerstrebt meiner Natur, hier geht es um Fakten. Im Grunde interessiert es mich auch nicht, wie diese Person dazu kommt, so familiär mit mir zu sprechen, oder gar worauf sie damit hinaus will –, ich nehme es nur zum Anlaß meiner Aufzeichnungen, und ich hätte genausogut mit etwas anderem beginnen können, etwa mit einem Aphorismus von Onkel Rasha – »Jugend hat Schwung« – zum Beispiel, der demnächst in der dritten Auflage erscheinen wird, andere beginnen: – »Wie durch Zauberei stand Artur bereits am Treppenfuß« – das alles ist nichts für einen Mann der Tat wie mich, jeder weiß, daß es eitel ist, es redet an der Sache selbst vorbei.

»Also weiter.« Ich griff in dem Moment zur Zeitung, als sie wieder zu sprechen begann. Zum Glück war ich schon in einen Artikel vertieft, noch ehe mich eins ihrer Worte erreicht hatte. Aufzeichnungen, die ich später darüber machte, ist nichts zu entnehmen, außer daß die Frau, die ich hinter meiner Zeitung vermute, irgendetwas mit mir im Sinn hatte; das, möchte ich sagen, liegt sogar auf der Hand. Ihrem Tonfall nach will sie auf irgendetwas hinaus, was ich nicht feststellen kann, weil ich ja lese. Weil sie aber meinen Widerwillen offenbar spürt, redet sie um den heißen Brei herum, stockt mitten in der Rede, legt Pausen ein, die das Ende ihrer Rede vortäuschen und mich jedesmal von neuem aus dem Konzept bringen; am meisten stört mich dabei ein Sprachfehler, auf den ich, so sehr ich mich auch auf meine Zeitung konzentriere, und ohne daß ich es recht gewahr werde, mit der Zeit zu *warten* beginne. – Sie lispelt, sagte später Onkel Rasha, ein Defekt, der bei philosophisch gebildeten Frauen an der Tagesordnung ist und auf Vernachlässigung natürlicher weiblicher Körperfunktionen beruht.

Genug. Also weiter, hatte sie gesagt. Sie, eine – soviel wissen wir – höchstwahrscheinlich verheiratete Frau, die sich mit mir – das bin ich, Baldus – seit geraumer Zeit, mindestens aber seit meinem Erwachen, allein im Zimmer befindet. Schließlich das eine oder andere, das ich, wie gesagt, entweder überhört oder aus der Erinnerung verloren habe, damals.

Nun spricht sie schon eine ganze Weile, ich erinnere mich, wie ich mich zum erstenmal unter meiner Zeitung sagen höre: *Es ist alles Gewöhnung.*

Gewöhnung. Später habe ich Einfälle anderer Gestalt, etwa: Wie relativ alles ist! oder ich lasse mich, wie es sonst nicht meine Art ist, auf ganze Gedankenketten ein: Im Grunde ist es wirklich ganz gleich, ob man mit einer Nachtigall oder einer Mischmaschine zusammenlebt, es kommt nur darauf an, wie man sich damit abfindet. So wie ich mich mit der Stimme hinter der Zeitung abfinde. Es hängt nur davon ab, wie man zu den Dingen steht. Warum soll z. B. ein Mensch, der sein Leben lang mit Düsenflugzeugen Umgang hat, unsere landläufige Stille nicht für ohrenbetäubend halten?

Und so etwas, das betone ich, ist nicht leeres Gerede, sondern hat Hand und Fuß. Schließlich ist man nicht irgendwer, füge ich hinzu.

Gewöhnung. Ich erinnere, wie schnell ich damals bereit war, die Stimme hinter der Zeitung zum festen Bestand meiner Umgebung zu zählen. Radio, Kochgeräusche, Verkehr. Ich ertappe mich zum Beispiel dabei, wie es mir nichts ausmacht, in ihrer Gegenwart einen fahren zu lassen. Das nenne ich freilich eine Tat, von der man noch nach Jahren sprechen mag, eine Tat des Aufruhrs, der Empörung, wie Onkel Rasha sagen würde, gegen die Eintönigkeit des täglichen Lebens. Nun, ich sagte es schon, ich bin rasch bei der Hand, wenn es um Dinge geht, die leicht und nachdrücklich erledigt werden müssen. Andererseits bin ich kein Unmensch; denk ich, wie spät ich die kindliche Scheu vor Gewaltsamkeiten verlor. Ich erinnere, wie ich einmal auf einem Kindergeburtstag vier Stunden lang das Wasser anhielt –, mein Freund und ich, wir hielten zusammen das Wasser an, und man weiß ja, wie schwer das Kindern fällt –, nur um meine Gastgeberin nicht zu brüskieren. Brüskieren, wie ich es damals ausdrückte. Später freilich überraschte ich mich häufiger dabei, wie ich es z. B. zuließ, Musik zu hören, während ich meine Notdurft verrichtete. Klassische. Ich bin ein großer Beethovenliebhaber. Oder gar zu essen. Man hatte sozusagen den ganzen Verbrennungsprozeß auf der Hand.

Julia – wie sich die Stimme hinter der Zeitung soeben mit dem Satz »Liebst du denn deine Julia nicht mehr?« zu erkennen gegeben hat –, Julias Reaktion auf meine oben erwähnte Handlungsweise ist nicht die erwartete. Ich erinnere, wie ich mich damals unter der Zeitung sagen hörte: – Sieh mal an, sie läßt sich auf nichts ein. – Vielleicht hatte sie mich aber auch nur überhört; das ließe, bei dem Lärm, den ich immerhin verursacht hatte, wiederum eher auf Scheinheiligkeit als auf Taubheit schließen.

»Ich kenne diese Art philosophisch gebildeter Frauen: Was weder ihre Bürgerlichkeit noch ihre Perversion anspricht, erklären sie für tabu.« – Das ist wieder Onkel Rasha, und man weiß ja, wie ich darüber denke; ich dagegen glaube, daß hier ein besonderes Maß von Empfindsamkeit vorliegt, über dessen Gründe ich mir keine Klarheit verschaffen kann, weil ich ja immer noch lese. Allerdings sage ich schon jetzt, es wird neue Unflätigkeiten hageln, wenn sie es mit ihrer Nachsicht zu weit treibt.

Nun geht eine Veränderung im Raum vor, ich nehme Bewegungen von Schatten durch das transparente Papier hindurch wahr. Ich mutmaße, daß Julia ihre Lage verändert hat, Parfüm wallt auf. Vor dem winzigen Löchlein, das ich in die Zeitung gestochen habe, um den mir zugänglichen Teil ihres Gesichtes zu beobachten, entsteht eine rasche Bilderfolge, bis mein Visier vor einem Körperteil halt machte, den ich, wenn ich nicht irre, als ihren Nabel ansprechen möchte. Das geht in Ordnung, da auch ich, wie ich soeben bemerke, nur mit einer Unterhose bekleidet bin.

Onkel Rasha bemerkte später an dieser Stelle sehr richtig, laß dich durch nichts beirren.

Wie sich der Nabel denn auch nicht weiter bewegte, hörte ich auch nicht auf, in der Nase zu bohren, was ich entsprechend meiner Drohung kurz vorher begonnen hatte, und da ich weiß, daß eine zu rasche Bewegung der Nägel die Nasenscheidewand beschädigt, unterbrach ich auch nicht, als die Zeitung plötzlich verrutschte und Julias Blick mich überraschend traf.

Ich, Baldus, habe dies Gesicht irgendwo schon einmal gesehen; wenn ich auch nicht weiß, wie, wo, wann. Alle Frauen sind im Grunde nur eine Frau, sagt Onkel Rasha.

Julia, wie erwartet, errötet leicht, wie sie mich so sieht. Ich habe mich nicht in ihr geirrt, als ich sie für feinfühlig hielt. Ich bin nicht fehlgegangen mit der Annahme, daß sie vornehm genug sein würde, so etwas zu übersehen. Ich rechne im allgemeinen damit, daß andere Leute vornehmer sind als ich, und ich muß sagen, ich fahre gut dabei. Auch habe ich die Erfahrung gemacht, daß sie viel leichter über meine Unflätigkeiten erröten als ich selbst. Was gar nicht selbstverständlich ist. Ich führe es auf die Nervosität unserer Zeit zurück. Leider begnügt man sich oft nicht mit Erröten. So stoße ich z. B. jedesmal auf Widerstand, wenn ich, wie es meine Gewohnheit ist, im Eingangsportal von Woolworth pinkeln gehe. Dort wird Warmluft durch einen Rost hochgeblasen, es ist klar, man setzt sich nicht gern der Gefahr einer Blasenerkältung aus, und, um hier einmal deutlicher zu werden, die Frau von Onkel Rasha, meine Tante also, ist sogar schon einmal daran gestorben, was zur Folge hatte, daß Onkel Rasha schwermütig wurde und Aphorismen zu schreiben anfing. Man sieht also, daß mit der Blase nicht zu spaßen ist.

Aber machen Sie das einmal den Leuten klar: Da posaunen sie los, reden von Schweinereien, aber wenn man sie einmal wirklich daraufhin anspricht, kommen sie einem mit Sachen wie:

– Vom ethischen Standpunkt aus gesehen . . .

oder: *so etwas verbietet das Feingefühl*

oder gar mit Emphase, kursiv: haben Sie keine Ehrfurcht vor den Mitmenschen, vor der Kreatur, vor Gott?

Seid menschlich!

Menschlichkeit hin, Menschlichkeit her! Mehr interessiert mich jetzt, wie ich aus dieser Sackgasse herauskomme, in die ich geriet, als ich mich mit Julia einließ. Schließlich hat man ein Anrecht auf Resultate. Ich stelle mir vor, daß bis jetzt alles auch anders hätte verlaufen können. Ein Gedanke, der verwirrt und ermüdet. Welch ein Unterschied zum Beispiel wäre es gewesen, wenn. Oder, gesetzt, ich hätte den Einfall mit dem Loch in der Zeitung nicht gehabt? Wir, Baldus, erinnern dagegen die einsame Souveränität, als wir einmal – ich komme immer wieder darauf zurück – mitten in der Wüste einen fahren ließen, es wäre übertrieben, wollte ich sagen, die Wüste hallte wider davon, ich bin kein Dichter, und man bedenke, die Wüste, Ausmessungen von Tausenden von Kilometern, weit und breit kein Baum, kein Strauch, nicht einmal Löwen mehr, wo sich ein Echo brechen könnte, und doch wußte ich, in diesem Moment, daß ich das Richtige tat und daß mir niemand hätte dreinreden können, selbst Julia nicht, die sich immer dringlicher als meine Frau auszugeben beginnt; so nämlich ließen wir unseren Körpern freien Lauf.

HEINRICH BÖLL

Der Wegwerfer

Seit einigen Wochen versuche ich, nicht mit Leuten in Kontakt zu kommen, die mich nach meinem Beruf fragen könnten; wenn ich die Tätigkeit, die ich ausübe, wirklich benennen müßte, wäre ich gezwungen, eine Vokabel auszusprechen, die den Zeitgenossen erschrecken würde. So ziehe ich den abstrakten Weg vor, meine Bekenntnisse zu Papier zu bringen.

Vor einigen Wochen noch wäre ich jederzeit zu einem mündlichen Bekenntnis bereit gewesen; ich drängte mich fast dazu, nannte mich Erfinder, Privatgelehrter, im Notfall Student, im Pathos der beginnenden Trunkenheit: verkanntes Genie. Ich sonnte mich in dem fröhlichen Ruhm, den ein zerschlissener Kragen ausstrahlen kann, nahm mit prahlerischer Selbstverständlichkeit den zögernd gewährten Kredit mißtrauischer Händler in Anspruch, die Margarine, Kaffee-Ersatz und schlechten Tabak in meinen Manteltaschen verschwinden sahen; ich badete mich im Air der Ungepflegtheit und trank zum Frühstück, trank mittags und abends den Honigseim der Bohème: das tiefe Glücksgefühl, mit der Gesellschaft nicht konform zu sein.

Doch seit einigen Wochen besteige ich jeden Morgen gegen 7.30 Uhr die Straßenbahn an der Ecke Roonstraße, halte bescheiden wie alle anderen dem Schaffner meine Wochenkarte hin, bin mit einem grauen Zweireiher, einem grünen Hemd, grünlich getönter Krawatte bekleidet, habe mein Frühstücksbrot in einer flachen Aluminiumdose, die Morgenzeitung, zu einer leichten Keule zusammengerollt, in der Hand. Ich biete den Anblick eines Bürgers, dem es gelungen ist, der Nachdenklichkeit zu entrinnen. Nach der dritten Haltestelle stehe ich auf, um meinen Sitzplatz einer der älteren Arbeiterinnen anzubieten, die an der Behelfsheimsiedlung zusteigen. Wenn ich meinen Sitzplatz sozialem Mitgefühl geopfert habe, lese ich stehend weiter in der Zeitung, erhebe hin und wieder schlichtend meine Stimme, wenn der morgendliche Ärger die Zeitgenossen ungerecht macht; ich korrigiere die gröbsten politischen und geschichtlichen Irrtümer (etwa indem ich die Mitfahrenden darüber aufkläre, daß zwischen SA und USA ein gewisser Unterschied bestehe); sobald jemand eine Zigarette in den Mund steckt, halte ich ihm diskret mein Feuerzeug unter die Nase und entzünde ihm mit der winzigen, doch zuverlässigen Flamme die Morgenzigarette. So vollende ich das Bild eines gepflegten Mitbürgers, der noch jung genug ist, daß man die Bezeichnung »wohlerzogen« auf ihn anwenden kann.

Offenbar ist es mir gelungen, mit Erfolg jene Maske aufzusetzen, die Fragen nach meiner Tätigkeit ausschließt. Ich gelte wohl als ein gebildeter Herr, der Handel mit Dingen treibt, die wohlverpackt und wohlriechend sind: Kaffee, Tee, Gewürze, oder mit kostbaren kleinen Gegenständen, die dem Auge angenehm sind: Juwelen, Uhren; der seinen Beruf in einem angenehm altmodischen Kontor ausübt, wo dunkle Ölgemälde handeltreibender Vorfahren an der Wand hängen; der gegen zehn mit seiner Gattin telefoniert, seiner scheinbar leidenschaftslosen Stimme eine Färbung von Zärtlichkeit zu geben vermag, aus der Liebe und Sorge herauszuhören sind. Da ich auch an den üblichen Scherzen teilnehme, mein Lachen nicht verweigere, wenn der städtische Verwaltungsbeamte jeden Morgen an der Schließenstraße in die Bahn brüllt: »Macht mir den linken Flügel stark!« (war es nicht eigentlich der rechte?), da ich weder mit meinem Kommentar zu den Tagesereignissen noch zu den Totoergebnissen zurückhalte, gelte ich wohl als jemand, der, wie die Qualität des Anzugstoffes beweist, zwar wohlhabend ist, dessen Lebensgefühl aber tief in den Grundsätzen der Demokratie wurzelt. Das Air der Rechtschaffenheit umgibt mich, wie der gläserne Sarg Schneewittchen umgab.

Wenn ein überholender Lastwagen dem Fenster der Straßenbahn für einen Augenblick Hintergrund gibt, kontrolliere ich den Ausdruck meines Gesichts: ist es nicht doch zu nachdenklich, fast schmerzlich? Beflissen korrigiere ich den Rest von Grübelei weg und versuche, meinem Gesicht den Ausdruck zu geben, den es haben soll: weder zurückhaltend noch vertraulich, weder oberflächlich noch tief.

Mir scheint, meine Tarnung ist gelungen, denn wenn ich am Marienplatz aussteige, mich im Gewirr der Altstadt verliere, wo es angenehm altmodische Kontore, Notariatsbüros und diskrete Kanzleien genug gibt, ahnt niemand, daß ich durch einen Hintereingang das Gebäude der *Ubia* betrete, die sich rühmen kann, dreihundertfünfzig Menschen Brot zu geben und das Leben von vierhunderttausend versichert zu haben. Der Pförtner empfängt mich am Lieferanteneingang, lächelt mir zu, ich schreite an ihm vorüber, steige in den Keller hinunter und nehme meine Tätigkeit auf, die beendet sein muß, wenn die Angestellten um 8.30 Uhr in die Büroräume strömen. Die Tätigkeit, die ich im Keller dieser honorigen Firma morgens zwischen 8.00 und 8.30 Uhr ausübe, dient ausschließlich der Vernichtung. Ich werfe weg.

Jahre habe ich damit verbracht, meinen Beruf zu erfinden, ihn kalkulatorisch plausibel zu machen; ich habe Abhandlungen geschrieben; graphische Darstellungen bedeckten – und bedecken noch – die Wände meiner Wohnung. Ich bin Abszissen entlang, Ordinaten hinaufgeklettert, jahrelang. Ich schwelgte in Theorien und genoß den eisigen Rausch, den Formeln auslösen können. Doch seitdem ich meinen Beruf praktiziere, meine Theorien verwirklicht sehe, erfüllt mich jene Trauer, wie sie einen General erfüllen mag, der aus den Höhen der Strategie in die Niederungen der Taktik hinabsteigen mußte.

Ich betrete meinen Arbeitsraum, wechsele meinen Rock mit einem grauen Arbeitskittel und gehe unverzüglich an die Arbeit. Ich öffne die Säcke, die der Pförtner in den frühen Morgenstunden von der Hauptpost geholt hat, entleere sie in die beiden Holztröge, die, nach meinen Entwürfen angefertigt, rechts und links oberhalb meines Arbeitstisches an der Wand hängen. So brauche ich nur, fast wie ein Schwimmer, meine Hände auszustrecken und beginne, eilig die Post zu sortieren. Ich trenne zunächst die Drucksachen von den Briefen, eine reine Routinearbeit, da der Blick auf die Frankierung genügt. Die Kenntnis des Posttarifs erspart mir bei dieser Arbeit differenzierte Überlegungen. Geübt durch jahrelange Experimente, habe ich diese Arbeit innerhalb einer halben Stunde getan, es ist halb neun geworden: ich höre über meinem Kopf die Schritte der Angestellten, die in die Büroräume strömen. Ich klingele dem Pförtner, der die aussortierten Briefe an die einzelnen Abteilungen bringt. Immer wieder stimmt es mich traurig, den Pförtner in einem Blechkorb von der Größe eines Schulranzens wegtragen zu sehen, was vom Inhalt dreier Postsäcke übrigblieb. Ich könnte triumphieren; denn dies: die Rechtfertigung meiner Wegwerftheorie, ist jahrelang der Gegenstand meiner privaten Studien gewesen; doch merkwürdigerweise triumphiere ich nicht. Recht behalten zu haben, ist durchaus nicht immer ein Grund, glücklich zu sein.

Wenn der Pförtner gegangen ist, bleibt noch die Arbeit, den großen Berg von Drucksachen daraufhin zu untersuchen, ob sich nicht doch ein verkappter, falsch frankierter Brief, eine als Drucksache geschickte Rechnung darunter befindet. Fast immer ist diese Arbeit überflüssig, denn die Korrektheit im Postverkehr ist geradezu überwältigend. Hier muß ich gestehen, daß meine Berechnungen nicht stimmten: ich hatte die Zahl der Portobetrüger überschätzt.

Selten einmal ist eine Postkarte, ein Brief, eine als Drucksache geschickte Rechnung meiner Aufmerksamkeit entgangen; gegen halb zehn klingele ich dem Pförtner, der die restlichen Objekte meines aufmerksamen Forschens an die Abteilungen bringt. Nun ist der Zeitpunkt gekommen, wo ich einer Stärkung bedarf. Die Frau des Pförtners bringt mir meinen Kaffee, ich nehme mein Brot aus der flachen Aluminiumdose, frühstücke und plaudere mit der Frau des Pförtners über ihre Kinder. Ist Alfred inzwischen im Rechnen etwas besser geworden? Hat Gertrud die Lücken im Rechtschreiben ausfüllen können? Alfred hat sich im Rechnen nicht gebessert, während Gertrud die Lücken im Rechtschreiben ausfüllen konnte. Sind die Tomaten ordentlich reif geworden, die Kaninchen fett, und ist das Experiment mit den Melonen geglückt? Die Tomaten sind nicht ordentlich reif geworden, die Kaninchen aber fett, während das Experiment mit den Melonen noch unentschieden steht. Ernste Probleme, ob man Kartoffeln einkellern soll oder nicht, erzieherische Fragen, ob man seine Kinder aufklären öder sich von ihnen aufklären lassen soll, unterziehen wir leidenschaftlicher Betrachtung.

Gegen elf verläßt mich die Pförtnersfrau, meistens bittet sie mich, ihr einige Reiseprospekte zu überlassen; sie sammelt sie, und ich lächele über die Leidenschaft, denn ich habe den Reiseprospekten eine sentimentale Erinnerung bewahrt; als Kind sammelte auch ich Reiseprospekte, die ich aus meines Vaters Papierkorb fischte. Früh schon beunruhigte mich die Tatsache, daß mein Vater Briefschaften, die er gerade vom Postboten entgegengenommen hatte, ohne sie anzuschauen, in den Papierkorb warf. Dieser Vorgang verletzte den mir angeborenen Hang zur Ökonomie: da war etwas entworfen, aufgesetzt, gedruckt, war in einen Umschlag gesteckt, frankiert worden, hatte die geheimnisvollen Kanäle passiert, durch die die Post unsere Briefschaften tatsächlich an unsere Adresse gelangen läßt; es war mit dem Schweiß des Zeichners, des Schreibers, des Druckers, des frankierenden Lehrlings befrachtet; es hatte – auf verschiedenen Ebenen und in verschiedenen Tarifen – Geld gekostet; alles dies nur, auf daß es, ohne auch nur eines Blickes gewürdigt zu werden, in einem Papierkorb ende?

Ich machte mir als Elfjähriger schon zur Gewohnheit, das Weggeworfene, sobald mein Vater ins Amt gegangen war, aus dem Papierkorb zu nehmen, es zu betrachten, zu sortieren, es in einer Truhe, die mir als Spielzeugkiste diente, aufzubewahren. So war ich schon als Zwölfjähriger im Besitz einer stattlichen Sammlung von Rieslingsangeboten, besaß Kataloge für Kunsthonig und Kunstgeschichte, meine Sammlung an Reiseprospekten wuchs sich zu einer geographischen Enzyklopädie aus; Dalmatien war mir so vertraut wie die Fjorde Norwegens, Schottland mir so nahe wie Zakopane, die böhmischen Wälder beruhigten mich, wie die Wogen des Atlantik mich beunruhigten; Scharniere wurden mir angeboten, Eigenheime und Knöpfe; Parteien baten um meine Stimme, Stiftungen um mein Geld; Lotterien versprachen mir Reichtum, Sekten mir Armut. Ich überlasse es der Phantasie des Lesers, sich auszumalen, wie meine Sammlung aussah, als ich siebzehn Jahre alt war und in einem Anfall plötzlicher Lustlosigkeit meine Sammlung einem Altwarenhändler anbot, der mir sieben Mark und sechzig Pfennig dafür zahlte.

Der mittleren Reife inzwischen teilhaftig, trat ich in die Fußstapfen meines Vaters und setzte meinen Fuß auf die erste Stufe jener Leiter, die in den Verwaltungsdienst hinaufführt.

Für die sieben Mark und sechzig Pfennig kaufte ich mir einen Stoß Millimeterpapier, drei Buntstifte, und mein Versuch, in der Verwaltungslaufbahn Fuß zu fassen, wurde ein schmerzlicher Umweg, da ein glücklicher Wegwerfer in mir schlummerte, während ich einen unglücklichen Verwaltungslehrling abgab. Meine ganze Freizeit gehörte umständlichen Rechnereien. Stoppuhr, Bleistift, Rechenschieber, Millimeterpapier blieben die Requisiten meines Wahns; ich rechnete aus, wieviel Zeit es erforderte, eine Drucksache kleinen, mittleren, großen Umfangs, bebildert, unbebildert, zu öffnen, flüchtig zu betrachten, sich von ihrer Nutzlosigkeit zu überzeugen, sie dann in den Papierkorb zu werfen; ein Vorgang, der minimal fünf Sekunden Zeit beansprucht, maximal fünfundzwanzig; übt die Drucksache Reiz aus, in Text und Bildern, können Minuten, oft Viertelstunden angesetzt werden. Auch für die Herstellung der Drucksachen errechnete ich, indem ich mit Druckereien Scheinverhandlungen führte, die minimalen Herstellungskosten. Unermüdlich prüfte ich die Ergebnisse meiner Studien nach, verbesserte sie (erst nach zwei Jahren etwa fiel mir ein, daß auch die Zeit der Reinigungsfrauen, die Papierkörbe zu leeren haben, in meine Berechnungen einzubeziehen sei); ich wandte die Ergebnisse meiner Forschungen auf Betriebe an, in denen zehn, zwanzig, hundert oder mehr Angestellte beschäftigt sind, und kam zu Ergebnissen, die ein Wirtschaftsexperte ohne Zögern als alarmierend bezeichnet hätte.

Einem Drang zur Loyalität folgend, bot ich meine Erkenntnisse zuerst meiner Behörde an; doch, hatte ich auch mit Undank gerechnet, so erschreckte mich doch das Ausmaß des Undanks; ich wurde der Nachlässigkeit im Dienst bezichtigt, des Nihilismus verdächtigt, für geisteskrank erklärt und entlassen; ich gab, zum Kummer meiner guten Eltern, die verheißungsvolle Laufbahn preis, fing neue an, brach auch diese ab, verließ die Wärme des elterlichen Herds und aß – wie ich schon sagte – das Brot des verkannten Genies. Ich genoß die Demütigung des vergeblichen Hausierens mit meiner Erfindung, verbrachte vier Jahre im seligen Zustand der Asozialität, so konsequent, daß meine Lochkarte in der Zentralkartei, nachdem sie mit dem Merkmal für geisteskrank längst gelocht war, das Geheimzeichen für asozial eingestanzt bekam.

Angesichts solcher Umstände wird jeder begreifen, wie erschrocken ich war, als endlich jemandem – dem Direktor der *Ubia* – das Einleuchtende meiner Überlegungen einleuchtete; wie tief traf mich die Demütigung, eine grüngetönte Krawatte zu tragen, doch muß ich weiter in Verkleidung einhergehen, da ich vor Entdeckung zittere. Ängstlich versuche ich, meinem Gesicht, wenn ich den Schlieffen-Witz belache, den richtigen Ausdruck zu geben, denn keine Eitelkeit ist größer als die der Witzbolde, die morgens die Straßenbahn bevölkern. Manchmal auch fürchte ich, daß die Bahn voller Menschen ist, die am Vortag eine Arbeit geleistet haben, die ich am Morgen noch vernichten werde: Drucker, Setzer, Zeichner, Schriftsteller, die sich als Werbetexter betätigen, Graphiker, Einlegerinnen, Packerinnen, Lehrlinge der verschiedensten Branchen: von acht bis halb neun Uhr morgens vernichte ich doch rücksichtslos die Erzeugnisse ehrbarer Papierfabriken, würdiger Druckereien, graphischer Genies, die Texte begabter Schriftsteller; Lackpapier, Glanzpapier, Kupfertiefdruck, alles bündele ich ohne die geringste Sentimentalität, so, wie es aus dem Postsack kommt, für den Altpapierhändler zu handlichen Paketen zurecht. Ich vernichte innerhalb einer Stunde das Ergebnis von zweihundert Arbeitsstunden, erspare der *Ubia* weitere hundert Stunden, so daß ich insgesamt (hier muß ich in meinen eigenen Jargon verfallen) ein Konzentrat von 1:300 erreiche. Wenn die Pförtnersfrau mit der leeren Kaffeekanne und den Reiseprospekten gegangen ist, mache ich Feierabend. Ich wasche meine Hände, wechsle meinen Kittel mit dem Rock, nehme die Morgenzeitung, verlasse durch den Hintereingang das Gebäude der *Ubia*. Ich schlendere durch die Stadt und denke darüber nach, wie ich der Taktik entfliehen und in die Strategie zurückkehren könnte. Was mich als Formel berauschte, enttäuscht mich, da es sich als so leicht ausführbar erweist. Umgesetzte Strategie kann von Handlangern getan werden. Wahrscheinlich werde ich Wegwerferschulen einrichten. Vielleicht auch werde ich versuchen, Wegwerfer in die Postämter zu setzen, möglicherweise in die Druckereien; man könnte gewaltige Energien, Werte und Intelligenzen nutzen, könnte Porto sparen, vielleicht gar so weit kommen, daß Prospekte zwar noch erdacht, gezeichnet, aufgesetzt, aber nicht mehr gedruckt werden. Alle diese Probleme bedürfen noch des gründlichen Studiums.

Doch die reine Postwegwerferei interessiert mich kaum noch; was daran noch gebessert werden kann, ergibt sich aus der Grundformel. Längst schon bin ich mit Berechnungen beschäftigt, die sich auf das Einwickelpapier und die Verpackung beziehen: hier ist noch Brachland, nichts ist bisher geschehen, hier gilt es noch, der Menschheit jene nutzlosen Mühen zu ersparen, unter denen sie stöhnt. Täglich werden Milliarden Wegwerfbewegungen gemacht, werden Energien verschwendet, die, könnte man sie nutzen, ausreichen würden, das Antlitz der Erde zu verändern. Wichtig wäre es, in Kaufhäusern zu Experimenten zugelassen zu werden; ob man auf die Verpackung verzichten oder gleich neben dem Packtisch einen geübten Wegwerfer postieren soll, der das eben Eingepackte wieder auspackt und das Einwickelpapier sofort für den Altpapierhändler zurechtbündelt? Das sind Probleme, die erwogen sein wollen. Es fiel mir jedenfalls auf, daß in vielen Geschäften die Kunden flehend darum bitten, den gekauften Gegenstand nicht einzupacken, daß sie aber gezwungen werden, ihn verpacken zu lassen. In den Nervenkliniken häufen sich die Fälle von Patienten, die beim Auspacken einer Flasche Parfüm, einer Dose Pralinen, beim Öffnen einer Zigarettenschachtel einen Anfall bekamen, und ich studiere jetzt eingehend den Fall eines jungen Mannes aus meiner Nachbarschaft, der das bittere Brot des Buchrezensenten aß, zeitweise aber seinen Beruf nicht ausüben konnte, weil es ihm unmöglich war, den geflochtenen Draht zu lösen, mit dem die Päckchen umwickelt waren, und der, selbst wenn ihm diese Kraftanstrengung gelänge, nicht die massive Schicht gummierten Papiers zu durchdringen vermöchte, mit der die Wellpappe zusammengeklebt ist. Der junge Mann macht einen verstörten Eindruck und ist dazu übergegangen, die Bücher ungelesen zu besprechen und die Päckchen, ohne sie auszupacken, in sein Bücherregal zu stellen. Ich überlasse es der Phantasie des Lesers, sich auszumalen, welche Folgen für unser geistiges Leben dieser Fall haben könnte.

Wenn ich zwischen elf und eins durch die Stadt spaziere, nehme ich vielerlei Einzelheiten zur Kenntnis; unauffällig verweile ich in den Kaufhäusern, streiche um die Packtische herum; ich bleibe vor Tabakläden und Apotheken stehen, nehme kleine Statistiken auf; hin und wieder kaufe ich auch etwas, um die Prozedur der Sinnlosigkeit an mir selber vollziehen zu lassen und herauszufinden, wieviel Mühe es braucht, den Gegenstand, den man zu besitzen wünscht, wirklich in die Hand zu bekommen.

So vollende ich zwischen elf und eins in meinem tadellosen Anzug das Bild eines Mannes, der wohlhabend genug ist, sich ein wenig Müßiggang zu leisten; der gegen eins in ein gepflegtes kleines Restaurant geht, sich zerstreut das beste Menü aussucht und auf den Bierdeckel Notizen macht, die sowohl Börsenkurse wie lyrische Versuche sein können; der die Qualität des Fleisches mit Argumenten zu loben oder zu tadeln weiß, die dem gewiegtesten Kellner den Kenner verraten, und bei der Wahl des Nachtisches raffiniert zögert ob er Käse, Kuchen oder Eis nehmen soll, und seine Notizen mit jenem Schwung abschließt, der beweist, daß es doch Börsenkurse waren, die er notierte. Erschrocken über das Ergebnis meiner Berechnungen verlasse ich das kleine Restaurant. Mein Gesicht wird immer nachdenklicher, während ich auf der Suche nach einem kleinen Café bin, wo ich die Zeit bis drei verbringen und die Abendzeitung lesen kann. Um drei betrete ich wieder durch den Hintereingang das Gebäude der *Ubia*, um die Nachmittagspost zu erledigen, die fast ausschließlich aus Drucksachen besteht. Es erfordert kaum eine Viertelstunde Arbeitszeit, die zehn oder zwölf Briefe herauszusuchen; ich brauche mir danach nicht einmal die Hände zu waschen, ich klopfe sie nur ab, bringe dem Pförtner die Briefe, verlasse das Haus, besteige am Marienplatz die Straßenbahn, froh darüber, daß ich auf der Heimfahrt nicht über den Schlieffen-Witz zu lachen brauche. Wenn die dunkle Plane eines vorüberfahrenden Lastwagens dem Fenster der Straßenbahn Hintergrund gibt, sehe ich mein Gesicht: es ist entspannt, das bedeutet: nachdenklich, fast grüblerisch, und ich genieße den Vorteil, daß ich kein anderes Gesicht aufzusetzen brauche, denn keiner der morgendlichen Mitfahrer hat um diese Zeit schon Feierabend. An der Roonstraße steige ich aus, kaufe ein paar frische Brötchen, ein Stück Käse oder Wurst, gemahlenen Kaffee und gehe in meine kleine Wohnung hinauf, deren Wände mit graphischen Darstellungen, mit erregten Kurven bedeckt sind, zwischen Abszisse und Ordinate fange ich die Linien eines Fiebers ein, das immer höher steigt: keine einzige meiner Kurven senkt sich, keine einzige meiner Formeln verschafft mir Beruhigung. Unter der Last meiner ökonomischen Phantasie stöhnend, lege ich, während noch das Kaffeewasser brodelt, meinen Rechenschieber, meine Notizen, Bleistift und Papier zurecht.

Die Einrichtung meiner Wohnung ist karg, sie gleicht eher der eines Laboratoriums. Ich trinke meinen Kaffee im Stehen, esse rasch ein belegtes Brot, längst nicht mehr bin ich der Genießer, der ich mittags noch gewesen bin. Händewaschen, eine Zigarette angezündet, dann setze ich meine Stoppuhr in Gang und packe das Nervenstärkungsmittel aus, das ich am Vormittag beim Bummel durch die Stadt gekauft habe: äußeres Einwickelpapier, Zellophanhülle, Packung, inneres Einwickelpapier, die mit einem Gummiring befestigte Gebrauchsanweisung: siebenunddreißig Sekunden. Mein Nervenverschleiß beim Auspacken ist größer als die Nervenkraft, die das Mittel mir zu spenden vermöchte, doch mag dies subjektive Gründe haben, die ich nicht in meine Berechnungen einbeziehen will. Sicher ist, daß die Verpackung einen größeren Wert darstellt als der Inhalt, und daß der Preis für die fünfundzwanzig gelblichen Pillen in keinem Verhältnis zu ihrem Wert steht. Doch sind dies Erwägungen, die ins Moralische gehen könnten, und ich möchte mich grundsätzlich der Moral enthalten. Meine Spekulationsebene ist die reine Ökonomie.

Zahlreiche Objekte warten darauf, von mir ausgepackt zu werden, viele Zettel harren der Auswertung; grüne, rote, blaue Tusche, alles steht bereit. Es wird meistens spät, bis ich ins Bett komme, und wenn ich einschlafe, verfolgen mich meine Formeln, rollen ganze Welten nutzlosen Papiers über mich hin; manche Formeln explodieren wie Dynamit, das Geräusch der Explosion klingt wie ein großes Lachen: es ist mein eigenes, das Lachen über den Schlieffen-Witz, das meiner Angst vor dem Verwaltungsbeamten entspringt. Vielleicht hat er Zutritt zur Lochkartenkartei, hat meine Karte herausgesucht, festgestellt, daß sie nicht nur das Merkmal für »geisteskrank«, sondern auch das zweite, gefährlichere für »asozial« enthält. Nichts ist ja schwerer zu stopfen als solch ein winziges Loch in einer Lochkarte; möglicherweise ist mein Lachen über den Schlieffen-Witz der Preis für meine Anonymität. Ich würde nicht gern mündlich bekennen, was mir schriftlich leichter fällt: daß ich Wegwerfer bin.

FRANZ MON
Das Wahrscheinliche

Um die Gepäckstücke hatte er ein Tau geschlungen, so daß sie roh aneinandergeprellt unbewegbar an ihrem Ort hafteten. Der Diener tänzelte, lächelnd sich im Messerrücken spiegelnd, jenseits der Pistolenmündung und winkte, als habe er die Geste gar nicht wahrgenommen, jedesmal wieder aufs Wasser hinaus, wenn sich die Fähre dem Steg näherte; wich allerdings schon beim nächsten Augenschlag aus dem funkelnden Schatten und flatterte, sowie ihn die Sonne beschien, hinab in seine natürliche Größe. Der Reisende aber gab, als er die Stelle leer fand, seine Abwesenheit auf und zog den Pistolenhahn durch. Die verrußte Waffe lastete er dem aus gutem Grund mit dem Ziel ineinsgesetzten Diener auf die Schulter und spähte, während der den trockenen Lauf umklammerte und mühsam im Gleichgewicht schwankte, über die Fahrgäste hin, die eben die Landungsrampe verließen und die fußweiße Fahrrinne heranstiegen. Sie machten ihm Platz, als er an ihnen vorbeilief, sammelten sich jedoch gleich im Häufchen, um zu sehen, ob er heute das Schiff beträte. Er hob es vor die Augen, beroch den Teer in den Ritzen, schlug die Kiefer ins Holz und schob es prüfend über die bloße Haut; dann stieß er es ein Stück ins Wasser, so daß die gestraffte Kette es zurückbrachte. Zahn- und wimpernlos lockte es ihn, endlich aufzusteigen und den Weg fortzusetzen. Neunmal hatte er es mißtrauisch und glücklich davonstreichen lassen, neunmal war es zurückgekehrt, mit beliebigen Gesichtern beladen. Das Eseltier hatte er ihm anvertraut, und es wurde hinübergeführt, ohne Schaden. Die Summe stieg, die er fürs Abwarten aufbringen mußte, aber er sah des Fährmanns gesprenkelten Hals und die Zeichen der Schwangerschaft in den gespannten Nähten. Beim ersten Ansichtigwerden hatte er geglaubt, sogleich vom Ufer aus dem Schrecken beiwohnen zu müssen, und hatte stracks das Gepäck niedergesetzt und den Diener gescheucht, der eilfertig schon an Bord gesprungen. Aber das Fährboot, schwer und selig über der tatenlosen Zwiebel des Meeres, verschwand unter der Kimme und kam wieder und nahm genau seinen Kurs an der Stelle vorüber, wo er das Scheitern vermutete. Ein knallender Schrei setzte wohl über das Wasser, knapp und deutlich schon im Entstehen abgebrochen, und er riß sich das Hemd herab und schleuderte es am Arm hoch in den Wind als hilfreiches Signal, Zeichen der Teilnahme und auch der Bestätigung. Doch dann stellte er fest, daß er sich zu früh und umsonst entblößt; das Fährboot, freilich randvoll Wassers bei kaum geätzter See und mit spannenlangen feuchtumäderten Rissen, hatte nur einmal seinen eigenen Ort umkreist und drängte nun schon wieder dem Land zu.

Nachts schob sich der Diener auf seine Brust und forschte, warum die Reise wider jede Verabredung an belanglosem Ort unterbrochen und ihrer beider Interesse vernunftlos geschädigt würde. Keines der an dem Schiff bemerkten bedrohlichen Zeichen ließ er gelten – und sie hatten tatsächlich während der rundenden Schaukel des Schlafs ihre glitzernden Augen versteckt – und war am Ende nur dadurch, daß ihm für den kommenden Tag der Katastrophe zugesagt wurde, vom würgenden Gebrauch seiner Kräfte abzubringen. Abermals also entfuhr es unter ihren Augen. Der Reisende schüttelte den Kopf, war das Unheil doch so gewiß wie die Parabel vom hörnernen Seil. Wer mochte sich solchem Fahrzeug anvertrauen . . . Doch abermals kam es zurück über Wasser. Mit gellendem Pfiff begrüßte es der Diener; ihn kümmerte nicht das gedunsene, übermüde Gesicht am Ruder. In seiner fröhlichen Logik hatte er schon das Seil um die Gepäckstücke gekappt, schleppte sie einzeln an Bord. Was war ihm noch zu entgegnen . . . Die entmündigte Pistole im Gürtel trabte er über den Steg, schaute dabei ständig zurück, seinem Herrn ins Gesicht, abweisend, gierig, heischend, daß dieser aus Furcht vor dem nächtlichen Winkeleisen nicht einzuschreiten, nicht einmal die Hunde an der Leine zu lockern wagte. Der schäbige Rock verschwand zwischen Weibern und Ratsherren, die sich heute übersetzen ließen. Im Baumgeäst vernäht läutete das Hemd von gestern schwärzlichen Luftzug. Er rügte die Binse am Bug, er tastete nach der Narbe am Heck. Grüner Ruß perlte an der wandernden Stelle, die leer blieb. Er raunte an ihren Schoß verborgenen Frucht zu, die das harte Meer massierte. Wann denn würde sie hervortreten . . .

Am Himmel bog sich gebräuntes Papier. Die Fläche wurde sehr dünn. Weit beugte der Fährmann sich hinaus und bespiegelte sein Gesicht; dort trieb ein genagelter Mond mit. Die Schwangere tat fünf weitere Schritte. Ich höre nichts von dir, sprach er zum Fährmann. Der blickte ihn an stirnrunzelnd, öffnete den Mund, aber es war tatsächlich nichts zu hören. Verdrossen, sicher der Fahrt hockte er sich nieder und begann, unbekümmert um das Steuer auf seinem Knie, ein Kupferblech wie zu einem Teller zu treiben. Ein Geräusch davon allerdings traf nach einiger Zeit bei dem Reisenden am Ufer ein. Er ließ die Hunde von der Leine. Sie warfen sich jappend in die Flut, ruderten hinaus: in die weiche Flanke verbissen sie sich, daß ringsum der Schiefer sich färbte. Sie hätten der Fahrt ein Ende gemacht, vielleicht gar ihre Beute heimgebracht, aber der Fährmann hob sie am Nackenfell triefend herauf. Einen Augenblick schien er zu überlegen, überflog das Ruder, das festgezurrt, die Verteilung der Lasten, die Mienen der Insassen, prüfte mit der Zunge die Bißwunde; dann stieg er hochmütig über den Bordrand und watete, die leblosen Bestien mitschleppend, den ganzen Weg zurück. Obwohl er von kräftiger Gestalt war, schien es doch unerwartet beschwerlich. Der Abstand zum Boot wuchs langsam, aber das Ufer war weit. Der Reisende, während er mit seltsamem Empfinden zuschaute, merkte nun, welch unerhörte Strecke das wacklige Schiff schon hinter sich gebracht, und das Benehmen des Steuermanns konnte ihn nur noch mehr in seiner Prognose beirren. Das Gepäck hatte er preisgegeben, den Diener ziehen lassen, nun näherte sich der Schiffsmann, als sei für sein Fahrzeug nicht das Geringste zu befürchten. Wieviel Tage sollte er hier noch versäumen, bis endlich das Wahrscheinliche eintrat ...

Er überschlug seine Reiserechnung und beschloß, nicht einmal den Heranwatenden abzuwarten, sondern auf der Stelle die Heimreise anzutreten. Die Hundeleine schleuderte er ins Wasser, hatte seinen Stock in der Hand und wandte sich hügelan. Wenige Schritte, da hörte er ein Gebrüll vom Meer her; er sah, daß der Watende stillhielt, die Hunde am ausgestreckten Arm ihm darbot, nicht zornig, eher kläglich. Er aber hatte, vom Wahrscheinlichen im Stich gelassen, auf alles verzichtet und wollte bei seinem Beschluß bleiben. Wie der Mann dort dies merkte, fing er aufs neue schwellend zu heulen an. Den einen Hund hatte er fahren lassen, um winken zu können; wie sehr mußte ihm daran gelegen sein, daß der Reisende ihm nicht davonlief. Der freilich hatte den Aufenthalt satt. Um den Schiffer zu beruhigen, schritt er nun rückwärts und nur mit winzigen Bewegungen weiter. Der andere erkannte das wohl, hastete, da er immerhin die Chance begriff, stumm und verbissen voran, ohne doch das zweite Tier aufzuopfern, vielleicht in der Hoffnung, den Reisenden durch sein Eigentum festzuhalten. Und auch nach seinem Schiff blickte er seit der letzten Wendung der Dinge ruhlos zurück, verglich seine puppenhafte Glätte mit dem kaum wahrnehmbaren Zucken der Beine drüben am Hügel. Das Gesicht war ihm geschrumpft, gelöscht von Tränen. Dem Reisenden war es gleichgültig, bald mußte er die Wegkrümmung ertastet haben, die ihn dem Schiffer plötzlich aus dem Blick rückte, so daß er sich in eiligen Sätzen würde davonmachen können.

Das Schiff schwankte daumengroß auf zerreißend gespannter

Membran, hoch am Horizont und vom Spätlicht säuberlich geputzt, als habe es keinen Gebrauch mehr vor sich. Nur der Schiffer war noch weit vom Ziel.

KLAUS ROEHLER
Der sogenannte Hutbesitzersgruß

Menschen, die einander bekannt sind und sich auskennen im guten Ton, grüßen sich, und das unter Umständen mehrmals am Tag – jeder wie er kann und auf seine Weise. Es gibt da verschiedene Möglichkeiten, und sie stehen alle offen.

Ein Beispiel.

Viele Herren fürchten im Freien für ihren Kopf und setzen einen passenden Hut darauf; ganz besonders Furchtsame wählen eine Nummer zu groß, damit sie den Hut notfalls ins Gesicht ziehen können. Begegnen sich zwei Herren mit einem Hut auf dem Kopf, wird der sogenannte Hutbesitzersgruß fällig, das heißt, jeder der beiden Herren zieht seinen Hut und läßt sich auf den Kopf sehen, denn wer auch sich sorgt um seinen Kopf und ihn behütet, er möchte doch beweisen, daß er den Kopf herzeigen kann guten Gewissens und wenigstens unter dem Hut nichts zu verbergen hat.

Das geht so vor sich.

Der eine Herr mit dem Hut auf dem Kopf kommt die Straße herab, der andere Herr mit dem Hut auf dem Kopf geht die Straße hinauf. Einander Schritt für Schritt näherrückend, erkennt der die Straße Herabkommende, daß ihm der Hinaufgehende, wenn auch vielleicht nur flüchtig, bekannt ist, erkennt der die Straße Hinaufgehende, daß ihm der Herabkommende, wenn auch vielleicht nur flüchtig, bekannt ist, erkennen beide Herren, daß sie einander, wenn auch vielleicht nur flüchtig, bekannt sind und daß ihre Wege sich vielleicht nicht kreuzen, aber doch schneiden werden. Der unter seinem Hut Herabkommende stutzt und zügelt seinen aufrechten Gang, der unter seinem Hut Hinaufgehende stutzt und zügelt seinen aufrechten Gang; da jedoch keiner von beiden Herren, weder der Herabkommende noch der Hinaufgehende, Anstalten macht um- zukehren und sich einen anderen Weg zu suchen, sehen beide, ein- ander wenn auch vielleicht nur flüchtig bekannte, sich an Scharf- blick aber nicht nachstehende Herren, den Augenblick voraus, in dem sie sich gegenüberstehen werden. Der die Straße Herab- kommende spornt seinen aufrechten Gang wieder an, der die Straße Hinaufgehende spornt seinen aufrechten Gang wieder an; gerade sah es noch aus, als hätten beide Herren ihren Füßen eine Pause ver- sprochen, nun springen sie fast aus dem Stand unter ihren Hüten aufeinander zu, in die unvermeidliche Begegnung hinein. Der Herab- kommende greift sich an den Kopf, der Hinaufgehende greift sich an

den Kopf, beide Herren tun keinen Fehlgriff und erwischen glücklich ihren Hut, entfernen ihn sicher nicht ohne Schaudern von dem
sonst so sorgsam behüteten Kopf und eilen dennoch unerbittlich
aufeinander zu. Der nun barhaupt die Straße Herabkommende hält
seinen Hut weit von sich, der nun barhaupt die Straße Hinaufgehende hält seinen Hut weit von sich, beide Herren strecken den
Arm und mit dem Arm die Hand, die den Hut trägt, beide, sich
wenn auch vielleicht nur flüchtig bekannte Herren, strecken sich den
Hut entgegen als dächten sie daran, auf offener Straße die Hüte zu
tauschen, obwohl doch ihr Geschmack und ihre Hutgröße zweifellos
vielleicht ganz verschieden sind, und mit dem Hut in der ausgestreckten Hand bereitet der Herabkommende, bereitet der Hinaufgehende ein Lächeln vor, bereiten beide Herren ein Lächeln vor und
setzen es auf, aneinander vorbeieilend, zeigen sich, aneinander vorbeieilend, herab und hinauf lächelnd die Zähne und wünschen sich
Auge in Auge die Tageszeit. Es blickt der Herabkommende dem
Hinaufgehenden auf den so höflich entblößten Kopf, es blickt der
Hinaufgehende dem Herabkommenden auf den so höflich entblößten Kopf, beide, sich wenn auch vielleicht nur flüchtig bekannte
Herren, lassen sich, herab und hinauf vorbeieilend, auf den
so höflich entblößten Kopf sehen, zeigen sich lächelnd die Zähne,
wünschen sich Auge in Auge die Tageszeit, tragen, ohne sich um-
zudrehen, den Hut noch einige Schritte in der ausgestreckten Hand,
bis sie gewiß sind, daß der Gegrüßte seinen aufrechten Gang nicht
anhalten, daß er nicht kehrtmachen, noch einmal gelaufen kommen
und auf die Wiederholung des Grußes drängen wird, und setzen
mit dieser frohen Gewißheit im Herzen das Lächeln ab und den Hut
wieder auf. Der die Straße Herabkommende setzt den Hut wieder
auf, der die Straße Hinaufgehende setzt den Hut wieder auf, jeder
auf seinen Kopf, vorausgesetzt, keiner von beiden hat während des
Grußes den Kopf verloren. Auf diese Weise, mit dem Hut in der
Hand, kommen die beiden Herren vielleicht nicht durchs ganze
Land, aber doch glücklich und in Übereinstimmung mit der guten
Sitte aneinander vorbei.

Ende des Beispiels.

Erste Anmerkung zum Beispiel: die Ausnahme bestätigt die Regel. Besonders in Südamerika läßt sich der Hutbesitzer nicht auf den
Kopf sehen, er tippt zum Gruß mit zwei oder mehr Fingern einer beliebigen Hand an die Krempe seines Hutes. Wie allgemein bekannt
ist, sind, gemessen an unseren landläufigen Hüten, die südamerikani-
schen, Sombrero genannten Hüte unvergleichlich größer und schwerer, und der südamerikanische Hutbesitzer, der schon von Natur aus
sehr viel schwitzen muß, scheut begreiflicherweise die Mühe, einen
solchen gewichtigen Hut zu bewegen. Leider beginnt diese exotische
Sitte, nämlich das Tippen an die Hutkrempe, auch in unseren Breiten
um sich zu greifen. Während sie jedoch in Südamerika zweifellos
vielleicht mit dem Zwang der natürlichen Verhältnisse sich erklären

und rechtfertigen läßt, ist sie hier ein Zeichen von Trägheit und schlechtem Gewissen. Denn wer sich nicht auf den Kopf sehen läßt, kann sich auch nicht blicken lassen ins Herz.

Zweite Anmerkung zum Beispiel: Hutbesitzer sieh dich vor. Wer als Hutbesitzer einem Hutbesitzer den Hut vom Kopf schlägt, haftet mit seiner eigenen, wohlmöglich unentbehrlichen Kopfbedeckung.

Schlußbemerkung zum Beispiel Hutbesitzersgruß: in der Regel wird der Hutbesitzersgruß freiwillig geleistet, er kann aber auch gefordert werden. In einem solchen Fall ist es nicht ratsam, den Gruß zu verweigern. Nicht jeder hat wie der Schweizer Wilhelm Tell einen Sohn, der den Kopf hinhält.

OTTO F. WALTER
Der Knecht Kaspar

Das Traktorgeratter schläferte mich ein. Als ich erwachte, lag ich, noch immer zugedeckt mit diesen Kartoffelsäcken, unter dem Licht einer Glühbirne. Sie hing hoch über mir, anscheinend an den Tragbalken eines weitausladenden Scheunendachs, und neben mir sagte dauernd eine Männerstimme: Lève-toi, mon vieux, alors, lève-toi. Meine Schulter wurde geschüttelt. Ich richtete mich auf. Der Mann, der den Traktor geführt hatte, ein vielleicht vierzigjähriger, kräftiger Bursche, in dickgefütterter Lederjacke, stand neben mir und sagte in seinem Berndeutsch-Französisch, ich solle endlich herunter kommen. Das tat ich, mußte mich jedoch, da ich auf meinen eingeschlafenen und von der Kälte steifgewordenen Beinen kaum stehen konnte, an der Eisenblechwand des Anhängers festklammern. Aus der breiten Tennentorspalte kläfferte ein heiserer Hund. Ich versuchte meine frostgeschüttelten Glieder zur Ruhe zu zwingen; es gelang mir nicht. Erst später in der Küche, als ich nach mehreren vergeblichen Versuchen die heiße Kaffeetasse zum Mund zu führen vermocht hatte, ließ das Zittern nach, und das reichlich zur Verfügung stehende Kirschwasser taute dann auch meinen Geist auf. Ich hörte, noch während ich trank, wie der Bauer und seine Frau im Zimmer nebenan zusammen redeten. Aber wo denn! sagte halblaut die aufgebrachte Frauenstimme, und nach einer Weile kamen sie beide wieder zurück. Wortlos schob er mir ein Stück Zimttorte herüber, aber noch setzte er sich nicht an den Tisch, und ich hörte, wie er hinter mir umständlich seine Schuhe auszog.

Qui êtes-vous? sagte plötzlich die Frau. Ich schaute sie an, sie stand mit dem Rücken zum Spültrog neben mir, ihre Linke hinter sich auf den Steinrand gestützt, und blickte auf mich herunter, ein noch immer nicht altes, breitknochiges Gesicht mit Augen, die von da aus besehen beinah geschlossen waren.

Sie können ruhig deutsch mit mir reden, sagte ich. Jetzt lachten wir alle drei. Aber, sagte er und setzte sich gegenüber hin, Sie redeten doch französisch? Ich erklärte ihm, daß ja er mich als erster angesprochen hätte, draußen irgendwo auf der Strecke von Lyß herauf, wir lachten also zusammen, und ich fuhr fort: von Beruf bin ich

Hier muß ich vielleicht erst einmal erklären: ich bin eine humorvolle Natur. Nicht gerade ein Witzbold, aber Albert zum Beispiel pflegte oft zu mir zu sagen: wo du nur deinen Humor her hast! Es handelt sich dabei um nichts weiter als diese typisch Jammersche Spielart von Mutterwitz, um die Fähigkeit, im Ernsten auch das Heitere zu sehen, und eben dieser Humor kam jetzt in mir hoch, jetzt, in jener Küche in dem abgelegenen Bauernhaus südlich von Le Landeron, ich sah mich mit einem Mal gleichsam von außen, mich, der ich durchaus nicht hierher paßte und mit diesen gewiß alteingesessenen braven Leuten so gar nichts gemein hatte, und ich sagte also: von Beruf bin ich Geologe.

Ein Landvermesser, sagte mein Gastgeber, er nickte, und nachdem seine Frau ihn korrigiert hatte, fuhr ich fort: Ich bin in einer Sondermission unterwegs.

Noch lagen Mißtrauen, Erstaunen und Neugier übereinander auf ihren Gesichtern. Mein Gehirn arbeitete fiebrig, ein Spaß, ich spürte es, ließ sich hier in Szene setzen, und bescheiden sagte ich: Wäre mir recht wichtig, wenn Sie über alle diese Dinge Dritten gegenüber vorläufig Stillschweigen bewahren würden, und da ich auf dem Rand des auf dem Tisch liegenden Courrier Jurassien den aufgedruckten Namen entziffern konnte, setzte ich hinzu: Herr Marty. Gewiß, murmelte er; aus dem Augenwinkel konnte ich sehen, wie auch seine Frau eifrig nickte, und ich sagte: Ein rein wissenschaftlicher Auftrag, vom eidgenössischen Amt für Bodenschatzplanung in Bern, Sie wissen ja, – rein wissenschaftlich zunächst, wenn ich auch nicht leugnen will, daß wir mit bedeutenden praktischen Folgen dieser meiner Tätigkeit werden rechnen dürfen.

Herr Marty schenkte mir wieder ein. Ich rauchte. Es war still geworden in der Küche, und auch das Gekläff nebenan in der Scheune war verstummt. Ich sah, wie mein Gegenüber nachdachte, sein Blick drehte gleich, als ich ihn anschaute, wieder ab, und er sagte: also Sie suchen Bodenschätze. Seine Frau lachte. Ich sah, wie sie meinen noch immer neben der Tür stehenden Koffer und die Phototasche musterte. Da haben Sie wahrscheinlich noch eine lange Reise vor sich, sagte sie. Bodenschätze, – könnten auch noch ein paar davon brauchen, nicht, Erwin?

Unsere Forschung hat bereits festgestellt, gerade in Ihrer Gegend hier muß ein wichtiges Zentrum der Aruniumvorkommen liegen. Tja, fuhr ich fort, morgen, hoffe ich, werden wir darüber Genaueres wissen. – Haben Sie Kinder?

So plauderten wir denn noch ein wenig über die Familienverhältnisse, über die Kartoffelmißernte des vergangenen Herbstes, eine

Flasche des einheimischen Weins wurde geöffnet, und als die Uhr im Zimmer nebenan zehn schlug, stand Herr Marty auf. Er zog an der Tür die Gummistiefel über und verschwand.

Immer diese Angst! Frau Marty seufzte. Wir befürchten Brandstiftung, wissen Sie. Ein Knecht, den hat mein Mann davongejagt, ein richtiger Spinner war er, kam aus St-Imier herunter, und manchmal, mitten in der Arbeit drüben am Kanal, wenn wir die Säcke aufluden, stand er plötzlich einfach so da und schaute ins Leere. Schaute zur Scheune herüber. Seine Augen bekamen diesen fiebrigen Glanz. Wenns irgendwo ein Feuer zu machen gab, war er immer schon da, vor dem Backofen im Gang oder unter den Apfelbäumen im Baumgarten, im Mai, wenn wir Frostfeuer machten, oder auf den Feldern, immer war Kaspar schon da und hatte seine Streichhölzer in der Hand, und richtig wütend konnte er werden, wenn jemand von uns ihm zuvorkam. Ohne ein Wort zu sagen hockte er dann vor den Flammen und schaute sie an mit seinen Glanzaugen, so einer war das, mein Mann hat ihn fortgeschickt, vor drei Wochen hat er zu ihm gesagt

Erstaunlich, wie gesprächig sie jetzt wurde. Ich entsinne mich noch sehr genau ihrer Worte. Alle diese Einzelheiten und noch eine Reihe ähnlicher Dinge über den sonderbaren Knecht Kaspar hat sie mir dort wirklich erzählt, und wenn später behauptet wurde, diesen Kaspar habe es nie gegeben, der Bauer Marty in Landeron habe nicht ein einziges Mal in den letzten Jahren einen seiner Knechte weggeschickt, so sind das bewußt gegen mich gerichtete Verdrehungen von Tatsachen, unwichtige im übrigen, und ich werde auf sie gewiß nicht weiter eingehen. Beizufügen wäre höchstens die Frage: was hätte ihn, meinen Gastgeber, veranlassen sollen zu seinem nächtlichen Kontrollgang, wenn nicht eben die Angst, die weiß Gott wohlbegründete Angst vor dem unglücklichen Landarbeiter, dessen Lust am Feuerspiel anscheinend unersättlich war? Jede Stunde, sagte mir Frau Marty, immer, wenn die Uhr drüben wieder schlägt, geht er hinaus, zwischen zehn Uhr nachts und fünf Uhr in der Frühe jede Stunde, geht erst in die Heutenne, kommt durch den Stall, geht durch die Wagenremise bis hinten zum Schweinestall, geht außen um den Schuppen herum und wieder zurück, schaut in die obere Einfahrt, die nimmts genau, schnuppert im Holzschuppen nach und kommt der Garage entlang wieder vor.

Ich bat noch um die Erlaubnis, telephonieren zu dürfen. Ich müsse den Chef über meinen Standort informieren und über die Tatsache, daß meine Fahrt der Panne nach Lyß zum Trotz nun doch noch glücklich ans Ziel geführt habe; den Arunium-Scherz wollte ich jetzt nicht vorzeitig abbrechen, wie man verstehen wird, und als ich dann drüben vor dem an der Wand hängenden Apparat stand und irgendeine Nummer in Bern wählte, hörte ich, wie nebenan der Hund wieder kläffte, hörte auch die ruhige Stimme des Herrn Marty und dessen Schritte, als er in den Flur trat.

Eine Frauenstimme meldete sich. Hallo, hier Demeuron, wer ist da? Bitte? Wer? Also, mein Lieber, nur kurz und zu deiner Beruhigung, sagte ich laut in die Muschel, während die Stimme dauernd weiter fragte: Wie? Wer, sagten Sie? Ich versteh Sie überhaupt – wie? Machen Sie keine fällt Ihnen ein – und ich fuhr weiter: bin also nun doch noch ans Ziel gekommen. Ja, kannst dir den Ärger vorstellen. Habt ihr den Wagen schon zurückgeschickt? Schön, ich erwarte also Herrn Grabers Anruf morgen abend. Wie besprochen. Klar. Alsdann. Gute Nacht, Albert, weil mir kein anderer Name einfiel wahrscheinlich, und hängte auf.

Wieder in der Küche bat ich, nicht ohne meinen Dank für die gastliche Aufnahme zu betonen, mich zurückziehen zu dürfen. Herr Marty führte mich und mein Gepäck in den zweiten Stock, in eine Kammer unter der Schräge des Dachs. Im Geruch gedörrter Birnen, von Wäscheleinen umschwankt, schlief ich bald ein. Geweckt wurde ich schon früh. Kinder polterten die Treppe hinunter. Ein Traktor fuhr ums Haus. Ganz in der Nähe wurde, soviel ich vermutete, ein Stier gemartert. Den Hund mußte die Tollwut gepackt haben. Als ich in die Küche kam, war sie leer. Auf dem Tisch stand, anscheinend für mich, ein einziges Frühstücksgedeck, mit Schinken, Käse, Brot, Butter für gut vier Personen, und der Kaffee dampfte, als ich die Wärmehaube abhob. Wieder fiel mir die Aruniumgeschichte ein. Kein Zweifel, schon meine Andeutung von gestern abend hatte gewirkt. Ich aß langsam, schenkte mir wieder ein, rauchte, und bald muß ich in meine Gedanken vertieft gewesen sein, so sehr, daß ich erschrocken herumfuhr, als die Tür hinter mir knackte. Aber nicht der Knecht Kaspar kam herein, vielmehr kam Frau Marty mit zweien ihrer Kinder, pausbäckig, zurück vom Einkaufsgang ins Dorf, und von diesem Augenblick an gabs dann keine Ruhe mehr. Zunächst hatte ich alle Mühe, mich Frau Martys Einladung zu einem zweiten Frühstück zu erwehren, anschließend besichtigte ich Spielzeugautos, Kühe, den Traktor, den Hund Dagobert, den Schweinestall, den Holzschuppen mit der Reisighütte im Dunkel des Dachbodens, die der Zweitjüngste der Familie mir als sein Schiff zeigte, und als wir zurück vors Haus kamen, lud Herr Marty mich zu einem kurzen Rundgang über seine Felder und durch die Baumgärten ein. Erst nach dem Mittagessen jedoch, beim Kaffee, der diesmal im Wohnzimmer aufgetischt wurde, brachte Herr Marty die Rede wieder auf meine berufliche Tätigkeit, das heißt er sagte plötzlich: Arunium – eine Art von Metall, wenn ich recht verstanden habe?

Ich lehnte mich zurück. Ich nickte. Gewissermaßen, sagte ich. Mit Qualitäten, die es für die Landesverteidigung beziehungsweise die moderne Kriegstechnik besonders wertvoll, ja ich möchte sagen: unentbehrlich machen. Die praktische Schwierigkeit der Gewinnung beginnt bereits bei der Tatsache, daß Arunium zwar reichlich in China und Indien, auch in Polen, vorkommt, hierzulande und ganz allgemein in der westlichen Welt jedoch nur in außerordentlich geringen Mengen. Glücklicherweise ist die rasche Lokalisierung auch kleinster Vorkommen neuerdings möglich geworden durch die sogenannten Infraspürgeräte, kleine Apparate, die sich äußerlich kaum von einer Spiegelreflex-Photokamera unterscheiden. Sie registrieren jede Aruniumstrahlung aufs genaueste. Ich lächelte. Aber genug der Einzelheiten, wichtig für unser Amt bleibt die Frage, wie die Gewinnung der einzelnen Vorkommen gestaltet werden soll. Zur Gewinnung beispielsweise von 24 Milligramm – schon eine beachtliche Menge – müssen Grabungen im Ausmaß von einem Quadratkilometer Fläche und von dreißig Metern Höhe respektive Tiefe vorgenommen werden. Sie können sich die Verheerung für eine Landschaft wie die Ihre hier gewiß vorstellen. Kaum zu bezahlen! So bleibt dem Staat, das ist zwar lediglich meine private Überzeugung, nichts weiter als die Enteignung übrig, – die Enteignung jener Grundstücke, die als aruniumhaltig eingetragen werden müssen. So ist das, sagte ich.

Herr Marty zündete, ein wenig hastig, wie mir schien, seine Zigarre zum zweitenmal an. Also so ist das, sagte er. Seine Frau stand auf und verließ das Zimmer. Nun, fuhr ich fort, noch ist das alles erst im Stadium der Planung. Mein Chef und ich, wir beide sind uns der Härten bewußt, die aus diesem Vorgehen erwachsen mögen. Wir sind durchaus der Meinung, es müsse alles getan werden, sie auf ein Minimum zu beschränken. Wir denken an Tauschmöglichkeiten für jene Fälle, wo, wie vielleicht auch hier, blühende landwirtschaftliche Betriebe eingestellt werden müßten; oben im Berner Jura muß entsprechendes Tauschgelände gefunden werden. Gewiß, mit einer Umsiedlung – darauf käme das Ganze schließlich heraus – wären zweifellos auch weitreichende Umstellungen Ihrer Produktion, wenn ich so sagen darf, verbunden, nicht wahr, Umstellungen, etwa von der Milchwirtschaft auf Viehzucht, denken Sie an die Pferdezucht, sie nur als ein Beispiel. Unter Umständen aber auch hätten Sie dann ganz andere Vorstellungen, wer weiß, und Sie machen uns zu gegebener Zeit Vorschläge? Auf jeden Fall sollten wir vorläufig, das heißt so lange die Ergebnisse meiner Untersuchung nicht vorliegen, uns nicht allzusehr den Kopf zerbrechen. Kommt Zeit, kommt Rat, pflegt einer meiner Freunde gelegentlich zu sagen, und wie oft schon mußte ich ihm aus Erfahrung zustimmen!

Ich werde mich jetzt, fuhr ich dann fort, an die Arbeit machen, vorn am Kanal erst, später auch in Hausnähe. Ich bat ihn, sich durch meine Anwesenheit auf der Liegenschaft nur ja nicht gestört zu fühlen; in spätestens vier Stunden würde ich übrigens die Aufnahmen gemacht haben.

In Jacke und Hut, die Phototasche übergehängt, marschierte ich quer durch die gefrorenen Wiesen zum Kanal, packte die Infraspürkamera aus – meinen alten Japan-Flexkasten –, schraubte auch gleich die Blitzleuchte ein, und kniend nahm ich die Arunium-Strahlung sozusagen auf. Ich machte immer zwei oder drei Aufnahmen aufs

Mal, dann verschob ich mich um hundert wohlabgezählte Schritte, blieb etwa stehen und tat so, als trüge ich die Resultate und die Distanzen sorgfältig in ein Notizbuch ein, setzte das Spürgerät wieder an, so ging das fort, und im Geist malte ich mir aus, wie fröhlich sich am Abend dann meine Eröffnung, das Ganze sei nichts weiter als eben ein lustiger Spaß, ausnehmen müßte. Aber wie humorlos die Leute hierzulande sind! Es mochte auf halb fünf gehen, als ich mich dem Haus wieder näherte. Schon lagen kleine Dämmerseen in den Bodensenken, und hinter dem schwerbedachten Bau des Hofs waren die ersten Lichter zu sehen. Das Dorf. Ich spürte die Spitzen des Frosts durch die Sohlen herein. Die Stimmen der Kinder aus der Scheune klangen klar herüber. Ich freute mich auf diesen Abend, dazusitzen im Kreis neugewonnener Freunde, von der Wärme des Wohnzimmerofens angestrahlt und umfangen von den Geschichten von wilden Bourbaki-Pferden, von Mägden mit dem bösen Blick, von feuerbesessenen Knechten und von der Jagd auf Enten im alten Riedland, von der einer nicht wiederkehrte. Schon war ich bis auf dreißig Meter herangekommen, als ich die drei Jüngsten stumm ins Haus rennen sah. Im Flur brannte Licht, auch in Wohnzimmer und Küche. Mir fiel auf, daß der Hund nicht anschlug. Ich kam über den Vorplatz, ging auf die Treppe zu, und erst jetzt sah ich Frau Marty. Sie stand in der Tür, beinah nur als Schattenbild vor dem Flurlicht zu erkennen.

Gehen Sie fort, sagte sie, noch kaum, daß ich Guten Abend gewünscht hatte. Ich blieb stehen. Ich schaute zu ihr hinauf. Wir haben mit Ihrem Amt in Bern zu telephonieren versucht, sagte sie. Ihre Stimme war sehr ruhig. Ein Irrtum, hat man uns erklärt. Sie sind ein Betrüger. Gehen Sie, es ist besser, wenn Sie gleich gehen, mein Mann

Sie ließ mich nicht einmal mehr zu Wort kommen. Sie wollten Geld, sagte sie müde, mein Mann hätte Ihnen Geld anbieten sollen, ein Betrüger, so als hätte sie alle diese Worte auswendig gelernt, monoton, ohne jede Spur von Zweifel oder gar Humor redete sie auf mich herunter, schlimmste Beschuldigungen, die unwidersprochen hinzunehmen ich keineswegs die Absicht hatte. Aber kaum setzte ich erneut ein, als sie, unhöflich wie nur eben Bauern sein können, unhöflich oder einfach grob, ihre Handbewegung machte, und mein Respekt einer Frau gegenüber verbot mir nun natürlich jedes Weiterreden; und immer wieder dieses: gehen Sie, gehen Sie fort, mein Mann sagte, ich gebe ihm fünf Minuten Zeit vom Augenblick an, da diese Tür geschlossen wird. Wenn Sie bis dahin nicht, – glauben Sie mir, ihm ist so etwas zuzutrauen. Den Hund hat er bei sich im Wohnzimmer. Sie drehte sich halb um.

Hier, hörte ich sie sagen. Und wirklich, sie brachte meinen Koffer auf die Treppe vor. Sie stellte ihn vor mich hin, dann ging sie rückwärts in den Flur. Langsam schloß sie die Tür.

Soll ich verschweigen, wie der Zorn in mir hochkam? Aber es gelang mir rasch, mich wieder unter Kontrolle zu bringen. Was, so sagte mir meine Vernunft, konnte es für einen Sinn haben, daß ich mich mit diesen haltlosen Anschuldigungen weiter auseinandersetzte. Ich nahm mein Gepäck auf und ging hinweg, marschierte in die frostige Dämmerung. Ein einziges Mal noch blickte ich zurück. Die Köpfe der Kinder am Küchenfenster waren das letzte, was ich sah. Zwanzig Minuten später stand ich oben ein paar hundert Meter westlich von Le Landeron an der Landstraße. Ein Versicherungsagent aus Neuchâtel nahm mich im Wagen mit. In Neuchâtel verkaufte ich am selben Abend noch meine Phototasche samt Inhalt einem kleinen Photoladenbesitzer, gegen elfhundertsiebzig Franken in bar, – am selben Abend, wenn ich mich recht erinnere, spätestens am darauffolgenden Vormittag. Ich weiß auf jeden Fall genau noch, ich kaufte mir um die Mittagszeit, um mich wieder ein bißchen über die Ereignisse in der Welt zu informieren, den Courrier Jurassien. Ich ging an den Hafen hinunter, und dort, auf einer Bank in der weißlichen Januarsonne, fiel mein Blick zufällig auf die Meldung des Brandes eines Bauernhofs in der Umgebung von Le Landeron. Nach dem Knecht Kaspar X., stand da, werde gefahndet.

WALTER HÖLLERER
Drei Fabeln vom Realen

I. Die Frösche

Zwei Frösche, ein Grasfrosch und ein Baumfrosch, haben genug von Kioto. Wie sind sie dieser Stadt Kioto überdrüssig. Sie haben Kioto ausgewohnt. Sie kennen Kioto. Über allen Tümpeln Kioto, in jedem Park und jeder Flußbiegung schläft die Farbe längst geleerter Ampullen. Wenn die Rohrdommel in Kioto ruft, weiß man schon Bescheid. Fünfzigmal ruft die Rohrdommel im Jahr. Wenn die Spechte in Kioto klopfen, erscheinen in allen Ritzen die schwarzgelackten Köpfe der Holzwürmer. Alle Holzwürmer sind sichtbar, die mit den tausend Beinen und die mit den zehntausend Beinen und die beinlosen. Wenn die Esel in Kioto ihre Anfälle bekommen, weiß man, daß es ein gutes Jahr sein wird. Die Enten haben keine neuen Sprachmethoden, und die schwarzen Termiten überfallen die blauen Termiten. Abends ist Kioto wild und stumm. Kioto hat keine Überraschungen für den Grasfrosch und für den Baumfrosch.

Sie nehmen sich bei der Hand und gehen nach Soto. Sie schreiten aus und gehen Richtung Soto über einen hohen Berg. Wie schwer, wie anstrengend ist der Weg! Ein Berg ist zwischen Kioto und Soto.

Kioto lassen sie hinter sich. Tief unten verblaßt Kioto, aber es bleibt sichtbar, im einzelnen. Ein Riese tanzt in den Straßen von Kioto, übertönt vom Schreien. Sie hören, indem sie mühsam bergauf gehen, den Jubel der tiefen Angst hinter sich, als hätten sie ihn

selbst verursacht. Sie zucken die Achseln: wer sein Herz für diesen
atemlosen Wirbel geschaffen wüßte!

> Und wissen doch nichts
> Von den traurigen Fakten,
> Zuerst die Rosen,
> Dann gänzlich blind.

Sie hatten viel gelesen. Sie waren herumgekommen. Sie hatten
nachgedacht. Der eine war durch das viele Lernen schon etwas um-
gewandelt. Ihn, den Baumfrosch, forderte ein Teufel auf, der immer
um ihn war, sich in einen Spalt im Schiefer zu stürzen, in einen
Schacht, schwarz, freundlich und geheimnisvoll. Dreiunddreißig
Jährchen, das ist ein Alter für einen Baumfrosch, ein gesegnetes
Alter. Den Musikanten hatten sie beim Abschied die Hand gedrückt,
damit sie durchhielten. Immer noch hörten sie die Querpfeifer hinter
sich. Der Teufel begann nach der Musik zu tanzen. Er bestand nicht
mehr auf einem tragischen Ausgang. »Ich wollte dir nur die Halme
von deinem Frack abbürsten«, sagte er zum Baumfrosch.

> Seht ihr nun, seht ihr nun,
> Bürger, wie klug der Frosch, wie
> Gescheit er ist

Hartnäckig wie Gewissensbisse klommen sie empor in eine Dunkelheit, unter einem wässerigen Mond.

»Wir wollen eine Verfassung für das neu entdeckte Land niederlegen.«

»Wir wollen niederschweben nach Soto, als ob wir ein Nest für
den Traum webten, aus Flüsterworten.«

Ihre Interessen schienen, trotz allem, auf ein gleiches Ziel gerichtet. Sie hörten tief unter sich in Kioto den Chor antworten.

> Wie ihr euch gut beraten habt,
> Was ihr für gute Braten habt,
> O ihr Beneidenswerten!

So kamen sie auf die Höhe des Berges. Es war ein scharfer, kahler
Grat, schmal und lang, einem ausgestreckten Mückenbein vergleich-
bar. Es war in der Morgendämmerung, als sie den letzten Klimm-
zug taten. Sie stellten sich begierig auf die langen Hinterbeine, sie
streckten sich, und sie spreizten sich auf die Zehenspitzen, und ihre
weißen und grüngesprenkelten Bäuche glänzten hinab ins Tal.
Weiße, grüngesprenkelte Bäuche erschienen, aus einer anderen Welt,
den verschlafenen Talbewohnern jenseits des Bergs. Noch lange
sprach man in Soto von dieser Erscheinung an einem Oktober-
morgen.

Sie schauten beide angestrengt: – – aber sie sahen eine längst
bekannte Gegend. Sie sahen nichts anderes, als was sie verlassen
hatten; jedenfalls eine Landschaft, die aussah wie die bekannte, oft

gesehene. Sie wurden grau im Gesicht, und sie steckten die Köpfe zusammen und sagten: »Soto wie Kioto, da ist kein Unterschied.« Noch im Morgengrauen machten sie sich auf den Heimweg, zurück nach Kioto.

Sie hatten vergessen, als sie sich emporstreckten, daß ihnen die Augen, Froschaugen, im Rücken standen. Nie sahen sie den Ort Soto, jenseits des Berges, der »der große Sotoberg« heißt.

II. Poisson Rouge

Ein Poisson Rouge schwimmt in einem Aquarium, zufrieden, kann man sagen, eingewöhnt. Die Sensationen liegen hinter Glas. Er schluppert am Glas entlang, transzendent stehen die von Glasblasen entstellten Kommoden im Zimmer. Er frißt seinen Wasserfloh. Hier innen gibt es die kleinen Wellen der Wasserflöhe.

Es ist ein Herr im Zimmer. Jeden Tag nimmt er eine Tasse Wasser aus dem Aquarium. Der Tummelplatz des Fisches wird schmaler. Er nimmt sein Leiden in einer Art trotziger Wut hin, wie wir uns denken können. – »Nein, falsch, er merkt es gar nicht.« – Nun gut, es gibt seinem Wesen etwas Elegisches. Mählich und mählich rutscht er mit dem Goldbauch über den Sand; der Herr, ich meine Seine Eminenz, Hantierer im Zimmer, ist konsequent.

– »Bald wird, wenn es so weiter geht, die Geschichte aus sein.« – Das ist verständlich. – »Soll ich den Schluß diktieren?« –

Schlaf ein, Poisson Rouge, denkt der Poisson Rouge, denn das wenige Wasser macht ihn apathisch. Er wird ein Schlammbewohner. Er hält sich im Schlamm, und wie es längere Zeit so dauert und sich nichts weiter verändert, fühlt er sich zufrieden im Schlamm, kann man sagen, eingewöhnt im Halbfeuchten. Die Sensationen liegen jetzt in der Historie: »Damals, als es noch Wogen gab ...« Er streckt seine Kiemenäste aus den Schlammporen und ist im Einverständnis.

Aber, man nimmt das Wasser ganz weg, den Rest von Feuchtigkeit. »Wir Lebenden« ... »ich lebe«, denkt er, und flüstert sogar dieses Wort vor sich hin.

Schon sitzt er auf dem Trockenen. Er fängt an, mit der trockenen Nachbarschaft bekannt zu werden. Diese Gelassenheit, diese aufreizende Gelassenheit! Er ist zufrieden, kann man sagen, jedenfalls bald eingewöhnt. Die Welt hat trocken zu sein, wie anders wäre sie sonst die Welt. Er entwickelt das Programm des konsequenten Siccismus. Alles andere ist abzulehnen, als ungesund, wirklichkeitsleer. Einige Sensationen liegen noch in Relikten des Schlamms. Aber normal ist das Sandpulver. Die feuchten Sensationen, die Pfützen, stören die Realität ein wenig, wirken abstoßend auf den sicheren Geschmack; aber sie sind belanglos.

Seine Eminenz (oder wie du ihn heißen willst, es kommt auf deinen Geschmack an, zum Beispiel Seine Zufälligkeit, Seine Natürlichkeit,

Gesellschaftlichkeit, Seine Ordentlichkeit, oder du nennst ihn, ohne dir viel zu denken, ER, Experimentierer in seiner Entsicherungskartei) überläßt sich seiner offensichtlichen Überlegenheit. Immer mit einem Grundton von Trauer und Resignation verändert er die Beschaffenheit des Behältnisses, nimmt den quicktrockenen Poisson Rouge aus seinem Glaskasten und setzt ihn in ein Vogelbauer. Gittersitze, Stäbe, Sitzstangen. Hielte sich Poisson Rouge für einen Schriftsteller: er beschriebe jetzt die Welt von der Milbe bis zu den Ängsten seiner Mauserung (es fallen die roten Schuppen von den Bäuchen, man fühlt sich elend, sogar in den Morgenstunden, bleich, westöstlich, rasa, nada, dada). Die Welt nackt und abgeschulpt, eine respektable Art von Hühnerlaus, – bis sie wieder wächst, von Sitzstange zu Sitzstange, Flöten, Choräle, Strömungen, Realität des Nachbarvogels und Nebenkäfigs. Glück hinter Gittern, getroste Verzweiflung, Unruhe und Geborgenheit. Dialektische Zustände, und, realitätsstörend, leicht narkotische Erinnerungen an Feuchtes. »Und preist man als das höchste Leben dies ...« Nein, hilft nichts, ist zu pathetisch, wir erzählen im Abstand. »Verdammter Bube, ich verhafte dich.« (»Natürlich, das hat sehr viel mit dem Vogelkäfig zu tun.« Ja, mit dem Käfig. »Wird dir aber niemand abnehmen.«) Bitte: das richtet sich einfach gegen die Forschung. Wenn man dir zumutete, die Ergebnisse deines Forschens und die Schlüsse, zu denen du kommst, dürften keinesfalls die herkömmlichen Vorstellungen über dieses Forschungsgebiet umstoßen oder die Empfindlichkeit jener Leute nicht verletzen, die von der Wissenschaft nichts verstehen, – nein, über eine solche Zumutung läßt sich heutigentags nur lächeln. – »Lachen.« – Lachen und lächeln. (Sie, mir gegenübersitzend im Speisewagen durch ein rußiges Weintal, spricht freimütig über alles, als hätte sie über nichts zu erröten. Ob nun ein Aquarium, Vogelbauer, Speisewagen, ihre Freimütigkeit gibt mir zu denken: durchgehende Möglichkeiten? Trotz Wasser, Sumpf und Vogelstangen?)

Heraus mit dem Poisson Rouge aus dem Bauer, und ihn ins Zimmer gesetzt. Wenn das nicht Realität ist! Teppich weiße Telephone Gardinen Flausch Morgenrock und Milieu. An der Wand der Mann mit dem Goldhelm und ein Willi Baumeister. Poisson niest. Teppichhaare kitzeln. Ecken werden ausgeschnüffelt, einige bayerische Mottenkugeln, Silberfischchen, verlorengegangener Manschettenknopf. Ein Buch »Das anmutige Ungeheuer«, hinter das Büchergestell gerutscht, liegt dort mit der »Skeptischen Generation« zusammen. Poisson schnobert daran herum. Vergeßlich schielt er in den Käfig zurück. Märchen beginnen mit »Es war einmal«, nicht die Realitäten. Das Hier und Jetzt; Motten und Staubsauger. Abendländische Realität: zuviel Staub oder gar keiner.

Der Herr in diesem Zimmer aber nimmt ein Halsband und nimmt einen Maulkorb und bindet beides dem Poisson Rouge um und macht die Tür auf (wahrhaftig, eine Tür ist da!), und er führt ihn die breite, ansehnliche Treppe hinunter, die in der Sonne daliegt. Freiluft, Natur und ein problematisches Duftgemisch. Leider hat der Poisson, mit dem Halsband, auch Regungen wie ein vierbeiniger Halsbandträger bekommen – Winkel, Ecksteine. Poisson Rouge auf der Treppe: Open Air. Eine Art Übergang ist das, auch soziologisch, auch geistesgeschichtlich, auch literarhistorisch. Wie fühlt er sich? Nach dem ersten Moment, da er nach Luft schnappt und »Umbruch« bellt, auch wohl schwanzwedelnd ins Zimmer zurückjault: zufrieden, jedenfalls eingewöhnt. Die Sensation schielt nur noch durch den Türspalt, dort setzt das verlorene Plüsch noch Lichter auf, surreales Flimmern.

Seine Eminenz bewegen sich, noch ruhiger als sonst, dem Ende der Treppe zu, so als ob eine große Entwicklung vor sich ginge, deren fernes Zittern wir spüren. Bald ist Poisson Rouge in den Straßen der Stadt. Er sieht seinen Namen *Poisson Rouge* als Unterschrift auf einem Manifest an einer Litfaßsäule, für und gegen etwas. Er fühlt sich zufrieden, kann man sagen, eingewöhnt. Das Flitzen des Verkehrs beflügelt ihn, wenn er sich auch verpflichtet weiß, die Stirne zu kräuseln, traditionsbewußt. Er kommt an einen Fluß (wahrscheinlich ist es die Seine), er reißt sich los von der Leine, landschaftsbegeistert, fällt ins Wasser – und ertrinkt.

(»Das ist, scheint mir, kein werteschaffender Schluß. Was bleibt denn übrig?« – Die Leine und der Maulkorb. Und der Herr, natürlich, siehe oben. Der Herr zieht aus der Seine einen neuen Poisson Rouge und setzt ihn ins Aquarium. Die Geschichte beginnt von vorn. –

»Wann hört sie auf?« – Sobald sich der Poisson Rouge einmal nicht mehr selbstverständlich an alles gewöhnt. – »Warum hört sie dann auf?« Weil dann der Poisson Rouge kein dicker Poisson Rouge mehr ist. – »Was ist er denn dann?« – Du fragst zuviel. Wenn ihm bewußt wär, wo ihm die Augen stehen, vielleicht ein realistischer Schriftsteller. – »Muß man nicht hinzusetzen, daß die Geschichte in Frankreich spielt und nicht hier?« – Ja, das wäre gut, aus einigen Gründen.)

III. Vogel Roc

Die Mansarde hatte einen Glasziegel, den man in die Höhe stemmen konnte, daran war ein Eisenstab, der hatte ein Loch, das hakte sich in einen Eisenstift fest, dann war die Luke offen. Er sah in das Zweiggewirr. Hinter den Zweigen der Himmel. Die Zweige waren Filigran, wenn sie kahl waren. Sie waren dann wieder bewimpelt mit Händchen und Fähnchen. Dann waren sie ein Dach, dessen Schuppen sich übereinander legten. Dann waren sie ein leuchtender Schirm. Dann waren sie Lumpensammler, traurige Lumpensammler; fliegende Hunde baumelten dran. Dann waren sie Filigran. Schwarzes Filigran. Schwarzweißes Filigran. Weißes Filigran, Sonne und ein Kristallmuster. Nein, todtrauriges Filigran, schwarzes Filigran, Gerippe ohne Standpunkt, Blei hinter dem Gerippe. Aber: sie sind bewimpelt mit Händchen und Fähnchen. Nein, ein Dach ists, dessen Schuppen sich übereinander legen. Schirm, Lumpensammler, Gerippe, Filigran. Darinnen eine Eule, immer eine Eule, mit großen, tellergroßen Augenkreisen, ganz nahe, in den Zweigen, in dem Baum, über den Dächern.

Er öffnete die Luke. Er ließ sich die Zeitungen geben und las den Bericht über die Kämpfe in dem Nachbarland. Er schaute auf die Eulenaugen.

»Ihre Stimme ist zu laut. Ihre Schreie sind Ausrufe einer schlechten Schauspielerin.«

Das sind Laute, von denen man nicht sagen kann, woher sie geholt werden. Sie haben die Spuren ihrer Melodie nicht wiedergefunden. Sie suchen nach den Spuren ihrer Melodie, beunruhigende Flugkurven, die man nur als Ausschnitt wahrnimmt. – Zwischen den Dachtapeten grinst ihm ein Narrenkopf entgegen. Zwingt ihn die Entwicklung, sich unter diesen Schutz zu stellen? – »Ist es eine Schnee-Eule? Ist es ein Steinkauz?« Er sieht mißtrauisch ihre Veränderungen. Im Sommer: eine Schnee-Eule. Sie ist eine Komödiantin. Er nimmt sie zu ernst.

Er zeigt sich noch immer ganz willig, ja ist sogar begierig auf den Abend und bittet sie stets von neuem zu beginnen. Sie stößt ihre Schreie aus, rollt die Augen, flattert hin und her. Er und die Eule, er und die Schnee-Eule, so schien es, verabredeten Maßnahmen bis zum anderen Abend um acht. Für Fragen, die irgend eine andere Person an ihn richtete, schien er da unzugänglich.

Ja, er fand hier seinen vorbestimmten Platz (er redete sichs ein). Ihr Gesicht, in der Spannung des Spähens erhärtet, hob sich aus dem Dunkel. So liegen die Dinge. Angebunden. Angekettet. Eingeschmort. Sie drehte mit einem Ruck ihren Kopf. Ihr Schnabel und ihre Augen mußten nun im Rücken stehen: sie sah über ihren eigenen Rücken zurück. »Sie kommt mit mir. Wir können nicht hier bleiben. Wir hängen beide bis zum Gürtel über Bord.«

»Es wird unnötig sein, ihr noch alle Einzelheiten auseinanderzusetzen.«

Am Tag war sein Leben geregelt. Er war angesehen. Man fragte ihn um Rat. Ob es Gelehrte waren, die ihn besuchten, Weltbummler oder Kunstfreunde, er empfing sie alle mit der gleichen Offenheit. Was hätte er verbergen sollen. Seinen Ehrgeiz hatte er hinter sich gebracht.

»Trefft mich mit der Dämmerung«, sagte er bisweilen, wenn ihm Gesichter oder Stimmen sympathisch waren, Frauengesichter, Männerstimmen. Aber er sagte es unhörbar leise. Nie verabredete er sich für Abendstunden.

»Das ist, was mich betrübt«, klagte er sie an. »Es lebt keine Kreatur auf Erden, die so jung und so verrucht wäre wie sie.«

Sie drehte mit einem Ruck den Kopf. Ihre Augen mußten nun im Rücken stehen. Sie sieht über ihren eigenen Rücken zurück.

»Ihr Vater hat kein Kind außer ihr« (so redete er sich ein). »Ich werde sie dort sitzen lassen. Sie sitzt nicht ruhig, gleich wird sie die Augen bewegen. Ich werde fortgehen.«

Er ruft, leise, wie ein Nachtvogel.

»Es ist etwas wie ein Vorsprung, den sie ausnützt. Alles übrige, außer ihr, ist noch nicht über der Grenze. Darum haben die, die ihr zu nah sind, folgendes zu beachten: . . .« – Er wandte sich weg. Er wollte kein Programm entwerfen. – –

Er kommt spät abends nach Hause. Sie erwartet, daß er jeden Augenblick hereinkommt. Sicher erwartet sie, daß er jeden Augenblick hereinkommt. Was sie sich sonst erwarten könnte, ist ihr gleichgültig und wertlos.

»Und wenn er nein sagt? Er sagt nein. Und wenn er doch nein sagt?«

Bereitwillig vergißt er, daß sie sich fremd sind.

KURT MARTI
Neapel sehen

Er hatte eine Bretterwand gebaut. Die Bretterwand entfernte die Fabrik aus seinem häuslichen Blickkreis. Er haßte die Fabrik. Er haßte seine Arbeit in der Fabrik. Er haßte die Maschine, an der er arbeitete. Er haßte das Tempo der Maschine, das er selber beschleunigte. Er haßte die Hetze nach Akkordprämien, durch welche er es zu einigem Wohlstand, zu Haus und Gärtchen gebracht hatte. Er haßte seine Frau, so oft sie ihm sagte, heut nacht hast du wieder gezuckt. Er haßte sie, bis sie es nicht mehr erwähnte. Aber die Hände zuckten weiter im Schlaf, zuckten im schnellen Stakkato der Arbeit. Er haßte den Arzt, der ihm sagte, Sie müssen sich schonen, Akkord ist nichts mehr für Sie. Er haßte den Meister, der ihm sagte, ich gebe dir eine andere Arbeit, Akkord ist nichts mehr für dich. Er haßte so viele verlogene Rücksicht, er wollte kein Greis sein, er wollte keinen kleineren Zahltag, denn immer war das die Hinterseite von so viel Rücksicht, ein kleinerer Zahltag. Dann wurde er krank, nach vierzig Jahren Arbeit und Haß zum ersten Mal krank. Er lag im Bett und blickte zum Fenster hinaus. Er sah sein Gärtchen. Er sah den Abschluß des Gärtchens, die Bretterwand. Weiter sah er nicht. Die Fabrik sah er nicht, nur den Frühling im Gärtchen und eine Wand aus gebeizten Brettern. Bald kannst du wieder hinaus, sagte die Frau, es steht alles in Blust. Er glaubte ihr nicht. Geduld, nur Geduld, sagte der Arzt, das kommt schon wieder. Er glaubte ihm nicht. Es ist ein Elend, sagte er nach drei Wochen zu seiner Frau, ich sehe immer das Gärtchen, sonst nichts, nur das Gärtchen, das ist mir zu langweilig, immer dasselbe Gärtchen, nehmt doch einmal zwei Bretter aus der verdammten Wand, damit ich was anderes sehe. Die Frau erschrak. Sie lief zum Nachbarn. Der Nachbar kam und löste zwei Bretter aus der Wand. Der Kranke sah durch die Lücke hindurch, sah einen Teil der Fabrik. Nach einer Woche beklagte er sich, ich sehe immer das gleiche Stück der Fabrik, das lenkt mich zu wenig ab. Der Nachbar kam und legte die Bretterwand zur Hälfte nieder. Zärtlich ruhte der Blick des Kranken auf seiner Fabrik, verfolgte das Spiel das Rauches über dem Schlot, das Ein und Aus der Autos im Hof, das Ein der Menschenstromes am Morgen, das Aus am Abend. Nach vierzehn Tagen befahl er, die stehengebliebene Hälfte der Wand zu entfernen. Ich sehe unsere Büros nie und auch die Kantine nicht, beklagte er sich. Der Nachbar kam und tat, wie er wünschte. Als er die Büros sah, die Kantine und so das gesamte Fabrikareal, entspannte ein Lächeln die Züge des Kranken. Er starb nach einigen Tagen.

Das Wiegemesser bebt im Schnürgehänge: ›hier wird nicht aufge-schnitten‹. Preisnill kommt der Rollmops hoch, sauer und hartnäk-kig, er kippt den Schnaps drauf, ein kleines Osterfeuer springt dem Sod hinterher. »Fisch muß schwimmen«, sagt die Frau, ihr starker Arm kommt als ein Kran heran und räumt den Teller mit den Spie-ßen ab. Preisnill wiegt den Stamper in der Hand, balanciert ihn im Fächer seiner Finger. Das Glas fällt hart vornüber auf den Zink. Es bleibt heil.

»Sie sind nervös«, sagt die Frau, »dabei noch so jung. In Ihrem Alter fuhr ich in Britz Rad. Ich hatte als erste in der Straße ein Rad. Sie werden nicht wissen, was es damals bedeutete, Rad zu fahren. Für eine Frau. Es war ungeheuer. Also ich fuhr in Britz Rad. Zweimal in der Woche und jeden Sonntag. Was jetzt mein Mann ist, war damals Meister bei Borsig. Wir haben uns in Britz beim Radfahren kennen-gelernt.«

Preisnill sieht auf die breiten Hände der Frau, die Finger, rote Wurstbarken im Aufwasch ziehen die Bestecke herum, zersprungene Nägel schaben trockenen Senf. Als sie das Wasser abläßt, stürzen Teeblätter und Satz in den Strudel, Schwärme schwarzer selbstmör-derischer Fische. Soda und Kloake wehen herüber, verhaltenes Rülp-sen im Ausgußmaul, die roten Hände kehren Reste aus dem Becken. Auf der Zentralheizung frieren klamme Wischhader eine Stunde Rast.

»Einen Klaren noch«, sagt Preisnill, »ich bin ein wenig in Unruhe. Und das Glas ist ja nicht kaputt.« Die Frau wischt die Hände an ihrer geblümten Schürze ab.

»Fahren Sie doch mal raus, nach Tegel oder nach Staaken. Oder nach Britz. Hab'n Sie denn kein' mit ner Laube?«

Während sie spricht, denkt Preisnill: vielleicht eß ich noch eine Boulette. Der Schnaps schielt gelb aus dem Glas, warte, du, und trinkt ihn gleich aus. Jetzt zündet sich in Preisnill ein beschwingter Fackelzug an, Musik wird gespielt auf warmen, dampfenden Dreh-orgeln, Laternenträger vornweg, über den Siedeköpfen Lampions und vielarmig brennt Wachs in rotierenden Kandelabern.

»Ich eß noch eine Boulette bitte«, ruft Preisnill, »und Kartoffel-chips. Und einen Korn, einen doppelten, wenns recht ist.«

Die Vitrine mit den Soleiern und den Sardinenbüchsen läßt ihre Fliegen heraus, freie Bahn dem Tüchtigen. Gelber noch der Schnaps und hat ihn schon. Lauter nun die rauchenden Orgeln und heißer die Feuer, illuminierte Luftschaukeln und bengalische Hölzer halten sich an den Händen, drehn sich um Preisnill:

»Bitte, ich hab niemanden mit einer Laube. Ich hab auch nieman-den mit einem Fahrrad in Britz. Ich hab überhaupt niemanden hier.

Ich kenn keinen. Sie haben die Hände meiner Mutter und ihre Füße, wenn Sie auf den blauen Fliesen stehn. Mein Vater lernte meine Mutter auf einem Jagdausflug in Zoppot kennen. Aber wahrscheinlich kennen Sie Zoppot gar nicht. Und jetzt trink ich noch einen und dann gehn wir in Ihr Wohnzimmer rüber, und Sie zeigen mir die Tischwäsche unten im Büffet, und ich zieh die Standuhr auf und sehe runter in den Garten. Auf die Pfirsiche. Und dann geben Sie mir einen Lebenswecker aus der Kredenz oder eine Praline und dann geh ich.«

Herrgott, denkt Preisnill, jetzt ist mir die Boulette runtergefallen; mit einem längeren Arm faßte ich den Häusern in die Traufe und fände den Weg.

WOLFGANG KOEPPEN
Der Baseballspieler

Josef schlief. Er war im Sitzen eingeschlafen. Er war im Sitzen auf der Tribüne des Stadions eingeschlafen, aber es war ihm, als schlafe er in einem Bett. Er war harte Betten gewohnt, aber dies war ein Spitalbett, in dem er schlief, ein Bett in einem Armenspital, ein besonders hartes Bett, sein Sterbebett. Es war das Ende seiner Lebensreise. Der im Stadion und im Dienst, im Dienstmannsdienst, im Dienst bei einem fremden aus fremder Ferne hergereisten Herrn eingeschlafene Josef, umgeben vom Lautsprecherschwall eines sinnlosen Rasenspiels, sinnlos angesprochen von demselben Lärm und Schwall, der leiser und an ihn persönlich mit einer sinnlosen Botschaft gerichtet noch einmal aus dem kleinen Koffer, den er heute zu tragen und zu bewahren hatte, drang, der schlafende Josef wußte, daß dies sein letzter Dienst gewesen war, der Transport dieses Köfferchens, das Tragen des kleinen Musikkoffers, ein leichter, ein eigentümlich amüsanter Dienst bei einem großen und freigebigen, wenn auch schwarzen Herrn. Josef wußte, daß er sterben würde. Er wußte, daß er auf diesem Spitalbett sterben würde. Wie konnte es auch anders sein, als daß er am Ende seines Lebensweges im Armenspital sterben würde? War er vorbereitet zu gehen, gerüstet, die große Reise anzutreten? Er dachte, ›Gott wird mir verzeihen, er wird mir die kleinen Listen des Fremdenverkehrs vergeben, die Fremden kommen ja her, damit man sie ein wenig betrüge, damit man sie ein wenig weiterführe, als sie geführt werden wollen‹. Es gab sonderbare Schwestern in diesem Spital. Sie gingen in Baseballtracht umher und hielten Schläger in der Hand. War Gott doch böse mit Josef? Sollte Josef geschlagen werden? An der Pforte des Spitals stand Odysseus. Aber es war nicht der freundliche, freigebige Odysseus der Stadtwege. Es war der Odysseus vom Domturm, ein gefährlicher und zu fürchtender Teufel. Er war eins mit der Teufelsfratze des Turmvorsprungs geworden, der Teufelsfratze, auf die er seinen Namen und seine Herkunft geschrieben hatte; ein schwarzer Teufel war Odysseus, wirklich, ein böser schwarzer Teufel; er war nichts als ein ganz gewöhnlicher fürchterlicher Teufel. Was wollte der Teufel von Josef? War Josef nicht immer brav gewesen, bis auf die kleinen zum Gewerbe gehörenden Listen des Fremdenverkehrs? Hatte er nicht jedermanns Koffer getragen? War er nicht in den Krieg gezogen? Oder war doch gerade das In-den-Krieg-ziehen Sünde gewesen? War die Pflichterfüllung Sünde gewesen? Die Pflicht Sünde? Die Pflicht, von der alle redeten, schrieben, schrien und sie verherrlichten? Hatte man ihm nun die Pflicht angekreidet, stand sie auf der Tafel bei Gott angekreidet, wie nicht bezahltes Bier auf der Tafel des Wirtes? Es war wahr! Josef hatte es immer gequält. Insgeheim hatte es ihn gequält. Er hatte nicht gern daran gedacht: er hatte getötet, er hatte Menschen getötet, er hatte Reisende getötet; er hatte sie getötet am Chemin-des-Dames und im Argonnerwald. Es waren die einzigen Ausflugsziele seines Lebens gewesen, Chemin-des-Dames, Argonnerwald, keine schönen Gegenden, und dorthin war man ausgeflogen, um zu töten und um getötet zu werden. ›Herr, was sollte ich tun? was konnte ich tun, Herr.‹ War es gerecht, daß er nun für diese angekreidete und nie gestrichene Schuld des erzwungenen Tötens dem Teufel übergeben wurde, dem schwarzen Teufel Odysseus?› He! He! Holla!‹ Schon wurde er geschlagen. Schon schlug der Teufel zu. Josef schrie. Sein Schrei ging in anderen Schreien unter. Er wurde auf die Schulter geschlagen. Er schreckte auf. Er schreckte ins Leben zurück. Odysseus der Teufel, Odysseus der Freundliche, König Odysseus der freundliche Teufel schlug Josef auf die Schulter. Dann sprang Odysseus auf die Tribünenbank. Er hielt eine Coca Cola-Flasche wie eine wurfbereite Handgranate. Die Lautsprecher brüllten. Das Stadion johlte, pfiff, trampelte, schrie. Die Stimme des Reporters drang heiser aus dem kleinen Radiokoffer. Die Red-Stars hatten gesiegt.

Er hatte gesiegt. Washington hatte gesiegt. Er hatte die meisten Läufe gewonnen. Er hatte den Sieg für die Red-Stars aus seinen Lungen geholt. Die Muschel klappte nicht zu. Noch klappte die Muschel nicht zu. Vielleicht würde die Muschel nie über Washington zusammenklappen, nie ihm den Himmel nehmen. Das Stadion fraß ihn nicht. Washington war der Held der Tribünen. Sie riefen seinen Namen. Der Radiosprecher hatte sich mit Washington versöhnt. Washington war wieder der Freund des Sprechers. Alle jubelten Washington zu. Er keuchte. Er war frei. Er war ein freier Bürger der Vereinigten Staaten. Es gab keine Diskriminierung. Wie er schwitzte! Er würde immer weiter laufen. Er würde immer weiter und immer schneller um das Spielfeld laufen. Der Lauf machte frei, der Lauf führte ins Leben. Der Lauf schuf Platz für Washington in der Welt. Er schuf Platz für Carla. Er schuf Platz für ein Kind. Wenn Washington nur immer ordentlich laufen, immer schneller laufen würde, hätten sie alle Platz in der Welt.

»War doch in Form.« – »Natürlich war er in Form.« – »War doch in Form der Nigger.« – »Sag nicht Nigger.« – »Ich sag, daß er in Form war.« – »Er war großartig in Form.« – »Du hast gesagt, er wär nicht.« – »Ich hab gesagt, er wär. Washington ist immer in Form.« – »Du hast gesagt, der Nigger deiner Mutter wär nicht.« – »Halt's Maul, Depp.« – »Wetten? Du hast gesagt.« – »Ich sag, halt's Maul, Lump, krummer.« Sie prügelten sich am Ausgang des Stadions. Heinz schlug sich für Washington. Er hatte nie gesagt, daß Washington nicht in Form sei. Washington war großartig in Form. Er war überhaupt großartig. Schorschi, Bene, Kare und Sepp umstanden die Kinder, die sich prügelten. Sie sahen zu, wie sich die Kinder ins Gesicht schlugen. »Gib's ihm!« rief Bene. Heinz hörte auf zu schlagen. »Wegen dir nicht, Strizzi.« Er spuckte Blut aus. Er spuckte es Bene vor die Füße. Bene hob die Hand. »Laß ihn«, sagte Schorschi. »Wirst dich aufregen! Laß ihn, den Deppen.« – »Selber 'n Depp«, schrie Heinz. Doch er wich etwas zurück. »Das Spiel war fad«, sagte Sepp. Er gähnte. Die Burschen hatten die Karten vom amerikanisch-deutschen Jugendklub bekommen. Die Karten hatten sie nichts gekostet. – »Was machen wir jetzt?« fragte Kare. »Weiß nicht«, sagte Schorschi. »Weißt du's?« fragte er Sepp. »Nee. Weiß nicht.« – »Kino?« meinte Kare. »Ich kenn schon alles«, sagte Schorschi. Er kannte alle laufenden Kriminalfilme und Wildweststreifen. »Mit 'm Kino ist nichts.« – »Wenn's schon Abend wäre«, sagte Bene. »Wenn's schon Abend wäre«, echoten die andern. Sie setzten irgendwelche Hoffnungen auf den Abend. Sie zogen nach vorne übergebeugt, die Hände in den Jackentaschen, die Ellbogen nach außen gestemmt, mit müden Schultern, wie nach schwerer Arbeit, aus dem Stadion. Die goldene Horde. »Wo's der Köter«, schrie Heinz. Während er sich prügelte, hatte Heinz den Bindfaden losgelassen. Der herrenlose kleine Hund war weggelaufen. Er war im Gedränge verschwunden. »Verdammt«, sagte Heinz, »ich brauch den Köter heut abend.« Er wandte sich wütend an seine Gefährten. »Ihr hättet auch aufpassen können, ihr Rotzbibben. Der Köter war zehn Dollar wert!« – »Hättest selber aufpassen können, Niggerbankert, dreckiger.« Sie prügelten sich wieder.

Washington stand unter der Brause in den Duschräumen des Stadions. Der kalte Strahl ernüchterte ihn. Sein Herz zuckte. Für einen Augenblick blieb ihm die Luft weg. Scharfer Schweiß spülte mit dem Wasser von ihm runter. Er war noch gut in Form. Sein Körper war noch gut in Form. Er reckte die Muskeln, hob seine Brust, Muskeln und Brust waren in Ordnung. Er befühlte seine Geschlechtsteile. Sie waren gut und in Ordnung. Aber das Herz? Aber die Atmung? Sie machten ihm zu schaffen. Sie waren nicht in Ordnung. Und dann der Rheumatismus! Vielleicht würde er doch nicht mehr lange aktiv sein können. Auf dem Sportplatz würde er nicht mehr lange aktiv sein können. Zu Haus und im Bett würde er noch lange aktiv sein. Was konnte er tun? Was konnte er für sich, für Carla, für das Kind tun, und vielleicht auch für den kleinen Jungen, den Heinz? Er hatte genug gebraust. Er trocknete sich ab. Er konnte den Dienst quittieren, die horizontblaue Limousine verkaufen, noch ein Jahr als Sportsmann arbeiten und dann vielleicht in Paris ein Lokal aufmachen. In Paris hatte man keine Vorurteile. Er konnte in Paris sein Lokal aufmachen: Washingtons Inn. Er mußte mit Carla reden. Er konnte mit Carla in Paris leben, ohne daß sie mit jemand wegen ihres Lebens Differenzen kriegen würden. Sie konnten in Paris das Lokal aufmachen, sie konnten sein Schild raushängen, konnten es mit bunten Glühbirnen beleuchten, sein Schild *Niemand ist unerwünscht*. In Paris würden sie glücklich sein; sie würden alle glücklich sein. Washington pfiff ein Lied. Er war glücklich. Er verließ pfeifend den Duschraum.

JÖRG STEINER
Polnische Kastanien

So hatte ich mir, als ich die Stelle annahm, das Lager vorgestellt, die Absperrung, den Teewagen aus Aluminium, die Blumen in den Barackenfenstern, den Zug, der schräg über die Böschung rollte und sich nun in der Kurve aufrichtete, die Hitze auch und selbst das Gefühl, daß die Einweihung vorüber war und ich einen Tag zu spät kam.

Dann bemerkte ich unter den rosa und roten Blüten die Stahlhelme. Es waren polnische Stahlhelme, dieselben, die wir im Winter 43 von den Internierten zum Spielen erhalten hatten, und sie barsten unter Geranien und Nelken.

Die Sperre war aus Ölfässern, aus Eisenträgern und aus Bahnschwellen errichtet worden. Stacheldrahtrollen lagen in den Nesseln. Jerzy Stazewsky, der, mit dem Stacheldraht Erfahrung hat, schloß den letzten Durchgang. Als er jetzt an der Mauer auftauchte, den Wollmantel offen, Hammer und Flasche (anders kann es nicht gewesen sein) in der Seitentasche, dachte ich an Flucht. Und doch blieb ich auf diesem verdammten Platz stehen, den ich mir ausgesucht habe, um eine Art Sühne für eine Art Vergehen (wie dunkel und ungenau sind meine Vorstellungen) zu leisten.

Jerzy trottete an mir vorüber; an seinem Hals war der Mantel ein Panzerrand. Als ich ihm bei seiner Arbeit zusah, wußte ich noch nicht, daß an der Gartenstraße der Haupteingang zum Lager frei passierbar ist. Ich dachte, er schließt uns ein. Jerzy hob die Rolle und biß hinein. Ein freies Ende sprang heraus, und er begann, den Draht aufzurollen. Daß er ein Stück Fleisch in eine Zeitung wickelte und sich darauf setzte, hatte ich nicht beachtet; aber nun holte er es hervor, beroch es und begann zu essen.

Um mich kümmerte er sich nicht. Später fand ich heraus, daß es ihn Mühe kostet, ein Ding zu fixieren. Es gibt Nächte, die er durchwacht. Dennoch, die Augen der Schlaflosen, Maruks oder Ksawerys

Augen hat er nicht; aber auch nicht Tadeusz' Augen. Tadeusz lag damals schon in der Baracke, und das Fieber hatte seinen Blick verändert. Aber das allein war es nicht, weshalb ihn die Polen verehrten. Tadeusz Kantor. Sie nennen ihn Den Gerechten.

Dagegen steht hier das Lager, jeden Tag anders, verändert, nicht zu erfassen. Selbst so festgefügte Gegenstände wie die Stützbalken entpuppen sich als Totempfähle mit Herzen, Buchstaben und Zinken, und die Latrinentüren sind unter den erbarmungslosen Stellmessern der Italiener geborsten. An den Baracken wuchert das Coca-Cola-Mädchen mit Floridastrand, und selbst das Neocid-girl findet seine römischen Liebhaber. Anmutig trägt es die Bombe: *Töte rasch, töte besser, töte mit Vergnügen.*

Dann natürlich auch die Metallschilder mit den eingestanzten Vorschriften, an die sich kein Mensch hält: ›Nach 22 Uhr hat Ruhe zu herrschen‹ und so. Die Italiener erstürmen jede Nacht singend das Lager. Wenn sie ruhig geworden sind, nehmen die Polen ihr Gespräch wieder auf. Kantor flüstert, und hin und wieder unterbricht eine kurze Frage seinen Monolog. Dennoch sind sie die ersten am Brunnen. Mc. Law ist mit den Polen zufrieden. Die Vorarbeiter zeigen ihnen, was zu tun ist, und sie tun es. Niemand spricht polnisch, und so fällt ihnen die schwerste Arbeit zu. Sie heben Schächte aus, die der Trax nicht erreicht, sie rammen Eisenpfähle ein und legen die Schienen. Der zweite Trupp der Fremdarbeiter, Österreicher und Italiener, bleibt von Tag zu Tag weiter hinter den Polen zurück. Vorn im unabgedeckten Graben stehen Jan, Jerzy und Maruk.

Im August dann verändert sich das Lager wieder. Die Gewitter hatten eingesetzt, die Männer nahmen, ohne ihr Ölzeug abzulegen, das Morgenessen in der Kantine ein. Bretter machten die Gassen zwischen den Baracken passierbar; aber das Holz hatte sich mit dem Petrolrückstand im Boden zu einer kotigen Seife verbunden. Manchmal schien nachmittags die Sonne. Mit ihr kamen die Wespen und die blauen Fliegen. Die Fliegenfänger über meinem Tisch waren voll von Ungeziefer. Um vier setzte der Regen wieder ein. Trommeln auf unsern Eternitdächern. Vor mir, auf der allmählich verstaubenden Unterlage, lagen Maschinen, Stifte und die zwei leeren Aktenkörbe.

Wieviel Leben brachte den Polen der halbflügge Mauersegler, den Jerzy aus der Grube mitgenommen hatte! Jeden Morgen erwartete ich, den Vogel tot aufzufinden; aber immer hing er am Kopfende von Kantors Pritsche. Kantor fütterte ihn mit vorgekautem Brot. Am Abend vor Jerzys Unfall ließ er ihn fliegen. Sie hatten Tadeusz auf einen Stuhl unter die Tür gesetzt, und Ksawery trat vor und warf den Vogel in die Luft. Er stieg, die Flügel leicht geöffnet, und fiel dann, ohne zu flattern, fiel und beschrieb, ohne sich sichtbar zu verändern, einen steilen Bogen. Die Polen blickten ihm nach. In dieser Sekunde hatten sie alle dasselbe Gesicht.

Und auch mit Jerzy: der Regen hatte eben eingesetzt, ich saß im Büro und öffnete Nüsse für Mc. Law, als ich den laufenden Mann auf dem Brettergehsteig sah. Er stürzte zum Italienerhaus hinüber, aber bloß, um die Abkürzung zu benützen. Gleich darauf klopfte er an meine Tür. Es war Jan. Mc. Law, der gekommen war, um die Nüsse zu holen, sagte: Zum Teufel, raus mit dem Polacken. Sogar er konnte sehen, daß etwas Besonderes geschehen war, und auch er wehrte sich gegen das Besondere. Jan schwieg. Sein Ölmantel hatte sich an den Schultern verschoben und gab die durchnäßte Schaffelljacke frei. Komm, sagte ich, vorwärts. Mc. Law folgte uns fluchend, denn Jan führte uns zur Polenbaracke und nicht, wie wir gedacht hatten, zum Graben. Kantor saß aufrecht und in einen Mantel gehüllt auf seiner Pritsche. Unter dem Mantel trug er keine Kleider, und seine Füße waren nackt. Mc. Laws Atem hinter uns, schleppten wir ihn hinaus. Das Lager war leer, aber vorn, am ersten Schacht, mußten wir uns den Durchgang erkämpfen. Und da sahen wir denn: Jerzy war verschüttet worden. Kantor sagte etwas, und Jan ließ ihn achtsam ins Wasser gleiten. Sein Mantel öffnete sich auf der roten, blasenwerfenden Brühe, dann sog er sich voll, straffte sich und sank. Kantor legte den Mund an Jerzys Ohr. Jerzy lag mit offenen Augen halb auf, halb unter dem Felsbrocken. Langsam stieg das Wasser, und als der Bulldozer eintraf, hatte es Jerzys Kinn erreicht. Es regnete, der Regen sprühte im Schmutz, die Raupen fraßen sich ein, hielten, glitten ab und hielten wieder, so daß sich die Maschine drehte, während wir sie schon im Graben sahen. Um acht Uhr war Jerzy befreit. Wir hatten Karbidlampen geholt, die Lampen dampften im Regen; aber am Planenzelt, unter dem der Arzt mit den Trägern arbeitete, hing eine gewöhnliche Petrollaterne.

Jerzy hatte Glück. Die Amputation des rechten Beines konnte verhindert werden. Mc. Laws Frau schickt jeden Tag einen der Polen mit Kuchen ins Spital, und nach seiner Entlassung wird die G. M. Jerzy einen Arbeitsplatz in den Montagehallen verschaffen.

Oder er verliert das linke Bein unterhalb des Knies. Man legt ihn in ein Einzelzimmer. Maruk wird ihn im Oktober mit einer nickelglänzenden Krücke im Kaffeehaus sehen.

Oder Mc. Law nimmt ihn zu sich. Jerzy ist als Butler nicht ungeeignet. In Uniform macht sich ein leerer Jackenärmel nicht schlecht. Er wird sich auch an Schokolade und Nüsse gewöhnen und die Flasche auf seiner Kommode stehen lassen.

Soll ich sagen, daß Jerzy starb? Ich kann nichts erfinden. Gestern schenkte mir Kantor vier Kastanien. Polnische Kastanien, Roßkastanien, unzähligemale in der Hand gewendet. Sie liegen vor mir im Licht der Schreibtischlampe (altmodische, grüne Lampe, wie wir sie von der Wirtin des Hotels Renaissance zu kaufen versuchten). Die letzte gab ich heute nachmittag Kantor wieder mit, als sie ihn mit dem Krankenwagen abholten.

HELMUT HEISSENBÜTTEL
Der Wassermaler

Er malte auf Wasser. Dies war seine Erfindung.

Er malte auf Wasser das heißt: er ließ nicht wie frühere Maler ge-
färbtes Wasser über Papier laufen. Er malte keine Bilder zum Aufhängen. Er malte überhaupt keine Bilder. Nicht das was man bis zu
seiner Erfindung als Bild bezeichnete.

Er malte auf Wasser. Auf alle Arten von Wasser. Auf Regen-
pfützen auf Seeflächen auf die Wasserspiegel vollgelaufener Töpfe.
Auf übergelaufenes Wasser rund um eine Blumenvase. Auf Meerwasser. Auf Badewasser. Er malte auf glattes Wasser. Er malte auf
bewegtes Wasser. Auf klares Wasser und auf trübes Wasser voller
Algen und Sinkstoffe. Schatten und Sonnenreflexe. Sogar auf ge-
färbtes Wasser wenn es zur Hand war. Niemals [was Außenstehende
hätten vermuten können] auf eine andere Art von Flüssigkeit. Wasser mußte es sein.

Manchmal befriedigte ihn das was er zur Hand hatte nicht und er
reiste lange bis er das richtige Wasser fand. Manchmal begnügte er
sich mit dem nächsten besten. Es konnte sein daß eine fleckige überschwemmte Schreibtischplatte ihn bezauberte. Es konnte sein daß er
gerade diesen einen Bergsee zwischen dunkel bewaldeten Hängen benötigte. Manchmal beschränkte er sich darauf vom Ufer im Kies
kniend oder auf einem Landesteg liegend zu malen. Manchmal ru-
derte er stundenlang bis er die richtige Beleuchtung die richtige Abgeschiedenheit fand. Eine Zeitlang benutzte er ein Floß das in der
Mitte rechteckig ausgeschnitten war. Er wendete beim Malen verschiedene Methoden an. Meist hatte er mehrere Arten von Stöcken.
Daneben brauchte er Bretter Gummischeiben Bürsten Kämme Flie-
genklatschen auch Pinsel. Gelegentlich Zirkel und Lineal. Gerade
dies hatte eine Zeitlang einen gewissen Reiz für ihn. Man sah ihn in
Brandungswellen oder auf Seeflächen die von Gewitterböen aufgeregt waren stundenlang sauber gezogene Geraden und weit aus-
geschwungene Zirkelbögen anlegen. Er malte mit Fingern und ge-
spreizten Händen. Mit Füßen ja mit dem ganzen Körper.

Selten malte er mit Farbe. Er tropfte dann die Farbe in fließendes
Wasser oder zog sie mit Pinseln und Stöcken hindurch. Er schüttete
Farbe töpfeweise ins Wasser. Einmal benutzte er einen Füllfeder-
halter.

Seine Bilder. Wie gesagt es waren keine Bilder. Spiele aus Kurve
Welle Reflex Schatten aus Spuren und Spuren von Spuren. Einmal
als er die Wassermalerei [auch er wollte nicht stillstehn] durch Schat-
tenplastik zu komplettieren versuchte erlebte er einen Rückfall.
Nachdem er von einfachen Schatten zu kombinierten und farbigen
Schatten übergegangen war ertappte er sich dabei wie er anfing die
Schattenplastik in einem ihrer wechselnden Stadien zu photogra-

phieren. Dies war der Rückfall. Bewahren festhalten überliefern vorzeigen das war der Rückfall. Das war das Vergebliche.

Danach blieb er eine Weile untätig. Möglicherweise wollte er sich durch Enthaltung strafen. Vielleicht auch strebte etwas aus diesem Rückfall in ihm heraus zu einer noch reineren Imagination. Allerdings wäre dann dieser Fortschritt nicht sichtbar geworden. Sondern nach einer Pause voll scheinbarer oder wirklicher Apathie begann er wieder auf Wasser zu malen. Nur ein sehr genauer Beobachter [den es nicht gab] hätte vielleicht geringfügige Änderungen an ihm wahrgenommen. Ein leichtes Zögern mitten im Zug. Ein schnelleres Aufbrechen von Wasser zu Wasser. Ein Einhalten im kaum Begonnenen.

THOMAS BERNHARD
Im Armenhaus

»Ich möchte Sie doch einmal ins Armenhaus mitnehmen«, sagte der Maler. »Vielleicht ist es ganz gut, wenn ein Mensch wie Sie, der noch ohne Erfahrung ist – und ich habe doch recht, nicht wahr?« –, sagte er, »einmal einen Blick in eine der drückendsten Menschenerbärmlichkeiten hineinwirft, die es gibt, in die Zusammenrottung der nur noch vor sich hinlallenden Altersunfähigkeit. Ich glaube nicht, daß Sie das in dem Maß erschrecken wird, wo man sich an den Kopf greift und sich sagt: Ah, das hätte ich aber nicht tun sollen, diesen Menschen da hineinführen, ihn mit dem Wasserkopf konfrontieren, mit dem Saufgesicht, mit dem aufgeschwollenen Raucherbein, der Stupidität des Pensionistenkatholizismus. Das Alter ist nur mehr gefräßig«, sagte der Maler, »die alten Männer sind Kostgänger bei den Teufeln, die alten Frauen Himmelszitzenzieherinnen! Und alles ohne Notwehr! Dieser Geruch«, sagte der Maler, »wenn Sie ins Armenhaus eintreten, Sie wissen nicht, sind das Äpfel oder verfaulte Gemischtwarenhändlerbrüste. Sie möchten am liebsten den Atem anhalten«, sagte der Maler, »über alles, das noch zu kommen, sich die Frechheit herausnimmt, den Atem anhalten! Aber man hat gleich die Brust voll Fäulnis. Sie können auf einmal gar nicht mehr ausatmen, man kann den Schmutz nicht mehr ausatmen, das Alter, den Gestank der ungeheuren Überflüssigkeit, diesen melancholischen dumpfen Eitergeruch. Jaja«, sagte der Maler, »ich werde Sie mitnehmen. Ich werde Sie hinführen. Sie werden Ihren Knicks machen vor der Oberin. Sie werden ihr Geschichten erzählen, Ihr Lebensgeschichtchen, und Sie werden auch eine auf Ihren Kopf bekommen. Man wird Sie zerreißen! Die Alten, das sind die Leichenfledderer an den Jungen. Das Alter ist Leichenfledderei. Das Alter frißt sich an der Jugend voll«, sagte er. »Da komme ich einmal ins Armenhaus und setze mich hin«, sagte der Maler, »und sie bringen mir Brot und Milch, und sie wollen auch, daß ich Schnaps trinke, aber ich sage, ich will keinen Schnaps, nein, nein, keinen Schnaps, sage ich, auf gar keinen Fall Schnaps, und ich wehre mich, sie füllen mir doch ein Glas ein, dann trinke ich nicht, ich sage nein, ich trinke nicht, und die Oberin schüttet den Schnaps in die Flasche zurück, und ich weiß, daß sie Geld will, alle hier wollen sie Geld, das ganze Dorf will Geld von mir, die ganzen Leute, alle wollen sie etwas, sie halten mich alle für dumm, im Grunde halten mich alle für dumm, für bodenlos dumm, denn ich habe sie alle herausgefüttert, durch Jahre habe ich alle herausgefüttert, mit Ratschlägen, Vorschlägen, mit Hinweisen, Beihilfen, Aushilfen, mit Geld, ja, auch mit Geld, ich habe viel Geld verschustert, hineinverschustert in dieses Schmutzloch … da komme ich also hin«, sagte der Maler, »lehne den Schnaps ab, und höre mir diese Bettelei an, höre mir an, ich solle eine Unterstützung geben, eine ›ganz kleine Unterstützung‹, die ›der Herr‹ mir ›hoch anrechnen wird‹ (welcher Herr?), und ich höre das alles und schaue die Oberin an und höre, wie sie mit den Füßen die Nähmaschine tritt, sie tritt die Maschine und zieht ein zerschlissenes Männerhemd unter der Nadel an ihre Brust, dann sicher einen Rock, ich schaue da in ihr Gesicht, in das breite, schwammige Gesicht, auf die aufgequollenen Hände, auf ihre großen schmutzigen Fingernägel, ich schaue ihr unter die Haube, unter die schneeweiße Haube, ich denke: Ah, das ist also der Abend im Armenhaus, der immer der gleiche Abend ist, seit hundert und fünfhundert Jahren ist es immer derselbe Abend, dieser Abend, der zusammengenäht und zusammengeschlürft und zusammengegessen und zusammengebetet und zusammengelogen und zusammengeschlafen und zusammengetrunken wird; das ist dieser Abend, denke ich, den niemand zu ändern gedenkt und an den niemand denkt, das ist der Abend der von der Welt abgestoßenen Widerwärtigkeit. Sie müssen wissen«, sagte der Maler, »da sitze ich eine Stunde und erkläre mich bereit, einen Zuschuß für einen alten Mann, einen Faßbinder, müssen Sie wissen, zu leisten, für einen alten Faßbinder mit weißen Haaren, mit einer Lederhose und einem Hubertusrock, mit einem Leinenhemd, mit einer Pelzkappe auf dem Kopf, ich erkläre mich bereit, der Oberin den Severinkalender abzukaufen, eines dieser ekelerregenden Erzeugnisse klerikalen Unterstumpfsinns, und da bemerke ich, daß ein Mann da liegt auf der Bank an der Wand, völlig unbeweglich, müssen Sie wissen, mit dem Severinkalender auf der Brust; der Mann liegt hinter der Oberin, und ich denke, der Mann ist ja tot, tatsächlich, der Mann ist ja tot, gebe ich mir zum besten, ich frage mich, der Mann muß ja tot sein, so schaut ein toter Mann aus, alt und tot. Ich denke, wie kommt es, daß ich ihn die ganze Zeit nicht gesehen habe, diesen toten Mann nicht gesehen habe, ausgestreckt liegt er, mit harten dünnen, wie der Ewigkeit ins Maul geschobenen Beinen; ich frage mich: aber ein toter Mann kann hier nicht liegen! Hier nicht! Nicht jetzt! In der Dunkelheit habe ich diesen Mann die ganze Zeit nicht bemerkt, auch, weil die Oberin meine ganze Aufmerksamkeit auf sich gezogen hatte, mit ihrem Severinkalendergeschwätz. ›Unser Severinkalender‹, hat sie die ganze Zeit gesagt, ›unser Severinkalender kommt den Armen im Kongo zugute, den Armen im Kongo.‹ Ich höre das schon eine ganze Stunde, denke ich, und will aufspringen, zu dem Toten hin, aber da sehe ich, wie sich der Mann bewegt, plötzlich bewegt sich der Mann auf der Bank und zieht den auf seinem Bauch liegenden Severinkalender herauf, bis an sein Kinn, um ihn lesen zu können. Ja, der Mann ist also nicht tot! Aber noch immer, denke ich, schaut er wie ein Toter, Tote schauen so aus, dieser Mann ist ein Toter! Ich sehe, wie er seine Arme bewegt, wie er in seinem Kalender blättert, gierig blättert er in diesem Kalender, aber sein Körper ist völlig bewegungslos, wieder denke ich: ja, ein Toter! Aber dann höre ich einen Atemzug, den ersten Atemzug dieses Mannes, den ersten Atemzug dieses ›Toten‹. Ich bin erschrocken, vor allem über mich selbst erschrocken, weil ich den Mann die ganze Zeit nicht bemerkt hatte. Die Oberin hatte kein Wort gesagt, daß sich in ihrem Zimmer auch noch ein Mann befindet. In der Finsternis habe ich ihn nicht sehen können. Plötzlich nach einer Stunde, sah ich den Körper, den Kopf, die Beine vielleicht, weil es tatsächlich, durch was, das weiß ich nicht, etwas, unmerklich, aber genügend, um den Mann sehen zu können, heller geworden war, vielleicht, weil meine Augen sich an die Finsternis auf einmal gewöhnt hatten. (Die Augen sehen nicht, lange Zeit, müssen sie wissen, sehen die Augen nicht, auf einmal sehen die Augen.) Plötzlich sahen meine Augen den Mann, sehen meine Augen diesen Toten. Er lag wie ein Stück Holz da. Und da atmete das Stück Holz, das Holzstück atmete und blätterte in seinem Kalender. Jetzt sagte ich zur Oberin: ›Da liegt ja jemand!‹ Aber sie reagierte gar nicht darauf. Sie nähte einen Ärmel an, den sie vorher abgetrennt hatte. ›Da liegt ein Mensch!‹ sagte ich, deutlicher. Sie antwortete, ohne mich anzuschauen: ›Ein Mensch, ja‹, es war fürchterlich, wie sie das sagte. Ich wollte sagen: ›Wie ein Kind liegt er da!‹ Aber ich sagte: ›Wie ein Hund liegt dieser Mensch hinter Ihnen. Was tut er hier?‹ Ein solcher Mensch hört nicht, dachte ich gleich, und folglich konnte ich ungeniert mit der Oberin über ihn sprechen. ›Er liest den Severinkalender‹, sagte ich, ›obwohl es finster ist, beinahe finster.‹ ›Ja‹, sagte die Oberin, ›er liest den Severinkalender.‹ Ich mußte lachen! Ich lachte jetzt, ich brach in Gelächter aus, vor allem, weil mir einfiel, daß ich den Mann für einen Toten gehalten hatte, die ganze Zeit für einen Toten gehalten, und ich sagte auch: ›Ich habe den Mann für einen Toten gehalten.‹ Ich mußte vor Lachen aufstehen. Ich mußte hin und her gehen. ›Für einen Toten!‹ rief ich aus, ›für einen Toten!‹ Dann erschrak ich plötzlich, verstehen Sie, über dieses Gesicht, das im Finstern lag, wie auf dem Wasserspiegel eines schmutzigen Tümpels. ›Dieser Mann liest in der Finsternis‹, sagte ich. Die Oberin sagte: ›Er weiß alles, er weiß alles, was in dem Kalender steht. Er hat alles auswendig gelernt‹, sagte sie. Sie rührte sich nicht vom Fleck und trat die Nähmaschine. ›Er fürchtet sich, wenn er nicht bei mir ist‹, sagte sie, ›dann schreit er und bringt das ganze Haus in Aufruhr. Wenn ich ihn hier lasse, ist alles ruhig, auch er selber ist ruhig. Es wird ja nicht mehr lange dauern, bis er sich endlich verzieht.‹ ›Endlich verzieht‹, hatte sie gesagt. Sie wollte, daß ich auch noch ein paar Meter Flanellhemdenstoff für den Alten bezahle, aber ich sagte, ich würde mir das überlegen, ich würde darüber nachdenken. Ich empfand es als Unverschämtheit, mich auch noch mit ein paar Metern Flanellhemdenstoff zu belästigen. Dann schilderte sie, unbeweglich an ihrer Maschine, müssen Sie wissen, ihr Kindheitsleben. Das höre ich immer gern. Ihr Vater ist von einem Traktor zerquetscht worden, müssen Sie wissen, ihr Bruder der Jagdgehilfe, hat sich eine Kugel in den Kopf geschossen aus Überdruß an der Welt. Aus Alltäglichkeit. Sie ist ein weitschweifig wassersüchtiger Typus«, sagte der Maler. »Aber ich muß Ihnen ja noch das Wichtigste sagen: Da saß ich also und wollte mich gerade verabschieden, als mich ein furchtbarer Lärm augenblicklich aufspringen ließ. Der alte Mann war von der Bank heruntergefallen – und war tot.

Die Oberin drückte ihm die Augen zu und bat mich, ich möge ihr helfen, ihn auf die Bank zurückzulegen. Ich tat das, zitternd. Jetzt atme ich die Luft des Toten ein, dachte ich, und verabschiedete mich. Den ganzen Heimweg hatte ich das Gefühl: meine Lungen sind voller Totenluft. Ich hatte mich nicht getäuscht, die ganze Zeit nicht getäuscht: der Mann war tot, der Mann war die ganze Zeit tot gewesen. Vielleicht waren seine Bewegungen, die ich gesehen habe, nur phantastische Gedankeneinschübe meinerseits, er war immer tot, nichts als tot gewesen die ganze Zeit, während die Oberin seinen Rock zusammennähte, sein Hemd, denn es war sein Rock gewesen, und es war sein Hemd gewesen, das sie unter der Nadel hin- und hergezogen hatte, mit ärgerlichem Ausdruck in ihrem Gesicht. Und er war schon lange, bevor ich hereinkam, tot gewesen. Das ist mit Sicherheit anzunehmen.« Der Maler trat einen Schritt zurück und zeichnete mit einem Stock etwas in den Schnee. Bald sah ich, daß es sich um eine Situationsskizze des Armenhausoberinnenzimmers handelte. »Da stand die Bank, auf welcher der Tote lag, den ich stundenlang nicht gesehen hatte, obwohl er zum Greifen nahe war, da stand die Nähmaschine, da saß die Oberin, da steht der Kasten, müssen Sie wissen, da das Bett der Oberin, da ihre Kommode; hier, sehen Sie, hatte ich Platz genommen; von da herein kam ich durch die Tür und begrüßte die Oberin, ich trat auf sie zu, und sie fing gleich an, mich für den Zuschuß zu interessieren, für den Severinkalender. Ich wußte, ich werde den Zuschuß leisten und den Kalender kaufen, aber ich zog das alles noch in die Länge. Ich glaubte, ich sei ihr allein im Zimmer, wie ich immer mit ihr allein in ihrem Zimmer gewesen war, wer hätte auch angenommen, im Zimmer der Oberin befände sich noch ein Mensch, aber ich hatte doch ein seltsames Gefühl, ein Gefühl, das ich nicht beschreiben kann. Da wurde es hell, auf einmal sah ich die harten Konturen des alten Mannes. Ich hatte auch ›Wie ein Hund‹ zur Oberin gesagt. Sie hatte sogar wiederholt ›wie ein Hund‹. Daß der Mann völlig gehörlos war, ließ mich in das Gelächter ausbrechen. »Hier, sehen Sie«, sagte der Maler, und er zeichnete einen Kreis zwischen Bank und Nähmaschine, »hier an dieser Stelle lag der Tote, als wir ihn aufhoben. Das Ganze ist mehr als merkwürdig und auch gar nicht gut, überhaupt nicht geschildert; aber ich erzähle Ihnen diesen Vorfall ja nur, weil er, wenn auch auf diese unvollkommene Weise, doch ein Bild von der geheimnisvollen Unzurechnungsfähigkeit der Welt gibt. An einem der nächsten Tage«, sagte der Maler, »gehen wir in das Armenhaus. Ein junger Mensch muß sehen, was leiden, was leiden und absterben heißt, was heißt, am lebendigen Leib verfaulen.« Wir gingen rasch nach Hause. Der Maler lief mir plötzlich davon. Mit unheimlicher Altersgeschwindigkeit. Ich rief ihm nach: »Warten Sie doch! Warten Sie doch!« Aber er hörte nicht. Er verschwand vor mir in einer der vielen Mulden.

JOHANNES BOBROWSKI
Epitaph für Pinnau

Vor Kants Haus steht kein Baum. Ist die Straße eigentlich so eng? Wie kommt es, daß man an dem zweigeschossigen kahlen Kasten nie vorbeikommt, ohne mit Ärmel und Schulter die Fassadenwand zu streifen? Und wieder etwas von dem hellen Verputz mitzunehmen? Eines Tages, das kann man jetzt schon sagen, werden die heute noch verdeckten Mauerziegel hervorschauen: ein helles Rot, dem dann die Farbe Grün fehlen wird, denn vor Kants Haus steht kein Baum. Hinter dem Haus und um den einen Giebel herum liegt ein Gärtchen. Das ist zu wenig. Aber an das Haus geklebt, dort, gibt es einen Verschlag für die Hühner. So haben wir wenigstens diese sonderbar räsonierenden Vogelstimmen, die sich unterhalten oder nicht – man weiß das nie, man hört zu, und wenn der Kupferschmied unten am Schloßberg ein bißchen herumhämmert und die Glocke vom Schloßturm die falsche Stunde, oder die richtige, herunterscheppert, fehlt nur noch das Geklapper eilig aufgesetzter Stöcke – Stöcke mit Eisenblechspitzen und Silberknöpfen, schwarze oder dunkelbraune Stöcke – daß man alles zusammen hat: einen Concentus, der hinreicht, die englische Stadt London zu beschreiben, wie sie daliegt an dem Fluß Themse, oder eine Feuersbrunst in Stockholm, die vor Swedenborgs Haus mit einer Verbeugung stehenbleibt.

Aber jetzt nähern sich die ungeduldigen Stöcke und werden zu laut. Es ist eine Plage mit den Stöcken. Für den, der sich den Concentus hat anhören wollen. Freßt man schön, meine Hühnerchen, sagt die alte Frau und geht zurück in die Küche. Dort steht Kant im braunen Fräckchen und schüttet aus einem gelben Büchschen Pfeffer über das schöne Essen. Und die Stöcke sind vor der Haustür angelangt. Sie setzen sich, jeder mit einem kleinen Knall, auf die Steinplatte vor der Schwelle, jeder ein Schlußpunkt hinter einen schnellen Anmarsch – vom Junkergarten, vom Kneiphof, vom Steindamm, vom Lizentgraben. Pünktlichkeit, meine Herren.

Nun also die Stöcke gehoben und hinein ins Haus. Der kräftige Scheffner sagt laut zu den Wänden hinauf: Gesegnete Tageszeit, und Lampe, der Diener, sagt: Bitte schön, der Herr Kriegsrat, und nimmt ihm den Umhang ab. Und Professor Schulz schiebt sich heran, hängt ihm seinen Mantel über die Schulter und stülpt ihm seinen Hut auf, und Lampe sagt erschrocken: Aber ja, Herr Oberhofprediger, aber ja. Den hätte ich zuerst nehmen müssen, fällt ihm ein, während der elegante Motherby ihm schon ungeduldig das Stöckchen ins Kreuz stößt, nur leicht natürlich: Wir sind doch geladen, Mensch! und den Mantel übers Treppengeländer wirft, wo übrigens Hofbuchhändler Kanters Sachen schon liegen. Das dreht sich umher in der Diele, und Borowski und Wasianski auch, der eine lang und dünn, der andere kurz und rund, Scheffner in der Mitte am breitesten, Schulz nach unten hinab immer massiver, Docken, Rhomben, Kegel, die Schneiderpuppe Motherby anmutig dazwischen. Dann also die Treppe hinauf. Kanter steht dort schon in der offenen Tür, hat schnell die Tafel überblickt – alles gerichtet –, sieht also beruhigt über die Treppe hinunter, entdeckt eben noch Hamanns Frackschöße in der Küchentür, und jetzt sind auch die Schöße verschwunden und die Tür ist zu, und Lampe drängt sich durch die Herrschaften auf der Treppe und sagt, oben angekommen, gefaßt und stramm: Der Herr Professor sind inne Küche. Kommt aber gleich. Und unten öffnet sich nun wieder die Tür und die alte Frau, die Köchin, schreit hinauf: Ja, kommt gleich, und du, Herr Lampe, komm runter.

Lampe tritt also ab. Die Herren ziehen die hübschen Chronometer hervor, alle zugleich, es schlägt nämlich zwölf vom Schloßturm, und weil es nun still ist, hört man nicht nur die Glockenschläge, sondern dazwischen auch das Rasseln und Schnaufen des Schlagwerks.

In der Küche unten, wo es ein bißchen dampft, stehen Kant und Hamann. Pinnau, sagten Sie?

Aber kenn ich doch auch, gute Menschen, sagt die Köchin.

Nein, wir meinen den Sohn, sagt Kant.

Hübscher Mensch mit schwarze Haare, sagt die Frau.

Buchhalter Pinnau, sagt Hamann, er ist tot, heute morgen, ich hör einen Schuß, im Nebenraum, und lauf dazu, und Pinnau liegt da, ins Gesicht geschossen, und ist gleich tot gewesen.

Was hat Pinnau gehabt, fragt Kant, er war doch nun beim Lizent? Er hat gedacht – – Hamann setzt den Hut wieder auf, den er von einer Hand in die andre gegeben hat, immer im Wechsel mit Stock und Umhang. Er hat geschrieben, Poesien – – er hat gewollt, was nicht möglich ist, sagt er.

Und Kant erwidert schnell und tonlos: Sie doch auch?

Oben die Herren gehn umher auf den weißen Dielen, ans Fenster, wieder ins Zimmer hinein, um den Tisch herum. Wo bleibt denn der Hausherr? Und nun kommt Lampe mit der Terrine und hinterher, klein und leicht, so als hätte ihn die Treppe heraufgetragen, Kant und neben ihm – überlanger Schoßrock, Mantel auf dem Arm, Hut auf dem Haupt, wie mit zerzausten Flügeln ein in den Flußwind geratener Rabe, und mit schwarzem Stock – Packhofverwalter Hamann.

Er hat nicht bei mir gehört, sagt Kant, hat er überhaupt? Damit tritt er ins Zimmer, ein bißchen verwundert, weil er Hamann hinter sich antworten hört: Ja, bei mir.

Schulz sieht Borowski, den Neuroßgärtschen Pfarrer, bedeutungsvoll an, und beide schütteln den Kopf, und das heißt: Hamann? Der ist ja weder Lizentiat noch Magister, aber das Kopfschütteln paßt hübsch zu dem Drehtanz der Kegel und Rhomben, Docken und was weiß ich, der nun wieder beginnt.

Kanter mit ausgebreiteten Armen, die er nach rückwärts zusammenführt, als wollte er die Luft hinter sich, sozusagen die Welt, wenigstens die Stadt oder besser: die drei Städte, die sie ja doch noch kürzlich gewesen ist, mitsamt ihren sieben Hügeln umarmen, sie umschließen, sie darbringen dem Großen, Weisen, was sag ich: der Weltweisheit selbst. Dazu drei, vier Schrittchen. Und Scheffner! Eine kurze, feurige Verbeugung: So ist das, wenn man sich den Ehrenkranz eines amorosen Poeten selber von der schönen Stirn reißt, vor Bewunderung. So sieht das aus! Und Schulz, der, als Mathematikus, am sichersten weiß, was der illustre Kollege bedeutet: einen Stern. Erster Größe, versteht sich. Und die andern dazu und umher, Kreise und Ellipsenbahnen, wieder mal ein Tänzchen, reizend, denn die zwölf Glockenschläge sind vorüber, und die Stadtpfeifer, vom Turm herab, blasen ihren munteren Mittagschoral über die Dächer und in die Häuser hinein, als hätten sie bei Arm und Reich die Suppen zu kühlen.

Kant hält seine freundlichste Kürze bereit, dreht sich selber ein bißchen dabei, und so kommt alles schnell zu seinem Platz am Tisch. Ein kleiner Seufzer des schwergesäßigen Schulz. Aber die erste Frage geht wieder hinüber zu Hamann. Kant sagt: Wie meinten Sie vorhin?

Wir sprachen von Pinnau, antwortet Hamann und setzt sich Kant gegenüber.

Meine Herren – das ist nun wieder Kant –, Buchhalter Pinnau vom hiesigen Lizent hat sich heute morgen erschossen. Cavalirement, wie er gelebt. Herr Hamann sagt Ihnen das Nähere.

Wasianski erschrocken: Pinnau? Und nun weiß man also: Pinnau, braver, also armer Leute Sohn, von oft bewiesenem Fleiß, der das Baden im Pregelstrom angefangen hat, noch einiges und Poesien auch, – aber was wird schon aus ihm, woher kommt er denn? kein Feld für ihn hier; vielleicht hätte sich Kanter (aber das sagt niemand, denn Kanter ist ja anwesend) seiner annehmen können oder Korff oder Hippel; so etwas ist ja immer möglich; aber er war doch wohl nun untergekommen; Pinnau also hat sich ein Pistol ins Gesicht gehalten, er lag mitten in der leeren Schreiberstube, noch unter einer schwärzlichen Wolke, die sich nicht niederlegen mochte über ihn.

Warum erschießt sich ein Mensch wie Pinnau, sagt Scheffner, und für Motherby ist das eine Frage, er weiß es nicht.

Wer weiß das schon? Es ging ihm ganz gut, Buchhalter am Lizent, er wollte heiraten, sechs Bäume von Stockmars Garten waren ihm zugesprochen. Keine dienstlichen Gründe, nicht wahr, Herr Hamann?

Ein lebhaftes Gespräch. Das die Docken, Kegel, Rhomben, selbst die Pyramide Schulz in geradezu ausgelassene Bewegung bringt. Obwohl doch alles auf seinen Stühlen bleibt. Man müßte schwerhörig sein: dann könnte man es ganz genießen wie auf einer Redoute.

Kant hebt das kahle Gesichtchen gegen den ungezogenen Hamann, der wieder einmal das linke Bein mit dem schmutzigen Schuh auf den leeren Sessel neben sich gelegt hat, und ruft hinüber: Sie wissen es? Und Hamann sagt: Ja, und Schulz soll endlich den gezückten Segen herabsausen lassen.

Also sagt Kant: Meine Herren, beginnen wir mit dem Essen. Bitte, Herr Oberhofprediger! und Schulz: – – versammelst uns täglich um deine Gabe, versammle uns, Herr, um deinen Thron.

GERD GAISER
Im leeren Zelt

Sicher? Nie. Abgetan kein Ding. Kein Ding ausgewischt oder ertränkt, nicht einmal mittels Tränen. Alles treibt. Treibt fort –, und vielleicht, daß es untergeht. Dann kommt es wieder auf. Irgendwo langt es an und bleibt aufbewahrt. Ob es verharrt, ob es umkehrt und trifft, das liegt nicht an dir. Es liegt nicht an dir, ob du an den Ort kommst. Doch du bist im Gehen. Sicher gehst du nie.

Eine halbe Fahrstunde von Treen liegt das Seebad Saß mit zwei aufdringlichen Strandhotels, ein paar alten Fischerhäusern und etlichen stillen, altmodischen Pensionen. Von dort aus gegen Westen wird der Strand bald einsam. Eine Straße der Küste entlang gibt es nicht, und den Weg am Wasser verleiden Drahtzäune, die militärische Areale absperren. Den mühsamen, staubigen, gänzlich schattenlosen Marsch durch die Geest nimmt keiner der Badegäste in Kauf. Man weiß nicht, hat ein fremder Spaßvogel oder haben die Anwohner selbst für die paar Häuser, die dort im verödenden Grenzbezirk eine letzte Siedlung bilden, den Namen Hinter Welt aufgebracht. Die Küste streckt sich wieder flach bis auf den Dünenwall, hinter dem die Katen sich anreihen. Endlich, mit den Bittersümpfen und welken Haffen, die noch folgen, scheint alle Gestalt am Ende.

Verdrossen und nicht einladend hebt sich auf der Düne einzig ein Backsteinkasten, mit dem vor langem ein Gastwirt den Versuch unternahm, ein Badeleben nach Hinter Welt zu bringen. Er hatte kein Glück. Die beschwerliche Anfahrt, der Mangel an Zerstreuungen schreckten die Gäste ab. Die letzten vertrieb der Auslauf der Treener Kanalisation, die man dort in die See leitete und die den Strand verdarb.

Trotzdem komme ich von Treen aus manchmal nach Hinter Welt. Ermüdet vom Weg suche ich dann die Altane des Wirtshauses auf, wo es einige Tische und eiserne Stühle gibt. Erscheint jemand, um nach meinen Wünschen zu fragen, so kann es sein, daß sie drinnen gerade Kaffee gekocht haben; wenn nicht, gibt es Vorrat genug an einem wasserhellen, scharfen Schnaps, von dem ich ein Glas nach dem anderen trinke, ohne daß ein Kommen und Gehen mich stört.

Es kommen, es gehen nur weit draußen auf der Sichtlinie die großen Frachter. Dann und wann senden sie ein Heulen herüber, ungeheuer und matt. Auch andere dumpfe Laute von draußen, undeutbar; Meeresstimmen; Schreie von Vögeln. Strichdünne schwarze Boote. Weiße Segel stehen und sind plötzlich ausgewischt. In meinen Betäubungen scheint mir stets, als gehöre zu Hinter Welt das nämliche Wetter, wenigstens traf ich es nie anders an: Sonne nicht, aber ferne Streifen einer grünblauen Blässe; über mir wattiger, perlfarbener Bezug, aus dem einzelne Tropfen sinken. Auf dem Tisch, an den Kleidern eine klebrige Feuchte. Doch zum Regnen kommt es nie. Eine Mole sticht schnurgerade hinaus, wo die langen Brecher sich verlieren, sie ist aus großen Blöcken gefügt, aber schlecht im Stand. Manchmal schlendere ich auf ihr hinaus; schon weit vor dem Ende sinken die riesigen Findlinge auseinander, und die Flut klatscht und röchelt in den Breschen. Man baut nichts mehr auf. Das Tosen dringt nicht herein; glatt, unmerklich manchmal angehoben, stockt das Brackwasser. Weit ab, hinter einer niedrigen Landzunge liegt vertäut ein Rudel Fischerfahrzeuge. Doch ich sah nie ein Boot, das zu ihnen hinausfuhr oder von dort zurückkehrte.

Habe ich lang getrunken, ist meine Zeit um, so entferne ich mich am Strand hin. Aber nicht nach Saß; ich nehme die Richtung dorthin, wo die Küste vollends zerläuft. Häßlich und ungepflegt liegt das Strandstück. Ich gehe auf schwarzen, sappenden Tangbündeln, in denen Muschelschalen bersten, auf schmutzigen Sandzungen, auf Schütten von Ziegel- und Zementbrocken, an Pfahlstummeln und Zaunresten vorbei. Vorbei an verrottenden Kähnen, die im Schlick absaufen. Die Dächer der Katen heben sich kaum über den Dünenkamm, aber hinter jeder Hausstelle gibt es einen Durchstich, aus dem stinkender Abraum quillt. Wenn die Flut hereindrückt, schwemmt sie Unrat ab und speit wahllos wieder hin, was sie eine Weile umgetrieben hat: Flaschen- und Dosenreste, Fischgräten, Krabbenarme,

Lumpen. Manchmal blickt mich ein Stück an. Dann kann ich lange stehenbleiben, über einen bläulichen Knochen, ein zerriebenes Aststück, eine algengrüne Scherbe geneigt. Das ist kein hergerichteter Strand wie in Saß oder an der luftigen Treener Außenförde. Hier verkommt das Verbrauchte und geht in Gebilde über, die nie gewesen sind und die keiner versteht. Zwei riesige, schwarzblau gestrichene Pumpen arbeiten an dem Strand. Langsam, unablässig heben und senken sich ihre Arme. Sie sind das einzige, was sich in der flachen Öde bewegt. Auch von der Wirtshausterrasse sieht man sie fernab.

Nun komme ich ihnen näher. Kein Mensch zeigt sich, es gibt keinen Stand, keine Baracke für eine Wartung. Schilder verbieten den Zutritt und warnen vor Berührungen. Aus schwärzlichen, runden Bastionen ragen die Gestänge mit den Hebearmen. Gewichte sinken, Gelenke knicken und straffen sich. Auf den Armen sitzt es wie Köpfe, die aus Schraubenmuttern blicken. Klamme Schnäbel greifen zu. Gleichmäßig, zäh stoßen sie in die Bohrung von Schachtdeckeln. Sie halten inne und wuchten. Sie zerren aufwärts. Sie erreichen den höchsten Punkt. Für einen Augenblick stehen die Greifer wie häßliche, ihre Hälse steifende Tiere, dann neigen sie sich wieder nach vorn. Es sieht aus, als versänken sie voreinander in einer schauerlichen Verbeugung, riesige Heuschreckenschenkel schieben sich hinten auf, und die Hälse steigen von neuem. Die fühllosen Ungeheuer scheinen geknechtet zu einer nie endenden, immer wiederholten Anstrengung, und daß sie so unwiderstehlich an Tiere denken lassen, scheint eine Schmach, die allem Lebendigen angetan wird und aus ihrer Umgebung alles Lebende verscheucht. Beinahe lautlos vollzieht sich der Vorgang, kaum klirrt ein Eisen oder ächzt ein Gelenk; aus den Schächten dringt kein Gurgeln. Ich weiß, daß dort an der Küste und auf den Bänken davor Öl gefördert wird. Aber nichts hilft gegen den Anblick. Der schreckliche, schleppende Takt lähmt Traum und Tun.

Nicht weit davon scheint ein Lagerplatz verlassen worden. Unordentliche Gesellschaft hat da offenbar gerastet und gehaust, die alle Abfälle liegen ließ. Sogar eine Art von Zelt scheint des Mitnehmens nicht wert gewesen, nicht viel mehr als ein Windschirm, ein armseliges, zusammengeflicktes Gestell. Kläglich schlottert das Ding dort hinter den starren, hart verschraubten Gestängen. Ein paar Schwemmhölzer, gegeneinander geschrägt und mit Fetzen behangen, von denen ein schmutziger, gänzlich zerschlissener Bademantel das Hauptstück ist. Den Boden deckt ein Fleck geteerter Leinwand. Feucht hängt das alles und vom Wind schiefgedrückt. Für wen und von wem kann eine solche Hütte aufgeschlagen sein?

Wenn ich mich weiterwende, dringen aus dem Zelt Geräusche. Sie hören sich an wie Stimmen, aber das muß doch Täuschung sein. Ich bleibe stehen. Nichts mehr; der Wind setzt aus mit einem kurzen Schluchzen, und nachdem ich noch einen Augenblick gewartet habe, schicke ich mich nochmals zum Weitergehen an. Aber da beginnt es wieder, ich weiß, daß es wieder beginnt, ein hastiges, flatterndes Getuschel, röchelnde Worte, in erstickte Rufe ausgehend und dann wie ertränkt.

Ich kehre um und bleibe ein paar Schritte vor dem Gehäuse stehen. Ich verhehle mir nicht, daß ich Abstand einhalte, weil ein fahles Unbehagen mich sogleich befällt. Aber auch so übersehe ich alles. Das Ding verbirgt nichts. Es ist leer; Wind bewegt die Lappen und streicht durch die Löcher. Und jetzt setzt das Geraune wieder ein. Das macht der Wind nicht. Ich kenne es schon. Aber jedesmal ist es wie nie gewesen. Deutlich stehen in dem Zelt die Stimmen, überschlagen und knäueln sich. Ächzende, zischende, gurgelnde Schrei- und Vokabelformen. Vokabeln, aber ich kann noch nichts verstehen. Der Ton steigt bis zu einem Kreischen, dämpft sich, sinkt zusammen und strudelt ab in eine Tiefe, die es nirgends gibt. Da stehe ich vor dem leeren Zelt und horche. Ich habe gehorcht. Ich fahre fort zu horchen. Ich horche, und es wird still.

Es beginnt wieder. Ich will's nicht wahrhaben und gehe herum, ob sich jemand irgendwo versteckt hält. Ich gehe in Spiralen. Niemand ist da, alle Kuhlen liegen leer. Ich kehre zurück. Mit einem Fußtritt könnte ich das Gesteck niedertreten. Aber ich habe es das erstemal versäumt und wage den Tritt nicht. Feige stehe ich und muß horchen. Jetzt fange ich an zu verstehen. Feige horche ich und hasse mich selbst.

Ah ta. Tu es. Ta taj. Taj drusch. Drisch aus. Tue es tu's nicht du. Taj tataj. Ah le tri. Triche-toi, Täter, drisch, mon tripot. – Hoch hinauf. In der Luft steht die Stimme, flattert und übersteigt das Gezelt. Sie schlägt um sich. Eine um sich schlagende Stimme, dann von einer zweiten geknebelt. Hinab, Stimme. Noch einmal hinab.

Ah taj. Tausch dich. Tausch du den Täter. Tausch den Töter. Trimbale-là. Tränk dir's ein. Bouche le trou. Crache le cri. Triche-toi donc. Tränk dir's ein. Trink's Tröstchen. Tope, mon tronchon. Tope! Ta tombe. Ah tata taj. Le tricon tout le tric. Trigaude. La trige bleue. Blau, mein Bläuling. Mon tronchon, sagt die zweite Stimme, gurrend schleimig, *pas triste, mon tronchon. Mon triste. Pas triste, mon tronchon. Mon triste. Pas triste, mon tronchon. Pas assez triste mon*

Mein Blick fällt auf die Maschinen. Ich kenne die Stimmen. Ich hatte erst glauben wollen, der Wind täusche mich. Aber ich kenne sie. Ich hatte gedacht, der Wind bringe Laute hervor und lasse sie schwinden, wenn er selbst abfällt. Dann sah ich, daß eine Verbindung besteht zwischen den Tönen und den arbeitenden Gestängen. Die Schnäbel bohren und tauchen ein, und dann stocken die Stimmen. Die Schwengel zerren, sie heben an, zäh, strecken sich hoch und lassen die Laute krasser kommen, heben sich höher, halten aus und tauchen wieder ein. *A taj. A bas mon triste. Drisch aus. Trink Rest. Nimm's Tröstchen. Triche-toi, triste. Bouche le trou. Trigaude. Mon tricon. Pas assez triste. Pas trop*

Denn ich kenne die Stimmen längst. Eine ist Rogers Stimme, den sie verdorben haben und von dem ich ohne Nachricht bin. Ich kenne die andere. Ich nenne mir selbst nicht, wem sie gehört, ich will den Namen nicht aussprechen, selbst in Gedanken nicht, als wäre er dann minder wirklich. Stimmschatten, Schattenstimmen. Bleib Schatten. Bleib bei den Schatten. Stimm nicht mit. *Ah taj. Täusch du dich. Ta tombe. Täusch dich nicht*

Ich weiß dann, Roger kann nicht mehr am Leben sein. Das weiß ich daher, daß ich die Stimmen so erkenne. An der letzten Lagune dort, wo ich stehe, weiß ich alles. Ich sehe ein, daß sich nichts verliert. Kein Ding ausgewischt, keins ertränkt, auch nicht totgebettet durch Tränen. Alles geht an einen Ort und bleibt. Roger, das mit Roger hat seine Zeit gehabt. Aber es ist nicht abgetan. Ich bin an dem Ort, wo es angetrieben ist. Nun muß ich etwas tun. Etwas tun für Tote? Ich weiß noch nicht was. Aber es reicht nicht aus, ich weiß es, daß ich gehe und die entlegenen Stellen aufsuche, wo ich hoffen möchte, daß dort nichts mehr sei und ich nichts zu tun brauche. Etwas tun muß ich, gleichviel, gut oder böse, aber tun auf Menschenweise. Fehlbar, werde ich gehen müssen und vielleicht fehlen. Was kann es sein, was erwartet mich? Ich werde nicht warten dürfen. Ich gehe, bis an den Gaumen voll Furcht, und grüble. Ich muß etwas tun.

HEINZ PIONTEK
Vor Augen

Nimm ein Blatt von dem dünnen Papier. Nimm den Stift und schreibe. Weigere dich nicht. Schreibe: Es ist. Finsternis ist, Schwärze des Brunnens, Nacht aus dem schwarzen Haar eines Mädchens und aus den Fittichen toter Krähen. Finsternis war von Anbeginn.

Warum zögerst du?

Gut, tritt ans Fenster; ich werde warten, bis die Sonne sinkt. Bis die Vögel sich niederlassen in den Geflechten des großen Schattens und unter Stahlblechdächern die Armaturen aufleuchten, unter den Dächern fischmäuliger Limousinen, die in Schwärmen über die bleiche Straße treiben. Warten werde ich, bis das Dunkel mit meiner Stimme spricht, der Wind, der aufkommt, mit meiner Stimme, der Fluß, den du nicht siehst.

Vergiß, daß du schreiben mußt, und schreibe. In deiner gehöhlten Hand sammelt sich die Dämmerung. Ein Stern glimmt auf der Scheibe. Die Glut einer Zigarette, hinter der ein Gesicht sich zu erkennen gibt, wenn sie der Atem entfacht: dein Gesicht? Dort steht ein Mann unter Bäumen, raucht und lauscht, während das Laub regnet, der Spiegel des Herbstes steigt, raschelnd, knöchelhoch. Ein kräftig gewachsener Mann, das Haupt klein wie ein Kinderball über den ausladenden Schultern. Seit Monaten hält er sich versteckt in diesem abgelegenen Haus am Rand einer Vorstadt, die an die Flanke des Gebirges stößt. Und jedesmal, bevor er sich niederlegt, schleicht er in den Garten, horcht in das Dunkel hinaus und blickt zum Dachfenster auf und sieht die Silhouette, die über den Vorhang wie über die Leinwand eines Schattenspielers zuckt.

Das ist Bettina, ein Mädchen aus Dünaburg. Weißt du, daß ihr Vater vor leeren Bänken Ovid pries, ehe sie ihn verschleppten? Weißt du, daß sie die Hüften eines Halbwüchsigen hat und die Augen eines Füllens? Und der im Garten, geboren auf dem Lande bei Toulouse, ein französischer Deserteur, der ahnt, daß sie ihm auf der Spur sind und daß sie ihn finden werden. Das braune Gesicht, in das die Nässe tropft, die Liebe hinter der Leinwand eines Schattenspielers und morgen in einem umzingelten Haus – schreibe davon, schreib, daß es in Deutschland ist und in einem Frieden ohne Vertrag.

Wir hören die Schritte, du und ich, das Waten im Laub und den Stern, der fällt. Andere Schritte, hartfersig, wohl auf dem Pflaster eines Hofes, setzen fort, was die Stille gestoppt hat: vieles ist nah. Der eisenhaarige Alte, der die Post austrägt in diesem Bezirk, hält vor einem Würfel aus Stein. Das flügellose Fenster der Werkstatt geht nach Norden. Er wird eingelassen. Er zeigt die Briefe vor. Man rückt ihm einen Stuhl zurecht, denn er hat seine Runde beendet. Es sind keine wichtigen Briefe; sie sind seine liebste Last.

Er bekommt einen Schnaps, trinkt ihn sitzend. So ist es am Ende. Die Sonne stürzt schief durch die Scheiben, hier draußen riecht es nach Obst; er streckt die harten Beine und erinnert sich. Und jener, der Nachrichten empfangen hat, sieht den Boten vor sich im Licht, und mit einemmal ist es die Sonne von Arles, ein Gesicht aus orangefarbenem Stroh wuchert über den tiefblauen Kragen. Ein loderndes Bild – so kocht der August in mittelmeerischen Stuben –, aber es kann von der Hand nicht wiederholt werden, es wäre vergeblich.

Träge erhebt sich der Postbote. »Sehr fleißig«, sagt er, »und doch hatte er einen Haufen Schulden, als er ins Gras biß.«

Es ist die Geschichte, die er immer wieder erzählt, wenn er Post abliefert im Atelier zu ebener Erde, in dem kleinen Bau, den ein Bildhauer errichtet hat, dieser, von dem die Rede ist, ein Toter und abermals am Leben in dem Gedächtnis des Alten.

»Grabsteine«, sagte er, »Grabsteine, als ob er der einzige gewesen wäre, der sich bei uns auf die Steinmetzarbeit verstanden hätte, nichts als Grabsteine. Freilich, das Denkmal für sechsunddreißig Soldaten und später auch ein Relief für das Parteibüro und Masken, Kram für die Wände, aber was von ihm geblieben ist, steht hinter der Friedhofsmauer, Herr.«

Der Staub flimmert. Es ist der Rückstand der Emsigkeit. Zu Staub gewordenes Leben eines schweren schwitzenden Mannes, der eine Frau und eine Tochter hatte.

»Seine Frau verachtete ihn«, sagte der Alte. »Meistens schlief er hier hinter der Holzwand. Seine Tochter stahl ihm die wenigen Groschen.«

Dann klappt die Tür, und der Staub dreht sich im Luftzug. Und der davongeht, wird kleiner und kleiner und verbirgt sich hinter den fernen Passanten.

Das ist unsere Richtung – hinweg und weiter! Über der Erde, über den Gräbern, über ausgehöhlter Zeit. Flüchtiger noch: ein Meteor, der aus einer Ewigkeit in die andere stürzt. Doch *einmal* ist die feurige Fährte vorhanden, und das Auge entdeckt sie für *einen* Augenblick. Im Schlag der Uhren haben wir *ein* Wort lang Beständigkeit. Suchst du das Wort? Jetzt ist es eine einzige Silbe, verschwebend, jetzt weiß und schmiegsam und tödlich:

Schnee.

Zu fünft stemmen sie sich durch das sausende Gebrodel. Drei Reiter sind ihnen voraus, Kutscher eines Sechsergespanns. Ihre hochgestellten Kragen sind groß wie Pfauenräder. Die gewaltigen Kaltblüter stampfen. Das Geschütz vereist. Und auch die unsichtbare Landschaft ist Deutschland, die Straße der Nachhut, der Schnee zwischen Goldap und Gumbinnen. Mit fünf Kanonieren ist das Ende nicht aufzuhalten; in einem anderen Jahrtausend eroberten drei Reiter ein Königreich. Und immer ist es der Schnee, der die Niederlage verhängt, zerbrochenen Harnisch näßt, Männer in Tarnanzügen begräbt, Barrikaden errichtet auf den Pässen und Saumpfaden der Geschichte und die Ströme der Geschichte zum Schwellen bringt, bis sie die Übergänge zerfetzen, Schnee, in dessen Wirbeln die Flotten kentern und die Pulks unter dem Himmel bersten, Schnee, Schnee, der unsere Heimkehr verhindert.

Der erste Reiter sitzt ab, die anderen folgen. Sie zerren die Pferde an den Zügeln vorwärts. Orkanisch dröhnt es im Ohr. Die Luft tilgt das stählerne Schleifen der Haubitze und den Trott des Gespanns, wirft Wälle auf, die Schritt für Schritt erstürmt werden müssen; der Frost schleudert gebündelte Messer aus der Höhe. Und da wird einem aus der lautlosen Karawane der Kopf in den Nacken gerissen: er starrt in flockenden Ruß! Und dreht er ihn über die Schulter, so erspäht er den Rand der Welt. Dort kommen Armeen.

Was siehst du? Nichts. Doch das Nichts riecht wie Feinde riechen, seitdem es sie gibt. Ein scharfer Dunst wölkt, schweißiges Fleisch, der Atem von Kentauren und ihre versengten Felle, Blut, das schwarz auf der haarigen Brust gerinnt, Eisen, das nach Salz schmeckt. Es ist der Geruch, ehe die Schlacht anhebt und der Rauch von Kains Feuer schwelt, wenn Söldner heranziehen und mathematische Soldaten, Ideologen mit Schußwaffen und die Söhne des Vaterlandes. Der beizende Geruch, der sich vor umkämpften Objekten lagern wird. Witterung für die Wölfe.

Plötzlich stockt das Geflock. Der Sturm verflackert in den Pferdemähnen und läßt die Kragen der Mäntel herunterlappen. Hände kratzen den Schnee aus den Augenhöhlen, wischen ihn von den Wangen; wer hat noch Brot im Beutel und vom Marketenderwein in der Flasche?

»Halt! Haltet die Schinder an.«

»Zum Henker mit den Sonntagskutschern!«

»Wer die Hosen voll hat, kann sie ausschütteln.«

Da steht das Geschütz. Es wird still – eine Stille, vor der sich das Lebendige entsetzt, weil sie zu Stein verwandeln kann. Niemand wühlt nach einer Krume. Die Stimmen dicken zu Blei in der Kehle ein, die Gedanken, Treibeis, schieben sich wie an einem im Wasser verborgenen Hindernis übereinander. Rings reißt die Sicht auf. Die Horizonte entfernen sich über kahle Flächen, hinaus ins Helle, wo es schon wie Blau flimmert.

Da wirft das stärkste der schweren Pferde den Kopf hoch und wiehert.

Das Letzte wissen wir nicht, du und ich. Uns bleibt das Rätsel, und was du schreibst auf Schriften, die schon verlöscht sind, kannst du nur mehr zur Hälfte entziffern. Aber schreibe, daß der Schnee schmilzt und daß an einem Tage, da es lau weht und auf dem ausgelaugten Gelb des Rasens der April sich in grünen Lachen ergießt, schreibe, daß ein älterer Mann die Axt schultert an diesem Tag und den Weg einschlägt, der im Bogen zum Park führt. Gestern am Nachmittag zogen die Amerikaner ein; die Stadt ergab sich, bevor die Kanonade eröffnet wurde. Im Schloß der Königin Auguste machte man für einen General Quartier. Heute kommt es zu Plünderungen an den Stadträndern, während man die Wohnungen durchkämmt und Gegner und Geiseln abführt. Nach dem Rock eines Mädchens greift man nur zum Spaß, Mädchen gibt es genug, Feinmechanik ist selten.

Der Mann mit der Axt will Reisig schlagen im Schloßpark; einen Karren zieht er hinter sich her. Er ist ohne Furcht. Er nähert sich dem Tor, das weit offen steht. Vor dem Pfeiler sitzt der Posten auf einem zierlichen Stuhl, das Gewehr zwischen den Knien. Der Helm im Genick glänzt. Im Rücken der Wache, am Ende des hohen Tunnels, den Buchen bilden, dicht gereihte, entlaubte Bäume, strahlt die schöne Fassade.

»Paß«, ruft der Posten kauend.

Ein junger Bursche. Er nimmt das abgegriffene Papier entgegen, das ihm der andere reicht. Er kann es nicht lesen, aber er gibt sich den Anschein, als prüfe er es mit Bedacht. Dabei kaut er Wendungen im Idiom der Orangenpflücker eines heiteren Küstenstrichs. Der andere versteht ihn nicht. Sie blicken sich an. Ein Papier ist zwischen ihnen.

»Ich will nur ein Büschel Holz. Ich kenn den Gärtner gut. Auch der Verwalter weiß Bescheid.«

»Prima«, sagt der Posten und gibt den Ausweis zurück. »Go ahead, Papa.«

Die Wände des Tunnels sind durchlässig; golden sickert es durch die Schäfte. Vor der Auffahrt parken die planenbespannten Jeeps, parken ein paar von den verdreckten Dreiachsern des Generalstrosses.

An der Schloßfront, aus mehreren der schmalen mannshohen Fenster, hängen die Kabel der Feldtelephone. Zwei zwanzigjährige Offiziere lehnen unter den Arkaden, Champagnergläser in den Händen. Der berühmte Brunnen ist verschalt.

Keiner kümmert sich um den Mann, der einen Karren zieht und über das Gitter am Pavillon seine Jacke hängt. Der Maulwurf gräbt vor den gepflegten Dickichten. Ein nackter Knabe, den Rücken, die Schenkel von Vogellosung geweißt, bläst versunken das Sandsteinhorn, indessen die Amseln schwirren und der Tag zunimmt an Blau. Als die ersten Axthiebe schallen, wölbt sich das Lautlose in der Tiefe des Parks, wirft das Schweigen zurück – die Echos des Schweigens, wenn die Axt durch die Luft saust –, unablässig.

Der Krieg ist aus, denkt der Mann. Wir brauchen dürres Holz für den Herd, und vielleicht kommt der Sohn heim. Wenn ich Glück habe, läßt man mich auch morgen durch und übermorgen. In drei Tagen könnte ich genug zusammentragen für Monate. Und er denkt: Zu einem guten Feuer gehört gutes Holz.

Schau ihm noch eine Weile zu. Der Krieg ist aus. Die Toten werden gezählt und die Überlebenden. Bald wird ein eisenhaariger Alter in eine Werkstatt eintreten und von einem Menschen erzählen, dem es schwer wurde auf Erden. Ein Soldat aus Toulouse, Sieger unter Besiegten, wird desertieren und ein Mädchen mit den Hüften eines Halbwüchsigen lieben, die Bemannung eines Geschützes verschollen sein. Und jemand, der noch durch das Diesige und Schwebende deines Bewußtseins taumelt, wird die Pforte suchen. Aber man wird auch einen Brunnen aus dem Splitterschutz schälen, und er wird Wasser speien über den Ornamenten fußhoher Hecken, über Felder gelber Rosen. Ja, Rosen werden sein.

Immer die Bilder. Ein Zwang, das Sichtbare zu finden, Namen zu finden, die Gestalten sind und Dinge. Immer die *Zeit* vor Augen in den vergänglichen Figuren. Ich erinnere dich, daß es so war, schon war, als du von dem Schatz träumtest und von Wieland und der schönen Magelone und den Zween, die am Ostertage sich aufmachten nach einem Flecken, der sechzig Feldwege weit war von Jerusalem. Als du traurig warst über die *Zeit*, die sich nicht denken ließ.

Und auch das schreibe auf, das Frühe, das, was nicht aufhört, Geheimnis zu sein, die langen Tage, die Nächte der Geister, dieses Gefühl, eine Ewigkeit vor sich zu haben und hinter sich eine einzige Stunde. Ich zeige dir eine uralte Frau, die zaubern kann und in den Wiesen wohnt, Sand, aus dem du Bagdad erbaust, ich zeige dir ein ausgestopftes Pony und fünf Ponys unter einem Zirkuszelt. Und wenn du hinauf aufs Dach kriechst und den Blick ins Weite schickst, hast du mit einemmal Vogelaugen.

Aber warte, das Dunkel kommt. Auf der Mauer erscheint ein Gekritzel. Ein Duft nach Frauen, Gierige, die zu Mädchen in deinem Alter werden, Männer, breitbeinig vor Rinnen und ihre Gespräche. Dann drehen sich die Gehenkten unter der Eiche, eine Schwachsinnige rauft ihr Haar. Fäuste würgen dich, andere trommeln auf dein Herz. Sie gehören zu Läufern, die verbissen und ohne Geschrei hinter einem Judenjungen herkeuchen, ihn einholen und ihn blutig schlagen, die Speere werfen, an die sie Wimpel geknüpft haben. Es sind zerschrammte Fäuste, die dich würgen.

Endlich löst sich der Morgen aus der Finsternis der Furcht.

Wolken siehst du, herrlicher als die Phantasie der Sagen; einen Weiher, von Kühen umstanden, die ihre Mäuler in den Spiegel tunken, während der Abendstern funkelt; die Gärten am Fluß, gebrechliche Stiegen senken sich in die Flut und unten wäscht man die Erde von den Händen. Und du siehst, wie sie einen Betrunkenen überfahren und wie Witwen am Nachmittag Friedhöfe durchqueren, auf denen die Hitze brennt und die Wasserpumpen keinen Tropfen hergeben, und wie ein bärtiger, bibelfester Mann Ziegen schlachtet und eine kranke Frau gesund wird und wie Glocken geläutet werden und die Schwalben fliegen, Glocken und Vögel – genug.

Noch nicht genug, denn noch hat sie nicht das Haus erreicht, sie, die ein Kind haben wird und noch selber fast ein Kind ist. Sie geht hin, um zu gebären. Sie hat kein Geld. Seit Stunden regnet es, und bald wird es Morgen sein. Die Nacht teilt ihre Erschöpfung, sie nimmt die Farbe an von ihrem grauen Gesicht. Aus dem schwarzen Haar rinnt es in Bächen. Der schwere strauchelnde Schritt ist allein in der Straße, unter dampfenden Lampen, in der großen Stadt der Schläfer.

Ich hab es gewollt, denkt sie, aber diese Einsamkeit wollte ich nicht. Auch er schläft, schläft tief. Warum schlafen sie, die wir lieben?

Das Haus, das sie erreichen muß, steht hinter flachen Hallen und am Zaun des Krankenhausparks. Man hat es eingerichtet für solche wie sie, und man wird dort um sie sein, und später wird sie noch Monate dort wohnen und arbeiten müssen, bis ihre Schuld beglichen, die Güte bezahlt ist.

Gestern schon hätte ich es tun sollen, denkt sie. Gestern hätte ich mit der Tram fahren können. Aber nun fährt keine Bahn. Sie denkt: Vielleicht ist es noch gar nicht so weit, und sie schicken mich wieder nach Hause.

Hundert Schritte bis zur Fabrik, dann noch fünfzig zur Pforte unter den Bäumen. Sie kann jetzt nicht weiter; sie krümmt sich. Eine Minute lang will sie mit gebogenem Rücken sitzen und die Hände aufstützen, zu Atem kommen: Ich schaffe es nachher. Bestimmt. – Sie setzt sich auf eine Treppe. Der Regen spritzt über die Stufen, fließt zu Pfützen zusammen, er speit aus dem Riß in einer Dachtraufe. Leblose Fronten, die Fenster verriegelt und öde, die Laternen der Fahrbahn schwingen in zähen Rhythmen. Tiefer senkt sich der Himmel da, wo die Fabrik dämmert und wo schon ein Anflug von Helligkeit glimmt. Es ist die Stunde, in der sie einst aufstand und davonging von einem schlaftrunkenen Mann – jenem, den sie liebt, der zu jung ist, um sie zu sich zu nehmen. Doch jetzt will sie sich nicht daran erinnern. Nur an das Kind will sie denken und daß es Zeit ist, unter ein Dach zu treten.

Als sie sich aufrichtet, schwankt die Straße. Sie rafft den Trenchcoat über der Brust zusammen, kann ihn nicht zuknöpfen, er ist viel zu eng. Sie geht vorwärts, den Kopf gesenkt ... Und so lange wirst du sie sehen, bis sie vor der Pforte des Heimes steht und nach dem Glockenzug greift, durchnäßt und einsam und unverzweifelt. Auch dieses Letzte ist Deutschland, das rauschende Wasser in den Lüften und in den Baumwipfeln, die Einsamkeit, die Augen ohne Tränen, das Morgengrauen mit der Farbe von Fischen und verblichenen Segeln – aber nun ist es schon wie in den meisten Städten der Welt und wie in vielen Sprachen: ein Bild nur, du ahnst es, von einem größeren Bild.

Und ich bin in diesem Bild, und du selbst bist darin. Es ist kein Zeichen für uns, sondern unser Fleisch und Blut. Wir sind das Bild. Wir können nicht leben, ohne es zu sein, hier nicht und nicht dort. Aber einmal wird seine Fülle zur Dürftigkeit werden, und aus der Dürftigkeit wird unsere Freiheit entstehen, die Augen zu schließen und auf ewig hinter uns zu lassen, was Gebild und Gesicht der Welt ist. Dann wird der Spruch gesprochen. Dann werden unsere Augen aufgetan.

PETER WEISS

Der große Traum des Briefträgers Cheval

Die unbestimmbare, beim ersten Anblick unförmliche Masse unten in dem am Abhang liegenden Garten. Ein aufgetürmter Termitenbau, wie aus Sekreten zusammengeleimt. Steine, Muscheln, Äste, Wurzeln, Moose. Übergossen mit grauem Teig, zerknetet, zerwühlt, überall das Gefühl der Hand, die diese Brocken zusammengefügt hat, Brocken wie mit Speichel getränkt. Man umfaßt erst dies Ganze, dieses verworrene Gebilde, ahnt erst die heimliche Ordnung, die die Bewegungen der Hand leitet. Der Blick tastet über die verschlungenen Formen, entdeckt Gesichter, Gestalten, Glieder, Tiere, doch zuerst nur als Andeutungen. Die Grundmasse des Traums. Die erste Begegnung. Hier entsteht etwas. Eine Welt von Gedanken. Ein Murmeln, ein Selbstgespräch mit Traumstimme. Worte. Traumworte, eingeritzt in das Fließende, Worte, kaum deutbar, zersprungen, zerfasert. Die Wirklichkeit eines Ich ist im Entstehen begriffen. Mein Ich, das ist meine Imagination. Ich träume. Aus Impulsen, Gedanken, errichte ich Formen. Alles verschlungen, verworren, überladen mit Eindrücken aus der Tageswelt. Abbildungen aus alten, zerfledderten Zeitschriften, orientalische Architekturen, indische, balinesische Tempel, präkolumbianische Skulpturen, afrikanische Dschungel. Doch diese Bilder verlieren sich schon, es bleibt nur der

Bautrieb innen in meinem Traum, es bleibt nur der Trieb des Schmückens, des Umschmelzens. Kunstgeschichte, Geografie, Etnografie werden schon zu leeren Begriffen. Dies hier ist meine eigene, innerste Welt. Ein Dorf im Süden Frankreichs. Ein Landbriefträger. Alles was außen tot, gerät in Vergessenheit. Nur der Traum besteht. Nur seinem Traum hält er die Treue. Und hier seine absolute Sicherheit. Nur die innere Stimme. Das lebendige Innere. Die Windungen des Gehirns. Die Gedärme. Das Herz. Die Lungen. Das Atmen. Das Strömen. Der Puls. Der Organismus mit seinen Regungen. Das Geschlecht. Das Suchen nach weichen Gliedern, daran zu tasten, sie zu liebkosen. Brüste, Hüften, Schöße. Sich an sie zu schmiegen, sich in sie hineinzudrängen. Die innere Welt, ich liefere mich ihr aus. Jetzt bin ich in ihr, sie umschließt mich. Hier bin ich durch irgendein Tor, irgendeine Öffnung hineingeraten, in das Innere der Gedanken, in das Innere der Impulse. Überall drehen, senken sich die Formen, steigen an, breiten sich aus, werden zu Ornamenten, Gewächsen, Früchten, haben Augen, strecken Glieder aus, schieben sich vor, ziehen mich tiefer hinein in Gänge, Schächte, Alkoven. Erinnerungen noch an Tropfsteinhöhlen, Gartengrotten, etruskische Grabmäler, Aquarien, und dann alles verwandelt zu einem Einmaligen, Unvergleichbaren. Ich bin im Innern eines Traums. Verstehe die Sprache dieses Traums. Verstehe die Formeln, die Symbole, die Hieroglyphen dieses Traums. Jede kleinste Einzelheit hat ihren Sinn. In jeder kleinsten Einzelheit drückt sich das Einmalige dieses Lebens aus. Wurzeln und Fasern, Verwurzelung mit Ursprung, Geburt. Frühste Kindheit mit Gnomen, Feen, sonderbaren Kühen, Kälbern, Hasen, Fischen, Vögeln. Steinbrocken, Formbrocken, immer nur an etwas erinnernd, an Gestalten, Wesen. Oder Gestalten, Wesen, schon wieder verschwimmend in den Brocken. Alles von innen nach außen gestülpt, von außen nach innen gestülpt. Die Proportionen dieses Gebildes unübersichtlich. Überall Einblicke. Plötzliche Sammelplätze fantastischer Erscheinungen, Anhäufungen von Traummaterial, Ideenherde, ein Getümmel von mikrokosmischen Zusammenfügungen. Formbrocken aneinandergereiht in seriellen Variationen. Das Thema eines Gesichts oder eines Körperteils immer wieder verwandelt, übereinandergelagert, eingenistet in Nischen, chinesischen Schreinen, Becken, Galerien. Gruppen von Brocken auf altargleichen Vorsprüngen geordnet. Heiligtümer. Alles ist wertvoll, dient einer Anbetung. Einer Anbetung des Lebensstroms. In diesen Ansammlungen runder, verschliffener Steine saugt der Blick sich fest, sucht nach Gestaltungen, findet die immerwährenden Abwandlungen. Schmelztiegel eines schöpferischen Prozesses, Sammelpunkte konzentrierter Augenblicke, in denen man den unendlichen Reichtum innerer Motive empfindet. Und dann, mit einer Wendung des Blicks, die Begegnung mit großen Figuren. Da stehen sie wartend, lauschend, die Gesichter starr, schwer, zeitlos. Tief drinnen im Gewirr der Gedankenbänder, an das Dunkle, Ungeformte gelehnt, oder daraus hervortretend, oder in das Geröll hineingegraben. Dumpfe, vereinfachte Profillinien. Eine Hand erhoben zur Schulterhöhe, zu einem Gruß, oder um Einhalt zu gebieten, oder um sich festzuhalten, oder um sich abzustoßen im erstarrten Augenblick dieser Zusammenballung dieser Gefühle in diesem träumenden Leib dieses Briefträgers. Alles geschieht in seinem Innern. Er ist in sich drinnen, er träumt, und er baut das Geträumte. Die Gestalten seines geheimen Lebens. Der primitive Mann, der Steinzeitmann mit seinen Beschwörungen. Er errichtet diese Reliefs, diese Skulpturen, um den Augenblick seines Lebens festzuhalten, den Augenblick zwischen Geburt und Tod. Sein Material Sand, Staub, Steinbrocken, mit Lebenssaft vermengt. Seine Hände wühlend im Lehm. Seine murmelnde Stimme, dichtend in dunklen Versen. *Sur cette terre comme l'ombre nous passons.* Ritzt mit der Hand das Gedichtete in die Verdichtungen und überwindet hier sein schattenhaft kurzes Leben, hebt es aus Ursprung und Vergehen heraus und überliefert es der Natur, läßt es als monströses Gebilde im Garten der Welt liegen, der allmählichen Verwitterung unter größeren Zeitläuften ausgesetzt. Die zehntausend Tage, die dreiundneunzigtausend Stunden dieses Traums sind zu einem einzigen Augenblick geronnen, zu einem Augenblick, der ein ganzes Lebenswerk in Erscheinung treten läßt. In unbeirrter Folgerichtigkeit gräbt, wühlt, schaufelt, mauert er an seinen Visionen, festigt sie mit seinem plasmaartigen Arbeitsmaterial, kratzt, schabt, schleift an ihnen in unermüdlicher Hingabe. Das gestrichelte Linienspiel seiner Fingernägel, seines Messers, seines Spachtels an den erschaffenen Figuren. Abdrücke seiner Hände im getrockneten Lehm. Vertiefungen vom Druck seiner Daumen. Die Ausdauer beim Nachzeichnen und Nachkneten dieses Traumes, den er träumt, kommt aus Quellen, die tief unter seinem individuellen Dasein liegen. Er ist wirksam, wie sein Traum wirksam ist. Er wächst mit seinem Traum. Er berechnet nicht. Seine Vernunft ist ausgeschaltet, er folgt nur der Stimme, die tief in ihm wuchert, und was diese Stimme ihm einflüstert ist ihm einzig gültige Wahrheit. Das Flüstern der Traumkraft ist zu hören zwischen diesen kühlen, zerschorften, bröckelnden Steinwänden, es ist ein Flüstern in allen Sprachen, ägyptisch, babylonisch, indisch, provenzalisch, und viele, die später hier eintraten, ließen etwas von ihren Stimmen hier, und sie gaben etwas von sich diesem Traum hinzu, das Wertvollste, was sie geben konnten, ihren Namen. Im blinden Drang, sich mit diesem Traum zu verschmelzen, haben sie ihr Ich mit dem Zeichen ihrer Namen in die Texturen der versponnenen Ebenen eingepflanzt, überall ist das Traummaterial bereichert worden mit den geritzten, geschriebenen, gemalten Namen der Eingetretenen. Die Bildwände, die Leiber der Göttinnen und Dämonen, die Köpfe und Bäuche der Tiere sind überwoben mit Schriftzeichen und Daten, und dieses Linienspiel ergänzt und bestätigt das Entstandene. Diese Wirrnis von ineinander hineingreifenden, einander unlesbar machenden, einander auslöschenden Namen gibt dem Material seine Vollendung. Dieses

Werk ist ein Stück Natur, es wächst ohne Zweck, nur weil es lebt und wachsen muß. Es entfaltet sich blütenhaft, verzweigt sich, schlägt neue Triebe. Seine Schönheit ist unbewußt und schmeichelt niemandem. Die Masse dieses Werks ist ganz in sich geschlossen. Schweigend und schwer liegt sie in der Tiefe des Gartens. Wächst auf als Formation zwischen Gebüsch und Bäumen in ihrem erdigen, sandigen, steinernen Wachstum, verwandt dem Geröll, dem Gezweig ringsum. Das Naturhafte, die Verwandtschaft der einzelnen Formen mit dem unbearbeiteten Stein ist überall bewahrt. Was an körperlichen Wesen im Reichtum der Strukturen hervortritt, weist auf seine Abhängigkeit vom rohen Bruchstück hin. Aus dem Stein ist nur hervorgehoben, was schon im Stein war. Oder der Stein ist belassen in seiner embryonalen Rundung, aus der alles werden kann. Alles ist nur Unterlage für die fließende Fantasie, will immer wieder neue Deutungen aufkommen lassen. Aus Flecken entstehen Gesichter, in den Schatten glaubt man Gestalten, Zeichen zu erkennen, die sich gleich wieder verlieren. So hat er das Material zu seinem Bau gesammelt, auf seinen Wegen als Landbriefträger, dreiunddreißig Jahre lang, die Steine, die Lavastücke, die Fossilien, die Felsbrocken, mit ihren ausgewaschenen Rändern, Adern, Schichtansätzen, Vertiefungen, Löchern, Buckeln, hat sie aufgehoben, betrachtet, Anregungen in ihnen gefunden, hat sie in seine lederne Tasche gelegt zu den Briefen, schwer an ihnen getragen, hatte seinen Blick ständig über den Boden gleiten lassen, auf seiner einzigen Suche. Seine Augen, ständig zur Erde gesenkt, zusammengekniffen, spähend, wachsam. Seine Gegenwart im Innern dieses Gebildes so stark, weil dies Gebilde kein Kunstwerk ist, sondern nur Ausdruck einer Seele. Seelenlabyrinth, Gefühls-, Gedankengrube. Man wird nicht vor ein Kunstwerk gestellt, um es zu betrachten, um es zu beurteilen, sondern man gelangt tief in das Fantasieinnere eines Menschen hinein. Andere tragen diesen Traum, der ein Leben lang dauert, in die Irrenhäuser, versinken dort in der Dumpfheit ihrer Einkerkerung, diesem Briefträger aber gelang es, seinen Traum zu materialisieren, und damit sein Leben zu retten. Alle seine analen, obszönen Regungen sind in diesem Traum enthalten. In diesem Traum ist das Innere der Gedärme zu spüren, er wühlt in Kotmassen, knetet an den schweren Trauben des Kots, alles fließt von Kot, windet sich, schlängelt sich, erhärtet sich schließlich zu trächtigen Säulen, Böschungen, Spiralen, Gehängen. Und daraus hervor stoßen sich die großen Phalluspilze, gebogen, aufragend, geil. Und in langen Reihen die Weiberbrüste, geschwollen, lockend, mit zärtlich gezwirbelten Spitzen. Und eingekerbt in den weichen Brei des Grundmaterials die Spalten der Schöße, mit aufgewölbten Lippen, die Schöße aller Erdgöttinnen, furchtbar fruchtbar, umzingelt von gehörnten Tierköpfen. Es ist aber alles in Verwandlung begriffen. Was eben noch als Impuls aus Gedärm und Eingeweide aufstieg und seine Form diesem Gedärm und Eingeweide entnahm, entwickelt sich schon weiter in märchenhaften Variationen. Was eben noch als Exkrement quoll, steht jetzt da als Architektur eines Zauberreichs. Du befindest dich im Innern des Körpers, innen in den Zellen und Geweben, vor deinem Blick öffnen sich Kreuzgänge, Pfeilerhallen, Treppengerüste, Kammern und Abstiege, wie man sie in einer mikroskopischen Erscheinungswelt wiederfinden kann. Neben den Nischen, die mit den Schätzen gesammelter Steinchen gefüllt sind und um die sich die Schleier von Spinnweben legen, als ähnlich vollendeter Bestandteil wie das geschriebene Netz der Namenszeichen, befinden sich in einer Höhlung die Werkzeuge des Träumenden, ein verkrusteter Blecheimer auf einem Wandbrett, zwei verkrustete, von Metallringen zusammengehaltene Holzkrüge, eine verkrustete Schaufel und ein verkrusteter Schubkarren, die Stangenknäufe abgegriffen von seinen Händen. Staub, grau lagernd über allem, Staub von Lehm, Sand, Stein. Höre ihn atmen, murmeln, höre ihn seine Sprüche sprechen. Versuche, die Texte zu entziffern, Texte, durchdrungen von Worten, die von draußen, von seiner Außenwelt her, in ihn eingedrungen sind, Worte, die plötzlich verdeutlichen, daß dieser Mann Bürger eines französischen Dorfes war, daß es draußen, in den Außenschichten seines Lebens Begriffe wie Gottesfurcht, Vaterlandsliebe, Pflichterfüllung für ihn gab. Das Widerspruchsvolle solcher Inskriptionen gehört mit in diesen Traum hinein. Er, ein Mann, der treu sein Amt ausführt, der ein wichtiges Verbindungsglied zwischen den Menschen ist und ihre Briefe zwischen ihnen hin und her trägt, bückt sich überall auf seinen Wegen, um Bruchstücke der Erde mit in seine Ledertasche zu legen. Er, verheiratet, fest ansässig in einem Dorf, zugehörig einer Nation, kramt diese Bruchstücke der Erde bei sich zuhause aus, zum Leidwesen seiner Frau. Er ist besessen von seinem Traum, er lebt völlig in seinem Traum, nach außen hin aber will er diesem Traum eine Nützlichkeit geben, er schreibt in die Fassade, daß er mit diesem Bau die Ausdauer und Tüchtigkeit eines Landmannes beweisen will, seht nur, Jahrzehnte arbeite ich, einziger Mann, an diesem Monument. An diesem Monument zur Verherrlichung der Natur. Oder zur Verherrlichung einer pantheistischen Idee. In den Augen seiner Nachbarn ist er ein harmloser Verrückter, man hat sich an ihn gewöhnt, er mauert da unten an seiner Gartengrotte, als Kind hat man ihn schon da schaufeln, schaben und schleifen gesehen, als Erwachsener sieht man ihn immer noch schaufeln, schaben und schleifen, neue Generationen sehen den Alten da unten, zwischen dem Gebüsch, den Birnenbäumen, schaufeln, schaben und schleifen. Die Hartnäckigkeit, in der er in seinem Werk lebt, die absolute Notwendigkeit der Schöpfung dieses Werks, weiß er sich nicht anders zu erklären, als mit Vernunftsgründen. Er ist so bescheiden, so sehr gebunden an die Vorstellungen einer praktischen, ökonomisch gesinnten Dorfwelt, daß er den Fleiß als einzigen Ausdruck seines Genies rechnet. Die Tatsache, daß er dreiunddreißig Jahre lang am Bau ist, ist ihm genug. Dies tröstet ihn. Er will sich nicht rechtfertigen als Künstler. Seinen Nachbarn, die ihn verlachen, hält er nur seinen Bauernfleiß vor, in Gestalt der Texttafeln, zum Sprechen ist er zu scheu geworden, kennt nur noch sein murmelndes Selbstgespräch. *Heureux l' homme libre brave et travailleur. Le rêve d'un Paysan.* Die Größe dieses Baus wird einem erst bewußt, wenn man, aus dem Gang mit dem kleinen grau verstaubten Karren kommend, nach draußen tritt, und den Blick empor und zu den Seiten wendet. Man war im Unübersichtlichen, in der Traumtiefe, man hatte sich umhergetastet zwischen Säulen, Andachtsstätten, Opferplätzen, Turmgewinden, Höhlungen, Nestern, man hatte sich bewegt in den Abgründen eines Tierdaseins, einer Vorgeschichte der Menschheit, nun sieht man die Hüllen eines mächtigen, wuchtigen Organismus aufragen. Als man sich diesem Organismus zum erstenmal näherte, als man ihn da in der Tiefe des Gartens liegen sah, konnte man ihn noch gar nicht fassen. Man konnte ihn mit nichts vergleichen, fand nur entfernte Ähnlichkeiten mit Sandburgen, spielzeughaften Grotten, verschrobenen Lustschlößchen, hatte keinen Begriff von seinem Inhalt, seiner wirklichen Ausdehnung, er schien fast klein unter den hoch ihn überragenden Tannen. So wie der Baumeister in seinen Tafeln seinen Fleiß erwähnt, so mißt er auch sein Werk mit äußeren Maßstäben, er macht uns darauf aufmerksam, daß die östliche Fassade sechsundzwanzig Meter lang ist, die westliche Fassade sechsundzwanzig Meter lang, die nördliche Fassade vierzehn Meter lang, die südliche Fassade zehn Meter lang, die Höhe variierend zwischen acht bis zehn Metern. Doch diese Maße besagen nichts vor dem wuchernden Reichtum jedes kleinen Stückes und vor der Auflösung des Außen und Innen; was er Fassade nennt, ist kaum zu finden, alles dreht und windet sich hinein in Öffnungen, die in die Tiefe führen. Was einem drinnen begegnet ist hier draußen schon eingelassen in Nischen, Gewölbe und Säulenhintergründe, vorbereitende Tagesreste in der Form von Miniaturbauwerken, Tieren und menschlichen Gestalten, die kleinen Figuren wie Abdrücke flüchtiger Begegnungen, jemanden den man beim Vorübergehen in einer Tür stehen oder aus einem Fenster blicken sah, mit undeutlichem, verwischtem Gesicht. Wieder das Widerspruchsvolle, das eigentümlich Blinde in der Einstellung dieses Baumeisters. Ein Bauwerk von sechsundzwanzig Meter Länge, das kann doch jeder aufführen, in einer Zeit kürzer als dreiunddreißig Jahre. Er weiß nicht, was das für ein ungeheures Werk ist, das unter seinen Händen aufwächst, er hat keine Erklärungen, und vielleicht ist es wahr, wie es die Nachbarn glauben, daß dieser Schöpfungsprozeß nur Ausdruck ist für eine Geisteskrankheit, und er will sich verteidigen, es sind jedenfalls sechsundzwanzig Meter, und für ihn sind diese sechsundzwanzig Meter eine Riesenhaftigkeit, weil jeder Meter Hunderte von Metern feinster Umringungen enthält, darüber kann er aber nichts aussagen, er ist nicht Künstler, er ist nur Träumender, und ein Träumender kann innen in seinem Traum seinen Traum nicht erklären. Tempel der Natur, Grotte der Feen nennt er sein Werk, und jetzt verlieren sich schon wieder die Aussprüche, die sich an die Vernunft, die äußeren Normen halten wollen, er spürt nur die innere Stimme, deren Folgerichtigkeit mit keinen logischen Worten erklärt werden kann, er spürt, um was es bei diesem Bau geht, er spürt das unaufhörliche Pochen einer Idee, die gestaltet werden muß, er spürt das Netz innerer Zusammenhänge, seine ganze Schöpfung webt er aus diesen inneren Zusammenhängen hervor, ohne Anspannung, mit der schlafwandlerischen Sicherheit eines Mediums. Er ist dreiundvierzig Jahre alt, als er mit dem Bau beginnt, und er weiß, warum er plötzlich beginnen muß, in der Reife seines Lebens, dieser Augenblick des Wissens, dieser Augenblick der Eingebung, dieser Stoß, so stark, so einfach, so überzeugend, er geht auf seinem alltäglichen Weg und stolpert, er stolpert über einen Stein, ein Stein hat sich ihm in den Weg gelegt, er bückt sich, betrachtet diesen Stein, er hebt den Stein auf, dreht und wendet ihn, der Stein ist von sonderbarer, bizarrer Form, körperhaft, maskenhaft, fratzenhaft, ein Stück Skulptur, von Wasser und Wind und von den Bewegungen der Erde gemeißelt, ein Stück Schmuck, ein Geschenk, und die Auffindung dieses Steins ist die Auffindung eines alten Traums, jetzt ist er da, der Traum, klar und erreichbar, nachdem er lange in Vergessenheit geraten war, wie hatte er ihn nur vergessen können, den Traum, den er einmal in seiner Jugend träumte, diesen leuchtenden Traum vom Feenpalast, diesen Traum, der ihn auf Jahre hin verfolgte, diesen Traum, dessen Formenpracht sich in ihn eingeätzt hatte, diesen Traum von dem wunderbaren, unerreichbaren Bauwerk, und jetzt mit einem Mal weiß er, er kann dieses Bauwerk nach seinem einzigartigen Vorbild errichten, er weiß, es wird ihm gelingen, er weiß, er wird den Rest seines Lebens diesem Bau widmen. Verzaubert trägt er diesen ersten Stein zum Palast seines Traums mit sich. Ich weiß nichts über das Leben dieses Mannes, doch seine kurzen Bemerkungen über den Unwillen seiner Frau angesichts der herbeigeschleppten Steine deuten auf eine Entfremdung hin, vielleicht befand er sich in der Krise der Lebensmitte, war vielleicht auch etwas sonderlich, war grüblerisch und vereinsamt geworden auf seinen langen Wanderungen mit der Posttasche. Der versunkene Jugendtraum lag in ihm, gärend und bedrückend. Das plötzliche Wiederaufflammen des alten Idealbildes veränderte sein ganzes Leben, gab ihm plötzlich ein Feuer, eine innere Glut, und aus dem unscheinbaren Briefträger Cheval wurde ein Seher, ein Visionär. Während der Jahrzehnte seines Bauens blieb er der verkannte, etwas verschrobene Dorfbewohner, niemand dachte daran, daß hier ein Monument des Ausdruckswillens geschaffen wurde, er selbst wußte nichts von Architektur, von Formgesetzen, modernen Kunstbestrebungen, er folgte nur seiner Intuition, und so wie Zellen sich vervielfältigen, wie Blätter an Zweigen keimen, wie Kristalle sich aneinander gliedern, so wuchs dieses Werk, in sich enthaltend das Wunder aller natürlichen Proportionen. *La vie est un océan plein de tempêtes entre l'enfant qui vient de naître et le vieillard qui va disparaître.* Die zweite Hälfte seines Lebens verbringt er mit der Verwirklichung seines ozeanischen Lebenstraums. Ich kann ihn mir denken, wie er abends in der Laube sitzt, die er vor seinem Bau errichtet hat, der Laube mit der steinernen Bank, dem steinernen Tisch, unterm Blättergehege, wie er sein Werk betrachtet. Sein mageres Bauerngesicht, die spähenden, zusammengekniffenen Augen, der herabhängende Schnurrbart. Die verarbeiteten, knöchernen Hände gefaltet. So erhebt sich das Werk, hier im Mittelstück der Hauptwand, in den grottenartigen Gefügen, die ersten gefundenen Steine, wie Reliquien hervorgehoben, in einer kaskadenhaft fließenden Masse, umgeben von Rundbögen, von quellenden Lavaströmen und fruchtartigen Formen, überall von kleinen, vorlugenden Wächtern bewacht. Weiter aufsteigend Brunnen, Giebel, Zinnen, Pagoden, Treppen, versteinertes Gezweig, versteinertes Blattwerk, korallenhaft knorplig, körnig, glitzernd und flimmernd von eingesetzten Steinchen, Muscheln. Widderköpfe, Leopardenköpfe, Schlangen, Lianen, Palmen, Adlerhäupter, Wingen, Tauben, Bären, Elefanten, Engel, Heilige. Dies alles wächst, läßt sich entziffern und gleich wieder anders deuten. Gekleidet in eine Hülle aus hellen Steinen eine lebensgroße geisterhafte Gestalt, halb Weib, halb Mann, ohne Gesichtszüge, die Arme hinter sich ins Dunkel des Grotteninnern gestützt. Diese Gestalt ist wie eine Priesterin, die Priesterin eines Opferkults, und ich spüre, wie wenig ich erst vom Innern dieses Bauwerks erfahren habe, nur als Besucher vom Außen bin ich darinnen umhergegangen, umhängt mit der Rüstung meiner Zivilisationswelt. Eine Weile habe ich mich dieser Traumwelt ausgeliefert, nun aber ist es schon wie nach dem Erwachen, und ich kann mich kaum mehr an die Bestandteile dieses Traums erinnern, ahne nur noch von fern seinen unerschöpflichen Reichtum. Einen Reichtum, der nirgends mit starken Farben prahlt, der sich verbirgt unter erdfarbenen, steinfarbenen Tönungen, der vom Auge das Erkennen der feinsten Schattierungen verlangt. Neben diesem Werk, mit seinem Gewirr von sonderbaren Flecken, Volumen, Punkten, Rillen, Formkontrasten, Unregelmäßigkeiten und Andeutungen verblaßt alles, was heute in der spontanistischen, tachistischen Kunst erstrebt wird. Außer der hervortretenden Verwandtschaft mit Werken eines Klee, eines Wols, eines Michaux wird das meiste im Vergleich eitel und selbstbetrügerisch. Man wirft zahllose Materialmengen hin, denen man eine Selbständigkeit zuspricht, der die menschliche Hand nur wie ein Werkzeug unterworfen ist. Eigentlich aber sitzt man fest in einem Naturalismus, in einem Kopieren, man bildet ab, was jede zersprungene, zerschlissene, fleckige Mauerebene, jede zerschabte und bekritzelte Pissoirwand, jeder Plankenzaun mit aufgelösten, zerborstenen Resten übereinandergeklebter Anschlagspapiere überzeugender ausdrückt. Artifiziell und ästhetisierend errichtet man in den Salons nur Abklänge aus der Welt des Zerfalls, des Zerbröckelns, aus der Welt der Schutthaufen und Gerümpelplätze. Man will herankommen an das Zufällige, das Ungeordnete, das Unbewußte, und dann rahmt man es ein und stellt es auf Sockel und übergibt es der Organisation eines kommerziellen Apparats. Von all dem ist hier nichts zu spüren. Dieses Werk lebt schweigend. In Verborgenheit. Es stellt sich nicht aus. Es verharrt in der Erde, aus der es hervorgewachsen ist. Man muß zu ihm wandern, wenn man es sehen will. Man geht einen Gartensteig unter Weinranken hinab, man geht an Büschen, Bäumen vorbei, man ist in einer ländlichen Gegend, unterhalb eines Dorfs am Berghang, Hunde bellen, Hähne krähen, ringsum die Regungen eines alltäglichen Lebens. Und jetzt, wenn man im Innern dieses Gebildes geweilt hat, und aus dessen kühler Dunkelheit hervorgetreten ist und es umschreitet, faßt man erst ganz, wie es für sich lebt in seiner Geschlossenheit, seiner barbarischen Üppigkeit, seiner stummen Abweisung. In seinem eigenen Garten, in seiner eigenen Erde erbaut der Briefträger sein Formgebilde, es ist verwurzelt mit diesem Garten, mit dieser Erde, hier wird es bleiben, bis es von den Naturkräften einmal zurückverwittert ist zu seinem Urzustand aus Sand und Gestein. Eigentlich ist ihm die Außenwelt völlig gleichgültig. Er hat sich in seinem Traum verschanzt, sein Traum ist seine Festung, draußen, hinter der Gartenmauer, ist das Dorf, der Alltag, hier drinnen baut er sich in immer dichteres Filigranwerk ein. Er will nicht mehr verstanden werden, vielleicht sind die frommen Sprüche an den Außenwänden nur ein Hohn, nur eine Ablenkung. Vielleicht verspottet er den Beschauer nur, da er ihm seinen Fleiß vorhält, vielleicht verlacht er ihn oben hinter den Schießscharten seiner höchsten Traumhöhen. Denn neben dem meditierenden, dem verborgenen, dem unterirdisch wühlenden Cheval gibt es noch einen anderen Cheval, ein Cheval, der Don Quichotte ähnlich ist, ein Cheval der von Ritterburgen träumt, von Heerführern, von gefangenen Prinzessinnen, von einem Leben in Größe und Herrlichkeit. Er verhöhnt den Beschauer, wenn er ihm einredet, Ich bin nur ein einfacher Bauer. Er will seine Ruhe haben. Genie ist Fleiß, ritzt er in die Wand. Doch er weiß, sein Genie ist nicht Fleiß. Sein Genie ist Hellsichtigkeit. Sein Genie ist, daß er die ganze Welt, mit allen ihren Erscheinungsformen, in sich, vor sich, um sich aufsteigen lassen kann. Drei große Wächter stellt er in den Türflügel der Hauptwand. Drei Riesen, abschreckend, steil aufgerichtet, mit der Wand verwachsen, auf Schultern und behelmten Häuptern Befestigungsblöcke tragend, zwischen sich hervorbelfernde Köpfe von Raubtieren mit gebleckten Zähnen, drei Riesen, die langgezogenen Körper mit Steinschuppenpanzern bedeckt, die Arme, seltsam verkürzt, wodurch die Leiber noch länger erscheinen, in die Höhe gestreckt, hinein ins Gemäuer, hinein in die Gruppen von Penistürmen, die kleinen runden Gesichter starr geradeaus gerichtet, mit dem düster unheimlichen Ausdruck von Wahnsinnigen. Er gibt ihnen Namen, Der große Verteidiger Galliens, Der große griechische Weise, Der große römische Eroberer, in diesem Dreiklang verkörpert sich sein Machttraum, sein

Traum von seiner eigenen übermenschlichen Größe. Dem Schutz dieser Riesen unterstellt er sein Bauwerk. Zwischen diesen Riesen, in ihrer Kniehöhe, stehen zwei weibliche Figuren, in stilisierter Haltung und vereinfachter Ausführung. So wie jede Einzelheit in diesem Werk vielschichtig ist und sich von Assoziation zu Assoziation weiterleiten läßt, so sind auch diese beiden, fast identischen, Gestalten, die er Druidinnen nennt und denen er die Namen Veleda und Ineze gibt, nur Unterlage für die ausschweifende Fantasie. Ihre Stellung und Körperformung entspricht ägyptischen Plastiken, arabische Schriftzeichen umgeben sie. Und es sind mütterliche Figuren, Liebesideale, die Arme halten sie erhoben, wie um den Meister zu begrüßen oder um seine Liebkosungen entgegenzunehmen. Diese idealen Frauen kehren überall wieder, hier als Eva mit den Schlangen des Paradieses, dort als Königin der Welt, hier als Herrscherin der Grotten, dort als Turmengel, hier als Venus, dort als geflügelte Sphinx, hier als heilige Jungfrau, dort als primitive Tempeldienerin. Beim Umschreiten des Baus stößt man überall auf Motive, an denen seine Phantasie Nahrung gefunden hat, Motive, die er seinem eigenen Gemäuer einverleibt hat und die als parallele Themen mitwirken, die Säulen vor den Grabkammern der Pharaonen, die babylonischen Torbögen, die Moscheen des Islams, die Tempel der Hindus, die Pyramiden der Inkas, die Paläste aus Tausendundeiner Nacht, die algerischen Zitadellen, die frühgeschichtlichen Vasen und Urnen, die mittelalterlichen Schlösser, die antidiluvianischen Schnecken, die exotischen Tiere, die tropischen Pflanzen, die heidnischen Götter und die Gruppen der Propheten und Evangelisten und die Wallfahrer zum Heiligen Grab und die Gralsgrotte und die Labyrinthe und die Katakomben, alles ist im Gebäude seiner Seele verwahrt und verarbeitet. Und in allen diesen Tagen, beim Nachsinnen über das Werk des Briefträgers Cheval, wird das Erlebnis dieser Begegnung reicher und sinnvoller. Ich verändere und erweitere mich an dieser Begegnung, so wie man sich bei den seltenen Begegnungen mit großen, vollendeten Werken verändert und erweitert. Der Trubel der Außenwelt versinkt beim Gedanken an das schweigende Monument des Briefträgers Cheval in der Tiefe des südfranzösischen Gartens.

Biot, 28. Juli bis 4. August 1960

ERNST KREUDER
Der Himmel vermißt uns nicht

Halbwach hörte er, wie sie ins dunkle Zimmer kam, barfuß über die Fliesen, hörte einen Löffel klirren und roch im Luftzug den Kaffee, und dann hörte er das tappende Wischen ihrer Fußsohlen schwächer werden und ferner und dann nur noch das Balkengenist der Stille.

Er schüttelte das schweißnasse Gesicht, streckte den Arm aus und tastete im Dunkel über den Stuhl, griff nach dem Zigarettenpäckchen und dem Feuerzeug. Er rauchte im Dunkeln. Halb drei, dachte er. Vor neun wird die Hitze nicht nachlassen.

Dann fiel ihm ein, wo er war. Er fuhr hoch, stieß gegen die Tasse und schlürfte sie halb leer. Fünf, dachte er, die Hitze wird um fünf nachlassen. Um fünf kam er mit seinem Vortrag dran. Zeit, die Fensterläden aufzumachen. Zeit? Gab es doch genug in diesen Fichtenwäldern, Heidekrautlichtungen, Distelhöhen, in diesem Schwarzwaldtal?

Er streckte sich noch einmal aus und rauchte und spürte, wie der Kaffee mit dem Aufhellen begann, und dann dachte er wieder an das kreidige Geröll, an das steinige Licht zwischen den grauen, krummen Oliven. Wenn sich die Luft für Augenblicke regte, kam der Duft der Lavendelbüsche herüber und versank wieder in der Mittagsglut. Zwischen den Stacheln der dickwandigen Keulen der graugrünen Kakteen brannte das dunkle Blau des Meeres herauf, gesäumt von weißen Schaumrändern, die auf dem naßdunklen Sand versickerten, in der salzigen Zeit.

Er mußte sich für diesen Vortrag noch etwas vorbereiten. Er stand auf und öffnete die Fensterläden. Über den hängenden Kastanienzweigen, über dem hohen Gras leuchtete das gartengrüne Licht herein, ohne zu blenden. Er blätterte die Notizen am Fenstertisch durch und glitt unversehens fort und sah wieder den gefilterten Schatten der Oliven auf der weißlichen, harten, in der Hitze gerissenen Erde, roch den grünen, bitteren Geruch der klebrigen Feigenblätter und sah hinter den Pinienwipfeln die leuchtendroten Felsen draußen in der blaugrünen, lichtspiegelnden Bucht. Schöpfte man eine Handvoll davon, stand das durchsichtige Wasser wie Luft über den Handlinien. Die Zeit, fühlte er, war dort unten älter.

Er mußte sich jetzt auf diese Notizen konzentrieren, eng bekritzelte Zettel, er rauchte und las brummend weiter, strich durch, schrieb Stichworte an den Rand und dachte die ganze Zeit an ihre glatten, braunen Füße, an ihr kohlrabenschwarzes, dichtes Haar, an ihre vollen Lippen. Der Durst nach diesen Lippen hatte ihn wieder in die Gräben der irdischen Feuer getrieben. Wenn ihn das schwarzwimprige Lächeln atemlos sinken ließ, glaubte er, dem Strömen der Welt nah zu sein, dort, wo die grüne Fülle in Wildnissen verwächst, er dachte an die lautlos flimmernden Schilfwälder der gelben Lombardei.

Er dachte daran, wie sie ihn hier verwöhnte, daß sie ihm diesen Auftrag vermittelt hatte, täglich eine Vortragsstunde über Literatur. Dafür zahlte ihm diese Ferienakademie Honorar und gewährte freie Station.

Er wollte heute über den frühverstorbenen Empörer, über Georg Büchner, sprechen. Er blätterte im »Lenz« und fand eine Stelle, die er ihnen nicht zitieren wollte, die er für sich in Anspruch nahm, gegen die Unrast ihrer Gegenwartslosigkeit:

»Jeder hat was nötig; wenn er ruhen kann, was könnt er mehr haben! Immer steigen, ringen und so in Ewigkeit alles, was der Augenblick gibt, wegwerfen und immer darben, um einmal zu genießen. Dürsten, während einem helle Quellen über den Weg springen!«

Was der Augenblick gibt. Im Augenblick währte jeweils die Welt, und in der Gegenwart erschien, eh sie verging, die Wirklichkeit.

Er wußte, hier war man dem müßigen Verweilen im Grunde unerbittlich abgeneigt. Die freundlich-bemühten Gestalten, die hier als Lehrkräfte wirkten, legten es geradezu darauf an, nicht allzusehr als wirklich zu gelten. Eine ständige, leichte Abwesenheit, eine Haltung von schonender Abgewandtheit, ja von Vergangenheit wurde bevorzugt.

Er las die Notizen zu Ende, heftete die Zettel zusammen und stieß die Türe auf. Er lief hinaus in das laubgrüne Licht, in die schwüle, hauchstille Pflanzenluft und legte sich in den Kastanienschatten ins Gras. Er schlief wieder ein. Viertel vor fünf wurde er wach, weil sie ihn rief. Er gab Antwort, stand unwillig auf und ging duschen und kam mit leichter Verspätung zum Vortrag.

Er sprach 45 Minuten, er gab sich heute nicht viel Mühe, und er wußte, er konnte sich auf seine Stimme verlassen. Sie klang weder hoch noch eifernd, weder elegisch noch bekümmert, sie war etwas brummend, voll, ruhig im Ton. Er schloß den Vortrag mit einem Zitat, das sich gegen die Verherrlichung wandte, die man dem Vertrauen auf die Zweckmäßigkeit des Lebens entgegenbrachte.

»Die Natur«, schrieb Büchner, »handelt nicht nach Zwecken, sie reibt sich nicht in einer unendlichen Reihe von Zwecken auf, von denen der eine den anderen bedingt; sondern sie ist in allen ihren Äußerungen sich unmittelbar selbst genug. Alles, was ist, ist um seiner selbst willen da.«

Nach dem Vortrag packte er im Zimmer die grüne Segeltuchtasche, indem er sie vollstopfte. Er pfiff immerzu.

Später, als es unter den Zweigen dunkelte, kam sie in den Kastaniengarten.

»Du willst wieder fort, ich fühl's«, sagte sie.

»Ich gehe hier ein«, sagte er. »Und alles, was du mir bringst, von dir, deine Frische, die grüne, spiegelnde Wildnis der Zärtlichkeit –, das welkt und dorrt hier in dieser freudlosen Luft, in dieser hochgemuten Verleugnung des Augenblicks, in dieser Verfemung aller geschöpflichen Sorglosigkeit. Haltloser Betätigungsdrang, der ihre Feindseligkeit gegen das bewußtlos erstrahlende Dasein nicht einmal verbirgt.«

»Wo willst du denn hin?«

»Fort. Ans Ufer der Gegenwart, an die grünen Wasser der Zeit, in die weltoffene Ziellosigkeit.«

»Du wirst wieder verwahrlosen und verkommen. Die jungen Menschen hier haben dir gern zugehört und waren oft begeistert. Sie haben dich nötig. Willst du sie im Stich lassen?«

»Eines Tages«, sagte er, »werden sie mich im Stich lassen. Dann haben sie das Studium hinter sich gebracht, sich im Mahlgang der Tüchtigkeit eingerichtet, und die Begeisterung für das zwecklos Träumende der Erde wird ihnen nicht mehr widerfahren.«

»Jetzt siehst du wieder nett angezogen aus. Als du hier ankamst«, sagte sie, »mußte ich dich in der Dunkelheit ins Haus bringen. Deine Sachen wusch ich in der Nacht, flickte das Nötigste. Am Morgen, im Sekretariat, sah man kaum noch etwas von dem heruntergekommenen Zustand, in dem du hier ankamst. Du hast dir maisgelbe Hemden gekauft, eine graue Flanellhose, eine hübsche, lavendelblaue Jacke. Und nun wirst du bald wieder wie ein Stromer aussehen. Wo willst du denn hin? Du willst wieder in die Sümpfe.«

Er strich über ihr dichtes, schwarzes Haar, küßte ihre hübschen, kleinen Ohren, streichelte ihre glatten, braunen Wangen, küßte die vollen, festen Lippen.

»Hemden«, sagte er später in der laubstillen Dunkelheit, »Flanellhosen. Zuerst freute ich mich kindsköpfig an den neuen hübschen Sachen. Dann konnte ich sie nicht mehr ernst nehmen. Ich werde wieder gelegentlich arbeiten, weil ich nicht schmarotzen will. Soviel, daß es für Essen, Trinken und Rauchen langt. Aus meinen Briefen weißt du, wo ich mir schon überall meine Suppe verdient habe. Ich brauche nicht viel. Und im Süden übernachte ich gern im Freien.

Sag's dir doch selbst, was schätzt ihr denn hier außer eurer eigenen Tüchtigkeit? Was liebt ihr denn von der Erde, außer einander? Liebt ihr eine einzige Silberpappel, eine Erle am dunkelgrünen Bach? Hängt euer Herz an einem Schilfweiher, in dem die Seerosen blühen?

Du hast recht, ich will zu den Sümpfen. Sie sind noch einsam und nicht verdorben. Die Flüsse sind längst vergiftet und die Bäche begradigt. Und ich will wieder ans Meer, man kann es nicht zähmen und einzäunen. Ich kann die weißen Mauern im Süden nicht mehr vergessen. Hier ist das meiste glatt und betoniert. Man hat diese Mauern aus Feldsteinen aufgerichtet, krumm und schief, und sie sind von Moos und hängenden Blumen überwachsen.

Bist du einmal einen Steinpfad mit blühendem Oleander gegangen? Tiefrot, rosa und weiß? Weißt du denn noch, wie die Wasser in den Bergtälern aussehen? Helles Blaugrün und klar wie Frühlicht. Es gibt auf der Welt nichts, was diesem wilden Wasser gleicht, durchscheinend wie blaue, luftige Frische, wenn es über Felsblöcke strömt und braust und fällt, das ist schon nichts Stoffliches mehr, es ist die Seele der Seelen selbst, die diese Erde noch bewohnen. Wenn du mitkommst, wirst du es sehen und glauben.«

»Ich ginge gern mit, weil ich dir gern zuhöre. Niemand spricht hier so mit mir. Aber ich will es mir nicht so leicht machen wie du. Ich habe für diese jungen Menschen zu sorgen, sie können es nicht selbst tun. Es macht mich froh, wenn ich ihre Freude, ihre Anhänglichkeit spüre. Du brauchst ja niemand, du sorgst für dich selbst und du sorgst dich um nichts. Was sollte ich mit dir in der Wildnis? Feuer machen, dein Essen kochen, deinen Durst stillen? Mich schaudert, wenn ich daran denke, mein eigenes Zimmer nicht mehr zu haben, meine Bücher, mein weißes, frisches Bett.«

»Nun wissen wir's wieder«, sagte er. Er sprach in ihr dichtes, torfduftendes Haar. »Und wir haben beide recht. Du mußt nicht glauben, daß ich nur davonlaufe und mich drücken will. Wie soll ich dir's sagen?

Wenn ich viele Tage unterwegs bin, allein, einsam und winzig zwischen hohen Felsschluchten, an einem spiegelstillen, dunkelgrünen Fluß, dann frage ich mich manchmal: wie ist das mit uns, diesen Aufrechtgehenden, die fühlen und sehen können? Wie sind sie hieher gekommen, und was unternehmen sie, solange sie noch auf der Erde sind?

Nehmen. Sie nehmen ein Leben lang. Vom Licht, von der Luft, vom Wasser, von der Erde. Geben sie etwas dafür? Ich will nicht davon reden, was sie bisher vernichtet haben, nicht nur in den Kriegen. Aber ist das wirklich so selbstverständlich, immerzu nur zu nehmen, fortzunehmen?

Kommt keiner eines Tages auf den Gedanken, einmal aufzuhören mit dem endlosen Nehmen und ans Geben zu denken? Die Erde braucht keine irdischen Gaben. Der Himmel braucht uns nicht. Wer braucht uns denn? Die Toten?«

»Das ist unheimlich. Du machst mir Angst.«

»Wir wissen es nicht. Wäre es nicht möglich, daß sie uns brauchen? Die Welt ist noch etwas anderes, als die Physik vorfindet. Ein alter Mann aus Schlesien schrieb 1610 in sein Notizbuch:

›Wenn wir anschauen den gestirnten Himmel, die Elemente, die Kreaturen, das Holz, das Kraut, das Gras, so sehen wir in der materiellen Welt ein Gleichnis der unbegreiflichen Welt.‹

Was geht dort vor, wo sie unbegreiflich ist? Wer sinnt seit Jahrtausenden das Bild der riesigen Buche in die dunkelbraune, kleine Buchecker?

Sollte man nicht einmal damit aufhören, unsere Tüchtigkeit zu bewundern? Alles ringsum ist geheimnisvoll. Wer besinnt sich denn wieder auf das Staunen? Das Geheimnis der Geheimnisse ist die Wirklichkeit. Das Staunen könnte uns zum Verstummen bringen. Wäre es nicht wirklicher, das Staunen wieder zu finden und nicht mehr zu verlieren, als ruhelos zu planen und zu handeln?«

»Du hast recht. Sag es noch einmal.«

»Hast du dich einmal über dunkles Moorwasser gebückt, hast du die weiße Seerose betrachtet? Was ist Poesie davor? Kaum noch geheimnisvoll. Hast du in das durchsichtig dunkle, reglose Moorwasser hinuntergeblickt? Hat es dich nicht geschaudert? Sahst du dort nicht in die uralten, in die unsichtbaren Züge des Weltgesichts, in den verborgenen Blick des Lebens.

Es ist spät geworden. Laß mich gehn. Ich komme wieder. Ich habe keinen Auftrag, keine Aufgabe, keinen Beruf. Nichts zu verkaufen, nicht eine einzige Wahrheit. Laß mich ziehn. Ich will nichts entdecken, nichts erforschen. Und ich bin gewiß überflüssig. Gibt es etwas Überflüssigeres, als daß dann und wann einer ins Schaudern gerät vor der verborgenen Gegenwart der Schöpfung?

Leb wohl.«

»Du kommst doch wieder. Ich brauche dich. Ich brauche niemand so wie dich.«

»Leb wohl. Wer braucht uns in der Welt? Der Himmel vermißt uns nicht.«

HERBERT EISENREICH
Luftballons, um sie loszulassen

Die Sonne war noch nicht aufgegangen, aber vom Meer her, dessen nähere Brandung hinter dem Rand der Kuppe nicht sichtbar und wegen der Windrichtung auch nicht zu hören war, flutete seit dem ganz frühen Morgen eine fast gleichmäßige, breite, Stunden hindurch kaum veränderte fahle Helligkeit, als schliddre ein Restchen von Sonnenlicht, welches fernwo grell auf dem Wasser liegend zu ahnen war, auf der spiegelnd gewölbten Fläche bis hier an die Küste heran und hüpfe, die Bewegung stolpernd brechend, den hügligen Rahmen der Fläche hoch und hinein in das Festland, in dessen schwarzwimmelnder Tiefe sich bald verlierend. Die Sterne hingen sehr hoch am Himmel, zuweilen hetzten versprengte Wolken, als habe der Wind sie stückweis vom Dunkel des Festlandes losgebröckelt, darüber hin. Es war kühl, aber weil der Wind vom Land her wehte, war es nicht kalt.

Er lag, den Rumpf aus einer Drehung der Hüften heraus ein wenig verrenkt, auf dem Rücken, und mit der gesunden Linken zerrieb er ein Blatt des starrenden Heidekrautes, in das er sich eingewühlt hatte. Er roch an den Fingern, aber sowie er die Hand bewegte, schmerzte es quer durch den ganzen Brustkorb, und wegen der Schmerzen roch er es nicht. Seine Sinne hielten den Schmerzen nicht stand. Das einzige, das seinen Schmerzen noch standhielt, war das Denken. Er hatte sich über all die Schmerzen hinweggeholfen mit seinem Denken, und was er bisher, seit er kaputt im Heidekraut lag, gedacht hatte, war ein einziger ununterbrochner Gedanke gewesen. Es war kein besondrer Gedanke; er wußte das. Kein Gedanke war ein besondrer Gedanke. Es war kein tröstender und schon gar kein helfender Gedanke, denn tröstende oder gar helfende Gedanken gab es nicht. Er hätte also auch irgendwas anderes denken können; denn Hilfe und Trost schenkte niemals ein Inhalt, sondern allein nur die Tatsache seines Denkens. Drum hätte er auch etwas anderes denken können; doch weil er schon damit begonnen hatte und weil der

Anlaß sich ihm aufdrängte, dachte er, was für ein Tag es werden würde. Und mit diesem Denken hielt er den Schmerzen stand.

Ja: Das Denken war immer noch die beste Sache gewesen, die beste und auch die nobelste Sache. Ja, das war's.

»Horch!« zischte der eine der beiden, die bei ihm waren. »Hat er nicht etwas gesagt?« Er lauschte, aber der andere winkte unmutig ab, und nach einer Weile glitt er zurück in die kauernde Stellung, aus der es ihn hochgereckt hatte.

Ja: Er hatte, wie jeder Mensch, gewisse Dinge tun müssen in seinem Leben, hatte sie tun müssen so wie jeder andere Mensch sie tun muß; nur tat er, was er tat, ohne Vertrauen in einen Wert seines Tuns; also doch anders auch als die sehr vielen anderen Menschen, denen er begegnet war. Die alle waren eitel. Aber weil auch er etwas hatte tun müssen, so wie jeder Mensch etwas tun muß, damit er, nachdem er sich nun einmal auf dieser Erde vorgefunden hat, nicht hingehn und sich aufhängen muß wie irgendeiner, der zu nichts andrem mehr taugt oder nie zu was andrem getaugt hat –: drum hatte er alles getan so gut als er's immer nur konnte, und nachdem er anfangs nur nachgedacht hatte, wie eine Sache am besten zu machen war, tat er dann nur mehr die Dinge, die ihn, damit er sie ordentlich hinkriegte, heftig zum Denken nötigten, und am Ende tat er gar nur mehr solche, die er überhaupt nur hinkriegen konnte, wenn er dachte; Dinge, die zu tun riskant war insofern, als ihr Risiko im Denken entsprang und ins Denken zurückfiel.

Ja: Am meisten Spaß gemacht hatte ihm immer das Denken; und mit nur geringer Vernachlässigung hätte er sagen können, er habe nie etwas getan in seinem Leben, das er nicht um des Denkens willen hatte tun können. So hatte er mehrere Jahre lang das Hotel geleitet, und ebenso hatte er der Partei, obwohl ihm der ganze Laden gleichgültig war wie nur irgend etwas, gedient und einige ihrer Sachen in Schwung gebracht: um denken zu können, wie so etwas am besten gemacht wird. Aus eben dem Grunde hatte er Nutrias gezüchtet und das Buchbinderhandwerk erlernt, und er hatte Ausstellungen arrangiert: Industrieprodukte hier, Gemälde dort. Und Slogans hatte er gemacht: für Autoreifen, die er selber nicht fuhr, für Zigaretten, die ihm nicht schmeckten, und für die Staatsanleihe, bei der er selber nicht auch nur einen Knopf zu zeichnen gewillt war. Und die Filme damals hatte er auch nur gemacht, weil er damals dachte, daß er wohl alles andere eher konnte als Filme machen.

»War ein patenter Kerl; der hatte was los«, sagte der eine der beiden Männer, die rabengleich neben ihm hockten. Er hatte noch nicht zu Ende gesprochen, da merkte er, daß der andre ihn anblickte, und daran merkte er, daß der andre gemerkt hatte, wie gern er verstummt wäre, als er das erste Wort seines Satzes heraußen hatte; und als ihn der andere ohne zu sprechen anblickte, tastete seine Hand nach der Stirne des liegenden Mannes. Die Stirn war faltig, und diese Falten zuckten unter der leisen Berührung der Finger. Der Mann, der gesprochen hatte, blickte den anderen an mit dem Blick des Rehabilitierten, und den breiten Ausdruck wiederhergestellter Zufriedenheit im Gesicht, zog er die Hand zurück; dann sagte er: »Nein, ich denke, es hätt' keinen Sinn, ihn wegzuschleppen von hier. Ein bißchen Bewegung gibt ihm den Rest. Am besten, wir lassen ihn liegen, so wie er liegt. Ruhig zu liegen, ist seine einzige Chance.« Sein Körper fiel zurück in die eckige Kauerstellung, aus der er ein wenig vornübergekippt war, und als der andre nicht antwortete, schwieg auch er. Der andere wollte sagen, daß man mit Reden alles kaputtmacht, aber er sagte es nicht. Beide blickten hinaus aufs Meer; blickten weg von dem liegenden Mann zwischen ihnen im niedrigen, harten Heidekraut, welches die erdüberkrustete Kuppe des Felsens fast lückenlos überwucherte, wie ein Aussatz der Erd-Haut.

Ja: Und geschrieben hatte er auch. Auch das Schreiben aber war keine so gute und noble Sache gewesen wie das Denken, und geschrieben hatte er nur, um denken zu können, wie etwas am besten geschrieben werde: ein Tatbestand, eine Aktion der Seele oder bloß ein Sonnenaufgang am Meer. Aber was immer es war, er schrieb es nur um des Denkens willen, und wenn er solch eine Sache geschrieben hatte und wenn er kein Mittel mehr fand, die Sache besser zu schreiben, vernichtete er das Blatt. Er verbrannte diese beschriebenen Blätter nicht, sondern warf sie zerknüllt in den Papierkorb und irgendwann später verheizte er sie, zusammen mit anderem Abfall. Mit denen, deren Beruf das Schreiben war, wollte er nichts gemeinsam haben; die waren eitel; und wegen des Geldes lohnte es nicht. Er schrieb, um denken zu müssen, wie eine Sache am besten zu schreiben war, und dann, als er wußte, daß er mit Hilfe dessen, was er über das Schreiben gedacht hatte, schon eine ziemliche Menge recht guter Dinge hätte schreiben können, schrieb er, um denken zu müssen, wie eine Sache einzig richtig geschrieben werde.

Und deshalb hatte er Frauen von großen Unterschieden geliebt; niemals den Typ. Und geheiratet hatte er ganz aus demselben, dem einen Grund seines Lebens. Eigentlich hatte er niemals in seinem Leben etwas getan, das nicht seinem Denken zugute gekommen wäre, und vieles, fast alles, hatte er überhaupt nur getan, um denken zu müssen. Das Denken war seine Sache gewesen, und seine Schuld war's nicht, wenn außerhalb seines Denkens die Welt so verteufelt anders aussah: widerspenstig und dumm und obszön. Nein, seine Schuld war's nicht, und die Welt, wie sie innerhalb seines Denkens war, ließ sich verantworten. Basta.

Die beiden Männer riß es aus ihrem verdrossenen Dösen hoch, und der erste wisperte: »Jetzt, jetzt hast du's aber gehört! Hast du's denn nicht gehört?« Der andre, obwohl auch er das Knarren gehört hatte, schüttelte unwirsch den Kopf, und beide lauschten weiter dem Knarren, das hart war wie trockenes Holz, in Mund und Hals und Brust des liegenden Mannes, und sahn seine Lippen sich lautlos bewegen. Der erste beugte sich nah an den lautlos artikulierenden

Mund heran, doch er konnte nicht hören, was dieser zu sagen hatte; er hörte nur das trockene Knarren und sah die Bewegung der Lippen. Sie lauschten, bis sich das Knarren entfernte, dann sagte der erste: »Man hört's nur ganz leise; es ist die Lunge. Darum hört man's nur ganz leise.«

Der andere hob die Hände flach vor die Brust und erwiderte eindringlich: »Ich habe nichts gehört. Nichts, gar nichts habe ich gehört.«

»Er phantasiert vielleicht«, meinte der erste.

»Du phantasierst«, entgegnete der zweite.

»Vielleicht hat er doch noch etwas zu sagen; irgendwas Wichtiges noch.« Er beugte sich nochmals ganz nah an den Mund des liegenden Mannes. »Nichts mehr«, vermeldete er, den Kopf wieder hebend.

»Was nichts?« Die Frage stürzte hastig hervor.

»Er ist nun wieder ganz still.«

»Mir wär's am liebsten«, sagte der zweite, »ich hätt' mit der ganzen dreckigen Sache nichts mehr zu schaffen. Ich, ich wollt' ja von Anfang an nichts mit der Sache zu schaffen haben. Das Leben riskieren für so eine dumme, dreckige Sache: das lohnt doch nicht. So etwas lohnt wirklich nicht. Ich wollt', ich hätt' mit der ganzen Sache nie was zu schaffen gekriegt.«

»Weiß Gott, ich auch«, sagte der erste griesgrämig. Beide schwiegen; sie hörten die folgende Stille in ihren Ohren vibrieren.

Ja: Er hatte unheimlich viel gedacht; hatte mit seinem Denken die Dinge der Welt in den Griff gekriegt: die Welt oder die Wirklichkeit – und er hatte ein'n ganzen Haufen verteufelt eingebildeter Leute kennengelernt, die wußten noch hundert andere Namen dafür. Die Namen aber interessierten ihn nicht; ihn interessierte nur, sich nicht kaputtmachen zu lassen von diesen Dingen, sondern sie in den Griff zu kriegen. Und so hatte er allerhand Dinge bewältigt und unter seine Kontrolle gezwungen, und wenn es außerhalb seines Denkens oft anders zuging, war das nicht seine Schuld. Das ging ihn nichts an. Und das Denken war endlich dermaßen seine Sache gewesen, daß irgend etwas, das in seinem Denken nicht Platz hatte, überhaupt nicht existierte für ihn, und das einzige, das existiert hatte, ohne in seinem Denken zur Gänze Platz zu haben, war er selber gewesen; er selber mit Haut und Haaren und Denken. Das ließ er einige Zeit lang hingehn, aber dann war es so weit gekommen, daß er keinen anderen Anlaß mehr fand für sein Denken als sich, als sich selber mit Haut und Haaren, und deshalb hatte er diese tolle Sache gemacht, diese Sache, bei der es ums Ganze ging; und nun mußte etwas geschehen in seinem Denken, und zwar etwas ganz Radikales; in seinem Denken. Denn was ansonsten, seit er die Sache begonnen hatte, mit ihm jetzt geschah, war nichts weiter gewesen als seine äußerste, als die gewagteste aller Herausforderungen an sein Denken, an dieses hungrige, nimmersatte Denken – und eben als er das dachte, fühlte er sich sehr erbärmlich, feig und besiegt, und nichts geschah, und nun lag er, ehe er überhaupt richtig herangekommen war an die Sache, hier in dem harten, widerspenstigen Gestrüpp und wußte, daß alles nun aufhörte, ehe es wirklich zu Ende war.

Mitunter dunkelte es, als dränge der Wind in kompaktem Anlauf die schimmernde Helligkeit, welche vom Meere hereinschien, zurück. Eine der Wolken, die der Wind vor sich, einen Sturmbock, einhertrieb, barst im Zusammenprall mit der Helligkeit jäh und fiel in zahllosen kleinen Spritzern herab auf die Erde und splitterte über die beiden kauernden Männer, die ihre Kragen hochstellten, und den zwischen ihnen liegenden Mann hinweg. Der eine sagte: »Ein Feigling war der jedenfalls nicht. Der traute sich was. Aber«, setzte er fort, »wegen so einer hundsgemeinen, dreckigen Sache . . .«

Und er, der schmal und flach und reglos zwischen den beiden klobigen Brocken lag und ganz genau wußte, daß er nun nicht mehr viel Zeit haben würde, wühlte sich ein in das zähe, niedrige Buschwerk; mit der beweglichen Linken zerrieb er ein Blatt und roch an den Fingern; die kleine Bewegung schmerzte nicht mehr, doch er roch es auch nicht: seine Sinne waren beim Teufel. Und er dachte, daß er mitunter vermutet hatte, er würde die letzten Minuten für andere Dinge verwenden: vielleicht für die Suche nach einer Erinnerung, wie Frauen in ihren dickwanstigen Handtaschen irgendwas suchen, ein Ding, von dem sie gar nicht mit Sicherheit wissen, ob sie's nicht liegengelassen haben daheim: die Tasche vor dem Bauch in die Leistenbeuge gestemmt, das eine Bein, auf der Fußspitze balancierend, leicht angehoben, den Oberkörper in einer geringen Verrenkung der Mitte nach vorne geneigt, den Kopf ganz hoch und schräg zurück ins Genick geworfen, ohne hinzuschaun ganz dem Tastsinn der Finger vertrauend, die in der finsteren Tiefe der Tasche wühlen; mit einem Anflug von Ungeduld im Gesicht, obwohl sie es gar nicht eilig haben.

O ja: Warum dachte er nicht an Frauen? Warum nicht an all die Dinge, von denen er nicht genau wußte, ob er sie versäumt, ob er sie beiseitegeschoben, absichtlich oder in der Zerstreutheit liegengelassen hatte? Eigentlich hatte er erwartet, daß er an solche Dinge denken würde; aber es traf nicht ein, und weil es nicht eintraf, konnte er sich nicht zwingen, daran zu denken, denn nun war er schon gezwungen, daran zu denken, daß eben das, was er erwartet hatte, nicht eintraf. Aber er würde auch damit fertig werden, sagte er sich.

»Was so ein Mann wie der da denkt, wenn er daliegt und warten muß, bis er hinüber ist«, sagte der eine der beiden Männer. Er sagte es mehr zu sich selber als zu dem anderen Mann, und der gab ihm auch keine Antwort. Der kurze Sprühregen hatte aufgehört, noch ein paar Windstöße fegten den Himmel rein, dann war auch kein Wind mehr; über dem Meer lag der türkisfarbne Widerschein der Sonne, die hinter den niederen Wolkenbänken des Festlands schon über den Horizont heraufgeklettert war.

Immerhin: Er hatte nun das Gefühl, daß er mehreren harten Attacken standgehalten hatte; ja, er hatte sogar zurückgehauen, prima gekontert. Aber die erste Attacke schon hatte ihn überrumpelt, hatte ihm irgendwas unter den Fußsohlen weggezogen ... und plötzlich merkte er, daß er das alles haßte, ohnmächtig haßte wie ein kleines Kind, das auf die Tischkante losschlägt, an der es sich gestoßen hat; daß er es haßte, daß es nun aufhören sollte, und alles. Er haßte nicht die Schmerzen; die waren bereits aus seinen Sinnen gewichen und hatten nichts zurückgelassen als ein fast äußerliches, ihn einhüllendes Gefühl der schlaflosen Müdigkeit, der wonnigen Müdigkeit an Regennachmittagen im Herbst, wenn es den Sommer über schon viel geregnet hat, und man wühlte sich ein in die Kuhle aus Körperwärme und Dankbarkeit für die Ruhe, die mitten im Sturmzentrum herrscht ... und selbst dieses Gefühl war schon weg, als er beginnen wollte, darüber zu denken; er war aus diesem Gefühl gefallen wie durch ein Sprungtuch aus Seidenpapier, und ober ihm schwebte nun dieses Gefühl und entwich. Die erste Attacke schon hatte ihn umgehauen, hatte ihn lahmgelegt für den Rest dieses Kampfes; mit der ersten Attacke schon hatte ihm dieser verteufelte Gegner, der einfach nicht in den Griff zu kriegen war, seine Chance genommen; hatte ihm das Gesetz des Denkens aus dem Gehirn geboxt und diktierte ihm nun den Verlauf des Kampfes – oh, was für eines Kampfes! Ihn ekelte vor dieser Art zu kämpfen.

»Wegen so einer dummen, dreckigen Sache«, begann der erste noch einmal, und als der andere wieder nichts sagte, setzte er fort mit der Frage, die ihn schon vorher beschäftigt hatte: »Was so ein Mann wie der da denkt, wenn er liegt und warten muß, bis er hinüber ist? Was der wohl denkt?«

Der andere blickte den Mann, der gefragt hatte, böse an und erwiderte: »Was der denkt? Einen Dreck denkt der was!« Dann schaute er wieder weg, und der erste sah auch nicht hinüber zu ihm, denn sie merkten einander, einer dem anderen, an, daß sie beide so große Angst hatten wie noch niemals zuvor im Leben.

Nein: Damit hatte er doch nicht gerechnet. Es war nicht nur scheußlicher, als er es je gedacht hatte, sondern darüber hinaus ganz anders. Oftmals hatte er's zwar gedacht, und immer hatte er hingeschaut, und im Kriege hatte er's auch geschrieben, nach Rücksprache mit einem Arzt, damit ihm kein anatomischer Fehler unterlaufe; hatte geschrieben, wie flach sie auf dem Erdboden lagen, mit viel mehr Körperoberfläche den Boden berührend als ein lebendig Liegender, nachdem sie eben noch Raum und Masse gewesen waren und voll von Gewicht, aber wenn sie so lagen, schien es, als könne ein Kind sie bequem auf die Schulter laden und forttragen; anders auch als die, die im Bett gestorben waren und hoch und rund auf dem Totenbrett lagen wie in dem Bett, das sich weich ihrem Körper angepaßt hatte. Das alles hatte er mehrere Male geschrieben, und er hatte geschrieben, was es in solchem Zusammenhang sonst noch zu schreiben gab, und alles. Aber nun hatte er hier zu merken beginnen müssen, daß dies alles ganz anders war, ganz verteufelt anders, als er es je gedacht hatte: viel weniger offenkundig, viel weniger peinlich, fast bieder, schmerzlos und gar nicht obszön. Das Peinliche und das Obszöne hatte er selber hineingetragen mit seinen Gedanken. Und eben, als er das dachte, verspürte er einen brutalen Ruck, als stülpe es ihn nach außen, und er spürte, daß irgendwas sehr Erbärmliches vorging mit ihm. Und der eine der beiden Männer, aus seiner kauernden Stellung schnellend, sagte erschreckt: »Jetzt spuckt er Blut. Ganz helles, schaumiges Blut. Mein Gott – als hätt' er'n Schaum vom Bier um'n Mund!« Und zu dem anderen hin: »Was hab' ich gesagt! Hab' ich nicht gleich gesagt, daß es die Lunge ist?« Und triumphierend: »Hab' ich's nicht gleich gesagt?«

»Wisch ihm's weg, das Zeug!« sagte der andere müd, und der erste wischte mit seinem Taschentuch dem liegenden Mann den Schaum vom Mund. Das Taschentuch steckte er nicht wieder ein, sondern ließ es liegen.

Die Sonne hielt noch hinter den Wolken, aber der ganze Raum erfüllte sich zusehends mit ihrem Licht, und die Dinge gewannen feste Gestalt, selbst hier im Schatten, wo alles noch zu zögern schien. Aber unaufhaltsam drehte sich auch der Ort, wo die drei Männer waren, der Sonne zu.

Und er wußte, daß es nun wirklich zu spät war für irgendeine Korrektur und für alles. Er hatte sich eingelassen mit all den Dingen, die seinem Denken greifbar waren und sich ihm bequemten, und schließlich hatte er sich, sich selber mit Haut und Haaren, dem Denken hingeworfen als eine letzte, als äußerste Herausforderung, und das Denken hatte diese Herausforderung nicht angenommen. Und das hatte er längst schon gemerkt, doch er hatt' es nicht wahrhaben wollen; er hatte sich gegen diese Attacken der Wahrheit gewehrt, und das war sein letzter Fehler gewesen. Das hatte ihm dann auch das letzte Fleckchen gangbaren Bodens unter den Fußsohlen weggezogen, das hatte ihn glatt und einwandfrei umgelegt, und seither fiel er, und als er sein Fallen bemerkte, war es zu spät. Und dennoch gab er nicht auf; und mit den letzten wertlosen Resten des Widerstands dachte er, was es war: ob die Dinge um ihn herum aufstiegen, schwerelos, masselos, flach und tot und erleichtert von ihm, der ihr Leben gewesen war, und fort von ihm, ihrem Leben, fort vom besiegten Leben; ob sich die Dinge über ihr Leben erhoben; – oder ob er selber versank, ob er selber unter die Dinge, die ihm das Leben gewesen, die sein Leben gewesen waren, hinabsank, unter das Niveau dieser Dinge, tiefer und tiefer; – oder ob beides zugleich geschah: das Steigen der von ihm befreiten Dinge und sein eignes, von keinem der Dinge mehr gehemmtes Fallen: ein ungeheurer, ihn von allem trennender Bruch. Er hatte die Dinge der Welt in den Griff gekriegt mit seinem Denken, aber nun entzogen sie sich ihm; nun, da es darauf angekommen wäre, sie festzuhalten; da es darauf angekommen wäre, sich an ihnen festzuhalten. Sie hatten ihn bislang gefoppt mit ihrer scheinbaren Willfährigkeit; nun aber entzogen sie sich ihm und ließen ihm nichts zurück, nur ihn selber, ihn selber inmitten seiner aus allen Fugen geratenen Welt, die er schon für geordnet gehalten hatte. Und er stand am Anfang, unverändert und ohne Zuwachs und ohne irgend eine Teilhaberschaft an irgend etwas, und nun war's zu spät für alles. Er merkte, daß das Denken nicht seines gewesen war; daß vielmehr er selber des Denkens gewesen war, ein Leibeigener des Denkens, und daß er nun, aus dem Dienst dieses Herrn gestoßen, elendig zugrundegehn mußte. Er merkte, daß er nicht einmal besiegt worden war, sondern daß ihn die Dinge kaputtgemacht hatten, einfach kaputtgemacht. Und er sah den Luftballon oben sich entfernen, einen der Luftballons, die er sich immer gewünscht hatte aus den bunten Trauben dichtgedrängter Ballons auf dem Jahrmarkt. Weil sie arm waren, kriegte er nur selten solch einen Luftballon. Einmal kriegte er einen, als sein Vater, der damals als Viehhändler sein Glück versuchte, vom Volksfest in einer anderen Stadt zurückkam, und ein- oder zweimal kriegte er einen am Jahrmarkt zu Haus, und einmal einen beim Schlittenrennen, und später noch mehrmals einen ohne besonderen Anlaß. Wenn er ihn hatte, wickelte er die Schnur um die kleine Faust, und er merkte am Zug der Schnur, daß es ihm jederzeit möglich wäre, den Luftballon loszulassen; am Zug der kaum sichtbaren Schnur, deren Ende mehrfach um seine Faust gewickelt war, spürte er seine Kontrolle, spürte er seine Macht über den Ballon, und was er so spürte, daß es ihn richtig juckte, war die mögliche Freiheit seines Ballons, und er kämpfte gegen diese Freiheit, er maß seine Kräfte an ihr, und er wehrte sich gegen sie in der Hoffnung, daß er unterliegen werde. Einmal entließ er einen Ballon aus seiner Hand, aber nicht unter freiem Himmel, sondern herinnen im Zimmer, wo der Ballon bis unter die Decke stieg und dort hängenblieb, und so behielt er ihn noch in seiner Kontrolle, und nach einer Weile hob er den Schemel auf den Tisch, kletterte hoch und holte den Luftballon ein, beförderte ihn zurück in seinen totalen Besitz, in den Bereich seiner absoluten Herrschaft, und dasselbe tat er später mit anderen Ballons. Doch niemals ließ er im Freien einen Luftballon los, obwohl das sein größter Wunsch war. Er behielt die Ballons in seiner Kontrolle so lange, bis alle Luft aus ihrem Leibe entwichen war, und das dauerte oft ein paar Tage, und dieses Ende beschämte ihn maßlos. Dann lag das zerknüllte Häutchen schäbig am Boden, und das, was am meisten auffiel daran, war die Schnur, die vorher kaum sichtbar gewesen war; die Schnur war nur gewesen, damit er seine Kontrolle über den Luftballon hatte spüren können, damit er seine Macht über ihn bestätigen konnte; und sie blieb übrig, ekelhaft und beschämend. Aber niemals ließ er einen Luftballon los. Einmal kriegte er einen, das war sein letzter, und als er ihn hatte, wußte er: der würd' es sein. Und er hielt ihn ganz knapp an verkürzter Schnur, weil er so den Zug der Schnur in der kleinen Faust am deutlichsten zu spüren vermeinte, und irgendein anderer Junge, böse oder vielleicht nur übermütig, hob einen glühenden Zigarettenstummel vom Boden auf und hielt ihn dicht an die Hülle heran, und sie knallte zerfetzt auseinander, er roch den Gestank, und dann sah er unheimlich langsam von seiner kleinen Faust auf die Schnur, die wie hingehext zur Erde herabhing, und unten baumelte klein und mit Resten von Rauch die kaputte Hülle, und das war der Rest von diesem Ballon. Und das war auch der Rest von allen Ballons, und das Stückchen zerfetzter, angesengter Haut an der Schnur, die seiner Hand entglitt, fiel zur Erde und blieb dort liegen und verkam, und seither mochte er keine Luftballons mehr. Denn von da an dachte er, daß es das wichtigste sei, die Dinge in den Griff zu kriegen und unter Kontrolle zu behalten, und später, wenn er daran dachte, machte es ihm nichts mehr aus, daß er den Jungen, der ihm den Luftballon kaputtgemacht hatte, nicht einfach niedergeboxt, mit der kleinen Faust zu Boden geprügelt hatte. Das hatte er nicht getan; doch er hatte zu denken begonnen, und das, das war's. Von da an wünschte er sich nie mehr einen Ballon, und er kriegte auch keinen mehr, und's war doch bis dahin sein größter Wunsch gewesen. Sein größter Wunsch, sein einzig wahrer Wunsch war bis dahin gewesen, Luftballons zu kriegen; Luftballons, um sie loszulassen. Aber das hatte er nie getan; immer war ihm leid darum: nicht um den Ballon, sondern um die Möglichkeit seine Macht an ihm zu verspüren. Und er sagte zu sich, der nächste werde es sein, und dann noch einmal der nächste, und daß der es sein würde, wußte er ganz genau, und dann war es zu spät. Er hatte es nie getan, obwohl er sich heftiger wünschte, einen Luftballon loszulassen, als ihn zu kriegen und zu haben bis zum erbärmlichen Ende. Wenn er sich einen Luftballon wünschte, wünschte er ihn sich nur, um ihn loslassen zu können in seine Freiheit. Aber er hatte sich noch nicht besiegt gegeben im Kampf gegen diese Freiheit, und plötzlich war es zu spät, und dann vergaß er allmählich den großen Wunsch, und als er dann andere Dinge zu tun hatte – all das Herumfuhrwerken mit den Berufen, mit den Kumpanen, mit den Weibern, und was es sonst eben gab –, da hatte er längst auf seine wahrhaftige Sehnsucht vergessen; denn nun galt es, seinen Sieg über die Freiheit zu rechtfertigen; und plötzlich, einen ermatteten Herzschlag lang, glaubte er alles zu begreifen.

»Was so ein Mann wie der da wohl denkt?« fragte der eine der beiden, die bei ihm waren. »Und was der wohl glaubt?« setzte er fort. »Ob so ein Mann wie der da überhaupt etwas glaubt?« Der andere sagte nichts, und der erste blickte dem liegenden Mann verstohlen und prüfend ins Gesicht, und er sah, daß fingerbreit ober der Nasenwurzel des Mannes eine Beere hing, und weil er meinte, daß diese Beere den Mann irritieren könnte, schob er den Zweig zur Seite, und als das biegsame Ästchen zurückschnellte, schlug es dem liegenden Manne hart an die Schläfe und peitschte, nochmals zurückgebogen, über die Stirne des Mannes hin. Der rührte sich nicht. Er brach den Zweig und ließ ihn baumeln. Dann blickte er wieder in das Gesicht des liegenden Mannes. Die Sonne fiel aufs Meer, dessen metallischer Spiegel vibrierte wie von sehr fernen Hammerschlägen: das hauchdünne Kupferblech bebte von den Schlägen der Sonne, die mit zahllosen spitzen Strahlen drauf hämmerte. Kleine Wellen rollten darüber hin, violettbraun oben, und ebbten zurück in das tiefe Metallgrün des Spiegels. Aber hier, wo die beiden neben dem liegenden Manne hockten, war immer noch Schatten. Der Mann, nachdem er das Zweiglein geknickt hatte, schaute unverwandt in das Gesicht des liegenden Mannes, und als er nicht wegschaute und sein Blick ganz direkt wurde, tastete sich auch der Blick des anderen Mannes heran, und dieser sagte: »Wenn der nicht schon rüber ist ...« Der erste, welcher näher dabei saß, tappte ungeschickt an die Stirne des liegenden Mannes, die glatt war wie jetzt das Meer, und dann versuchte er, ihm den Puls zu fühlen; aber es zitterten seine Finger so arg, daß er nicht imstand war, den Puls zu finden, und weil er sich doch vor dem anderen schämte, zitterte er noch mehr. Doch auch der hatte keine Lust, den Puls zu suchen, und überhaupt hatte er nur darauf gewartet, bis die Ganze vorüber wäre; und vielmals lauter, als sie bisher gesprochen hatten, sagte er zu dem ersten: »Klar, der ist rüber.« Der Angeredete war froh, daß er die Finger vom Gelenk des liegenden Mannes zurückziehn konnte, und als sie aufstanden, sagte er, nun ganz leise: »Ganz ohne einen Muckser ist er hinüber.«

»Ach, laß mich!« sagte der andere barsch und räkelte seine vom langen Sitzen steifen Glieder; doch der erste fuhr unbeirrt fort: »Ganz ohne einen Muckser. Nur erst einmal hat er ein bißchen gezuckt; als wenn's ihm nicht ganz recht wär'. Aber dann war er wieder ruhig. Dann war's ihm doch ganz recht.«

»Mußt' es ihm ja wohl sein«, sagte der zweite, schon im Gehen, über die Schulter zurück. »Blieb ihm ja wirklich nichts anderes übrig.«

Sie ließen ihn liegen. Später sagte der erste: »Mit ein paar Streifen Leukoplast wär' noch was zu machen gewesen. Ein Dachziegelverband, immer ein'n Streifen über den andern; da kann die Luft nicht raus.«

»Bist du gescheit!« sagte der andere breitmäulig. »Aber«, setzte der erste unbeirrt fort, »Lungenschuß ist immer schlecht. Lungenschuß ist fast so schlecht wie Bauchschuß.«

»Kein richtiger Lungenschuß war das nicht«, sagte der zweite ziemlich kleinlaut. Er fühlte sich schrecklich elend, und ohne zu zögern erwiderte ihm der erste: »Wenn das kein Lungenschuß war ...« Sie gingen fort, und sie redeten nie mehr davon.

Warum verlassen sie mich? dachte der liegende Mann. Warum verlassen sie mich? Sie lassen mich ganz allein? Warum verlassen sie mich?

Die Sonne stand nun voll und rund am Himmel und wanderte über den Himmel hin, und es war ein Tag, der genau so war wie jeder andere Tag.

> *Die erfinderischsten Bücher sind die am meisten gefürchteten;*
> *sie widersprechen dem Wahn, daß bereits alles getan und ge-*
> *schehen sei. Eben darauf beruht ihr Bündnis mit der Hu-*
> *manität. Eine Analyse, die dieses Bündnis unterschlägt*
> *oder bagatellisiert, darf nicht von sich behaupten, sie habe*
> *ein Kunstwerk wirklich erkannt.*   *Günther Busch*

Was hat der Leser zu erwarten?

Die Frage nach der Verbindlichkeit der Literatur muß immer wieder
gestellt werden. Es ist die Aufgabe einer Anthologie zeitgenössischer
Literatur, das Fazit einiger Jahrzehnte zu geben.

Diese Anthologie ist zwei Zielen verpflichtet: sie möchte den Zu-
gang zur zeitgenössischen deutschen Prosa ermöglichen, also einen
Überblick geben, und zur Diskussion anregen. Das zweite Ziel ist
ein Ziel der Literatur überhaupt: zu unterhalten, das heißt, dem Leser
gut erzählte Geschichten zu bieten.

Die ersten Anfänge nach 1945

Das Jahr 1945 war der Nullpunkt. An die Schreiber des NS-Regimes
konnte niemand anknüpfen. Es galt, einen Weg zu finden zurück zur
Tradition und zugleich einen Weg nach vorn zur Weltliteratur. Es galt
die Isolation zu überwinden. Hemingways trockene Prosa, seine Ehrlichkeit wurden das Vorbild. Thomas Wolfe, Joyce, Sartre, Eluard,
Virginia Woolf, Breton, Proust, Majakowskij, Lorca, Faulkner: das
waren neue Entdeckungen. Techniken, Stile, mit denen man sich vertraut machen mußte. Der Prozeß der Literatur war zwischen 1933
und 1945 andernorts nicht stehengeblieben. Vergessen waren Hitlers
Schreiber ›aus deutschem Volkstum‹, die Albert Soergel im dritten
Band seiner Literatursammlung 1934 hymnisch begrüßt hatte.

Der Durchbruch zur industriellen, pluralistischen Gesellschaft
stellte neue Anforderungen. Den Relationen, die durch die Atom-
physik geschaffen worden waren, mußte widerstanden werden. Zorn
und Rebellion waren die Antworten der aus Krieg und Gefangenschaft Heimgekehrten. Wolfgang Borchert war der erste dieser Generation, der seine Einzelerfahrung an einem allgemeinen Thema
demonstrierte.

Als 1946 in der Berliner Zeitung »Der Tagesspiegel« Hermann
Kasacks »Stadt hinter dem Strom« erschien, hatte die deutsche Literatur wieder den Anschluß an die Weltliteratur gefunden. Im
gleichen Jahr wurde Ernst Kreuders »Die Gesellschaft vom Dach-

boden« veröffentlicht. Hans Erich Nossacks »Nekyia« (1947) und
»Interview mit dem Tode« (1948) folgten, Arno Schmidts »Leviathan«
(1949), Heinrich Bölls »Der Zug war pünktlich« (1949) und Walter
Jens' – »Nein – Die Welt der Angeklagten« (1950). Wie ging es weiter?
Die Entwicklung der deutschen Prosa seit 1945 kommt am übersicht-
lichsten in den Kleinformen des Erzählens zum Ausdruck. Vorwiegend
wurden deshalb Kurzgeschichten, Parabeln und kürzere Erzählungen
aufgenommen, deren experimenteller Charakter der modernen Prosa
entspricht. »Je mehr die Welt, in der die Menschen leben müssen, das
Selbstverständliche, Fraglose verliert, desto mehr bedarf es auch in
der Literatur der konstruktiven Elemente.« (Benno von Wiese).

Zu den Gruppen der Anthologie

1 Das Mädchen und der Messerwerfer

Was erwartet man von Liebesgeschichten heute? Denkt man an Ver-
innerlichung, Erotisierung oder Betonung des Sexus? Insgesamt
sind die Beispiele der ersten Gruppe freimütig. Auf die Erzählung
Karl Günther Hufnagels »Worte über Straßen« könnten geradezu die
Worte Hermann Peter Piwitts aus dessen Erzählung »Feierabend«
zutreffen: »Wir ließen unseren Körpern freien Lauf.« Freiheit also,
Freude am Körperlichen als Motiv für die zufällige Vereinigung
zweier Halbwüchsiger wie in Hufnagels Erzählung? Es geht nicht
darum, einer solchen Entwicklung der Beziehungen zwischen den
Geschlechtern das Wort zu reden – was auch nicht die Absicht Hufnagels ist –, sondern um die Auseinandersetzung damit. Geno Hartlaub stellt in ihrer Erzählung »Die Segeltour« die Mathilden-Natur des
›modernen‹ Mädchens heraus. Es hält es für schick, freimütig zu sein,
und würde Moral als Enge des Ehealltags empfinden, wie sie Walter
Helmut Fritz schildert. Ein Mädchen also, das sich ständig so benimmt, wie man es von jemandem erwartet, der Cat heißt, dessen
Mathilden-Natur jedoch ganz unberührt davon bleibt. Geno Hartlaub
geht noch einen Schritt weiter und stellt dieser Cat Edgar gegenüber,
der »vergeblich darauf wartet, daß ihn etwas im Leben ergreift« und
schließlich an seiner Unfähigkeit scheitert, eine Du-Beziehung zu
finden.
    Der Verlust der Du-Beziehung als Konsequenz allzu großer Frei-
mütigkeit? Auch die Freimütigkeit in Humbert Finks Erzählung
»Das Fräulein« ist ohne Erotik. Ja, das ältliche Fräulein »mit seinen
stumpfen trüben Augen, mit diesem trüben törichten Blick«, mit seinem üblen Mundgeruch ist geradezu dazu angetan, Liebe, Erotik
auszuschließen, so daß Humbert Fink am Schluß zu Recht fragt: »Was
also war es?« Liebe in diesem Fall als Antwort auf den Freimut. Sechs
Liebesgeschichten, sechs Stellungnahmen zu einem Thema, das in
der deutschen Prosa nach 1945 selten behandelt wurde.

Kindergeschichten, geschrieben über Kinder, nicht für Kinder. Das Kind ist der Angst, Bedrohung, dem Unverständnis von seiten der Erwachsenen ausgesetzt. So verwindet ein Junge es nicht, daß keiner der vielen Reisenden in den Zügen sein Winken erwidert. (Siegfried Lenz »Die Nacht im Hotel«.)

In der Titelerzählung berichtet Max Bolliger von einem verstörten Jungen, über dessen Bett das Bildnis des Dornengekrönten hängt. Die Dornenkrone, die Peinigung quälen den Jungen Nacht für Nacht. Das Kind fragt nach dem Sinn solcher Blutopfer – wie auch Ingeborg Bachmann in ihrer Erzählung »Unter Mördern und Irren«. Es übersteigt die Kräfte des Jungen, dem Leiden konfrontiert zu sein, ohne helfen zu können.

3 Die lange lange Straße lang

Die entscheidende Erfahrung der heute schreibenden Generation war der Krieg. Zwanzig Jahre danach immer noch Kriegsgeschichten? Wissen wir nicht zur Genüge, daß der Krieg unmenschlich ist – oder: Stoff hergibt für Filmschwänke und ›heldenhafte und ergötzliche‹ Gespräche am Stammtisch? (Ingeborg Bachmann »Unter Mördern und Irren«.)

Karl Alfred Wolken schildert in seiner Erzählung »Zinnwald«, wie ein Vater gegen Ende des letzten Krieges vor den Augen seiner Tochter von einem zurückgekehrten deutschen Panzer mehrmals überfahren wird. Sind wir nicht an derartige Berichte gewöhnt? So ist es in der Erzählung Wolkens nur die Tochter, die von diesem Ereignis nicht loskommt. Ihr zu Gefallen bringt daher ihr Mann Zinnwald um, den Mörder ihres Vaters. Die Ehe scheint gerettet zu sein, die Frau kann endlich vergessen und ist überzeugt, »daß viele schreckliche Dinge auf dieser Welt sich ohne unser Zutun regeln mit den Jahren«. Doch der Mann fühlt sich schuldig. Läßt sich Gerechtigkeit durch Rache wiederherstellen? Statt eines lebenden Zinnwalds hat er sich einen Toten aufgebürdet.

Hilft der Krieg, die Gegenwart genauer zu sehen? Karl und Aljoscha fahren im Panjewagen zur Babuschka, der Großmutter Aljoschas. (Wolfdietrich Schnurre »Die Reise zur Babuschka«.) »Goshpodin! ruft sie« und rennt in den Keller, Milch und Brot zu holen, lacht und schimpft dabei, aber fragt nicht, woher Karl und Aljoscha kommen. Das Haus der Babuschka steht an der Pappelgruppe, und so weiß ist es angestrichen, »daß es leuchtet wie ein Segel mittags, wie eine Wolke«, und Sonnenblumen stehen davor und ein Mohnfeld.

Aber das Haus ist nicht weiß, sondern braun, eine Lehmkate, und vor dem Haus der Babuschka stehen keine gelben Sonnenblumen und kein roter Mohn, wie Aljoscha es seinem deutschen Freund

schildert, während sie Kopf an Kopf nebeneinander auf dem Panjewagen liegen und zum Lazarett gefahren werden. Und Aljoscha führt
den Fremden aus Deutschland in die russische Lehmkate, doch sie
sind zu müde, die letzten Schritte zu gehen, so müde, wie es der Fahrer des Panjewagens ist, so daß er erst jetzt bemerkt, daß die beiden
tot sind.

Traum und Wirklichkeit gehen ineinander über. Erleben wir das
Kriegsinferno nicht erst in seinem ganzen Ausmaß, wenn der Autor
Kriegsvorgänge nur streift und uns statt dessen eine Fahrt ins ›Leben‹
beschreibt, zur Babuschka, zu Bratkartoffeln mit Borschtsch und
verhängten Ikonen?

Zickezackejuppheidi schneidig ist die Infanterie die Infanterie. 57
haben sie bei Woronesch begraben. 57, die hatten keine Ahnung, vorher nicht und nachher nicht. Kann ich Herr Fischer sein, einfach wieder Herr Fischer? Lieber Gott, gib mir Suppe. Aber der liebe Gott
hat ja keinen Löffel. 57 gehen nachts zum Minister. Und dann sagt
er: Deutschland, Kameraden! Darum! 86 Iwans haben wir die eine
Nacht geschafft. Aber ich muß die lange lange Straße lang. Aber
wenn der große Chor dann Barabbas schreit, dann fallen sie nicht von
den Bänken, die Tausend in sauberen Hemden. Wir wollen leben!
schrei ich. Bezahlen müssen wir alle, sagt er und hält seine Hand auf.
Und ich gebe ihm 57 Mann. Und keiner weiß – und keiner weiß – und
keiner weiß. – Diese 14 Sätze stehen in Wolfgang Borcherts Erzählung »Die lange lange Straße lang«. Warum werden wir davon angesprochen? Liegt das an der Übertreibung, daß im Rahmen der
Variation jeder Gedanke auf die Spitze getrieben wird? Was wiederum
auf die Sprache zurückwirkt, die dynamisch, abgehackt und manchmal von einem solchen Tempo ist, daß die Kommata als Pausezeichen
ausgespart werden.

Machen wir einen Gegenversuch; berichten wir den Sachverhalt
möglichst kurz: 57 sind in Woronesch gefallen; ihr Leutnant Fischer,
der als einziger überlebte, hat Hunger: er ist auf dem Weg zu seiner
Mutter, die lange lange Straße lang. Oder noch kürzer: Leutnant Fischer, dessen 57 Kameraden gefallen sind, ist auf dem Weg nach
Hause. Beide Aussagen stimmen, und doch hätten wir das ausgelassen, was sich erst aus der Variation, der Paraphrase ergibt: die Not
einer Jugend, die sich Rechenschaft über ihr Tun geben will und der
doch niemand helfen kann, weil es kein Gericht gibt, das sie anklagt
und also auch freisprechen könnte. Machte sie es sich nicht unnötig
schwer damit? Wollte sie so das Gewissen anderer wachrütteln? Wer
zunächst Schuld bei sich sucht, hofft auf Veränderung. Borchert geht
von der Realität aus, transzendiert sie aber mittels der Form, der
Variation, der Fuge; und nicht zuletzt deswegen wird die Wirkung
Borcherts bleiben.

Eine Erzählung, in der ein Einbeiniger beschrieben wird, der Jahre nach dem Krieg im Wartesaal Reisende mit seinen anscheinend so widersinnigen Monologen belästigt: der Popocatepetl sei 55.878 Meter hoch (Gerhard Fritsch »Fahrt nach Allerheiligen«), will anprangern. Vielleicht gelingt es den Schriftstellern, mit solchen Erzählungen, Abscheu gegen den Krieg hervorzurufen, aber erwecken sie damit auch Interesse an der Politik, der politischen Erzählung, an der Verantwortung, die der einzelne weitgehend dem Verwaltungsapparat übertragen hat und überläßt? Einem Beamtenapparat, in dem der einzelne ebenfalls nicht mehr gegen die Hierarchie ankommt (Jürgen Becker »Im Bienenbezirk und Ameisen«).

Wir haben es mit Interesselosigkeit zu tun – mit dem seit langem bestehenden Mißtrauen gegenüber der politischen Literatur. Gibt es den unheilvollen Dualismus zwischen Literatur und Politik? Kennen wir nicht die Nachteile einer allzu engagierten Literatur?

Gewiß mag das Lehrhafte in dieser oder jener politischen Erzählung stark zum Ausdruck kommen und zum Widerspruch reizen, aber das war ja gerade die Absicht. Auch die bösartigsten Werke der Literatur (z. B. Lafontaines Fabeln) besitzen ihre Schönheit. Absicht ist die Distanzierung vom Gefühl, vom Pathos – ein Grundzug auch der absurden Literatur.

Die politischen Schriftsteller bekennen sich dazu, daß sie etwas zu lernen hatten und zu lehren haben. Zu lehren und zu lernen, wenn Friedrich Dürrenmatt in Gestalt des »Theaterdirektors« Charakter und Magie des Gewaltmenschen aufzeigt, wenn Max Frisch am Beispiel des Geschicks des »Andorranischen Juden« Vorurteile, Ressentiments und Chauvinismus in ihre Ursachen zerlegt.

5 Argumente für Lazarus

Wem die Welt absurd erscheint, dem erscheint auch Gott absurd. Lazarus wurde von den Toten auferweckt: liebt er Gott? Der Lazarus des 20. Jahrhunderts hat zu viele Tote gesehen. (Hans Daiber »Argumente für Lazarus«.) Er will den gütigen Gott, der in der Not hilft; nicht den Gott, der sich vier Tage lang Zeit läßt, ehe er ihm hilft. Dieser Lazarus des 20. Jahrhunderts: die tragische Gestalt, die auf die Zukunft setzt, darauf, daß die Welt ohne Gott besser werde. Auch Alfred Andersch fragt, wieweit man gläubig sein könne. Im »Grausigen Erlebnis eines venezianischen Ofensetzers« verbeißen sich eine Ratte und ein Kater so ineinander, daß sie sich gegenseitig zerfleischen. Die Zuschauer fragen: »Finden Sie nicht auch, daß Gott den Tieren etwas mehr Vernunft hätte verleihen können?«

Hans Erich Nossack beschäftigt sich mit der Unvernunft des Menschen. Der Mensch kämpft. Wie weit soll sein Kampf gehen? In Nossacks Erzählung »Das Mal« wird von einer Expedition ein in der

Eiswüste Erfrorener gefunden. Aufrecht stehend, nach vorn in die Richtung des ewigen Eises blickend, lächelt er. Ist der Erfrorene ein Träumer, wofür ihn einer der Männer hält; ein Träumer, der sich sein Scheitern nicht eingestehen will? Die Männer der Expedition beschließen umzukehren, nicht aus Angst, sondern weil der noch vorhandene Proviant und ein Wetterumschlag ihnen keine große Chance mehr geben. Ist Unvernunft notwendig, weil sie die Funktion zu warnen hat? Der Erfrorene lächelt, weil es für ihn unwichtig ist, gescheitert zu sein, die anderen lächeln, weil sie sich zu ihrem Scheitern bekennen wollen.

Stellen in dem Erfrorenen Vernunft und Unvernunft keine Gegensätze mehr dar, ist in ihm die Harmonie wiederhergestellt? Erklärt das die große Wirkung des Lächelnden auf die Männer der Expedition?

Wir sind auf dem Weg, einem »Unbekannten Ziel« entgegen (Hermann Kasack). Sind wir ein Wurf Gottes, so werden wir wie der Insasse der Rakete in dieser Erzählung Selbstgericht und Läuterung entgegenfliegen; sind wir ein Wurf der Dämonen, so werden wir in der Rakete noch das Unheil mit uns führen. Beide Möglichkeiten der Existenz sind gegeben, das Ziel ist die Verwandlung des Menschen.

6 Warum ich mich in eine Nachtigall verwandelt habe

Warum würden Sie sich in eine Nachtigall verwandeln? Wer Veränderung will, wer sich vom Gefühl distanziert, wohin soll er sich wenden, wenn er den Menschen nicht aus der Literatur ausschließen will? Er wendet das Gefühl mit umgekehrtem Vorzeichen an, eine umgekehrte Romantik: skurrile, groteske, irreale, ›schwarze‹ Erzählungen, die die Ungebundenheit und Gefährdung des modernen Menschen demonstrieren.

Wozu sollen wir uns in einen Dornbusch setzen (Hermann Lenz »Frau im Dornbusch«) und Selbstanklagen gegen uns erheben? Macht man uns nicht auch etwas vor, wenn wir auf der Bergkimme stehen und jenseits des Berges nur wieder den Ort erblicken, von dem wir aufgebrochen waren? (Walter Höllerer »Drei Fabeln vom Realen«.) Nach zwei Weltkriegen sind Neid, Mißgunst, der Hang zum Materiellen genauso wieder vorhanden wie vordem. Gibt es nur noch die, die sich im Morden üben (Martin Walser), die Wegwerfer (Heinrich Böll), die, die ihre Frauen in den Teich gestoßen haben (Ror Wolf), die Fabeln vom Realen, die Frauen und Männer im Dornbusch? Und kein Ende ist abzusehen, keine Hoffnung auf die Zukunft? Auf eine Zukunft, wie sie Günter Grass (»Meine grüne Wiese«) schildert: »Bei einem Autorennen, mein Freund war schuld, daß ich es sah, fiel es mir auf, wie wenig wir von der Schnelligkeit der Schnecken verstehen. Unsere Augen wissen es nicht, können diesen glatten Leib, der durch die Zeit rast, nicht begreifen, so fallen wir zurück, und immer wieder überrundet uns die Schnecke. Fast möchte ich sagen, doch ohne als Prophet zu gelten, die Schnecke hält ihre Fühler in ein kommendes Jahrhundert. Es wird dieses eine vorsichtige Zeit sein, ein Zurücknehmen aller Beschuldigungen, ein Jahrhundert ohne jene äußerste Farbe, in die Pepita sich kleidete.« Pepitas Farbe: rot, die Lust an der Zerstörung.

Je größer die Mißstände sind, desto kräftiger müssen die Mittel zur Änderung sein. Wenn in diesen Texten groteske Wegwerfer, absurde Mörder, hoffnungslose Menschen im Dornbusch zu Helden gemacht werden, so fordern sie unseren Widerspruch heraus: wer möchte sich mit ihnen identifizieren? Wer aber fühlte sich nicht betroffen? In diesem Vakuum zielt die groteske und absurde Literatur mit ihren Übertreibungen. Etwas, das stimmt und zugleich nicht stimmt, löst Beunruhigung aus. Je parabolischer, irrealer und monströser der Mensch in der Literatur dargestellt wird, desto größer die Sorge, die dahintersteht. Die Konsequenz dieser Literatur läßt sich nur dadurch und durch die Größe des Ziels erklären.

7 Neapel sehen

Diese zwölf Erzählungen stehen am Schluß der Anthologie, weil sie die Themen der vorangegangenen Erzählungen nochmals aufgreifen und zusammenfassen. Sie gehen von der Sehnsucht des Menschen aus, von seinem Verlangen nach einer harmonischen Welt.

Ist eine solche Sehnsucht nicht verdächtig, bedeutet sie nicht Weltflucht? »Der Wassermaler« (Helmut Heissenbüttel) malt auf Wasser, eine Arbeit, die, noch im Entstehen begriffen, sich schon wieder auflöst. Er verzichtet auf jede uns nötig erscheinende Anerkennung und Bestätigung seines Schaffens durch andere. Seine Tätigkeit soll ein Wert an sich sein. Doch der Wassermaler ertappt sich dabei, wie er seine extrem flüchtigen Gebilde fotografiert. »Das war das Vergebliche«, sagt Heissenbüttel. War es das Vergebliche, weil man zwar seine Meinung ändern kann, aber nicht sein Wesen? War es das Vergebliche, weil durch die Fotografie nur Teilaspekte festgehalten werden, während er vorher das Ganze besaß? Wie man Probleme nur dort dauerhaft lösen kann, wo sie entstehen, so kehrt der Wassermaler zu seiner Malerei auf dem Wasser zurück.

Der Neger Washington (Wolfgang Koeppen »Der Baseballspieler«), der mit einer weißen Frau ein Kind haben wird, beschließt, ein Lokal aufzumachen. Ein Lokal, in dem niemand unerwünscht ist. Diese heile Welt im Kleinen soll Platz schaffen für das Kind, damit es wie andere Kinder aufwachsen kann. Diese Welt ist heil, weil sie menschlich ist. Auch Pinnau (Johannes Bobrowski »Epitaph für Pinnau«) sucht eine Welt, in der er unangefochten seine Ideen leben kann: in Königsberg, vor 200 Jahren, bringt er sich um.

»Was so ein Mann wie der da denkt, wenn er da liegt und warten muß, bis er hinüber ist?« (Herbert Eisenreich »Luftballons, um sie loszulassen«.) Er denkt nicht an das, was er geglaubt hätte zu denken, wenn es soweit wäre. Er erinnert sich der Luftballons, die er als Kind fest in der Hand hielt, um mit dem Zug der Schnur seine Macht über den Ballon zu spüren. Wie er sich jedoch heftiger wünschte, einen Luftballon loszulassen, als ihn zu besitzen, so forderte er später das Leben heraus. Ist mit seinem Tod alles wieder in die richtige Ordnung gerückt, wie er glaubt?

Ist der Tod Antwort auf die Sehnsucht nach einer heilen Welt? Oder wollten die Schriftsteller dieser Gruppe, wenn sie den Tod in den Vordergrund rückten, nur eine Gegenposition beziehen, von der aus wir eine heile Welt um so mehr ersehnen sollten? Es kommt ihnen darauf an, noch etwas für Tote tun zu können. Für Tote? Die Toten bleiben mit den Lebenden in Verbindung – und sei es nur dadurch, daß die Ziele ihres Handelns den Lebenden als Richtschnur sichtbar bleiben. (Gerd Gaiser »Im leeren Zelt«.) Es ist also nicht zufällig, wenn jede dieser Erzählungen ein Bekenntnis zum Glauben einschließt. Es kann dies der Glaube an das Epitaph für Pinnau sein: an die Grabschrift, das Wort, das gelesen und weitergegeben wird. Es kann der Glaube an den Traum sein, an den Traum des Briefträgers Cheval (Peter Weiss), der dreißig Jahre lang Träume, Gleichnisse und Symbole in Stein verwandelt, für jeden sichtbar; der Glaube daran, daß es immer wieder solche Träume geben wird, an denen ein Mensch dreißig Jahre lang baut – oder noch länger; die Zeit, die jemand an seinem Leben bauen kann. Bauen oder sehen, aufnehmen: »Sollte man nicht einmal damit aufhören, unsere Tüchtigkeit zu bewundern? Alles ringsum ist geheimnisvoll. Wer besinnt sich denn wieder auf das Staunen? Das Geheimnis der Geheimnisse ist die Wirklichkeit. Das Staunen könnte uns zum Verstummen bringen. Wäre es nicht wirklicher, das Staunen wieder zu finden und nicht mehr zu verlieren, als ruhelos zu planen und zu handeln?« (Ernst Kreuder »Der Himmel vermißt uns nicht«.)

Warum sie schreiben?

Diese Frage wird nicht das erste Mal gestellt; sie fragt nach dem Fundament des Schreibenden. Der Schriftsteller hat keinesfalls das Recht, diese Frage des Lesers ironisch abzutun. Es ist die Frage nach der Integrität der Literatur.

Literatur hat nichts anderes zu sein als Kunst! Die Form entscheidet! Sind das Spitzfindigkeiten? Es ist sicher, daß Inhalt und Form eine Einheit sind, die niemand umstoßen wird, ohne das Gebäude der Literatur mit einzureißen. Theoretische Erörterungen, ob es Formen gibt, die nicht einem Inhalt entsprechen, machten die Literatur zu einer Farce.

In einer Zeit, in der es in unserer Sprache Ausdrücke wie Ge-Sta-Po gab, muß man vom Schriftsteller sprachliche Exaktheit erwarten.

Ist die Literatur eine Antwort auf die Entmenschlichung durch den Menschen und eine Technik, die sich selbständig gemacht hat? Sind die Schriftsteller »die Stellvertreter der Propheten, die verschollen sind«, wie Wolfgang Weyrauch die Funktion der Literatur verstanden wissen will? Darf ein Schriftsteller so programmatisch sein?

Jedes Kunstwerk untergräbt die Ideologien. Trotz der Isolation eines Schriftstellers innerhalb der Gesellschaft ist, vom Werk her gesehen, die Gesellschaft in die Literatur eingeschlossen. Die Verbindlichkeit dessen, was ein Schriftsteller schreibt, resultiert aus vielen Einsamkeiten und steht im Gegensatz zu jeglicher Ideologie, denn Reflexion ist letztlich Bewußtsein kontra Ideologie. Ist die Freiheit der Kunst dann noch vorhanden? Wer diese Frage verneint, unterschätzt die Fantasie. Sie ist Poesie, Leben, Begeisterung. Dichtung ist stärker als Brutalität. Dichtung ist engagiert, ist gesellschaftskritisch, da sie auf Veränderung hinzielt. Dichtung ist Aktion.

Was haben sie sich beim Schreiben gedacht? Soll sich der Autor an alle wenden? Der Schriftsteller, der während des Schreibens an die Gunst der Leser oder Kritiker denkt, ist verloren. Nur aus der Ehrlichkeit sich selbst gegenüber kann Verbindlichkeit kommen. Wer sich an alle wendet, wird sich letztlich an niemanden wenden.

Anmerkungen

Es ging dem Herausgeber bei der Zusammenstellung dieses Buches darum, den Zeitraum von 1945 bis heute durch typische und repräsentative Prosatexte zu erfassen. Auch die umfangreichste Anthologie kann nicht jeden Autor vorstellen; es kam auf die Darstellung der Möglichkeiten an, nicht auf die Präsenz eines jeden Namens.

Die Begrenzung, nur Autoren aufzunehmen, die erst nach 1945 hervortraten, war – wie bereits in der Lyrikanthologie – nicht ohne weiteres so eng zu fassen, denn Hermann Kasack, Max Frisch, Marie Luise Kaschnitz und einige andere gehören mit ihrem erzählerischen Werk zur Prosa seit 1945, da die Entstehung ihrer Hauptwerke nach 1945 datiert.

Allen Autoren und Verlagen, die dieses Buch ermöglichten, sei herzlich gedankt.

Frankfurt/Main, September 1963

Horst Bingel

Alphabetisches Verzeichnis der Autoren

Bei den bibliographischen Angaben wurden von den Buchpublikationen jeweils nur die Prosabände berücksichtigt. Herausgeber und Verlag danken allen angeführten Verlagen für die freundliche Erlaubnis zum Abdruck. Erzählungen ohne Quellenangaben sind bisher unveröffentlicht. Wo Zeitschriften und Zeitungen als Ersterscheinungsort angegeben sind, liegen die Rechte ebenfalls beim Autor. Die Angaben des Erstdrucks bzw. der ersten Buchausgabe beziehen sich jeweils auf das aufgenommene Prosastück. Die Seitenangaben beziehen sich auf die Anthologie.

Abkürzungen: Aut. = Autobiographie; B. = Biographie; Ber. = Bericht; E(n). = Erzählung(en); Erinn. = Erinnerungen; G. = Gedichte; Gesch(n). = Geschichte(n); Kg(n). = Kurzgeschichte(n); N(n). = Novelle(n); R. = Roman; Sat. = Satire; Tg. = Tagebuch; V. = Veröffentlichungen.

ILSE AICHINGER, geb. 1921 in Wien. Nach dem Krieg Studium der Medizin in Wien. Lebt als Schriftstellerin in Lenggries (Oberbayern). Lyrik, Prosa, Hörspiel. V.: *Die größere Hoffnung*, R., 1948; *Rede unter dem Galgen*, En., 1952, in Deutschland u. d. T.: *Der Gefesselte*, 1953 (S. Fischer Verlag); *Wo ich wohne*, En., Dialoge, G., 1963.
Engel in der Nacht   Seite 63

ALFRED ANDERSCH, geb. 1914 in München. Gelernter Buchhändler, mit achtzehn Jahren Kommunist, inhaftiert in Dachau, desertierte 1944 an der Italienfront. Redakteur der Zeitung »Der Ruf« (1946/47), Herausgeber der »Texte und Zeichen« (1955–1957). Lebt als Schriftsteller in Berzone (Tessin). Prosa, Essay, Hörspiel. V.: *Die Kirschen der Freiheit*, Ber., 1952; *Sansibar oder der letzte Grund*, R., 1957; *Geister und Leute*, Geschn., 1958; *Die Rote*, R., 1960 (Walter-Verlag); *Ein Liebhaber des Halbschattens*, En., 1963; *Die Arktis Seiner Lordschaft* (R.-Fragm.), 1964; *Bericht. Roman. Fragment* (Ausw.), 1965.
Grausiges Erlebnis eines venezianischen Ofensetzers   Seite 229
Erstdruck: Akzente 6. Jg. 1959. Heft 2.

INGEBORG BACHMANN, geb. 1926 in Klagenfurt. Studierte Philosophie in Innsbruck, Graz und Wien. Lebt in Berlin als Schriftstellerin. Lyrik, Prosa, Hörspiel. V.: *Das dreißigste Jahr*, En., 1961 (R. Piper & Co. Verlag); *Jugend in einer österreichischen Stadt*, E., 1961; *Gedichte, Erzählungen, Hörspiel, Essays* (Auswahl), 1964.
Unter Mördern und Irren   Seite 136

REINHARD BAUMGART, geb. 1929 in Breslau. Lebt seit 1945 in Bayern. Studium der Geschichte, der deutschen und englischen Literaturwissenschaft in München, Glasgow und Freiburg (Brsg.). 1955–1962 Verlagslektor. Lebt als Schriftsteller in Grünwald bei München. Prosa, Essay, Kritik. V.: *Der Löwengarten*, R., 1961; *Hausmusik – Ein deutsches Familienalbum*, En., 1962 (Walter-Verlag).
Sieben rote Fahnen   Seite 173

JÜRGEN BECKER, geb. 1932 in Köln. Mitarbeiter des »Literarischen Studios« am Westdeutschen Rundfunk. Lebt als Schriftsteller in Hamburg. Prosa, Essay, Kritik. V.: *Phasen – Texte und Typogramme* (zus. mit Wolf Vostell), 1960; *Felder*, 1964.
Im Bienenbezirk und Ameisen   Seite 165
Erstdruck: Der Monat 14. Jg. 1962. Heft 167.

HANS BENDER, geb. 1919 in Mühlhausen (Kraichgau). Herausgeber der »Konturen – Blätter für junge Dichtung« (1952/53), Mitherausgeber der »Akzente«, des »Jahresrings«, Chefredakteur des »Magnum«. Lebt in München als Verlagslektor. Lyrik, Prosa. V.: *Die Hostie*, Kgn., 1953; *Eine Sache wie die Liebe*, R., 1954; *Wölfe und Tauben*, En., 1957; *Wunschkost*, R., 1959; *Mit dem Postschiff*, Geschn., 1962 (Carl Hanser Verlag).

Bearbeitete Fassung aus: Wölfe und Tauben

THOMAS BERNHARD, geb. 1931 in Heerlen bei Maastricht. Österreicher. Gelernter Kaufmann. Musikstudium in Salzburg und Wien. Lebt in St. Veit/Pongau/Salzburger Land. Lyrik, Prosa. V.: *Frost*, R., 1963 (Insel-Verlag); *Amras*, E., 1964.

Erstdruck: Diskus 13. Jg. 1963. Heft 2.

HORST BIENEK, geb. 1930 in Gleiwitz (Oberschlesien). 1951 aus politischen Gründen in Ostberlin verhaftet. Vier Jahre Zwangsarbeit in Workuta. Seit 1955 in Westdeutschland. Herausgeber des »studio 58«, Mitherausgeber der »blätter + bilder« (1959 bis 1961), Herausgeber der »Werkstattgespräche mit Schriftstellern« (1962). Lebt als Verlagslektor in München. Lyrik, Prosa, Essay, Kritik. V.: *Traumbuch eines Gefangenen*, Prosa und G., 1957; *Nachtstücke*, En., 1959 (Carl Hanser Verlag).

JOHANNES BOBROWSKI, geb. 1917 in Tilsit, gest. 1965 in Ostberlin. Lyrik, Prosa. V.: *Levins Mühle*, R., 1964; *Boehlendorff und andere Erzählungen*, 1965; *Mäusefest und andere Erzählungen*, 1965.

HEINRICH BÖLL, geb. 1917 in Köln. Gelernter Buchhändler. Mitherausgeber der Zeitschrift »Labyrinth« (1960–1962). Lebt als Schriftsteller in Köln. Prosa, Essay, Hörspiel, Drama. V.: *Der Zug war pünktlich*, E., 1949; *Wanderer kommst du nach Spa ...*, En., 1950; *Wo warst du, Adam*, R., 1951; *Die schwarzen Schafe*, E., 1951; *Nicht nur zur Weihnachtszeit*, Sat., 1952; *Und sagte kein einziges Wort*, R., 1953; *Haus ohne Hüter*, R., 1954; *Das Brot der frühen Jahre*, E., 1955; *So ward Abend und Morgen*, En., 1955; *Unberechenbare Gäste*, En., 1956; *Im Tal der donnernden Hufe*, E., 1957; *Abenteuer eines Brotbeutels und andere Geschichten*, 1957; *Doktor Murkes gesammeltes Schweigen und andere Satiren*, 1958 (Verlag Kiepenheuer & Witsch); *Der Wegwerfer*, Sat., 1958; *Die ungezählte Geliebte*, E., 1958; *Der Brotbeutel*, Kgn., 1958; *Die Waage der Baleks und andere Erzählungen*, 1959; *Der Mann mit den Messern*, En., 1959; *Der Bahnhof von Zimpren*, En., 1959; *Billard um halbzehn*, R., 1959; *Erzählungen, Hörspiele, Aufsätze*, 1961; *Ansichten eines Clowns*, R., 1963; *1947–1951*, Sammelbd., 1963.

MAX BOLLIGER, geb. 1929 in Glarus (Schweiz). Lebt als Heilpädagoge in Adliswil/ZH. Lyrik, Prosa, Hörspiel. V.: *Verwundbare Kindheit*, En., 1957 (H. Tschudy Verlag); *Der brennende Bruder*, En., 1960.

WOLFGANG BORCHERT, geb. 1921 in Hamburg. Buchhandelslehrling, Schauspieler Kabarettist. Gegner des Hitlersystems (Bewährungskompanie). Kehrte schwer erkrankt 1945 aus dem Krieg zurück. 1947 in Basel gestorben. Lyrik, Prosa, Drama. V.: *An diesem Dienstag*, En., 1947; *Die Hundeblume*, En., 1947; *Das Gesamtwerk*, 1949 (Rowohlt Verlag); *Die traurigen Geranien und andere Geschichten aus dem Nachlaß*, 1962.

HANS DAIBER, geb. 1927 in Breslau. Studierte Philosophie, Philologie, Geschichte und Kunstgeschichte in Jena, Berlin und Heidelberg. Lebt als Schriftsteller in Bensberg bei Köln. Prosa, Satire, Essay, Kritik.

Argumente für Lazarus

FRIEDRICH DÜRRENMATT, geb. 1921 in Konolfingen/BE (Schweiz). Studium der Philosophie, Literatur- und Naturwissenschaften in Zürich und Bern. Lebt als Schriftsteller in Neuenburg. Prosa, Drama, Hörspiel. V.: *Pilatus*, E., 1949; *Der Nihilist*, E., 1950; *Die Stadt – Prosa I–IV*, 1952 (Verlag der Arche); *Der Richter und sein Henker*, R., 1952; *Der Verdacht*, Krim.-Gesch., 1953; *Die Panne*, E., 1956; *Das Versprechen*, R., 1957; *Der Tunnel*, E., 1964.

Der Theaterdirektor

HERBERT EISENREICH, geb. 1925 in Linz (Donau). Österreich-Korrespondent für Radio Bremen. Lebt als Schriftsteller in Sandl (Oberösterreich). Prosa, Essay, Hörspiel. V.: *Einladung, deutlich zu leben*, E., 1951; *Auch in ihrer Sünde*, R., 1953; *Böse schöne Welt*, En., 1957 (Goverts Verlag); Der Urgroßvater, E., 1964; *Sozusagen Liebesgeschichten*, 1965.

Luftballons, um sie loszulassen

HUMBERT FINK, geb. 1933 in Salerno (Italien). Lebt als Schriftsteller in Villach (Kärnten). Lyrik, Prosa, Essay, Kritik. V.: *Die engen Mauern*, R., 1958; *Die Absage*, R., 1960.

Das Fräulein
Erstdruck: Die Presse (Wien) 11. 11. 1961.

MAX FRISCH, geb. 1911 in Zürich. Lebt heute als Schriftsteller in Zürich und Rom. Prosa, Drama, Hörspiel. V.: *Jürg Reinhart*, R., 1934; *Antwort aus der Stille*, E., 1937; *Blätter aus dem Brotsack*, Tg., 1940; *Die Schwierigen oder J'adore ce qui me brûle*, R., 1943; *Bin oder die Reise nach Peking*, E., 1945; *Tagebuch mit Marion*, 1947; *Tagebuch 1946–1949*, 1950; *Stiller*, R., 1954; *Homo Faber*, Ber., 1957; *Ausgewählte Prosa*, 1961 (Suhrkamp Verlag; zuerst: Tagebuch 1946–1949); *Mein Name sei Gantenbein*, R., 1964.

Der andorranische Jude

GERHARD FRITSCH, geb. 1924 in Wien. Studierte Germanistik und Geschichte. Bibliothekar. Lebt als Schriftsteller in Wien. Lyrik, Prosa, Essay, Hörspiel. V.: *Zwischen Kirkenes und Bari*, G. u. Kgn., 1951; *Moos auf den Steinen*, R., 1956; *Geographie der Nacht*, Auswahl, 1962.

Fahrt nach Allerheiligen
Erste Buchausgabe: Geographie der Nacht. Stiasny-Bücherei Graz, 1962.

WALTER HELMUT FRITZ, geb. 1929 in Karlsruhe. Studierte Literatur, Philosophie und Neuphilologie in Heidelberg. Lebt als Schriftsteller in Karlsruhe. Lyrik, Prosa, Kritik. V.: *Umwege*, Prosa, 1964; *Abweichung*, R., 1965.

Das Schweigen vieler Jahre
Erstdruck: Deutsche Zeitung, 27. 1. 1962.

GERD GAISER, geb. 1908 in Oberriexingen (Württ.). Studierte Kunstgeschichte. Lebt als Studienrat (Zeichenlehrer) in Reutlingen. Lyrik, Prosa. V.: *Zwischenland*, En., 1949; *Eine Stimme hebt an*, R., 1950; *Die sterbende Jagd*, R., 1953; *Das Schiff im Berg*, R., 1955; *Einmal und oft*, En., 1956; *Gianna aus dem Schatten*, N., 1957; *Aniela*, E., 1958; *Schlußball*, R., 1958; *Gib acht in Domokosch*, En., 1959; *Am Paß Nascondo*, En., 1960.

Im leeren Zelt
Erstdruck: Akzente 10. Jg. 1963. Heft 1.

GÜNTER GRASS, geb. 1927 in Danzig. Nach dem Krieg Steinmetz und Bildhauer. Studium an den Kunstakademien in Düsseldorf und Berlin. Lebt als Schriftsteller und Graphiker in Berlin. Lyrik, Prosa, Drama. V.: *Die Vorzüge der Windhühner*, G., Prosa und Zeichnungen, 1956; *Die Blechtrommel*, R., 1959; *Katz und Maus*, N., 1961; *Hundejahre*, R., 1963.

Meine grüne Wiese   Seite 289
Erstdruck: Akzente 2. Jg. 1955. Heft 6.
(Anm.: *Meine grüne Wiese* war Grass' erste Prosaveröffentlichung.)

MARTIN GREGOR-DELLIN, geb. 1926 in Naumburg (Saale). 1951–1958 Verlagslektor in Halle. Danach Schriftsteller und Redakteur in Bayreuth und Frankfurt (Main). Lebt heute als Verlagslektor in München. Lyrik, Prosa, Essay, Hörspiel, Kritik. V.: *Cathérine*, E., 1954; *Jüdisches Largo*, R., 1956 (u. d. Titel: *Jakob Haferglanz*, 1963); *Der Mann mit der Stoppuhr*, Kurzprosa, 1957; *Fünf kleine Stücke*, Kurzprosa, 1957; *Der Nullpunkt*, R., 1959; *Der Kandelaber*, R., 1962; *Möglichkeiten einer Fahrt*, Kg(n)., 1964; *Einer*, R., 1965.

Begräbnisse   Seite 162

PETER HÄRTLING, geb. 1933 in Chemnitz. Kindheit in Sachsen, Mähren und Österreich. Seit 1946 in Württemberg. Von 1955 bis 1962 bei der »Deutschen Zeitung« als Feuilletonredakteur, in den beiden letzten Jahren als Redakteur des Literaturblattes. Lebt in Berlin. Mitherausgeber des »Monat«. Lyrik, Prosa, Essay, Kritik. V.: *Im Schein des Kometen*, R., 1959; *Niembsch oder Der Stillstand*, Suite, 1964.

Jerschel singt   Seite 83

GENO HARTLAUB, geb. 1915 in Mannheim. Odenwaldschule, kaufmännische Lehre, Verlagslektorin. Lebt heute als Redakteurin des »Sonntagsblatts« in Hamburg. Prosa, Essay, Hörspiel. V.: *Die Entführung*, N., 1942; *Noch im Traum*, R., 1944; *Anselm, der Lehrling*, R., 1946; *Die Kindsräuberin*, N., 1947; *Die Tauben von San Marco*, R., 1953; *Der große Wagen*, R., 1954; *Windstille vor Concador*, R., 1958 (S. Fischer Verlag); *Gefangene der Nacht*, R., 1961; *Der Mond hat Durst*, E., 1963; *Die Schafe der Königin*, R., 1964.

Die Segeltour   Seite 26
Erstdruck: Akzente 4. Jg. 1957. Heft 2.

HERBERT HECKMANN, geb. 1930 in Frankfurt (Main). Studierte in Frankfurt (Main) Literatur und Philosophie. Mitherausgeber der »Neuen Rundschau«. Lebt in Gravenbruch bei Frankfurt (Main) als Schriftsteller. Lyrik, Prosa, Essay. V.: *Das Portrait*, En., 1958 (S. Fischer Verlag); *Benjamin und seine Väter*, R., 1962; *Schwarze Geschichten*, 1964.

Sisyphos war der größere   Seite 71

HELMUT HEISSENBÜTTEL, geb. 1921 in Wilhelmshaven. Studierte Architektur, Germanistik, Literaturwissenschaft, Kunstgeschichte und Anglistik in Dresden, Leipzig (1942–1945) und Hamburg. Leiter des »Radio-Essays« beim Süddeutschen Rundfunk. Lebt in Stuttgart. Lyrik, Prosa, Essay, Kritik. V.: *Textbuch 1*, 1960; *Texte ohne Komma*, 1960; *Textbuch 2*, 1961 (Walter-Verlag); *Textbuch 3*, 1962.

Der Wassermaler   Seite 335

WOLFGANG HILDESHEIMER, geb. 1916 in Hamburg. Lebt als Schriftsteller in Poschiavo (Graubünden). Prosa, Drama, Hörspiel. V.: *Lieblose Legenden*, Geschn., 1952, überarb. u. erweitert 1962 (Suhrkamp Verlag); *Paradies der falschen Vögel*, R., 1953; *Ich trage eine Eule nach Athen*, Geschn., 1956; *Tynset*, R., 1965.

Warum ich mich in eine Nachtigall verwandelt habe   Seite 271

WALTER HÖLLERER, geb. 1922 in Sulzbach-Rosenberg (Oberpfalz). Ordinarius für Literaturwissenschaft an der Technischen Universität Berlin. Herausgeber der Anthologie »Transit«, der Zeitschrift »Sprache im technischen Zeitalter« und Mitherausgeber der »Akzente«. Lyrik, Prosa, Essay, wissenschaftliche Arbeiten.

Erstdruck: »Die Frösche« in: Ilse Aichinger, Der Gefesselte (Nachwort v. W. Höllerer), S. Fischer Verlag Frankfurt (Main) 1958, veränderte Fassung in Streit-Zeit-Schrift 2. Jg. 1958. Heft 2. – »Poisson Rouge« in: Streit-Zeit-Schrift 2. Jg. 1958. Heft 2. – »Vogel Roc« in: Akzente 4. Jg. 1957. Heft 3.

KARL GÜNTER HUFNAGEL, geb. 1928 in München. Studierte Philosophie und Psychologie in München, Hamburg und Freiburg (Brsg). Lebt als Schriftsteller in München. Prosa, Hörspiel. V.: *Die Parasiten-Provinz*, R., 1960; *Worte über Straßen*, En., 1961 (Deutsche Verlags-Anstalt).

WALTER JENS, geb. 1923 in Hamburg. Seit 1956 Professor in Tübingen; zur Zeit Inhaber des Lehrstuhls für klassische Philologie und allgemeine Rhetorik. Prosa, Essay, Hörspiel, wissenschaftliche Arbeiten. V.: *Das weiße Taschentuch*, N., 1948; *Nein – Die Welt der Angeklagten*, R., 1950; *Der Blinde*, E., 1951; *Vergessene Gesichter*, R., 1952; *Der Mann, der nicht alt werden wollte*, R., 1955; *Das Testament des Odysseus*, E., 1957 (Günther Neske Verlag); *Die Götter sind sterblich – Tagebuch einer Griechenlandreise*, 1959; *Herr Meister – Dialog über einen Roman*, 1963.

Titel des Prosastücks vom Herausgeber.

HERMANN KASACK, geb. 1896 in Potsdam. Studierte Germanistik und Nationalökonomie in Berlin und München. 1920–1925 zuerst Lektor, dann Direktor des Kiepenheuer Verlags, 1926/27 im S. Fischer Verlag, dann freier Schriftsteller. 1933 Rundfunk- und Vortragsverbot. Sein 1935 geschriebenes Drama »Archimedes« durfte nicht publiziert werden. 1941–1949 Lektor im Suhrkamp-Verlag. 1953–1963 Präsident der Deutschen Akademie für Sprache und Dichtung. Lebt als Schriftsteller in Stuttgart. Lyrik, Prosa, Drama. V.: *Die Heimsuchung*, E., 1919; *Die Stadt hinter dem Strom*, R., 1947; *Der Webstuhl*, E., 1949 (erw. um *Das Birkenwäldchen*, 1958); *Das große Netz*, R., 1952; *Fälschungen*, En., 1953; *Mosaiksteine – Beiträge zu Literatur und Kunst*, 1956 (Suhrkamp Verlag).

Neuausgabe 1963: *Das unbekannte Ziel*.

MARIE LUISE KASCHNITZ, geb. 1901 in Karlsruhe. War im Buchhandel in Weimar und München tätig. Lebt als Schriftstellerin in Frankfurt (Main) und Rom. Lyrik, Prosa, Essay, Hörspiel. V.: *Liebe beginnt*, R., 1933; *Elissa*, R., 1936; *Gustave Courbet*, B., 1949; *Das dicke Kind*, Kgn., 1952; *Engelsbrücke*, Erinn., 1955; *Das Haus der Kindheit*, Aut., 1956; *Lange Schatten*, En., 1960 (Claassen Verlag); *Wohin denn ich*, Prosa, 1963.

ALEXANDER KLUGE, geb. 1932. Studierte Rechtswissenschaften. Gehört als Filmproduzent und Regisseur der Oberhausener Gruppe an. Prosa, Filme. V.: *Lebensläufe*, En., 1962 (Goverts Verlag); *Schlachtbeschreibung*, R., 1964.

WOLFGANG KOEPPEN, geb. 1906 in Greifswald. Verschiedene Berufe. Lebt als Schriftsteller in München. Prosa. V.: *Eine unglückliche Liebe*, R., 1934; *Die Mauer schwankt*, R., 1935 (u. d. T. *Die Pflicht*, 1939); *Tauben im Gras*, R., 1951 (Goverts Verlag); *Das Treibhaus*, R., 1953; *Der Tod in Rom*, R., 1954.

Titel des Prosastücks vom Herausgeber.

ERNST KREUDER, geb. 1903 in Zeitz. Banklehrling. Studierte Philosophie, Literatur und Kriminalistik in Frankfurt (Main). Lebt als Schriftsteller in Darmstadt-Mühlhausen. Lyrik, Prosa, Essay. V.: Die *Nacht des Gefangenen*, Kgn., 1939; *Das Haus mit den drei Bäumen*, Kgn., 1944; *Die Gesellschaft vom Dachboden*, E., 1946; *Schwebender Weg*, En., 1947; *Die Unauffindbaren*, R., 1948; *Herein ohne anzuklopfen*, En., 1954; *Agimos oder Die Weltgehilfen*, R., 1959; *Spur unterm Wasser*, E., 1963.

Erstdruck: Akzente 4. Jg. 1957. Heft 2.

HERMANN LENZ, geb. 1913 in Stuttgart. Studierte Kunstgeschichte, Germanistik und Archäologie in Heidelberg und München. Seit 1951 Sekretär des Süddeutschen Schriftsteller-Verbandes in Stuttgart. Lyrik, Prosa. V.: *Das stille Haus*, E., 1947; *Das doppelte Gesicht*, En., 1949; *Die Abenteurerin*, E., 1952; *Der russische Regenbogen*, R.,1959; *Nachmittag einer Dame*, R., 1961; *Spiegelhütte*, Prosa, 1962; *Die Augen eines Dieners*, R., 1964.

Erstdruck: Frankfurter Allgemeine Zeitung, 20. 1. 1962.

SIEGFRIED LENZ, geb. 1926 in Lyck (Masuren). Studierte Philosophie, Literatur und Anglistik in Hamburg. Lebt dort als Schriftsteller. Prosa, Drama, Hörspiel. V.: *Es waren Habichte in der Luft*, R., 1951; *Duell mit dem Schatten*, R., 1953; *So zärtlich war Suleyken – Masurische Geschichten*, 1955; *Der Mann im Strom*, R., 1957; *Jäger des Spotts – Geschichten aus dieser Zeit*, 1958 (Hoffmann und Campe Verlag); *Brot und Spiele*, R., 1959; *Das Feuerschiff*, En., 1960; *Stadtgespräche*, R., 1963.

REINHARD LETTAU, geb. 1929 in Erfurt. Studierte Germanistik, Philosophie und vergleichende Literaturwissenschaft in Heidelberg und Harvard. Dozent in den USA. Prosa, Kritik. V.: *Schwierigkeiten beim Häuserbauen*, Geschn., 1962 (Carl Hanser Verlag); *Auftritt Manigs*, Prosastücke, 1963.

WOLFGANG MAIER, geb. 1934 in Frankfurt (Main). Studierte Literaturwissenschaft in Frankfurt (Main) und Berlin. Lebt als Mitarbeiter des Literarischen Colloquiums in Berlin. Lyrik, Prosa, Essay, Kritik. V.: *Sehen hören*, Proroman (mit Lithographien von Thomas Bayrle), 1963.

Erstdruck: Diskus 12. Jg. 1962. Heft 8/9.

KURT MARTI, geb. 1921 in Bern. Studierte Jura, dann Theologie in Bern, und Basel. Lebt als Pfarrer in Bern. Lyrik, Prosa, Essay. V.: *Dorfgeschichten 1960*, 1960. Erste Buchausgabe in: Dorfgeschichten 1960. Sigbert Mohn Verlag, 1960.

CHRISTOPH MECKEL, geb. 1935 in Berlin. Studierte Malerei und Graphik in Freiburg (Brsg.) und München. Lebt abwechselnd in Oetlingen (Markgräflerland) und

Berlin. Lyrik, Prosa, Graphik. V.: *Manifest der Toten*, Proroman, 1960; *Im Land der Umbramauten*, Prosa, 1961; *Tullipan*, E., 1965.

Weltende

Erstdruck: Streit-Zeit-Schrift 2. Jg. 1958, Heft 2.

FRANZ MON, geb. 1926 in Frankfurt (Main). Studierte Germanistik. Mitherausgeber des Buches »Movens«. Lebt als Verlagslektor in Frankfurt (Main). Lyrik, Prosa, Essay, Tonband- und Plakattexte.

Das Wahrscheinliche

Erstdruck: Akzente 4. Jg. 1957. Heft 3.

KLAUS NONNENMANN, geb. 1922 in Pforzheim. Studierte Romanistik in Hamburg, Heidelberg und Frankfurt (Main). Herausgeber der Essaysammlung: »Deutsche Literatur der Gegenwart«. Lebt als Schriftsteller in Frankfurt (Main). Prosa, Essay, Drama, Hörspiel. V.: *Die sieben Briefe des Doktor Wambach*, Kurzroman, 1959; *Vertraulicher Geschäftsbericht – Elf Geschichten und ein Spiel*, 1961 (Walter-Verlag); *Teddy Flesh oder die Belagerung von Sagunt*, R., 1964.

Faire la Ronde

Erstdruck: Akzente 6. Jg. 1959. Heft 5.

HANS ERICH NOSSACK, geb. 1901 in Hamburg. Studierte bis 1922 Philologie und Jura in Jena. Dann Fabrikarbeiter, Reisender, kaufmännischer Angestellter. Durfte von 1933 bis 1945 nichts veröffentlichen. 1943 verbrannten ihm sämtliche Manuskripte. Lebt als Schriftsteller in Darmstadt. Lyrik, Prosa, Essay, Drama. V.: *Nekyia*, E., 1947; *Interview mit dem Tode*, Ber., 1948; *Der Neugierige*, E., 1955; *Die Begnadigung*, E., 1955; *Spätestens im November*, R., 1955; *Spirale – Roman einer schlaflosen Nacht*, 1956 (daraus: *Unmögliche Beweisaufnahme*, E., 1959); *Begegnung im Vorraum*, E., 1958; *Der jüngere Bruder*, R., 1958; *Der Untergang*, Ber., 1961; *Nach dem letzten Aufstand*, Ber., 1961; *Begegnung im Vorraum*, En., 1963 (Suhrkamp Verlag); *Sechs Etüden*, E(n)., 1963; *Das kennt man*, E., 1964; *Das Mal und andere Erzählungen*, 1965; *Das Testament des Lucius Eurinus*, E., 1965.

Das Mal

Erstdruck: Merkur 5. Jg. 1961. Heft 6.
Erste Buchausgabe: Spirale, 1956.

GUNAR ORTLEPP, geb. 1929 in Waltershausen (Thüringen). Ging 1948 nach Westdeutschland. Lebt als Schriftsteller in Hamburg. Prosa. V.: *Aufbruch und Ankunft*, E., 1956.

Ein Abend im Herbst

Erstdruck: Akzente 1. Jg. 1954. Heft 4.

HEINZ PIONTEK, geb. 1925 in Kreuzburg (Oberschlesien). Seit 1945 in Bayern ansässig. Lebt als Schriftsteller in München. Lyrik, Prosa, Hörspiel, Kritik. V.: *Vor Augen*, En., 1955 (Bechtle Verlag); *Kastanien aus dem Feuer*, En., Kgn., Prosastücke, 1963.

Vor Augen

HERMANN PETER PIWITT, geb. 1935 in Hamburg. Studierte Literaturwissenschaft, Philosophie und Soziologie in Frankfurt (Main) und Berlin. Lebt in Berlin als Schriftsteller. Prosa, Essay, Kritik. V.: *Herdenreiche Landschaften – Zehn Prosastücke*, 1965.

Feierabend

Erstdruck: Diskus 9. Jg. 1959. Heft 3.

JOSEF REDING, geb. 1929 in Castrop-Rauxel. Nach dem Abitur Betonarbeiter, dann Studium der Psychologie, Germanistik und Anglistik in Münster (Westfalen), Champaign (USA) und New Orleans. Lebt in Castrop-Rauxel als Schriftsteller. Prosa, Essay, Hörspiel, Jugendbuch. V.: *Friedland – Chronik der großen Heimkehr*, R., 1956; *Nennt mich nicht Nigger*, Kgn., 1957; *Wer betet für Judas?*, Kgn., 1958; *Allein in Babylon*, Kgn., 1960; *Die Minute des Erzengels*, Kgn., 1961; *Erfindungen für die Regierung*, Sat., 1962 (Verlag Die Brigg); *Papierschiffe gegen den Strom*, Kgn., Aufsätze, Tg., Hörspiele, 1963.

JENS REHN, geb. 1918 in Flensburg, in Berlin aufgewachsen. Studierte Philosophie, Anglistik und Musikwissenschaft. Lebt als Rundfunkredakteur in Berlin. Prosa, Hörspiel. V.: *Nichts in Sicht*, E., 1954; *Feuer im Schnee*, R., 1956; *Die Kinder des Saturn*, R., 1959; *Der Zuckerfresser*, En., 1961 (Hermann Luchterhand Verlag); *Das neue Bestiarium der deutschen Literatur*, Sat., 1963.

CHRISTA REINIG, geb. 1926 in Berlin. Blumenbinderin. Studierte ab 1953 Kunstgeschichte an der Humboldt-Universität Berlin. Seit 1957 wissenschaftliche Assistentin am Märkischen Museum. Lebt in München als Schriftstellerin. Lyrik, Prosa, Essay. V.: *Der Traum meiner Verkommenheit*, Prosa, 1961.; *Drei Schiffe – Erzählungen, Dialoge, Berichte*, 1965.

Erstdruck: Akzente 6. Jg. 1959. Heft 4.

KLAUS ROEHLER, geb. 1929 in Königsee (Thüringen). Nach dem Abitur Porzellandreher. 1954–1957 Studium der Geschichte und Philosophie in Erlangen. Lebt als Schriftsteller in Berlin. Prosa, Hörspiel, Fernsehfilm. V.: *Triboll – Lebenslauf eines erstaunlichen Mannes*, Kürzestgeschn. (mit Gisela Elsner), 1956; *Die Würde der Nacht*, En., 1958.

Erstdruck: Diskus 11. Jg. 1961. Heft 10.

PAUL SCHALLÜCK, geb. 1922 in Warendorf (Westfalen). Sohn einer russischen Mutter und eines deutschen Vaters. Die Absicht, katholischer Missionar zu werden, verhinderten Krieg und Verwundung. Studierte Philosophie, Germanistik, Geschichte und Theaterwissenschaft in Münster und Köln. Lebt als Schriftsteller in Köln. Lyrik, Prosa, Essay, Hörspiel. V.: *Wenn man aufhören könnte zu lügen*, R., 1951; *Ankunft null Uhr zwölf*, R., 1953; *Die unsichtbare Pforte*, R., 1954; *Weiße Fahnen im April*, E., 1955; *Qu 3 und die Hohe Straße*, E., (m. Jens Baggesen), 1956; *Engelbert Reinecke*, R., 1959.

Erstdruck: Frankfurter Allgemeine Zeitung, 11. 9. 1954.

ARNO SCHMIDT, geb. 1914 in Hamburg. Studium der Mathematik in Breslau durch Zusammenstoß mit der NSDAP vereitelt. Kaufmännischer Angestellter, Dolmetscher. Lebt als Schriftsteller in Bargfeld (Kreis Celle). Prosa, Essay, Lesedrama. V.: *Leviathan*, En., 1949; *Brand's Haide*, R., 1951; *Aus dem Leben eines Fauns*, R., 1953; *Die Umsiedler*, E., 1953; *Kosmas*, E., 1955; *Das steinerne Herz – Historischer Roman aus dem Jahre 1954*, 1956; *Tina oder Über die Unsterblichkeit*, E., 1956; *Die Gelehrtenrepublik*, R., 1957; *Fouqué und einige seiner Zeitgenossen*, B., 1958; *Dya na sore*, Gespräche, 1958; *Rosen & Porree*, En., 1959; *Kaff auch Mare Crisium*, R., 1960; *Nobodaddy's Kinder – Trilogie: Aus dem Leben eines Fauns, Brand's Haide, Schwarze Spiegel*, 1963 (Rowohlt Verlag); *Kühe in Halbtrauer*, Prosastücke, 1964.

Titel des Prosastücks vom Herausgeber.

UVE SCHMIDT, geb. 1939 in Wittenberg. Studierte Freie Graphik an der Hochschule für Bildende Künste in Berlin. Lebt als Schriftsteller in München. Lyrik, Prosa. V.: *Die Eier*, Proroman (mit Druckbildern von Klaus Burkhardt), 1961; *Spielgebeine*, Prosa, 1963.

Erstdruck: Streit-Zeit-Schrift 3. Jg. 1960. Heft 1.

WIELAND SCHMIED, geb. 1929 in Frankfurt (Main). Kindheit in Mödling bei Wien. Studierte Jura und Kunstgeschichte in Wien. Verlagslektor. Lebt heute in Hannover als Direktor der Kestner-Gesellschaft. Lyrik, Prosa, Kritik. V.: *Links und rechts die Nacht*, G., Prosa, Essays, 1962.

Erste Buchausgabe in: Links und rechts die Nacht. Stiasny-Bücherei, Graz, 1962.

WOLFDIETRICH SCHNURRE, geb.1920 in Frankfurt (Main). Jugend in Berlin. 1946 bis 1949 Film- und Theaterkritiker der »Deutschen Rundschau«. Lebt seit 1956 wieder in Berlin, seit 1950 als Schriftsteller. Lyrik, Prosa, Hörspiel, Fernsehspiel. V.: *Die Rohrdommel ruft jeden Tag*, En., 1950; *Sternstaub und Sänfte*, Sat., 1953 (u. d. T. *Die Aufzeichnungen des Pudels Ali*, 1962); *Die Blumen des Herrn Albin – Aus dem Tagebuch eines Sanftmütigen*, E., 1955; *Protest im Parterre*, Fabeln, 1957; *Liebe, böse Welt*, Fabeln, 1957; *Eine Rechnung, die nicht aufgeht*, En., 1958 (Walter-Verlag); *Als Vaters Bart noch rot war – Ein Roman in Geschichten*, 1958; *Steppenkopp*, E., 1958; *Barfußgeschöpfe*, Parabeln, 1958; *Das Los unserer Stadt – Eine Chronik*, 1959; *Man sollte dagegen sein*, Geschn., 1960; *Die Flucht nach Ägypten*, E., 1960; *Jenö war mein Freund*, Geschn., 1960; *Ein Fall für Herrn Schmidt*, En., 1962; *Funke im Reisig*, En., 1963; *Ohne Einsatz kein Spiel*, Gesch(n); 1964; *Kalünz ist keine Insel*, E(n)., 1965.

JÖRG STEINER, geb. 1930 in Biel/BE (Schweiz). Gründete 1955 zusammen mit Jean Henri Sommer die »Vorstadtpresse Biel«. Lebt als Schriftsteller in Biel. Lyrik, Prosa, Kritik. V.: *Eine Stunde vor Schlaf*, E., 1958; *Abendanzug zu verkaufen*, E., 1961; *Strafarbeit*, R., 1962.

MARTIN WALSER, geb. 1927 in Wasserburg (Bodensee). Studierte Literaturwissenschaft, Philosophie und Geschichte in Regensburg und Tübingen. Führte Regie bei Rundfunk und Fernsehen. Lebt als Schriftsteller in Friedrichshafen (Bodensee), Prosa, Essay, Drama, Hörspiel. V.: *Ein Flugzeug über dem Haus und andere Geschichten*, 1955; *Ehen in Philippsburg*, R., 1957; *Halbzeit*, R., 1960; *Lügengeschichten*, 1964.

Erstdruck: Akzente 8. Jg. 1961. Heft 4.

OTTO F. WALTER, geb. 1925 in Rickenbach/SO (Schweiz). Buchhändlerlehre. Verlagsleiter. Lebt in Rickenbach. Prosa. V.: *Der Stumme*, R., 1959; *Herr Tourel*, R., 1962 (Kösel Verlag).

NIC WEBER, geb. 1926 in Luxemburg. Studierte in Paris. Redigierte längere Zeit die Zeitschrift »Les Cahiers Luxembourgeois«. Redakteur bei Radio Luxemburg. Lebt in Luxemburg. Lyrik, Prosa, Kritik.

Erstdruck: Les Cahiers Luxembourgeois 38. Jg. 1956. Heft 3/4.

PETER WEISS, geb. 1916 in Nowawes bei Berlin. Emigrierte 1934 über England nach Prag, dort Besuch der Kunstakademie. Später Emigration über die Schweiz nach Schweden. Lebt in Stockholm als Filmregisseur, Maler und Schriftsteller. Prosa, Essay. V.: *Der Schatten des Körpers des Kutschers*, Mikro-Roman, 1960; *Abschied von den Eltern*, E., 1961; *Fluchtpunkt*, R., 1962; *Das Gespräch der drei Gehenden*, E., 1963.

Der große Traum des Briefträgers Cheval
Erstdruck: Akzente 7. Jg. 1960. Heft 5.
(Anm.: Der Landbriefträger Cheval, geb. 1836, gest. 1924 in Hauterives, Dôme, Südfrankreich. Sein Bauwerk begann er 1879 und beendete es 1922. Die letzten Jahre seines Lebens verbrachte er damit, sich ein Grabmal auf dem Friedhof von Hauterives zu erbauen. Auch dieses Grabmal hat denselben traumassoziativen Stil wie sein Hauptwerk.)

WOLFGANG WEYRAUCH, geb. 1907 in Königsberg (Ostpreußen). Kindheit und Jugend in Frankfurt (Main). Schauspieler. Studierte Germanistik und Geschichte in Berlin. Nach 1933 Lektor in Berlin. 1946–1948 Redakteur beim »Ulenspiegel«. 1950–1958 Lektor bei Rowohlt. Lebt seit 1959 als Schriftsteller in Gauting bei München. Lyrik, Prosa, Essay, Hörspiel. V.: *Der Main*, Legende (m. Federzeichnungen von Alfred Kubin), 1934; *Strudel und Quell*, R., 1938; *Eine Inselgeschichte*, 1939; *Ein Band für die Nacht*, En. und ein Zwiegespräch, 1939; *Das Liebespaar*, E., 1943; *Auf der bewegten Erde*, E., 1946; *Die Liebenden*, E., 1947; *Die Davidsbündler*, E., 1948; *Die Feuersbrunst*, E., 1952; *Bericht an die Regierung*, E., 1953; *Mein Schiff das heißt Taifun*, En., 1959 (Walter Verlag).

Vorbereitungen zu einem Tyrannenmord

GABRIELE WOHMANN, geb. 1932 in Darmstadt. Studierte 1950 bis 1953 neuere Sprachen und Musik in Frankfurt (Main). Lebt in Darmstadt. Prosa, Fernsehspiel. V.: *Mit einem Messer*, En. (unter ihrem Mädchennamen Guyot), 1958; *Jetzt und nie*, R., 1958; *Sieg über die Dämmerung*, En., 1960 (R. Piper & Co. Verlag); *Trinken ist das Herrlichste*, En., 1963; *Abschied für länger*, R., 1965.

Muränenfang

ROR WOLF, geb. 1932 in Saalfeld (Saale). Nach dem Abitur zwei Jahre Bauarbeiter. Studierte Literatur, Soziologie und Philosophie in Frankfurt (Main) und Hamburg. Veröffentlichte unter dem Pseudonym Roul Tranchirer Moritaten. Zwei Jahre Rundfunkredakteur. Lebt als Schriftsteller in St. Gallen (Schweiz). V.: *Fortsetzung des Berichts*, Prosa, 1964.

Entdeckung hinter dem Haus
Erstdruck: Diskus 8. Jg. 1958. Heft 2.
(Anm.: *Entdeckung hinter dem Haus* war Wolfs erste Prosaveröffentlichung. Vom Autor überarbeitete Fassung.)

KARL ALFRED WOLKEN, geb. 1929 auf Wangeroog. Abitur. War zehn Jahre Schreiner in Süddeutschland. Lebt als Schriftsteller in Rom. Lyrik, Prosa. V.: *Die Schnapsinsel*, R., 1961; *Zahltag*, R., 1964.

Zinnwald

GERHARD ZWERENZ, geb. 1925 in Gablenz (Vogtland). Kupferschmiedlehre. Studierte Philosophie in Leipzig. Kam 1957 nach Westdeutschland. Lebt als Schriftsteller in Köln. Lyrik, Prosa, Essay, Kritik. V.: *Aufs Rad geflochten*, R., 1959; *Die Liebe der toten Männer*, R., 1959; *Ärgernisse von der Maas bis an die Memel*, Tg., 1961; *Gesänge auf dem Markt – Phantastische Geschichten und Liebeslieder*, 1962 (Verlag Kiepenheuer & Witsch); *Heldengedenktag | Versuche in Prosa, eine ehrerbietige Haltung einzunehmen*, 1964.

Das Land der zufriedenen Vögel / Ein modernes Märchen

HORST BINGEL, der Herausgeber dieser Anthologie, geb. 1933 in Korbach (Hessen). Kindheit in Westfalen, während des Kriegs in Thüringen. Gymnasium, gelernter Buchhändler, studierte Malerei und Bildhauerei. 1956/57 Redakteur des »Deutschen Büchermarkts«, seit 1957 der »Streit-Zeit-Schrift«. Herausgeber der Anthologien »Junge Schweizer Lyrik« (1958), »Deutsche Lyrik – Gedichte seit 1945« (1961), »Zeitgedichte – Deutsche politische Lyrik seit 1945« (1963). Lebt als Schriftsteller in Frankfurt (Main). Lyrik, Prosa, Kritik. V.: *Die Koffer des Felix Lumpach*, Geschn., 1962; *Elefantisches*, Geschn., 1963.

Die Originalausgabe des Buches

Deutsche Prosa-Erzählungen seit 1945

ist weiterhin lieferbar

Deutsche Erzähler

Johannes Bobrowski
Boehlendorff und andere Erzählungen

Bobrowski ist eine unverwechselbare Gestalt der deutschen
Literatur. Wie seine Gedichtbände »Sarmatische Zeit« und
»Schattenland Ströme« (beide dva) ist auch dieses Prosabuch
im Osten angesiedelt.

Peter Bamm
Adam und der Affe

Wenn P. B. nachdenkt, wird das Denken zum Vergnügen. Ein
Duell des Geistes mit den Themen unserer Zeit.

Gudrun Pausewang
Guadalupe

Eine handfeste Geschichte, ein Stück Leben, das in seiner
Leuchtkraft noch im Untergang triumphiert.

Gertrud Fussenegger
Die Pulvermühle

Ein ebenso spannender wie hintergründiger Roman, handfest
realistisch und vielschichtig in Form und Gehalt, ein litera-
rischer Kriminalroman, eine Ehegeschichte, eine psychologi-
sche Studie, eine Auseinandersetzung mit den Möglichkeiten
des Erzählens heute.

Alle Bücher erhalten Sie in Ihrer Buchhandlung

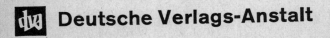 **Deutsche Verlags-Anstalt**

Moderne Literatur in Texten und Dokumenten

Jerzy Andrzejewski
Guillaume Apollinaire
Isaak Babel
Ingeborg Bachmann
Georges Bataille
Horst Bienek
Heinrich Böll
Jorge Luis Borges
Michel Butor
Jean Cayrol
Blaise Cendrars
Jean Cocteau
René de Obaldia
Jürg Federspiel
Witold Gombrowicz
James Leo Herlihy
Hans Henny Jahnn
James Joyce
Marie-Luise Kaschnitz
Jerzy Kawalerowicz
Gertrud Kolmar
Karl Kraus
Else Lasker-Schüler
Jean-Marie G. Le Clézio
Edgar Lee Masters
Saint-John Perse
Nathalie Sarraute
Nelly Sachs
Wolfdietrich Schnurre
Paul Scheerbart
Günter Seuren
Ramón del Valle-Inclán
Peter Weiss

Sieghart Ott:
Kunst und Staat
Der Künstler zwischen
Freiheit und Zensur

sonderreihe dtv

Dorst/Zadek/Gehrke:
Rotmord
oder
I was a German

sonderreihe dtv

Proletarische
Kulturrevolution
in Sowjetrußland
(1917-1921)

sonderreihe dtv

Plädoyer für eine
neue Literatur
Mit Beiträgen von Nathalie Sarraute,
Michel Butor, Alain Robbe-Grillet

sonderreihe dtv

sonderreihe dtv

dtv

Lyrik im dtv

Deutsche Lyrik
Gedichte seit 1945
Hrsg.: Horst Bingel

Museum der modernen
Poesie
Hrsg.:H.M.Enzensberger

Lyrik des Ostens: China
Hrsg.: Wilhelm Gundert

Gertrud Kolmar:
Tag- und Tierträume

Lyrik des Abendlands
Band I und II

Lyrik des expressioni-
stischen Jahrzehnts
Von den Wegbereitern
bis zum Dada

Saint-John Perse:
Preislieder

Jorge Luis Borges:
Borges und Ich

Polnische Poesie des
20. Jahrhunderts
Hrsg.: Karl Dedecius

Lyrik
des Ostens:
China

dtv

Peter Paul Althaus:
In der Traumstadt
Dr.Enzian
Gedichte

dtv

Lyrik des
Abendlands
Band I

dtv

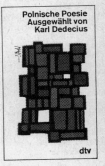

Polnische Poesie
Ausgewählt von
Karl Dedecius

dtv